RETOUR DE FLAMME

SUSAN ISAACS

RETOUR DE FLAMME

PRESSES DE LA CITÉ

Titre original :
MAGIC HOUR

Traduit par Martine Céleste Desoille

ISBN 2-266-06099-6

1

Seymour Ira Spencer habitait Manhattan *et* Southampton. C'était le fin du fin. A le voir, vous n'auriez jamais dit qu'il était producteur de cinéma. Pas de figure empâtée, pas de gros cigare ni de chaîne en or sur fond de poitrail velu. Non. Il faut l'imaginer au bord de sa piscine à Sandy Court, dans son peignoir de bain blanc immaculé (où n'apparaissent pas ses initiales), sirotant un thé glacé face à la mer et parlant d'une voix feutrée dans son téléphone sans fil. La classe, quoi.

Je vais vous dire, moi, jusqu'où ça allait la classe chez Sy Spencer. Il aurait pu raccrocher et se diriger nonchalamment vers la maison pour prendre un roman de Proust et le relire. Manque de bol, c'est pile à ce moment-là qu'il s'est pris deux balles dans la peau : une en pleine nuque et l'autre dans le ventricule gauche. Tué net avant même de s'effondrer sur le rebord de la piscine.

Dommage. Une si belle journée. C'était en août, je m'en souviens. Le ciel était si bleu qu'on pouvait à peine le regarder. Du côté de chez Sy, les mouettes argentées prenaient leur envol pour plonger à pic dans l'océan. Le sable d'or fin luisait au soleil et, un peu plus au nord, à l'autre bout de mon jardin, on voyait ondoyer le vert sombre des champs de patates. Une telle beauté était-elle soutenable ?

C'était une de ces journées radieuses de Long Island qui font se pâmer les riverains :

— N'est-ce pas merveilleux, my dââârling, tant de beauté...

Et reprenant une bonne goulée d'air pur :

— C'est à vous couper le souffle. Quand je pense à tous ces obsédés du travail qui n'en profiteront jamais, c'est pââåthétique, non ?

Quelle bande d'affreux. Notez qu'ils n'avaient pas absolument tort. Ce jour-là, toute la partie sud de Long Island était inondée de soleil. Le bon Dieu faisait sa BA, en somme. Il y avait bien cinq ans qu'une des filles de la Criminelle me saluait d'un : « Bonne journée, inspecteur Brady ! » Pour le coup, ça y était. Une vraie délectation.

Oui, enfin pas pour Sy Spencer évidemment. Et pour être parfaitement sincère, pas pour moi non plus. Rien de comparable au sort de Spencer, naturellement. Rien de fatal. N'empêche que ce chaud après-midi d'été allait chambouler mon existence presque autant que la sienne.

J'étais chez moi, au nord-ouest de Bridgehampton, à quelque huit kilomètres à l'est et dix kilomètres au nord de Sandy Court, dans une situation nettement moins catastrophique. Ma maison était une ancienne baraque de prolo que s'était retapée un architecte sous-doué du haut Brooklyn, genre hystérique à queue de cheval avec des dents qui rayent le parquet. Le type s'était aperçu un peu tard que son « petit bijou » ne valait pas un clou. Il avait donc été obligé de le vendre au rabais à un mec du coin (moi) car pas un New-Yorkais, fût-il la dernière des poires, n'aurait racheté sa bicoque en crépi blanc, même avec ses doubles vitrages, sa cuisinière six feux (récupérée dans un restau) et son décor tutti-frutti, assez joliment laid, badigeonné sur les murs et le plancher — le tout en bordure d'une route quasi impraticable située entre un champ de patates et une mare d'eau croupie.

Enfin, passons. Au moment même où Spencer se faisait trouer la paillasse, mon existence volait en éclats. Crac ! et boum ! nos deux vies entraient en collision. Je ne me doutais encore de rien, bien sûr. Dans la vie ça ne se passe pas comme au cinéma. Il n'y a ni bande son ni roulements de tambour. Pour moi, donc, c'était encore une belle journée.

J'étais dans le jardin, avec ma fiancée, Lynne Conway,

allongé sur une couverture, au soleil, en train de faire un brin de causette post-coït tout en sirotant un thé glacé (j'avais même poussé le raffinement jusqu'à mettre une rondelle de citron dans les verres, histoire de faire comprendre à Lynne qu'un homme qui ne possède pas de couverts à poisson peut quand même se montrer délicat).

Vous me direz qu'un hôte vraiment attentionné aurait dû prévoir les chaises longues, c'est vrai. Mais j'avoue que ces dernières années je n'avais guère eu le temps de songer à ces petits riens que sont les serviettes sans trous et les meubles de jardin. De toute façon, tout allait changer. Dans trois mois nous serions mariés et nous aurions des transats, un patio en brique, un barbecue en dur et des bégonias. Fini les cheeseburgers innommables des gargotes du coin. A moi les asperges, le saumon en papillote et les pommes mousseline. A quarante ans, je m'apprêtais à entrer dans la peau d'un jeune marié.

Je me tournai vers Lynne. Elle était ravissante. Rousse (couleur setter irlandais), un teint de pêche, un nez parfait, légèrement retroussé, et deux minuscules fossettes. Elle portait un short kaki qui mettait en valeur ses jambes superbes. Remarquez, il n'y a pas que le physique qui compte. Lynne, c'est une dame, une vraie. Une fille de bonne famille (surtout à côté de la mienne).

Son père était un officier de marine à la retraite. Il portait des socquettes blanches et passait ses journées au fond d'un fauteuil club, les pieds sur un pouf, à lire des journaux réacs et à pester contre les démocrates.

Sa mère, sainte Babs Conway d'Annapolis, allait à la messe tous les matins et priait le bon Dieu pour qu'il me rappelle à lui avant que je n'épouse sa fille. Elle passait ses après-midi devant la télé à tirer l'aiguille en regardant *Les Feux de l'amour* et *La Petite Maison dans la prairie*. Son chef-d'œuvre était un énorme coussin — elle y travaillait depuis sept ans — sur lequel elle brodait *Les Maries au Saint Sépulcre.*

C'était ça, Lynne : une fille de cathos, bonne pâte comme tout et belle comme un cœur. Et moi qui ne croyais pas au bonheur ! Pour le coup, j'avais tiré le gros lot.

— Pour la lune de miel, dit-elle doucement en rajustant la couture de mon T-shirt, qu'est-ce que tu dirais d'une semaine à Londres plutôt qu'aux Bahamas ?

— Tu tiens vraiment à aller pêcher le mérou dans la Tamise en plein mois de novembre ?

Lynne sourit. Elle était encore plus belle.

Elle aurait pu répliquer par une blague du même acabit, du genre : « Tu crois que j'ai envie de passer ma lune de miel avec un type qui ne quitterait pas ses palmes ? » Mais non.

Elle ne prenait jamais rien au deuxième degré.

— C'est comme tu voudras. Va pour les Bahamas.

Au moment où nos yeux se croisèrent je sentis que la journée était foutue. « Et voilà, pensai-je, tu es avec la plus belle des rousses, une fille en or, sous un soleil de plomb, et tu t'emmerdes à cent sous de l'heure. » C'était absurde. Lynne était une gosse sans expérience. C'était plutôt attendrissant, au fond. N'empêche, j'aurais bien aimé qu'elle se déride un peu. Je reconnais que j'étais moi-même assez tendu car, pour ne rien vous cacher, je m'en serais bien jeté un petit. Mais j'étais fermement décidé à ne pas avoir soif.

Bref, j'en étais là de mes pensées quand le QG appela pour m'annoncer qu'il y avait eu un meurtre à Southampton.

— Dans ton secteur mais du côté chic, ah, ah, un certain Spencer de Dune Road, un produc...

— Sans blague, Sy Spencer ?

— Tu le connais ?

— J'en ai entendu causer. Mon frère est sur le tournage de son dernier film.

— C'est vrai qu'il a gagné un Oscar il y a deux ans ?

— Ouais.

— Je parie que je l'ai déjà vu à la télé. Le genre de type qui dit : « Je tiens à remercier tout particulièrement mon agent, ma mère, mon père et mon oncle Eugène. » Ecoute, vieux, je sais que c'est ton jour de congé, mais tu es dans le coin et puis on vient de nous appeler sur un coup à Sachem : un accro du joystick qui a étranglé son paternel et jeté le corps dans la fosse à purin. Alors ça nous dépannerait bien si tu pouvais partir en reconnaissance et veiller à ce que les flics du coin ne foutent pas trop leur merde en faisant joujou avec les indices. Merci, vieux.

Pour le coup, je lui devais une fière chandelle, à Sy Spencer.

Je raccompagnai Lynne à sa voiture et l'embrassai.

— Désolé, chérie, j'ai bien peur que notre week-end ne s'arrête là.

Elle prit ma main dans la sienne.

— Ce n'est pas grave, je commence à avoir l'habitude. Mais c'est moche pour le patron de ton frère. Quel choc ! — Et elle ajouta : — Je t'aime, Steve.

Alors je me dis : « Cette fille est une perle, la mère de famille rêvée. »

— Moi aussi, je t'aime.

Ouf ! J'avais hâte d'aller retrouver mon cadavre. Si seulement j'avais su.

La nuit était aussi belle que le jour. Et pourtant, même dans ce cadre exceptionnel, ni la lune dans le ciel ni les gyrophares du SAMU ne parvenaient à égayer ce qui ne pouvait l'être : un cadavre.

Le corps sans vie de Sy Spencer gisait face contre terre sur le rebord de la piscine au carrelage bleu outremer, ruineux mais original (sans doute l'idée d'un décorateur new-yorkais donnant dans le style marin BCBG). Un carreau sur cinq environ était orné d'un poisson peint à la main. Chaque poisson était différent, à la fois trop élégant et trop coloré pour appartenir à la faune aquatique locale.

Le bassin était immense. Avec la fraîcheur du soir, une nappe de brume rectangulaire s'était formée au-dessus de l'eau translucide. A l'arrière, la maison de Spencer, coiffée d'un toit d'ardoise, s'élevait sur trois étages. C'était une construction plutôt gracieuse des années vingt, époque dorée pour les grandes familles et leurs larbins. En face, on ne voyait que du sable fin et l'océan à perte de vue.

— Et comment va notre ravissante fiancée ? me lança le sergent Ray Carbone.

Nous étions juste à côté de la tête du mort. Carbone portait un costume de serge bleu et des lunettes agréées sécurité sociale. Petit, avec sa bedaine et son dos voûté, il ressemblait plus à un comptable surmené qu'à un Superman en civil.

— Toujours aussi ravissante, rétorquai-je.

— Elle est plus que ça, non? Tiens, l'autre jour, justement, Rita et moi on parlait de toi et on se disait que Lynne t'apporte exactement ce dont tu as besoin : la stabilité, vieux. Crois-moi, la stabilité.

— C'est bon pour ce que j'ai, hein?

— Je ne disais pas ça à cause de l'alcool.

— Y'a pas de mal...

— En ce qui me concerne, c'est maintenant de l'histoire ancienne. Tu sais aussi bien que moi qu'il n'y a pas d'alcooliques repentis, il n'y a que des alcooliques repentants... à vie. Toi, Steve, tu étais le type classique de l'émotionnel instable. — Ray Carbone venait de soutenir sa maîtrise de criminologie et il rempilait en psycho. — Tu étais le plus chouette des mecs et tout d'un coup, plus personne, comme si tu cessais d'exister intérieurement. Tu te mettais alors à agresser tout le monde. Mais ces dernières années, tu as sacrément changé. On sait qu'on peut compter sur toi maintenant. Crois-moi, t'as plus d'inquiétude à te faire.

— Tu parles.

— Mais si. Note bien, tu as raison d'être vigilant.

En gros, voilà où ça vous menait, vingt-quatre UV dans une université d'Etat.

— En fait, pour moi, la stabilité, c'est la vie de famille. Un bon feu dans la cheminée, une petite femme, des bons petits plats. Avec ce foutu boulot, on a besoin de voir des choses normales, pas vrai? On a besoin de sentir de la vie quand on rentre à la maison.

Malgré ses vingt-quatre UV, il lui restait quand même quelques rudiments de bon sens.

Un expert de l'Identité judiciaire s'était agenouillé près du cadavre et lui fourrait les mains dans des sacs en papier. Au cinéma, ils vous emballent ça dans du plastique, façon rôti de dindonneau. Très photogénique en gros plan, mais complètement bidon. Le plastique retient l'humidité, ce qui rend impraticable le test à la paraffine qui détermine si la victime tenait une arme au moment du crime.

— Tu as trouvé quelque chose à l'intérieur ? demandai-je à Ray.

— Rien du tout. Pas de trace de bagarre. Pas d'effraction. Juste quelques affaires dans un sac de voyage. Spencer devait aller à une réunion à Los Angeles. Le plumard était défait dans la chambre d'amis. Il a peut-être fait une petite sieste.

Le veston de Carbone était trop serré, le bouton sauta. En fait, il était plutôt du genre gringalet, mais il avait toujours l'air de porter des fringues trop petites d'une taille à cause de son bide en ballon de foot.

— La cuisinière n'a pas quitté ses fourneaux de la journée, continua-t-il. Une brave femme. Elle m'a offert un bol de velouté de praires, une petite merveille. Elle est en train de préparer un en-cas pour les gars. Elle n'a entendu que les coups de feu et rien d'autre.

— Ni avant ni après ?

— Non. Elle a regardé par la fenêtre. Quand elle a vu Spencer, elle est sortie en courant. Il était déjà mort, la tête de profil avec un œil ouvert.

Nos yeux se posèrent sur le cadavre. La capuche du peignoir était légèrement tirée en arrière, laissant apparaître un quart de profil et un début de cheveux frisés poivre et sel, coupés court, style gladiateur dans la force de l'âge. L'œil grand ouvert fixait le carrelage comme s'il venait d'y repérer un défaut de fabrication.

— Elle a tout de suite appelé les flics du coin.

— Elle s'est servie du téléphone sans fil ?

— Non. Elle savait qu'on ne doit toucher à rien quand il y a un mort. Elle est retournée à la cuisine.

« Bon, je me suis dit. Voyons un peu à quel genre d'assassin on a affaire. » Ça n'avait pas l'air d'un crime passionnel, d'un drame de la jalousie ou d'une histoire de famille. Ça ne ressemblait pas non plus à un cambriolage qui tourne mal.

Il fallait attendre les photos et la vidéo de l'autopsie, ainsi que les examens de sérologie et de toxicologie. Je rongeais mon frein. J'aurais bien voulu savoir quel genre de mec (ou de nana, je suis pour l'égalité des sexes) avait liquidé Spencer.

De toute évidence, ça n'était pas un excité du style à empaler sa victime sur un piquet du jardin comme une saucisse de cocktail. Non, c'était plutôt le gars prévoyant et organisé, qui arrive avec son arme et qui repart avec, ni vu ni connu, la tête froide. Il n'y avait pas de traces de mutilation rituelle, ni de charcutages bizarroïdes. L'assassin n'était donc pas un sadique, du genre à vous foutre son revolver dans la bouche ou dans les parties. Spencer avait été descendu à distance et de dos. Le crime impersonnel par excellence.

Le meurtrier n'avait pas été pris de remords non plus. Il s'était tiré sans recouvrir le visage de sa victime et sans lui fermer les yeux. Il n'avait pas plus eu l'idée de lui jeter une fleur.

Notez, ça pouvait très bien être un étranger, un type que Spencer ne connaissait ni d'Eve ni d'Adam. Je demandai à Carbone :

— Tu as entendu parler d'un meurtre similaire récemment ? Des riches ? Dans le milieu du cinéma ? Abattus à distance ?

Carbone était un flic hyper-consciencieux. S'il y avait eu une série d'assassinats du même genre, même à Tombouctou, il l'aurait su.

— Je vais demander au FBI, mais je ne crois pas. Sauf si celui-là est le premier de la série.

— Ça va pas être de la tarte. Le mec a l'air balèze, c'est un salopard qui pense à tout.

Il fallait attendre un peu, voir comment l'assassin allait se comporter ; on voit de tout dans ce domaine, il y en a même qui appellent les flics pour faire reconnaître leur génie.

— Et il sait tirer, la vache.

— Avec quoi il a fait ça ? Un petit calibre ? demandai-je à l'expert en balistique qui commençait à déballer sa quincaillerie.

Il acquiesça.

— Ça m'a tout l'air d'être un 22.

Carbone jura.

— Merde alors. Ça va pas nous simplifier la vie.

Il avait raison. Il faut vous dire qu'à South Fork, des 22, ils en ont tous. Ça se vend comme des petits pains. Pour faire joujou, pour tuer la vermine, bref, pour n'importe quoi. Un paysan qui veut abattre un cochon, par exemple, sort son 22. Mon père en avait un.

— Tu as des renseignements sur Spencer ? me demanda Carbone.

— Cinquante-trois ans. Diplômé de Dartmouth College. Grosse fortune personnelle — sa famille est dans les produits cacher. Mais apparemment ça n'était pas un fana de la conserve. Son truc à lui, c'était plutôt la culture. Il avait créé une revue littéraire, il y a douze ans, *Torrents de Lumière,* ça s'appelait. Il y a mis un max de pognon. Et puis un beau jour il a compris que la poésie c'était pas son truc non plus.

— Et c'était quoi, son truc ?

— Je sais pas, moi. Le pouvoir, le fric, la gloire, le cul haut de gamme. Tu préfères quoi toi, par exemple, une manutentionnaire dans une usine de saucisses, une poétesse, ou une actrice de cinéma ?

Carbone, l'air rêveur, cherchait la réponse.

— Ce que tu veux, c'est une actrice avec une paire de roberts comac.

— Pas trop gros quand même, protesta-t-il avec son air inspiré.

— Ne me dis pas que tu préfères le genre pastilles Valda.

— Non, mais s'ils sont trop gros, tu imagines la nana à trente-cinq ans...

Il secouait la tête, gravement.

— Quand elle a trente-cinq ans, tu l'échanges contre deux de dix-sept ans et demi, interrompit l'expert en balistique. — Et il ajouta : — Reculez-vous les gars, vous êtes dans le chemin.

— Quoi qu'il en soit, continuai-je en me reculant, Sy Spencer c'était une grosse légume. Il avait sa photo dans les journaux de temps en temps. Rien de sale, cela dit, juste un mec plein aux as qui donnait du fric aux bonnes œuvres et qui participait à tous les galas de bienfaisance. C'est sans doute comme ça qu'il a rencontré le gratin du show-biz des environs et qu'il a décidé de devenir producteur. Comme la moitié des gens sur cette planète, apparemment. Mais lui, il a réussi.

— Son nom me dit quelque chose. Il faisait pas de la merde, hein ?

— Ah ça, non alors. Spencer, c'était la classe.

— Alors, Steve, ton avis ?

— Ça va jaser dans les chaumières, on va avoir droit au grand cirque médiatique. Et ça ne va pas être facile facile avec tous ces gros bonnets. Il va falloir mettre des gants et sortir la brosse à reluire : « Non merci, jamais pendant le service », et patati et patata. Et, à moins de tomber sur un intime de Spencer dans les soixante-douze heures avec un 22 encore chaud sous l'oreiller, on n'a pas fini d'en baver des ronds de chapeau.

Quand la victime a un carnet d'adresses gros comme les deux premiers volumes de l'annuaire du téléphone, le fait est que l'enquête s'avère longue et difficile.

— Par quoi on commence ?

— Par le tournage de *Nuit d'été,* le film de Spencer, à East Hampton.

— Chiche !

Moi qui étais de la région, j'avais côtoyé des célébrités toute ma vie. Enfin, « côtoyé », c'est beaucoup dire. Disons que, depuis tout gosse, je rencontrais des riverains, riches et semi-riches, des top modèles ou des présentateurs de télé en train d'acheter des tomates ou des balayettes à chiotte chez le marchand du coin. Je savais qu'il fallait faire semblant de ne pas les voir à ces moments-là, mais qu'on pouvait s'extasier quand ils sortaient leur portefeuille. Ni eux ni nous n'aurions voulu qu'ils passent inaperçus.

Carbone, lui, venait du monde ordinaire : la banlieue de Suffolk County où s'étaient expatriés les Brooklyniens de la troisième génération, marchands de chaussures, employés du fisc et profs de socio. Autrement dit, des monsieur-tout-le-monde qui auraient pu habiter n'importe quelle banlieue de n'importe quelle ville des Etats-Unis.

— East Hampton, c'est à quoi ? Quinze, vingt kilomètres à tout casser, dit-il, l'air complètement allumé. Il va falloir y aller pour les interrogatoires.

En temps normal, Carbone était un type équilibré, raisonnable, blasé même. Mais dès qu'on prononçait le mot cinéma il devenait fou. Il desserrait sa cravate, ouvrait sa chemise et commençait à délirer. S'il avait pu trouver un canotier et une paire de claquettes il serait allé à East Hampton en chantant *Singin'in the rain.*

— Qui sont les acteurs ? demanda-t-il, l'air détaché.

— Lindsay Keefe et Nicholas Monteleone.

— Sans blague ! — Il reprit aussitôt son air blasé. — Je l'ai toujours aimé, comme acteur. Il me fait penser à Gary Cooper jeune. Une bonne tête mais pas béni-oui-oui. Et elle, elle est géniale. (Carbone se rembrunit.) Mais trop à gauche pour moi.

— Roulée comme elle est, qu'est-ce que ça peut te faire qu'elle soit pour le désarmement ?

Tout à coup Carbone eut la révélation.

— Est-ce qu'elle ne serait pas ici, par hasard ? Dans la maison, je veux dire.

— Elle est en haut avec son agent. Tu ne l'as pas entendue ? Il est en train d'essayer de la calmer.

— Je rêve. J'étais à deux pas, en train d'interroger la cuisinière et je ne savais même pas qu'elle était là, dans la même maison !

— Son agent l'a ramenée du tournage en pleine crise de nerfs. — Carbone eut un regard compatissant. J'ajoutai : — N'oublie pas que c'est une actrice.

» Quoi qu'il en soit, son agent a dit qu'elle vivait avec Spencer depuis six mois. Ici et dans son duplex de la Cinquième Avenue. Ils étaient fous amoureux, à ce qu'il paraît, ils filaient le parfait amour. Jamais un mot de travers, bla, bla, bla. La rengaine habituelle, quoi. Il a aussi dit qu'ils devaient se marier dès que le tournage serait terminé.

— Tu ne crois pas qu'il raconte des salades, ce type ?

— Ça n'a pas l'air d'être un faux-cul. Il doit avoir entre soixante et soixante-dix ans. Il s'appelle Eddie Pomerantz. Tu ne peux pas le rater, on dirait un hippopotame habillé. Polo rose et pantalon en madras dans les mêmes tons, avec un tour de taille avoisinant les cent quarante. C'est avec lui que Spencer parlait au téléphone quand il a été tué. Il dit qu'ils étaient en train de régler un petit problème de droits de reproduction. Tu sais qu'un acteur doit donner son accord pour que sa photo puisse paraître dans les journaux. Un type a pris un portrait de Lindsay Keefe en bigoudis en train de boire un café sur le tournage. La photo est parue dans *USA Today* et elle s'est mise à chialer comme quoi ça aurait pu ruiner sa carrière. Bref, Pomerantz a dit qu'il avait entendu deux coups de feu.

— Tu ne crois pas qu'il t'a bluffé ? demanda Carbone.

— Je crois qu'il a entendu les coups de feu. Il était catégorique en tout cas. Cela dit, il n'a pas arrêté de bouffer des pistaches pendant tout le temps de l'interrogatoire. Il y en avait un plein saladier dans la bibliothèque. Il a bien dû en avaler un kilo en cinq minutes. J'ai failli lui demander de ne pas toucher à d'éventuelles pièces à conviction, mais il était dans un tel état que j'ai préféré m'abstenir. Il était choqué par la mort de Spencer et très inquiet pour sa cliente.

— Inquiet, du point de vue professionnel ?

— Probable.

— Vu les circonstances, ça n'est pas vraiment étonnant. Tout le monde sait qu'un meurtre, ça fait de la publicité. N'empêche qu'à long terme, ça n'est jamais bon pour une carrière d'être la maîtresse d'un mec qui s'est fait descendre.

J'acquiesçai.

— Tu crois qu'il a peur de quelque chose de précis ?

— C'est difficile à dire. De toute façon, il faut qu'on sache si cette affaire a un rapport, même lointain, avec Lindsay Keefe. Un ex-amant jaloux, ou une ex-maîtresse de Spencer qui a flippé en apprenant que Lindsay avait décroché le rôle.

— Peut-être que les choses n'étaient pas aussi idylliques qu'on le prétend entre Sy et Lindsay, suggéra Carbone.

— Ouais. Spencer a pu faire quelque chose qui ne lui a pas plu et elle s'est cru obligée de le descendre.

— Quoi, par exemple ?

— Je sais pas, moi. Il a fait tomber sa brosse à dents dans le bidet. Comment veux-tu que je sache ce qui pousse les gens au meurtre ? Tu le sais, toi ?

— Non.

— Moi non plus. C'était peut-être un truc banal. Spencer qui draguait la script.

— Sacré Brady ! On n'a pas encore commencé que tu jongles avec les hypothèses les plus...

— Ecoute, il n'y a pas que Lindsay Keefe. Quelqu'un d'autre sur ce tournage ou sur un autre tournage aurait très bien pu avoir des comptes à régler avec Spencer. Il a peut-être même été abattu de sang-froid. Il faudrait en savoir un peu plus long sur sa vie privée. Savoir s'il ne touchait pas à la drogue, par exemple, ou s'il arnaquait le fisc, ou s'il trempait dans la perversion sexuelle, que sais-je ?

Un gars de la vidéo s'approcha et commença à faire le tour du cadavre, sa caméra braquée sur le peignoir blanc. Ensuite il se mit à zoomer sur les deux petites taches, une sur la capuche, là où la balle avait transpercé la nuque, et l'autre à la hauteur de l'omoplate gauche.

— Il n'a vraiment pas une tête de victime, dit Carbone machinalement. Il a plutôt une tête de sacré veinard.

— Ouais, plutôt.

Je regardai du côté de la piscine. La vigne vierge courait le long de jardinières blanches d'où sortaient des fleurs pourpres aux senteurs légèrement musquées. Rien de trop voyant, ni de trop parfumé. Les fauteuils de jardin étaient spacieux, accueillants, près de petites tables de pierre en forme de poissons avec la queue en l'air pour poser les verres et des parasols blancs immenses, fichés sur des perches en bambou. Des haut-parleurs quadriphoniques presque invisibles affleuraient le gazon impeccable.

— Ray, je parie que même tes rêves les plus fous ne sont rien à côté de la réalité de Spencer. Y a-t-il une chose, rien qu'une, qui aurait pu lui manquer ?

Carbone se mit aussitôt à ruminer. Il devait penser à un truc du genre cohésion familiale ou connaissance de soi.

Moi, je pensais : « Si Spencer était resté dans la charcuterie cacher, s'il n'avait pas cherché à réaliser tous ses fantasmes, à l'heure qu'il est il serait encore vivant, en train de passer une chemisette à trois cents dollars pour le dîner ou de plonger son petit doigt dans la vinaigrette pour voir si la cuisinière a mis assez de basilic. » Oui mais voilà, ce soir-là chez Seymour Ira Spencer, l'homme qui avait tout, c'étaient les flics qu'on recevait : une bande de mecs qui le reluquaient sous toutes les coutures en lâchant des vannes sur les nénés de sa fiancée.

Si vous prenez une carte, vous verrez que Long Island ressemble à une baleine à l'air jovial, un rien déjanté. Sa tête, Brooklyn, vient buter contre Manhattan comme un intrus qui voudrait pénétrer dans une soirée à laquelle il n'est pas invité.

Le corps de la baleine, contrairement à sa tête, se fiche éperdument des mondanités. Queens, Nassau et la banlieue, Suffolk County, nagent en toute simplicité, éternellement, dans les eaux réunies de l'océan et du détroit de Long Island. Elles préfèrent le continent, où la vie ressemble à une publicité pour Coca-Cola.

Maintenant passons à Suffolk County, la queue de la baleine avec ses deux pointes. Cette queue n'est pas tournée vers Manhattan, elle salue le Connecticut et Rhode Island. La partie est de Long Island est en fait le septième Etat de la Nouvelle-Angleterre.

Voyez la pointe nord de la queue : ses fermes typiques, ses petits ports de pêche et ses villages pittoresques de style colonial qui semblent vous dire : « Je suis intact. » Et maintenant regardez la pointe sud : chez moi. On y parle avec l'accent de Boston, plutôt que celui du Bronx. La population est de souche anglaise, mais additionnée (certains diraient bonifiée) d'Indiens, de Noirs, d'Allemands, d'Irlandais, de Polonais et j'en passe. Et puis encore des fermes et encore des villages pittoresques. Intacts, croyez-vous ? Complètement ravagés, oui. Pourris jusqu'au trognon.

Depuis des générations, les artistes, les ringards, les génies, les tarés, les dandys et les beaufs débarquent aux « Hamptons », comme ils disent, avec leurs manies et leur fric pour y passer l'été. A Southampton, il y a les mondains et, à Water Mill, les « classes aisées ». Les intellos sont à Bridgehampton, les ploucs logent à Sag Harbor et le show-biz gravite à East Hampton. Reste Amagansett, patrie des rabat-joie (le dernier mec un peu rigolo à avoir vécu à Amagansett a dû mourir aux alentours de 1683), et Montauk, pour les accros du grand bleu.

Ce petit paradis n'est pas fait pour les mecs comme moi. C'est le fief de gens comme Spencer et des hordes de New-Yorkais moins nantis qui crèvent d'envie de lui ressembler. C'est l'Eden des citadins : tennis, yachting, golf, sports nautiques, base-ball, fruits de mer, restaus branchés et farniente.

Mais à côté de cette étroite bande de terre dernier cri, on trouve aussi des hameaux comme Tuckahoe, North Sea, Noyac, Deerfield, où vivent des gens qui se contrefichent de savoir si le hêtre rouge ou l'érable du Japon sont in et le magret de canard out. Ce ne sont pas des vacanciers. Ils vivent leur vie d'agriculteur, de caissière, de dentiste, de chômeur, de bibliothécaire, de camionneur, de cuistot, d'avocat, de ménagère, de menuisier, de pêcheur, d'infirmière. Ah, oui, j'oubliais, et de flic, bien sûr.

Mon nom est Brady. Stephen Edward Brady. Né à l'hôpital de Southampton et ramené quelques jours plus tard, par ma mère, chez nous à Bridgehampton. Bridgehampton est toujours là, ça va de soi. En revanche notre exploitation a été démantelée quand mon père a vendu en 1955. Il n'a gardé que la ferme et un lopin de terre. Tout ça dix ans à peine avant le grand boom de l'immobilier qui aurait pu faire de mes parents des gens riches, seule chose que ma mère ait jamais vraiment désirée.

Je suis né le 17 mai 1949 de Kevin Francis Brady, agriculteur (dans la grande tradition de South Fork) et alcoolo, et de Charlotte Easton (de Sag Harbor) Brady, femme d'agriculteur et arriviste. Puis, en 1950, naquit mon frère Easton.

Je suis allé à l'école primaire à Sagaponak. Une seule et unique salle de classe (les riverains trouvent ça « super géniâââl ». N'empêche, bonjour l'ambiance, bonjour le niveau et bonjour l'odeur en été). Après ça j'ai continué mes études au lycée à Bridgehampton et ensuite à l'université d'Etat d'Albany.

Je n'étais pas l'élève modèle, non, mais je savais au moins qui j'étais. J'avais une identité. A dire vrai j'étais plutôt un sale gosse — conduite en état d'ivresse, quelques casses par-ci par-là. Au fond de moi, je savais que ça ne durerait pas, que j'allais m'en sortir et qu'un jour j'allais racheter la ferme de mon paternel et faire partie de l'association des parents d'élèves.

Manque de bol, pour ça je m'étais trompé de chromosomes et d'époque. J'allais grossir les rangs des paumés de la fac. Je portais des rouflaquettes et mon credo c'était sexe, drogue et rock'n roll. Je baisais, je buvais et je me défonçais comme une bête à l'instar des Jim Morrison, Jimi Hendrix et autres Janis Joplin. Je n'en suis pas mort, remarquez. Simplement, j'ai tout envoyé valser.

Et puis un beau jour je me suis engagé dans l'armée des Etats-Unis. Pourquoi ? Je n'en ai pas la moindre idée. Aujourd'hui, je n'ai toujours pas compris ce qui a pu pousser le gosse que j'étais à faire quelque chose d'aussi con et dévastateur.

Le premier jour ils m'ont mis la boule à zéro ou presque, me laissant à peine un demi-centimètre de cheveux. Je me rappelle qu'on se tenait au garde-à-vous et que l'instructeur — un Philippin qui devait mesurer un mètre cinquante et un et demi — s'est approché de moi. Il s'est mis à tirer ce qui me restait de cheveux entre le pouce et l'index en hurlant : « Hippie de mes deux, va ! » Tout ce que je voulais c'était rentrer chez moi. Je n'avais pas les couilles qu'il faut pour ce genre de truc. Ouais, mais il a quand même fallu que j'y passe. En huit semaines de temps ils vous bousillent un mec pour en faire une machine à obéir. C'est ça l'armée. Et moi ils m'ont bel et bien bousillé. Toutes les nuits je chialais comme un grand con de troufion que j'étais. Je chialais dans mon oreiller pour que personne n'entende, et surtout pas les autres gonzesses dans mon genre.

Je suis parti à la guerre, dans l'infanterie. Je lançais les M 79 comme personne. Je me battais pour Dieu, l'Amérique et l'honneur des Brady. En fait, je me battais surtout pour ne pas crever. Et je me battais encore plus fort pour ne pas me sentir vivant. Se sentir mort, au Viêt-nam, c'était primordial. Je passais du hash à la marijuana et de la marijuana à l'opium. Un mois plus tard je prenais de la came.

De la came ? En clair, de l'héroïne. Ici, on vous la vend pure à cinq ou dix pour cent, là-bas elle l'était à quatre-vingt-seize pour cent. Pas de shoot, rien que des joints. Quand on fume, on n'est pas un junkie. Nous étions tous très clairs, sur la question. Au fond, on n'était qu'une bande de bidasses qui fument un joint le soir, après une dure journée de boulot dans la jungle : un peu de patrouille, quelques fusillades et puis on empile les cadavres de bridés, on les compte et on passe à autre chose.

La came, on l'avait pour rien : trois dollars le coup. Et c'était bien mieux que la marijuana pour des gaillards de GI comme nous. La marijuana ralentit énormément le temps, alors que la came, ça vous emmène hors du temps, loin de votre propre corps. Grâce à elle j'ai quand même tenu trois cent soixante-cinq jours en enfer. Et j'ai même pas été pincé. Remarquez, quand on n'était pas trop con, on se trouvait un pote pour faire le pet et on était sûr de rentrer à la maison la tête haute. J'ai été démobilisé honorablement.

Oh, je ne fumais pas tous les jours. Presque tous les jours seulement. Je me disais : « T'es sûrement pas accro. » C'est quand je suis rentré, après dix-huit heures de vol, que j'ai été malade. Ça a commencé à Guam, pendant qu'on faisait le plein, des crampes dans les jambes et dans l'estomac. Et puis des suées à Hawaii et une chiasse à crever pendant tout le voyage. Je me revois, plié en deux, en train de taper à la porte des chiottes en hurlant de toutes mes forces : « Laissez-moi entrer, nom de Dieu ! »

Arrivé à San Francisco j'ai tout de suite cherché de l'héroïne. En trois jours, j'ai claqué cinq cents dollars. Je ne m'étais jamais piqué. Le dealer me faisait poireauter à l'entresol d'une épicerie désaffectée. Quand l'effet commençait à s'estomper je restais là, à grelotter dans le noir, pris de secousses nerveuses. Ça sentait le moisi et le brûlé, et on entendait courir les rats. Quand il avait un petit moment, le dealer descendait me faire un shoot, une lampe de poche entre les dents. Il avait le dos voûté et un cou de tortue, comme Nixon. Il tâtait mes veines du bout de ses doigts moites aux ongles dégueulasses. Il me dit un soir : « Ne t'imagine surtout pas que je vais faire ça longtemps. C'est un service que je te rends parce que tu es un nouveau client. »

C'est précisément cette nuit-là, vers deux heures du matin, que le destin s'est manifesté, comme on dit. J'étais remonté à la surface, histoire de prendre un peu l'air, quand je suis tombé nez à nez avec les flics. Un énorme black avec une gueule de brute m'est tombé dessus. Il allait me fouiller à corps mais il s'est ravisé. Il m'a reluqué une deuxième fois et il a demandé : « Viêt-nam ? » J'ai répondu oui. Alors il m'a dit : « Espèce de tas de merde » et au lieu de me coffrer il m'a emmené dans un centre de désintox à Haight-Ashbury.

Le centre était dirigé par une doctoresse. Il lui a fallu une bonne semaine pour me désintoxiquer. Ensuite j'ai passé deux semaines au lit... avec elle. Elle appelait ça de la « convalescence active ». Sharon, c'était son nom, haletait comme une bête au plumard. Elle empestait le bonbon à la menthe et avait des yeux qui semblaient vous dire : « Pas vrai que je suis merveilleuse ? »

Merveilleuse ? Hum... Le fait est que j'arrivais quand même à bander et à jouir, apparemment. Mais j'avais la queue anesthésiée, ma parole. Je ne sentais rien.

A la fin de la deuxième semaine, Sharon me bassinait pour que je retourne à la fac... à San Francisco. Eh, on pourrait vivre ensemble ! Génial, non ? On pourrait s'envoyer en l'air, désintoxiquer les toxicos et en profiter pour vitrifier le parquet !

Je n'ai pas laissé mon cœur — ni le reste — à San Francisco. Je suis rentré chez moi. C'était Noël.

Après deux jours avec ma mère et mon frère, je ne pensais plus qu'à mettre les bouts. Il fallait que je trouve du boulot. Un de mes potes de lycée était entré dans la police de Southampton. Aucun diplôme exigé, une paye correcte, mais il y avait une liste d'attente. Je décidai d'entrer dans la police de Suffolk County comme gardien de la paix des banlieues et des ménages.

Le vrai Brady en moi reprenait le dessus. Je me mis à boire, de la bière. D'abord un pack de six. J'étais alcoolo — mais je ne le savais pas — et flic aussi. Mais attention, pas n'importe quel flic, un flic de choc, un rien mégalo. Mon boulot, c'était toute ma vie. Au début j'avais surtout flashé sur l'attirail : l'uniforme, la plaque, le flingue, la sirène. J'allais enfin être du côté des bons. Mon credo était devenu : la loi et l'ordre. Au prix d'un petit effort j'allais pouvoir contrôler mon existence comme je contrôlais Suffolk County.

Je ne faisais pour ainsi dire rien d'autre que de bosser. Et mes journées de congé, je les passais à Bridgehampton, à lever des nanas ou à regarder le foot à la télé (dans un monde idéal j'aurais pu faire les deux en même temps). En dix-huit ans, je ne me rappelle pas avoir eu de liaison qui ait duré plus d'un mois. Je passai de un à deux packs par jour, plus un demi-litre de gnole. Whisky l'hiver, vodka l'été.

Comme tous les alcoolos, j'étais certain de ne pas l'être. J'avais toute ma tête. Je pouvais vous réciter par cœur le palmarès complet de la carrière de Cassius Clay. Et au boulot, quand j'étais sur un cas difficile, je pouvais décrocher complètement. Il y avait pas de lézard.

En 1984, j'avais été promu sergent à la Criminelle. Je travaillais dix-huit ou vingt heures par jour. Je pouvais tenir deux mois d'affilée comme ça. Après je craquais. Cela dit, je cachais bien mon jeu.

Mais apparemment pas si bien que ça, puisqu'un jour (ça faisait déjà une bonne quinzaine d'années que je buvais), une engueulade avec un type de la section des personnes disparues a mal tourné. Ça se passait dans le parking à Yaphank. J'ai sorti mon flingue et tiré dans son rétroviseur extérieur. Je ne me souviens de rien. Mais ce jour-là les gars ont fait le rapprochement entre mon côté soupe au lait et la bibine. Il paraît que c'est moi qui avais déclenché la bagarre parce que le type en question avait mordu sur la ligne de séparation entre nos deux bagnoles. Il s'était mis trop près de ma Jaguar indigo. Une Type E 63. Un bijou qui montait à quatre-vingts en quatre secondes et huit dixièmes. J'étais fou de ma Jaguar.

Mon chef, le capitaine Shea, m'a conseillé d'aller prendre quelques jours de vacances à South Oaks, le coin préféré des flics imbibés qui veulent se refaire une petite santé. Tu parles de vacances : ils ont commencé par me confisquer ma valise et mon rasoir et puis ils m'ont mis à poil et ils m'ont fouillé.

J'étais mort de trouille. J'étais bien le seul, remarquez. A South Oaks, on vit dans la transparence. Les mecs et les nanas qui séjournaient là étaient toujours en groupe. Ils adoraient ça. Ils parlaient de leurs ivrognes de pères et de leurs salopes de mères. Ils se délectaient à vous raconter comment un matin ils s'étaient réveillés tout tartinés de dégueuli froid. Ils chialaient, ils rigolaient, ils se tombaient dans les bras les uns des autres. On aurait pu croire qu'ils auditionnaient pour un premier rôle dans une série TV sur les éponges de Long Island.

A South Oaks j'étais plutôt sur la défensive. Je la fermais le plus possible. Mais je n'arrêtais pas de cogiter. Je pensais : « Ta vie c'est de la merde. A part ton boulot, ta télé et ta queue, t'as quoi ? » J'étais là, assis en rond avec un psy et une demi-douzaine de sacs à vin dans mon genre, et je réalisais que la seule chose un peu excitante qui m'était arrivée en dix ans avait été de recevoir Sports Channel sur la télé câblée. Il y avait décidément quelque chose qui ne tournait pas rond chez moi.

Finalement je réussis à me désintoxiquer et je restai en contact avec les Alcooliques anonymes. Le QG me laissa entendre que je n'étais pas viré mais que je devrais rempiler comme simple flic.

La chute fut très rude. La pire des humiliations. Il était loin, le petit gars tout excité à l'idée de porter un uniforme. Je n'avais pas envie de ressembler à un flic de Mardi gras et surtout pas envie de finir ma vie dans une patrouille de banlieue.

Pendant six mois j'ai fait des pieds et des mains pour retourner à la Criminelle. A part le foot et mon boulot, rien ne me passionnait. C'était ça, au fond, qui me tenait en vie. Finalement, je fus réincorporé à la Criminelle grâce au capitaine Shea et à Ray Carbone, qui avaient besoin de moi.

Cela dit, je n'étais plus sergent. Il était exclu que je sois en position de commandement. Shea m'avait prévenu : « Retour à la case départ, mon vieux. Je m'en tape le coquillard que l'alcoolisme soit une maladie. C'est ton problème. La moitié du quart d'un dé à coudre de bibine et tu es viré, compris ? » Compris.

C'est en janvier 1989, en rentrant d'une séance aux AA, que j'ai rencontré Lynne. Vingt-trois ans, originaire d'Annapolis (Maryland), éducatrice pour enfants handicapés à l'Académie du Saint-Esprit de Southampton. Elle avait un pneu à plat et je me suis arrêté pour lui donner un coup de main. Lynne était intelligente, sérieuse, distinguée, belle... et efficace : elle n'avait vraiment pas besoin d'un type comme moi pour lui changer son pneu. En plus elle était équilibrée. Le 4 juillet suivant, on se fiançait.

Et voilà. Ma vie par Stephen Edward Brady. Un personnage pas vraiment recommandable, peut-être même un sale type. Mais un homme, si pourri soit-il, porte en lui la capacité de se racheter, pas vrai ?

En tout cas, j'en étais là de l'histoire de ma vie le fameux jour où Sy Spencer se faisait assassiner. Je venais de comprendre que — jusqu'à ce que la mort nous sépare — Lynne allait m'apporter la sérénité, la stabilité et, qui sait ? le bonheur peut-être. Mais sûrement jamais la franche rigolade.

2

— Alors, c'est pour aujourd'hui ou pour demain ? — J'asticotais le môme en espérant qu'il allait prendre la mouche. — Sy et Lindsay, c'était le grand amour, pas vrai ?

Je n'en étais pas à ma première enquête. Je savais que, dans un interrogatoire, tout est dans le ton. Il faut monter à la charge, déclencher les passions : la rage, le dégoût, la pitié, la haine du flic aussi, tout est bon du moment que le gars se met à table. Mais ce gosse était un vrai zombi, ma parole. Je faisais les cent pas.

— Sy Spencer et Lindsay Keefe formaient un couple hors du commun, non ? Ils s'aimaient comme des fous, ils étaient en train de tourner un film génial ensemble.

— Non, murmura Gregory J. Canfield.

Ouf ! La machine se mettait en branle. Il jouissait donc de ses facultés mentales. Enfin, c'était dur à dire vu qu'il était à peu près aussi bavard que feu Spencer lui-même. Canfield était l'assistant personnel de Spencer sur le tournage. Il avait été recruté dans une école de cinéma de New York pour un stage professionnel. Le pauvre gosse n'était pas seulement complètement abruti, il avait en plus une vraie gueule d'ectoplasme — l'abus de fréquentation des salles obscures, sans doute. Imaginez un squelette ambulant avec une paire d'yeux bleu-blanc complètement délavés, attifé d'un short à pinces évasé du bas et d'un T-shirt caca d'oie qui lui moulait les côtes.

— Euh, M. Spencer et Mme Keefe, ça n'était pas

exactement Humphrey Bogart et Lauren Bacall, vous savez.

Sa voix était à peine audible. A côté, j'avais l'impression de parler dans un micro — comme un type qui fait de la réclame pour du détartrant à W-C.

— Comment ça ? Ça ne marchait pas entre eux ?

— Lindsay Keefe vous a peut-être affirmé le contraire, monsieur, marmonna-t-il (là, visiblement, il était à son maximum), mais je crois, enfin je veux dire qu'ils couraient droit à la catastrophe.

— Quel genre de catastrophe ? Dans leur vie privée tu veux dire ?

— Euh, non, je veux parler du film. Et peut-être leur vie privée aussi.

Il se baissa et passa un doigt entre son tibia et la lanière trop serrée de sa spartiate (un machin en cuir du genre fait main).

— Le tournage se passait mal ? demandai-je.

Mais trop tard. Il était déjà ailleurs, les yeux rivés sur le cadavre, autour duquel les flics s'activaient. Il se faisait un gros plan sur les deux stagiaires de l'Identité judiciaire qui étaient en train de mesurer la distance entre le coin de la piscine et la nuque de Spencer. La peau du môme vira légèrement au vert, il vacilla, à deux doigts de tomber dans les pommes.

— Au boulot, lançai-je en l'attrapant par les épaules pour l'entraîner un peu plus loin, du côté des dunes. Parle-moi. C'est ça, concentre-toi. Alors, petit, qu'est-ce qui te fait dire que *Nuit d'été* allait à la catastrophe ?

— Euh, les rushes... ils n'étaient pas fameux.

— Pas fameux, ou mauvais ?

— Mauvais et même franchement exécrables.

Sa tête était à nouveau tournée du côté de la piscine. Un toubib commençait à enfoncer un coton-tige géant dans les narines de Spencer. Je le retournai face à la mer en lui faisant des œillères avec mes mains.

— Ne t'occupe pas de ça, Gregory. Laisse les flics faire leur cuisine. Tu vas te rendre malade. Parle-moi plutôt de *Nuit d'été*.

— Lindsay était à hurler. Il n'y avait qu'à voir la tête de Spencer après les rushes. Il était traumatisé.

— Qu'est-ce qu'il disait ?

— Euh, rien. Il était, comment dirai-je ? taciturne, quoi.

— Taciturne ! Tu veux dire froid, réservé ? Désagréable ?

Le môme avala sa salive. Sa pomme d'Adam fit un aller et retour.

— Non, il... comment dire ? Il... se taisait. Pas à la manière sympa de Gregory Peck, vous savez ? C'était plutôt des silences menaçants à la De Niro dans *Le Parrain*, mais en plus chic. On sentait bien qu'il était mal à l'aise, mais on ne savait pas exactement pourquoi. Moi, j'étais son assistant. Sa secrétaire était restée à New York et je faisais son boulot : je lui passais ses communications, je notais ce qu'il voulait qu'Untel ou Untel fasse, je faisais des petites courses dont son assistant — je veux dire l'assistant de production — ne voulait pas se charger. Je travaillais souvent dans la maison, et il m'arrivait d'être dans la même pièce que lui. Mais il ne me parlait jamais, sauf pour me donner des ordres du style : « Va me chercher un verre d'eau d'Evian » (il l'aimait nature, sans citron), ou bien : « Tâche de savoir quelles sont les fleurs préférées de l'habilleuse. Lindsay a été un peu dure avec elle, hier. » Spencer essayait toujours d'arrondir les angles.

— Il ne te parlait jamais en dehors de ça ?

— Non. Juste bonjour, bonsoir — s'il n'était pas au téléphone, bien sûr.

— Tu l'as déjà vu se mettre en colère ? (Le gosse secoua la tête.) Il lui arrivait bien de montrer ses sentiments...

— Je l'ai vu rire au téléphone, par exemple. Ou bien, une fois, j'imagine qu'il parlait avec quelqu'un d'important, il s'est lancé dans un numéro de charme à la Robert Mitchum, il jouait à faire le bourru. En dehors de ça... rien.

— Ça ne devait pas être rigolo tous les jours de bosser avec lui.

— C'était, comment dire, une espèce de mélange de William Hurt et de Jack Nicholson : distant, distingué, terrifiant. Cela dit, quand il vous avait à la bonne, il pouvait être très sympa. Mais je n'ai jamais su ce qu'il pensait de moi.

— Bon. Mais s'il ne montrait pas ses sentiments, comment sais-tu qu'il n'aimait pas les rushes ?

— C'est bien simple, hier et avant-hier, il était carrément blanc comme un linge quand on a rallumé la salle. Il savait que Lindsay faisait couler le film.

— Mais qu'est-ce qui te fait dire ça ?

— Ça se voyait.

— Lindsay et lui s'étaient engueulés ?

— Non. Pas de conflit direct, en tout cas. Mais, la semaine dernière, il y avait de l'eau dans le gaz, quand même. Vous qui êtes de la Criminelle, vous devez savoir mieux que quiconque que la colère ne s'exprime pas forcément avec des mots.

— Oui, je sais. Mais tout ça c'est du blabla. Ce qui m'intéresse, ce sont les faits, pas les suppositions. Il était très en colère, Spencer ? Et elle ? Est-ce qu'elle lui en voulait assez pour lui mettre deux pruneaux dans le buffet ?

Les lumières des ambulances éclairaient l'endroit où nous nous trouvions sur la plage, juste assez pour me permettre de voir les poils se hérisser sur les bras du gamin.

— Je vous en prie, inspecteur. Mme Keefe n'est peut-être pas l'interprète rêvée pour ce rôle, mais elle mérite le plus grand respect, non seulement en tant qu'actrice mais en tant que femme. Je suis convaincu qu'une personne de son envergure...

— Ferme ça, tu veux. Tu te crois où, nom de Dieu ? Dans un de tes putains de séminaires sur le cinéma ou quoi ? Reprenons. Le tournage n'avait commencé que depuis trois semaines. Tu ne trouves pas ça un peu prématuré de dire que le film était menacé ?

— Non. Tout le monde le savait. Sur un tournage il y a un sentiment de communion intense, vous savez. Est-ce que vous avez vu *La Nuit américaine*, inspecteur ?

— Non, et ça commence à bien faire. Arrête de me parler de cinéma. Je veux des faits, compris ?

— Eh bien, par exemple, sur le tournage, les acteurs, l'équipe, tout le monde faisait comme si de rien n'était, les types parlaient de tous les autres films qu'ils avaient faits, jamais de celui-là.

— Mais, Lindsay Keefe ? Comment est-il possible qu'elle soit à chier ? C'est une grande actrice, non ?

— Elle est géniale, mais c'est le rôle qui ne lui convient pas. Elle doit jouer un personnage vulnérable et fragile, sous un aspect revêche. Or la seule chose qui passe, c'est l'aspect revêche. Et pas un revêche sophistiqué à la Sigourney Weaver. Elle est carrément dure. De la dureté superficielle en plus. Ça fait mauvaise série de télé.

— Tu as vu les rushes ?

— Oui.

— Et elle est comment ? Mauvaise ?

— Oui, monsieur.

— Spencer avait fait des allusions à ce sujet ? A elle, à toi, ou à quelqu'un d'autre ?

— Pas vraiment. Mais il était très réservé, vous savez. Quand il ne disait pas les choses, il était impossible de deviner ce qu'il pensait.

Le môme hésitait. Je n'arrivais pas à savoir s'il me baratinait pour me faire plaisir ou bien s'il essayait honnêtement de se rappeler quelque chose, un détail. C'est juste à ce moment-là que Robby Kurz se pointa derrière nous.

Qu'il pleuve, qu'il gèle, qu'il grêle, qu'il vente ou qu'il fasse une chaleur à crever, l'inspecteur « Cheese », l'homme à l'éternel sourire, montrait les dents. Flingués, couturés, empoisonnés, strangulés, homme, femme, enfant, tout était bon à prendre et Robert Kurz répondait présent.

— Youhou, Steve !

— Salut.

Tâchant d'échapper à son insupportable exubérance, je m'éloignai tête baissée, l'air concentré, en direction de la plage. Evidemment, Kurz m'emboîta le pas.

Heureusement pour moi, Kurz n'avait que trente ans. Ça mettait une certaine distance entre nous. J'avais dix ans de plus que lui dans la maison. Quand il en était encore à embusquer le chauffard, poireautant dans sa bagnole banalisée du côté de Dix Hills, moi j'étais déjà l'étoile montante de la Criminelle. Mais maintenant que j'avais perdu mon grade, on était à égalité. Encore que, en tant que premier inspecteur, j'étais son supérieur. Cela dit, il faisait semblant de l'ignorer. Car Robby, malgré une calvitie précoce qu'il essayait de dissimuler avec une mèche de cheveux fixée sur le dessus du crâne avec un spray paralysant, et malgré les décolletés vertigineux de Mme « Cheese » qui le trompait à tour de bras, enfin, et surtout, malgré des états de service assez désastreux (les deux tiers des gens qu'il arrêtait étaient systématiquement relaxés), Robby était persuadé d'être un flic de choc. Il en bavait de bonheur. Pas moyen de le croiser dans les chiottes ou dans l'escalier sans qu'il vous décoche un de ses sourires écœurants. Tous les matins, il faisait dans le service une distribution générale de bouchées au fromage, comme le pape donnant sa bénédiction.

Kurz s'était planté à côté de moi sur la dune, en équilibre instable. C'était nettement un flic d'intérieur, beaucoup plus à son aise sur le linoléum du QG que sur le terrain.

— Tu as trouvé quelque chose ? demandai-je en passant la main au-dessus d'une touffe d'ajoncs.

— Des traces de pas sur la pelouse près de la maison ! — Il exultait. — Des traces de tongs. Du modèle courant, taille homme, quarante-quatre, quarante-cinq. Bien sûr (Kurz marqua une pause et j'étais censé me préparer à entendre une déduction qui allait me laisser sur le cul), ce genre de chaussures, tout le monde peut en porter. Mais si on arrive à remonter la piste assez loin...

— Où ça exactement, les empreintes ?

Il pointa son index au-delà de la piscine et de la pelouse, en direction d'un des coins de la véranda qui s'étirait sur toute la façade de la maison. Mon regard suivait son doigt. Un mec du labo était en train de quadriller le morceau de pelouse qui jouxtait la maison. Il venait juste de prendre les derniers clichés et s'apprêtait à mouler les empreintes avec du ciment dentaire (c'est ce qu'on utilise dans ces cas-là).

A cet endroit précis, la pelouse était abritée par un treillis impeccable, et formait une petite dénivellation d'un mètre cinquante environ, surmontée par la véranda. A cinquante mètres de là, du côté des dunes, à l'endroit où nous nous trouvions, il aurait été facile de repérer un type avec un flingue. Mais pas de la maison, à moins de se pencher par-dessus la véranda et de regarder à l'endroit précis où le treillis finissait. C'était enfantin, le gars aurait très bien pu se planquer là avec son 22, en toute tranquillité. Il était sûr de ne pas être vu.

— Ça m'a tout l'air d'être un indice capital, lança Kurz en hochant la tête en signe d'auto-approbation.

Sa mèche tenait bon.

Il était au comble de l'excitation mais, personnellement, ce n'est pas la première empreinte découverte qui allait me faire jouir. Un bon flic ne s'emballe jamais trop vite. Il fallait explorer toutes les possibilités d'explication de ces traces avant de lancer la grande chasse au porteur de tongs meurtrier.

— Va plutôt interroger les jardiniers, dis-je à Kurz. Il y en a peut-être un qui porte des tongs. Et puis fais l'inventaire du placard de Spencer pendant que t'y es. Note bien que je n'en ai pas vu, et que ça ne devait pas être le style de la maison. Mais on ne sait jamais avec les mecs comme Spencer. Du jour au lendemain, ils décident qu'il n'y a rien de plus chic que les savates du supermarché du coin et ils s'en font livrer quinze paires. Je me dis tout à coup que le seul problème, c'est que Spencer devait chausser du quarante à tout casser. C'était un petit gabarit : petits pieds, petites mains et petite...

Je m'arrêtai net. Kurz, ces trucs-là, ça ne le faisait pas marrer. Question humour, il en était resté au journal de Mickey. Pour lui, parler cul, c'était vous raconter qu'il avait rencontré Mme « Cheese » au cours d'un week-end pour célibataires.

— Et quoi d'autre ? demandai-je.

Kurz sourit (son sourire infantile) et commença à jouer avec sa manche de blouson — un machin en tissu bleu brillant avec une martingale dans le dos. Il s'habillait toujours comme pour aller à un congrès de mercières.

— On a trouvé des poils dans une des chambres d'amis, alors qu'il n'y avait pas d'invités.

— Des poils de Spencer ?

— Il y a un poil pubien à lui probablement, et quatre cheveux, sans doute ceux de la personne qui s'est appuyée contre la tête de lit en rotin.

— Des cheveux avec la racine ?

Aujourd'hui, l'ADN permet d'établir la carte génétique de n'importe qui à condition d'avoir une cellule entière. Avec les cheveux, il faut que toutes les cellules soient restées attachées à la racine et si possible en avoir un échantillon d'une dizaine.

— Il y a deux cheveux avec la racine complète. Mais ils n'appartiennent pas à Spencer. Ce sont des cheveux brun-noir et longs, et lui les avait gris et très courts.

— Oui, j'avais remarqué.

J'avais aussi eu l'occasion de reluquer Lindsay Keefe quand elle était sortie de la voiture, à demi effondrée dans les bras de son agent. Elle était exactement comme dans ses films. Blonde, archiblonde.

— C'est tout ce que tu as trouvé ? demandai-je.

— Arrête ton char. — Kurz ne ratait jamais une occasion de se faire mousser. — Tu sais le temps que ça prend d'obtenir des mecs de l'Identité quelque chose qui ressemble à une opinion.

— Tu ne vas pas me dire que pendant tout le temps que vous étiez dans la maison, Carbone et toi, vous n'avez pas trouvé le moyen de savoir si le personnel s'était envoyé en l'air dans la chambre d'amis.

— Relax, y'a pas le feu. J'allais le faire, mais j'ai préféré commencer par te mettre au courant. (Kurz marqua une pause. Ça devait bien faire trois minutes que je n'avais pas eu droit à une risette. Il sourit, mais jaune cette fois.) Ecoute, vieux, cette affaire-là c'est du sérieux et j'ai bien l'intention de récolter le bonus qui va avec. Pas toi ? Si on arrive à liquider tout ça en trois coups de cuillère à pot, ça peut rapporter gros.

Quand on a des collègues, flics ou pas, il y en a toujours un qui vous tape sur le système, soit parce qu'il est glandeur, tricheur ou bordélique, soit parce qu'il se cure les dents et les ongles ou qu'il sourit bêtement à longueur de temps. Kurz n'était pas détestable et il lui arrivait même d'être plutôt intéressant, quand il parlait de hockey, par exemple. D'accord, ses sourires cachaient une incroyable autosuffisance mais on n'était pas mariés, après tout.

Mais ce que je trouvais vraiment insupportable chez Kurz, c'est qu'il se prenait pour le meilleur flic de Suffolk County alors que selon moi c'était un zéro pointé. Il était toujours absolument certain d'avoir découvert le coupable et il arrêtait le gars, convaincu qu'il allait le coincer. Lui qui était tout sourire et tout miel avec les flics, il n'avait pas son pareil pour harceler les suspects. Parfois ça marchait. Avec les gamins hyper-émotifs, par exemple. Mais la plupart du temps il sabotait toute l'enquête en s'acharnant sur un suspect qu'un autre flic avait réussi à amadouer. Du coup, au lieu de passer en douceur aux aveux devant la caméra vidéo, le type finissait par se rétracter et réclamer son avocat.

Il nous avait fait le coup une fois à Marty McCormack (mon meilleur pote à la Criminelle) et moi. On était en train d'interroger un jeune type dont la femme avait disparu. Il l'avait liquidée, ça crevait les yeux. Il s'était débarrassé du corps mais on voulait savoir où il l'avait planqué. Alors on faisait semblant de croire à son numéro de mari éploré. On l'interrogeait dans ce sens, mine de rien, en lui demandant s'il n'avait pas une vague idée de l'endroit où le cadavre aurait pu se trouver. Le soir, on est sortis casser une graine avant de remettre ça et on a demandé à Kurz de le surveiller. Ça n'a pas traîné. Kurz a fait son cirque habituel, avec la grosse artillerie : menaces, insultes et tout le tremblement. Bref, en une demi-heure il avait tout foutu par terre.

Ça m'a mis hors de moi, j'ai perdu mon self-control. Je l'ai traité de tous les noms en pleine salle des interrogatoires. Il nous avait bel et bien saboté le boulot et il avait le culot de hocher la tête, l'air de dire : « Brady a encore ses nerfs. »

Ce n'est pas que je le détestais, non. Mais entre lui et moi il y avait, comme qui dirait, incompatibilité. On en était donc venus à s'éviter le plus possible, maintenant on faisait bureaux séparés. Mais ce jour-là tout allait changer.

— Steve Brady ! s'exclama Marian Robertson, la cuisinière de Spencer.

Elle fit un geste rotatoire avec son index qui voulait dire : « Tourne-toi un peu que je te voie. » J'obtempérai, pour qu'elle puisse m'inspecter sous toutes les coutures.

— Je n'irai pas jusqu'à dire que tu n'as pas pris un peu de bouteille, Steve, mais y'a pas de doute, c'est bien toi. Je t'ai reconnu illico. Ton nom ne m'est pas revenu tout de suite mais je me suis dit, ça c'est le petit gars qui jouait dans l'équipe de Mark. Je vois souvent ton frère, tu sais. Easton Brady. C'est bien ton frère ? Un sacré beau gosse ! Il pourrait faire du cinéma celui-là...

Et patati et patata.

Marian Robertson pérorait avec cette absolue confiance en soi que donne l'intime conviction d'être inoubliable. N'empêche que moi, depuis le temps, je l'avais complètement oubliée. Enfin, jusqu'à ce que je mette les pieds dans la cuisine de Spencer.

Et quelle cuisine, bon Dieu ! Style dix-huitième avec poutres apparentes et cheminée en brique (juste assez grande pour y faire cuire un cheval entier avec son cavalier). Des chapelets d'ail, des couronnes d'herbes aromatiques, des casseroles en cuivre et des paniers d'osier ornaient murs et solives.

Marian Robertson avait tourné les talons afin de finir d'empiler les sandwiches qu'elle avait préparés pour les gars. Elle les avait disposés artistiquement, par couleur, ceux au fromage en dessous, ceux au pâté au milieu et ceux au jambon fumé dessus. Ça faisait penser à un bungalow miniature pour milliardaire.

— C'est-y pas beau ? demanda-t-elle. Une de mes spécialités. Tu sais, Steve, quand tu m'as montré ton insigne, tout à l'heure, je me suis dit, alors c'est donc vrai ce qu'on m'a raconté, il est bien devenu flic, le petit Brady. Entre nous soit dit, de tous les petits gars de Bridgehampton, tu es le dernier que j'aurais imaginé en uniforme, enfin si on peut dire. — Elle me donna une chiquenaude sur le nez qui voulait dire (enfin, je crois) : « Ne t'imagine surtout pas que tu m'impressionnes. Pour moi tu seras toujours le petit gars en culottes courtes avec de l'acné plein la figure. » — Alors comme ça les inspecteurs ont le droit de se balader en civil. Ça a du bon le galon, dis-moi. En tout cas, tu as l'air en pleine forme, mon garçon.

Marian Robertson avait gardé le même aspect qu'au temps où elle s'asseyait au premier rang pour les matchs de base-ball : petite, dodue, avec la peau marron foncé et un visage bien rond. La seule chose qui avait changé c'était ses cheveux. On aurait dit qu'elle portait une perruque grise, comme une perruque de clown. Au bahut, elle nous apportait des gâteaux pendant l'entraînement et elle nous criait : « Poussez pas, y en a encore ! »

— Madame Robertson, je sais que vous avez déjà fait votre déposition au sergent Carbone, mais j'aimerais bien vous poser deux ou trois questions moi-même. A quoi ressemble la femme de chambre, par exemple ?

— A quoi elle ressemble ? Elle est plutôt moche.

Marian Robertson ouvrit la porte vitrée d'un frigo géant et choisit un énorme melon (genre shooté aux stéroïdes qui devait coûter dans les vingt-cinq dollars pièce).

Je jetai un coup d'œil sur mon calepin.

— Il n'y a qu'une femme de chambre, Rosa, c'est ça ?

— C'est ça.

— Elle est noire, blanche, latino...

— Portugaise, coupa Marian Robertson. Petite, mais plus grande que moi, un mètre cinquante-cinq environ. Tu sais, comme dans la chanson : « Elle était grande comme un champignon, la la la la ! » Oh, bon Dieu, Steve ! Qu'est-ce qui me prend de chanter ? Excuse-moi... Ça fait quand même quatorze ans que je suis dans la maison de M. Spencer... et voilà que... assassiné !

— Vous êtes sous le choc, ne vous en faites pas, c'est normal. Vous l'aimiez bien ?

— Aimer c'est beaucoup dire. Disons qu'il était toujours poli. C'est ce que tout le monde disait en tout cas : « M. Spencer, il est trrrès poli. » « M. Spencer, il est trrrès courtois. » Tu sais comment ils causent, les New-Yorkais.

J'acquiesçai. Les gens comme elle et moi, natifs de South Fork, on n'aimait pas beaucoup les New-Yorkais. On trouvait qu'ils sonnaient creux.

— Et puis, tu sais ce que c'est, dans le show-biz, c'est chiqué et compagnie. Mais M. Spencer, lui, c'est vrai qu'il était correct. Toujours galant. Pas m'as-tu-vu, jamais grossier.

— Mais est-ce que vous l'aimiez ?

— En y réfléchissant bien, pas trop. Il était vraiment coincé.

— Il était froid ? Renfermé ?

— Non. Discret, plutôt souriant, mais il ne riait jamais, par exemple. Depuis quatorze ans qu'il me connaissait il me parlait toujours de la même manière, sur le ton de celui qui s'adresse à sa cuisinière. Il lui arrivait quand même de plaisanter. Il me disait qu'il allait être obligé d'hypothéquer la maison pour payer la nourriture — il faut dire que je cuisine riche. Mais en quatorze ans, il a dû me la sortir quatorze fois, celle-là.

» Et puis c'est vrai qu'il était poli. Toujours un mot gentil après les soirées et même quand il n'avait pas aimé (c'était rare), il restait aimable. Il me disait : « Je ne raffole pas de la salade de fruits au chocolat », par exemple. — Marian Robertson me présenta une boîte en plastique. — Une crèpe dentelle aux amandes ?

— Merci. Pour en revenir à la femme de chambre, elle ressemble à quoi au juste ?

— Petite, comme je t'ai dit. Le teint plutôt jaune avec la peau grêlée, pauvre gosse.

La crêpe dentelle était délicieuse. Je souris.

— Et les cheveux, de quelle couleur ?

— Bon Dieu, ce que t'es mignon quand tu souris, petit ! Tu devrais sourire plus souvent. Ça te va bien, tu sais.

— Bon, et les cheveux de Rosa ?

— A l'origine, mais il y a que le bon Dieu pour le savoir, je dirais châtain. Moi je l'ai toujours connue avec des cheveux rouge vif.

— Vous étiez les deux seules, Rosa et vous ? Il n'y avait ni valet ni chauffeur ?

— Non. Il prenait des extras quand il recevait et il avait un chauffeur à New York. Mais ici il venait en hélicoptère et il avait une voiture italienne qu'il conduisait lui-même.

Je repris une crêpe dentelle.

— Mais alors, qui était dans la chambre d'amis avec Spencer aujourd'hui ?

— Quoi ?

Elle n'en revenait pas.

— Quelqu'un a utilisé la chambre d'amis.

— Quelqu'un d'autre que M. Spencer ?

— Oui.

— Eh ben ça alors ! Première nouvelle. Tu sais, Lindsay Keefe et lui vivaient dans la suite seigneuriale. Qu'est-ce qui te fait penser qu'il y avait quelqu'un dans la chambre d'amis ?

Je continuai de grignoter ma crêpe dentelle.

— Des traces. Vous avez entendu quelqu'un en haut ?

— Personne à part M. Spencer. Il a passé tout l'après-midi au téléphone. Il s'apprêtait à partir à Los Angeles. Il aurait dû prendre l'avion ce matin, mais il a été appelé sur le plateau. Ça l'a obligé à changer ses plans.

— Il était seul ?

— Oui. Enfin, je n'en mettrais pas ma main au feu — parce que je ne monte pour ainsi dire jamais au deuxième — mais je crois bien qu'il était tout seul.

— Et Rosa ?

— Elle vient le matin pour la lessive et puis elle rentre chez elle l'après-midi s'occuper de sa petite fille. Elle emporte le linge à repasser et elle revient à six heures pour nettoyer la cuisine, passer la serpillière, sortir les poubelles, etc. Ensuite elle reste jusqu'après dîner. Elle fait la vaisselle et elle met la table du petit déjeuner.

— Madame Robertson, je vais être obligé de vous poser des questions assez embarrassantes.

— Vas-y.

— Vous pensez que Sy Spencer aurait pu avoir des rapports sexuels ailleurs que dans sa chambre ?

— Je rentre chez moi après le dîner. Alors, tu sais, il aurait bien pu faire ça dans le sauna, dans la salle de projection ou même à la cave que je n'y aurais vu que du feu. Ce que je peux te dire, c'est qu'il ne faisait sûrement pas ça à la cuisine, parce que je m'en serais tout de suite rendu compte. Personne, même pas le patron, n'a le droit de venir salir ma cuisine. Vu ?

— Vu.

— Est-ce qu'il y a un Steve Brady ici ? demanda un grand flic dégingandé (ma grand-mère aurait dit un dépendeur d'andouilles) de la brigade de Southampton.

On était sous la tente, à l'autre bout de la piscine, en train de s'empiffrer des sandwiches de Marian Robertson. Je posai ma tasse de café.

— Un type vous demande dehors. Il a l'air complètement secoué. Il dit que vous êtes son frère.

Je me tournai vers Carbone, qui inspectait minutieusement l'intérieur du sandwich au pâté qu'il tenait à la main. Je voulais l'informer du lien qui existait entre mon frère et Spencer.

— Je peux te parler cinq minutes dehors ? demandai-je.

Il remit discrètement le sandwich sur la pile. La tente était un machin à trois côtés, rayé vert et blanc, genre cabine de plage pour exhibitionniste. Elle était plantée à l'endroit idéal pour un petit en-cas entre flics, à environ trois mètres de la piscine, du côté le moins profond et assez loin du cadavre pour pouvoir boulotter en paix sans avoir l'impression de déranger.

— Ecoute, Ray, mon frère, Easton, m'attend dehors. Il veut me parler.

— Fais-le entrer, répondit Carbone, grand seigneur, avec un geste du bras qui voulait dire « Faites comme chez vous ». — A croire qu'il se prenait pour Spencer lui-même. Et il ajouta : — Easton ?

— Ouais.

— Drôle de nom.
— C'est le nom de jeune fille de ma mère. Elle est de Sag Harbor. C'est une coutume de là-bas.
— J'ai toujours pensé que tu étais irlandais.
— Mon père était irlandais. Ecoute, au sujet d'Easton...
— Il fait quoi dans la vie ?
— Il bricole dans le luxe.
— C'est-à-dire ?
— A un moment il vendait des Jaguar. C'est à lui que j'ai acheté la mienne. Après ça il s'est lancé dans l'immobilier haut de gamme. Il a aussi travaillé pour des boutiques branchées dans le coin.
— Bref, un mec qui n'a pas l'air d'avoir trouvé sa voie. Comment ça se fait ?
— Ecoute, Ray, je suis plutôt un marginal moi-même, alors ça n'est pas moi qui vais te dire ce qui déconne chez mon frangin.
A l'intérieur, les gars du QG continuaient de s'agglutiner autour du buffet et de s'en mettre plein la lampe.
— Si ça ne t'ennuie pas, Ray, on met la psychanalyse en veilleuse cinq minutes. Je veux en venir au fait. Ça a un rapport avec le meurtre.
— Ton frère ?
— Ouais. Je l'ai dit au QG quand ils m'ont appelé tout à l'heure, mais j'ai oublié de t'en parler à toi. Mon frère travaillait pour Spencer. Il y a trois ou quatre mois, il cherchait du boulot, comme d'habitude. Passons. Il a appris que Spencer allait tourner un film à East Hampton et il s'est débrouillé pour se faire inviter à une de ces soirées de bienfaisance où Spencer avait l'habitude d'aller. Bref, il l'a eu au bagout. Il lui a dit qu'il était du coin, qu'il connaissait tout le monde et Spencer l'a engagé pour faire la liaison avec les autochtones — j'imagine qu'il était chargé de les arroser un peu, histoire de se les mettre dans la poche et de les rendre coopératifs. Apparemment il s'est bien démerdé puisque Spencer l'a engagé sur le tournage.
— Il y a eu un problème ?
— Aucun. Ça baignait. C'est bien ça le plus moche d'ailleurs. Pour une fois que mon frangin avait mis la

main sur un truc qui lui plaisait et qui avait l'air de tourner — Spencer l'avait nommé assistant et il devait même avoir son nom au générique. Enfin, passons, j'imagine que quelqu'un va devoir prendre sa déposition à un moment ou à un autre alors je préfère te prévenir. Tu sais, au QG ils rigolent pas avec les liens de parenté.

— Ouais. On pourrait mettre Kurz sur le coup, non ?

J'ai dû faire une drôle de tête quand il a dit ça parce qu'il a enchaîné aussitôt :

— Steve, Kurz est un brave type au fond. Un peu trop brave, peut-être.

— Il sait pas se tenir.

— Mais si. Et puis si jamais ça merdait, tu pourrais toujours rattraper le coup. De toute façon, il faudra bien faire avec Kurz. Je suis sûr que ça va marcher. Crois-moi, il vaut mieux que ce soit un étranger qui s'occupe de ton frère. Cela dit, si tu veux assister aux interrogatoires, je suis d'accord, mais sans l'ouvrir. — Carbone marqua une pause. — Il est équilibré ton frangin ?

— Non, c'est un barjot sans aucun sens moral et avec un œdipe gros comme ça, d'ailleurs c'est lui qui a descendu Spencer parce qu'il symbolisait l'image du père et que toute personne qui, comme lui, rehaussait son ego ne pouvait être que sans valeur et, comme telle, ne méritait que la mort.

Je ne suis pas mal, mais Easton, lui, est franchement beau gosse. On se ressemble, à cela près que j'ai une gueule de flic et lui, une gueule d'aristo. Autrement dit, Easton c'est moi, en mieux : des yeux plus bleus, une mâchoire plus carrée, des cheveux plus soyeux et un bon mètre quatre-vingt-cinq. Moi, je suis un cran en dessous, pas assez grand pour dire un mètre quatre-vingt-cinq sans avoir l'air de frimer. D'un autre côté, si je disais un mètre quatre vingt-trois et des poussières j'aurais l'air d'un con.

Easton se tenait debout dans l'allée, presque au pied du perron, l'air plus aristo que jamais. Il portait un costard gris anthracite impeccable, une cravate en cachemire et des derbys cirées qui luisaient à la lueur discrète des projecteurs bordant l'allée. L'air tourneboulé ? Sans aucun doute. Le teint cireux même. Les yeux rouges, plus pour les avoir trop frottés que pour avoir trop pleuré.

— Salut, East. — Il sursauta. — Ça va ?

— Euh, oui, pardon. C'est délirant. C'est comme si ma tête partait dans dix directions à la fois. J'étais là à t'attendre en me disant pourvu qu'il soit là et en même temps, au moment où j'ai entendu ta voix je me suis dit : « Mais qu'est-ce que Steve peut bien faire chez Sy Spencer ? »

— Quand est-ce que tu as su pour Spencer ?

— En revenant de New York. J'y étais aujourd'hui pour régler deux trois trucs et quand je suis rentré j'ai trouvé un message sur le répondeur. C'était l'espèce de demi-portion d'assistant stagiaire. Il disait à peu près ça : « Euh, peut-être serez-vous curieux d'apprendre que M. Spencer est décédé des suites de euh... d'un assassinat chez lui. » — Easton s'arrêta net, pris de tremblements. — Bon sang, il fait frais ce soir.

Il était comme ma mère pour ça, Easton, il disait « il fait frais » et jamais « ça caille », comme les prolos. Il se frottait les bras. Et puis ses dents se mirent à claquer à toute vitesse comme les dentiers mécaniques des farces et attrapes.

— Tu as parlé à Spencer aujourd'hui, East ?

— Hier soir.

— Il ne t'a pas paru bizarre ?

— Non.

— Tu sais s'il avait reçu des menaces, dernièrement ?

Il secoua la tête. Il ne pouvait pas y croire.

— A ton avis, il avait peur ? Peur de quelqu'un ou de quelque chose ?

— Non.

— Tu n'as pas remarqué un quelconque changement chez lui ces derniers temps ?

Il continuait de trembler comme une feuille.

— Mais non, tout allait bien, je t'assure.

Chez Easton, les tremblements, c'était sa façon à lui de craquer. Il faut reconnaître que c'est quand même plus classe que de se mettre à hurler, à suer à grosses gouttes ou à se gerber sur les pieds. C'est moins salissant et puis, si on a un cocktail après, on n'a pas besoin de se changer.

— Tu peux attendre demain pour faire ta déposition. Tu devrais rentrer, tu sais, tu as une sale gueule.

— Je ne sais même pas ce que je suis venu faire ici. — Il regardait fixement la maison. — En fait, j'ai pensé qu'il fallait que je vienne. Je me suis dit, ça doit être la panique, les flics et tout, Spencer va avoir besoin de moi. C'est une réaction complètement délirante, je sais. Mais j'ai eu un tel choc, après le message je veux dire.

— J'imagine.

— Un vrai coup de massue. Je n'arrive toujours pas à y croire. Mais qui a bien pu assassiner Spencer, bon Dieu ?

— Tu as une idée sur la question ?

— A mon avis, personne.

Easton était formel. Il enfonça ses mains dans les poches de son pantalon ultra-chic.

— Cela dit, les faits semblent te donner tort, non ?

— C'est un cambrioleur qui a dû faire le coup.

— Non.

— Comment peux-tu être aussi catégorique ?

— C'est mon boulot, non ?

— Et tu ne te trompes jamais, bien sûr ?

Et voilà, une minute et demie ensemble et on commençait à s'engueuler. Je décidai, pour une fois, de rester calme. Mieux que ça, même. C'était mon frère, il allait mal, j'allais être sympa.

— Il n'y a aucune trace qui fasse penser à un cambriolage, dis-je le plus gentiment possible.

— Comment a-t-il été assassiné ?

— Revolver. A distance. Apparemment avec un 22. L'assassin n'a rien d'un impulsif. — Il y eut un long silence. — Bon, on va t'interroger demain, sans doute, alors pour l'instant rentre chez toi.

Il se remit à trembler.

— Il a été très chic avec moi.

— Ouais. Ecoute, je suis vraiment désolé pour toi. Oh, East, une dernière chose. Surtout pas de bagarre, pas de menaces, vu ? Tu sais si Spencer avait des problèmes avec quelqu'un en particulier ?

Il n'était peut-être pas en train de réfléchir, mais il en avait quand même l'air.

— Je ne travaillais avec lui que depuis trois mois et demi, je ne suis pas le mieux placé pour répondre. Cela dit, j'ai compris une chose : quand on produit un film, on a des problèmes avec tout le monde. Un tournage, ça représente quelque chose comme une centaine de divas — sans parler de leurs agents, et encore moins des syndicats. En plus il y a les financiers qui te harcèlent à longueur de journée. Pour être producteur, il faut des nerfs d'acier, crois-moi, et Spencer en avait. Il ne reculait devant rien ni personne. (Un petit sourire affectueux effleura un instant le visage d'Easton.) Spencer, c'était un vrai rouleau compresseur. Rien ne pouvait l'arrêter. Il finissait toujours par avoir le dernier mot. Alors, évidemment, il arrivait un moment où on avait envie de lui dire, crève donc.

— Ah ! le fils de pute ! explosa Carbone.

Il pestait contre Pomerantz, l'agent de Lindsay Keefe, qui était maintenant tranquillement en train de rentrer chez lui. L'agent lui avait d'abord dit que Lindsay avait pris deux Valium, mais quand Carbone avait commencé à s'énerver il lui avait avoué qu'elle avait dû en avaler cinq ou six et qu'elle était complètement out.

— Le toubib de service — celui qui a des oreilles en feuilles de chou — l'a examinée et m'a dit qu'elle en avait au moins pour huit heures, la salope !

On était dans le bureau de Spencer, au deuxième étage. Une chambre d'enfant reconvertie. Il y avait un téléphone avec assez de touches pour faire décoller une navette spatiale, et un ordinateur. A part ça, on aurait dit un boudoir pour vieil Anglais amateur de pêche : un espadon empaillé au mur, des estampes de saumons bondissant dans les torrents et des cordages flambant neufs élégamment disposés dans un coin.

Carbone scruta son bloc-notes.

— Ecoutez, les gars, nuit blanche ou pas, je veux que vous soyez là demain à dix heures tapantes pour interroger Lindsay Keefe. Shea et moi, on doit se voir pour décider de la suite des opérations. On est sur un gros coup, vous savez, les gars. Un coup énorme. Toi, Robby, arrange-toi pour prendre la déposition du frère de Steve avant dix heures. Ensuite rendez-vous ici avec Steve pour interroger Lindsay Keefe. Quand ce sera fait, commencez à vous occuper des associés de Spencer. Ceux de ce film-ci d'abord et ensuite ceux des films précédents.

» Steve, tu vas te charger de l'équipe du tournage. Oh, et puis des femmes de Spencer aussi. Tâche de savoir s'il n'avait pas une liaison en dehors de Lindsay Keefe. Et interroge ses deux ex-femmes. Il y en a une qui vit à Bridgehampton, tu devrais avoir le temps de la voir avant dix heures. — Il jeta un coup d'œil sur son bloc : — Bonnie Spencer.

Je secouai la tête. Ce nom me disait quelque chose même si j'étais sûr de ne jamais l'avoir rencontrée.

— Elle est scénariste. — Il me tendit une feuille de papier avec une adresse. — Tu vois où c'est ?

— A deux minutes de là où je suis né.

— L'autre, sa première femme, habite New York. Demain j'aurai son nom et son adresse. OK ? Le poste de police de Southampton nous servira de point de ralliement pour les deux jours à venir. Je vous retrouve ici demain dès que je peux. — Il s'arrêta, me fixa droit dans les yeux et soupira. — Je crois que cette fois-ci c'est la bonne. Je commence à me sentir trop vieux pour ce genre de boulot.

Dans la salle de gym de Spencer, je me servis du téléphone mural pour appeler Lynne. Je m'en voulais de l'avoir trouvée chiante au début de l'après-midi. C'était encore un truc de célibataire endurci, parce qu'au fond Lynne était vraiment très chouette.

Une chose m'épatait toujours chez elle : elle ne voyait aucune particularité à mon boulot. Ça ou receveur des postes, pour elle c'était kif-kif. Elle ne me posait jamais de questions sur une enquête, par exemple. J'avais fini par comprendre pourquoi : l'homicide, à ses yeux, c'était le péché, l'abjection par excellence. Sa vie, son travail à elle, c'était tout le contraire. Elle ne comprenait pas ce qu'il pouvait y avoir de palpitant dans un meurtre.

Lynne était avant tout une femme au sens traditionnel du terme. Courageuse, très, mais pas au point d'accepter de parler d'autopsie ou de passage à tabac. Les morts ne l'intéressaient pas. Elle préférait les vivants.

Bref, tout ça pour dire que Lynne et moi, on n'était pas en train de causer cadavres. Après un résumé très succinct de la situation, on a embrayé aussi sec sur Carbone (trente secondes en tout) : « Un emmerdeur-né avec un cœur d'or... » Et ensuite on est passés à mon frère (une minute et demie).

— Tu lui as dit que tu étais désolé, au moins ?

— Ecoute, chérie, lâche-moi la grappe, tu veux ?

Dans la salle de gym, les murs et le plafond étaient entièrement recouverts de glaces. J'étais le seul élément de la pièce à ne pas miroiter. A côté d'un vélo d'appartement s'alignaient un tapis roulant, un escalier roulant (équipés de compteurs à affichage digital) et un rameur complet multifonctions. Je redressai légèrement les épaules. « Quand un mec a autant de miroirs dans sa salle de gym, pensai-je, ou bien il se prend pour Rambo ou bien il a sérieusement besoin d'encouragements. »

— Steve, est-ce que tu as eu au moins un mot gentil pour ton frère ?

— Ouais. Je lui ai dit que j'étais désolé.

— C'est tout ?

Juste à ce moment-là, je captai mon image de profil dans un des miroirs. Je me redressai aussi sec et rentrai mon bide.

— Ecoute, chérie, je ne t'ai pas appelée pour parler d'Easton. Je voulais juste te dire bonsoir et te dire que je t'aime.

— Bonsoir, moi aussi je t'aime. Si je t'ai parlé d'Easton, c'est parce que je sais que tu as très envie de renouer avec lui et que ça serait l'occasion ou jamais.

Je lui dis « T'as sûrement raison », « Je t'aime » et « Bonsoir », parce que ça devait bien faire cinq minutes qu'on était au téléphone et que je voulais retourner à mes moutons.

Je raccrochai, et je m'allongeai sur la moquette (grise), dix bonnes secondes, les yeux fermés. Les dix secondes de repos réglementaires pour quarante-huit heures de boulot dans la vie d'un flic. Je sais que ça a l'air fleur bleue — et que c'est inexact, au fond —, mais j'avais le sentiment que Lynne m'avait sauvé. Les Alcooliques anonymes m'avaient pas mal aidé aussi. Bref, depuis que j'avais réintégré la Criminelle, j'avais une pêche d'enfer.

A l'époque où je l'ai rencontrée, j'allais très mal. J'étais tout seul, sans garde-fou, ni bibine ni drogue. Rien. Même pas de femme : plus envie (et dire que, fut un temps, j'aurais sauté sur tout, ou presque, ce qui sécrétait des œstrogènes). Remarquez, il me restait quand même le football et les Giants (les meilleurs). C'était au mois de novembre et je courais mes huit kilomètres par jour, histoire de garder la forme et de me défoncer à l'endorphine (la drogue naturelle du corps, comme ils disent à South Oaks). Je pouvais même faire jusqu'à vingt kilomètres les jours de congé et rentrer complètement KO pour ne pas avoir à penser à ce que j'allais faire de mon temps et de mon énergie.

Le psy de South Oaks avait mis le doigt sur ce qu'au fond de moi je savais déjà. La drogue, l'alcool et les femmes, tout ça c'était la même chose : ma prédisposition à l'autodestruction. Je cherchais à m'éclater, du moins c'est ce que je croyais. En réalité, je m'anéantissais.

Maintenant, l'autodestruction, c'était fini. Je voulais voir les choses en face et prendre la vie comme elle venait, au jour le jour.

Mais après ces premières années de sobriété, je commençais à avoir des cauchemars : je me voyais en train de sortir une bouteille de vodka du frigo et d'en avaler une bonne lampée, malgré moi, désespérément. Je flippais comme une bête, jusqu'à la nausée parce que je me savais fragile. Si jamais je lâchais prise, c'était foutu. Je risquais de tomber dans un puits sans fond dont je ne pourrais jamais plus ressortir, et j'en mourrais.

Et puis Lynne était apparue, sur le bord de la route,

avec son cric à la main. Elle avait eu l'air de se méfier quand je m'étais rangé sur le bas-côté et puis, en me regardant droit dans les yeux, elle avait dit : « Merci, je crois que je peux me débrouiller toute seule. » J'avais sorti mon insigne et répondu : « C'est comme vous voudrez. Mais je vais quand même vous regarder faire parce que j'adore regarder une nana qui change un pneu. »

Elle m'avait tendu le cric et après on était allé manger un hamburger. Et c'est là que je me suis rendu compte que j'étais capable de faire la conversation comme un mec normal et pas seulement pour draguer. On avait parlé de gosses handicapés, de dyslexie, d'agression et de comportement, d'école religieuse aussi, et je lui avais dit que j'étais alcoolique.

Deux semaines plus tard, on était au plumard ensemble et moi je pensais : « Bon Dieu, j'ai une femme dans ma vie. »

3

Le chien de Bonnie Spencer était tout content : « Ouah, ouah, c'est moi que v'là ! » Il faisait des grands tourniquets avec sa queue : « Wouh, Wouh, on s'amuse comme des fous ! » C'était un énorme chien noir du genre Terre-Neuve avec une gueule sympa.

Je m'annonçai en montrant mon insigne :

— Steve Brady.

Le chien s'arrêta d'aboyer juste le temps de me lécher la main, et repartit de plus belle : « Ouah, ouah, salut les gars ! » Pendant ce temps Bonnie Spencer était restée plantée, bouche bée, dans l'embrasure de la porte. Il était huit heures moins le quart du matin, la veille son ex s'était fait descendre. Mais, entre vous et moi, elle avait plus l'air d'une nana sur le point de faire son jogging que d'une veuve qui attend les condoléances : elle était en chaussettes, ses tennis à la main, avec un cycliste bleu turquoise pour le bas et un T-shirt XL, rose délavé complètement informe pour le haut.

— Je suis inspecteur à la Criminelle de Suffolk County.

Sa bouche s'arrondit comme pour faire Oh ! mais rien ne sortit. Elle restait là, impassible, mâchoire tombante. Elle ne semblait pas voir mon insigne.

— Bonnie Spencer ?

Le chien lui donnait des coups de museau dans la jambe comme pour lui dire : « Allez, réponds-lui, bon sang. » Mais elle ne réagissait pas.

Je rangeai mon insigne, fourrai mes mains dans mes

poches. C'était une chaude matinée d'été mais l'air était chargé d'humus. Ça sentait déjà l'automne.

Bonnie Spencer continuait de m'ignorer. Elle avait l'air fascinée par ma Jaguar dans l'allée. Je sais bien que la Type E 63 est une bagnole géniale, mais au point de ne pas voir un flic qui vous colle son insigne sous le nez, quand même ! Je revins à la charge :

— Bonnie Spencer ?

Elle cligna des yeux. Son regard s'éclaircit.

— C'est moi ! s'esclaffa-t-elle. — Le rire n'était pas vraiment de circonstance. Elle prit un air abattu et répéta : — Oui, c'est moi.

Question : à quoi ressemble l'ex-femme d'un producteur en vogue ? Réponse : à une bêcheuse très smart, bronzée toute l'année, les ongles faits. Une frustrée qui se baigne avec ses diams et qui a toujours un air de vous dire : « Je vous emmerde. »

Avec son gros clebs joyeux, Bonnie Spencer n'avait ni une gueule de frustrée ni une gueule de bêcheuse sur son trente-et-un. C'était plutôt le genre sportive qui respire la santé : épaules carrées, un mètre soixante-quinze, pas snob pour deux ronds et pas affolante non plus. N'empêche qu'on avait envie de la regarder.

Le plus remarquable chez elle, c'était ses cheveux brun foncé, très soyeux, qu'elle portait en queue de cheval. Elle n'était pas mal. Des ridules assez marquées autour des yeux et le hâle rosé des gens qui vivent au grand air. En somme, Bonnie Spencer avait l'air d'une mordue de sport. Une grande fille toute simple qui met ses baskets au placard l'hiver pour enfiler des patins à glace.

« Fille » n'est d'ailleurs pas le mot qui convient pour décrire Bonnie Spencer. Malgré son look d'athlète et ses cheveux superbes, les rides de son cou et sa bouche un peu pâle me suggéraient qu'elle devait frôler de très près la quarantaine.

Quant à ses liens avec Spencer, c'était une énigme totale. Bonnie, l'Américaine moyenne, sur le seuil de sa villa en bois, coquette certes, mais sans plus, ne cadrait pas du tout avec Spencer le richissime et son carrelage peint à la main... La question n'était pas tant de savoir pourquoi Spencer l'avait plaquée mais plutôt comment il avait pu l'épouser.

Elle recommença à me dévisager de ses yeux bleu océan, un bleu-gris très profond. Une couleur bien trop bizarre pour une fille aussi simple. Je la fixai à mon tour. Elle avait l'air de dire : « Quel bon vent vous amène ? »

— Madame Spencer ?

— Bonnie, dit-elle, presque timidement.

L'expression de son visage se modifia à nouveau, elle devint amicale et chaleureuse. Elle me sourit, découvrant des dents très blanches et bien rangées, sauf une, devant, légèrement de travers. C'est vrai qu'un bon gros sourire comme ça, ça vous va droit au cœur. Mais pourquoi me souriait-elle, bon sang ? Elle croyait que j'étais venu l'inviter à dîner ou quoi ?

— Vous êtes au courant pour votre ex-mari ?

— Oh, mon Dieu. — Le sourire retomba net. Elle fronça les sourcils, des sourcils en pointe comme des ailes de papillon, bien trop délicats pour une fille comme elle. — Oui, j'ai appris ça hier soir, au journal de dix heures. Ils en font un vrai roman-photo.

Elle avait l'air hagard et horrifié des civils lorsqu'ils sont confrontés à un meurtre. A sa voix on la sentait émue.

— Je suis bouleversée.

Bouleversée ? Sûrement. Trop même, beaucoup trop. Je n'étais pas exactement né de la dernière pluie. J'en avais vu défiler des agités, des désespérés, des pleurnichards et des glaçons. Assez pour sentir que Bonnie Spencer était en train de me mener en bateau. D'abord, sa façon de dire : « Je suis bouleversée. » Trop personnel, tout ça. Surtout quand on parle à un flic. Même le plus exhibitionniste des extravertis n'aurait pas répondu sur un ton aussi familier.

En plus, elle changeait sans arrêt de registre. Pas comme quelqu'un qui essaye de tenir le choc, non, plutôt comme quelqu'un qui cherche à sonner juste.

Comment pouvais-je savoir tout ça ? Un bon flic doit parfois se fier à son flair. Et mon flair me disait : « Reste en alerte, cette femme a un comportement bizarre. »

Et voilà comment, tout d'un coup, un interrogatoire de routine se met à ressembler à une partie de poker.

Elle me proposa d'entrer. La maison était spacieuse, solide. Une bonne grosse maison rustique. Je les suivis, elle et son clebs, dans la cuisine, et quand elle m'offrit une tasse de café je dis : « Oh, super ! », le plus naturellement du monde. Il faut toujours dire oui à une tasse de café pendant un interrogatoire. Ça détend l'atmosphère et ça met les gens en confiance. En général, vous avez droit à un grand baquet de pisse d'âne, vaguement tiède. Mais c'est pour la bonne cause.

Elle débarrassa les journaux du matin, *Times*, *Newsday* et le *Daily News* qui encombraient la table, chacun donnant sa version du meurtre de Sy Spencer. Elle les avait tous lus, donc achetés à six heures, dès l'ouverture des kiosques. Je m'assis tranquillement comme je le fais toujours. J'attendais de voir ce que Bonnie Spencer allait dire, mais elle tourna les talons pour mettre de l'eau à bouillir et préparer le café. Elle avait de belles jambes. Le chien avait posé sa tête sur ma cuisse et me regardait fixement avec l'air pensif d'une fille qui tient à ce qu'on la prenne au sérieux.

Bonnie se retourna.

— Moose, couché ! — Elle montra du doigt une carpette ovale. Le clébard l'ignora. Elle haussa les épaules, un peu pour elle-même et un peu pour s'excuser. — Moose est d'un sans-gêne ! dit-elle.

Ensuite elle ouvrit un placard et en sortit un pot à lait en forme de vache. Elle s'attendait à ce que je lui pose des questions, mais je me taisais. Elle se décida à parler :

— Est-ce que Sy... — Elle s'arrêta et recommença sa phrase. — A la télé ils ont dit qu'il avait été abattu par balles.

J'acquiesçai. Elle était en train de mettre du lait dans le pot en bloquant la porte du frigo avec sa hanche. J'en profitai pour jeter un coup d'œil à l'intérieur. Pas de vin blanc ni de fromage de chèvre. Bon, d'après mon expérience, Bonnie n'était vraiment pas une New-Yorkaise type. De deux choses l'une, soit elle était raide comme un passe-lacet, soit elle était au régime. Il n'y avait qu'un demi-litre de lait, un pain complet et un plein saladier de brocolis bouillis.

— Il est mort sur le coup, vous croyez ?

— Il faut attendre l'autopsie pour savoir.

Juste à ce moment-là, Moose poussa un énorme soupir et s'affala à mes pieds. Enfin, sur mes pieds, plutôt.

— Je sais que ça sonne comme un cliché, mais j'espère qu'il n'a pas souffert.

— Je l'espère aussi.

— Bon, à part ça, dit-elle, j'imagine que vous n'êtes pas venu ici juste pour le café ?

— Pas vraiment.

Tout à coup je sus que je l'avais déjà vue. A la poste peut-être, quand elle allait chercher son courrier.

— Vous avez des questions ? dit-elle.

— Oui.

Mais je continuais de la boucler. Je faisais mine de chercher mes mots tout en observant la petite vache en faïence qu'elle tenait à la main. En fait, j'essayais de voir comment elle était roulée sous son T-shirt rose. J'étais comme un vrai gosse, et ça me rendait furax contre moi-même. Je m'étais toujours fait un point d'honneur de ne pas penser au sexe pendant le boulot — surtout qu'un homicide ça n'est vraiment pas bandant. Je me sentais d'autant plus ridicule que, dans un film, elle aurait pu jouer les garçons manqués au grand cœur. Malgré ça, elle était plutôt gironde comme nana et j'aurais bien voulu qu'elle lève les bras pour attraper sa cruche de lait, ça m'aurait permis de lui mater les fesses. C'était complètement infantile. Depuis les AA et surtout depuis Lynne, je m'étais pourtant bien juré d'arrêter de draguer n'importe qui n'importe quand.

— Parlez-moi de vous et de Spencer, dis-je précipitamment. Vous êtes restés mariés longtemps ?

— Trois ans, de 1979 à 1982. — Elle était en train de verser de l'eau dans le filtre à café. — Vous ne prenez pas de notes ?

— Je crois que je m'en souviendrai, de 1979 à 1982. — J'avais oublié de sortir mon bloc. Tout à coup il se mit à peser une tonne dans ma poche intérieure. — Divorce avec consentement mutuel ?

— Même si ça n'était pas le cas, vous croyez que je me serais amusée à le descendre sept ans après ?

— Je n'écarte a priori aucune possibilité.

— Eh bien je ne l'ai pas tué.

Elle avait l'air sincère, honnête. Malgré son accent, Bonnie Spencer n'était visiblement pas de New York.

— D'accord. Maintenant est-ce que vous voulez bien répondre à ma question ? Divorce avec ou sans consentement mutuel ?

— Oui, consentement mutuel.

— Pension alimentaire ?

— Non, j'ai gardé la maison.

— Celle-là ?

— Oui.

— Pas de litige ?

— Non. On était tous les deux aux petits soins l'un pour l'autre. « Bonnie, mon amour, tu prendras bien une petite pension alimentaire ? » « Oh, non merci, mon chéri, ne t'en fais surtout pas pour moi. »

— Pourquoi pas de pension ? Il était riche, non ?

— Oui. Mais à l'époque, je me fichais pas mal de l'argent. Je lui avais répondu un truc du genre : « Tu crois vraiment qu'un chèque peut remplacer un mari, Sy ? » — Elle secoua la tête. — Quelle grandeur d'âme ! Vous imaginez Sy et son avocat, ils ont dû se frotter les mains en apprenant la bonne nouvelle.

Je n'aimais pas ça. Je devais rester sur mes gardes car je sentais que quelque chose clochait chez elle (mais quoi ?) et en même temps je me rendais bien compte qu'elle me plaisait. C'était peut-être l'atmosphère rustique de la maison, la grande table en bois ciré, l'odeur de propre et cette belle femme mûre qui ouvrait ses placards pour choisir tranquillement un pot à lait. Ou peut-être tout simplement ce gros tas de poils de Moose qui me couvrait les pieds. J'étais carrément subjugué, le cerveau en marmelade. Bonnie posa la vache et un sucrier sur la table. Elle me tendit une tasse de café. Sur la tasse il y avait « I love — " love " écrit avec un cœur — Seattle ! » et une petite bestiole marrante avec des palmes.

— C'est kitsch, dit-elle, mais c'est ça ou une tasse ébréchée.

— Vous n'avez donc reçu aucune pension alimentaire ?

J'inclinai la petite vache, le lait sortit par le museau (complètement débile).

— A l'époque, je n'aurais jamais imaginé que je risquais d'en avoir besoin. Vous savez, quand j'ai rencontré Sy, ça marchait très fort pour moi. *Cowgirl* — mon film — venait de sortir. Les critiques étaient excellentes et j'ai gagné beaucoup d'argent. Pendant les années de notre mariage, j'ai écrit au moins quatre ou cinq scénarios et trois d'entre eux étaient à l'étude. (Elle s'assit en face de moi.) Vous savez ce que c'est, quand tout va bien, on s'imagine que c'est pour la vie.

— Et ça n'a pas duré ?

Elle secoua la tête.

— Eh non. *Cowgirl* a été mon premier et mon dernier film. Après, plus rien. Cela dit, Sy m'a quand même offert de me verser une pension alimentaire trois fois de suite. Mais je voulais lui montrer que je pouvais voler de mes propres ailes. Vous me croirez si vous voulez, mais c'est bien mieux comme ça.

— Pourquoi avez-vous divorcé ? — « Si cette nana était une New-Yorkaise type, pensai-je, elle m'aurait déjà déballé toute une thèse psycho-socio-féministe sur la vie de couple. » Au lieu de ça elle se taisait. J'insistai :

— Répondez. Je sais que la question est indiscrète mais il s'agit d'un meurtre, bon Dieu. Il me faut des détails sur la vie de Spencer. J'ai besoin d'un portrait complet.

Elle y mit le temps, mais finalement elle se décida :

— On s'est rencontrés à Los Angeles. Sy essayait de produire son tout premier film. A l'époque c'était moi la star — enfin, une demi-star. Il adorait venir là-bas, ça lui permettait de rencontrer des tas de gens, il se faisait des relations. Je ne veux pas dire qu'il se servait de moi, je crois qu'il me trouvait sincèrement formidable. Il avait tellement de classe que, quand il m'a demandé de l'épouser, je me suis dit : « Si ce type est amoureux de toi, c'est que tu dois être quelqu'un de bien au fond. » Très vite il a tourné son premier film et entamé le second. Et croyez-moi, Sy méritait bien son succès. Ça n'était pas un gros richard de plus qui veut se lancer dans le show-biz pour se faire des actrices et épater les copains. C'était un producteur, un vrai de vrai.

— C'est-à-dire ?

Elle ne mit pas plus d'une seconde à me répondre, elle avait eu des années pour réfléchir à la question.

— Il avait le sens du scénario. Un producteur doit savoir communiquer son enthousiasme. Sy savait le faire, et il savait innover aussi. Par exemple, quand tous les autres tournaient des mélos sur toile de fond rurale, Sy, lui, s'est lancé dans la science-fiction ultra-sophistiquée. Simplement parce qu'il avait adoré le scénario et qu'il était persuadé qu'on pouvait en faire un grand film.

— Et c'est comme ça qu'il est devenu un grand producteur. Et vous, dans l'histoire ?

— Moi, pas grand-chose. J'ai demandé aux Télécom de remettre mon nom dans l'annuaire.

— Autrement dit, il vous a plantée là le jour où vos scénarios ont cessé de se vendre.

— Tout juste.

— Bravo. Vous venez d'où ? demandai-je.

— Ogden dans l'Utah. Moose vous gêne ?

— Non, il est bien, là.

— Elle. C'est une fille. Ça ne vous a pas frappé ? Elle adore les hommes. Dès qu'un type met les pieds ici, elle devient folle. Toujours en chaleur.

En un éclair, le sourire attendri de Bonnie, un peu mémère à son chien-chien, disparut complètement. Elle regarda machinalement la pendule au mur. Je me dis qu'il fallait absolument que j'enquête sur elle, sur sa réputation.

— Et la rupture, ça s'est passé comment ?

— Pas trop mal, quand on sait à quel point Sy voulait s'en aller. Il m'a annoncé — très gentiment — qu'il y avait une autre femme. Une femme du monde, comme sa première femme, à cette différence près qu'elle n'avait pas une tête à bouffer de l'avoine. Bref, il m'a dit qu'il était très amoureux, qu'il lui était insupportable de me faire de la peine mais qu'il voulait divorcer pour pouvoir se remarier.

— Mais il ne l'a pas épousée ?

— Non, évidemment. Il voulait juste se tirer. Sa maîtresse lui a servi de prétexte. Il a dû penser qu'il me ferait moins de mal en se disant amoureux. Vous imaginez un peu s'il m'avait dit : « Ecoute, Bonnie, les has-been, très peu pour moi, surtout quand elles vous mangent la soupe sur la tête. »

— Et ça ne vous a pas foutue en boule ?

— Bien sûr que si ! Si vous retourniez sept ans en arrière, vous trouveriez une bonne vingtaine de témoins qui m'ont entendue crier : « Crève donc, ordure ! » Mais les années passent. Et puis avec le temps on est redevenus amis.

— Quand vous êtes-vous vus pour la dernière fois ?

— Je ne sais plus au juste. — Elle savait parfaitement, au contraire, je le sentais. Elle leva les yeux vers une casserole fixée au mur en faisant mine de se concentrer. — Il y a quelques jours, quand je suis allée sur le tournage.

— Et avant ça ?

— Voyons... Oh, une semaine avant. Il voulait me montrer sa maison, il m'a invitée à passer.

— Vous êtes restée longtemps ?

— Non, juste le temps d'un petit tour du propriétaire.

— Vous étiez très proches ?

— Assez.

— Vous vous voyiez souvent ?

— Non, pas très.

— Il venait vous voir ici ?

— Il est venu une fois ou deux. On avait surtout des rapports téléphoniques. Nous avions été collègues, collaborateurs. L'hiver dernier, j'ai écrit un nouveau scénario et je l'ai envoyé à Sy aussitôt. En fait, on ne s'était pas revus depuis le divorce, mais je savais qu'il le lirait. Il l'a lu et il a aimé. — Elle se massa le front. — Oh, bon Dieu, je n'arrive pas à croire qu'il est mort.

— Et le scénario ?

— Quoi ? Ah, oui, le scénario. On l'a mis à l'étude ensemble. C'est une histoire d'espionnage féminin.

— Qu'est-ce que vous voulez dire au juste par « mettre à l'étude » ?

— C'est-à-dire développer le projet, établir le montage financier, trouver un bon metteur en scène ou une star. Mais Sy ne s'engageait jamais s'il n'était pas entièrement satisfait du scénario. Et le mien — je l'ai intitulé *Vacances à la mer* — avait besoin d'être peaufiné. Sy m'a fait toutes sortes de suggestions intéressantes et moi, j'ai réécrit à partir de ces conversations.

— Et ensuite il l'aurait produit ?

— Oui.

— Il payait bien ?

— Il n'avait pas encore commencé à me payer. Mais si je le lui avais demandé il m'aurait donné une avance.

— Pourquoi ne l'avez-vous pas fait ?

— Pour les mêmes raisons qui m'ont fait refuser la pension alimentaire. Je ne voulais pas avoir l'air cupide. Je sais que ça a l'air idiot. Mais c'était une des angoisses de Sy de s'imaginer que les gens — les femmes, surtout — n'en avaient qu'après son fric. Je ne voulais pas qu'il croie ça de moi. De toute façon, il m'aurait payée tôt ou tard.

— De quoi vivez-vous ? Fortune personnelle ?

Elle éclata de rire.

— Pourquoi, j'ai la tête à ça ?

Et elle eut un regard circulaire autour de la cuisine.

— Vous vivez à Bridgehampton toute l'année ?

J'étais franchement surpris.

— Oui. Vous vous imaginiez peut-être que c'était ma petite résidence d'été, qui me sert de jardin secret quand je ne supporte plus mon trois cents mètres carrés de Sutton Place. Eh bien, non. Je vis de ma plume. Je fais la chronique mondaine du *South Fork Sun* — les colonnes les plus palpitantes du journal : mariages, naissances, anniversaires. « A l'occasion de leur dix-neuvième anniversaire de mariage, Penny et Randy Rollins, les propriétaires de l'illustre taverne du " Wee Tippee " organisent un gala où l'on pourra déguster la fameuse soupe de poissons de Penny, de réputation mondiale ! » Je rédige aussi des catalogues de vente par correspondance. Ça donne des trucs comme : « Un rêve de rayonne blanche façon organdi rehaussée de boutons simili nacre. »

— Quand vous avez dû laisser tomber les scénarios et

réduire votre train de vie pour passer à quelque chose de moins... excitant, disons, vous n'en avez pas voulu à Spencer ?

— Lui en vouloir ? Quand un homme vous dit : « Je n'ai plus envie de toi », vous pouvez lui en vouloir. — Elle détourna les yeux, gênée, et reprit : — Mais sur le plan professionnel, ce n'était pas la faute de Sy si les huit studios et les deux mille producteurs indépendants que j'avais contactés avaient refusé mes scénarios en disant que c'était « touchant ». Autrement dit que c'était nul. Sy n'y était absolument pour rien. Je suis sûre d'ailleurs qu'il était désolé pour moi.

— Il vous arrivait de parler d'autre chose que de votre scénario ?

— Bien sûr. Je connaissais sa famille et ses amis, non ?

— Il avait des frères et sœurs ?

— Non, il était fils unique. Ses parents sont morts depuis le divorce, mais il avait des oncles, des tantes et une flopée de cousins. Ça nous est arrivé de remuer des vieux souvenirs. Quand je l'ai rencontré, il dirigeait toujours sa revue littéraire, et il essayait de produire son premier film ; mais son bureau était encore dans les locaux des Conserves Spiegel et Crown.

— Spiegel ?

— Spiegel. C'était son vrai nom : Seymour Spiegel. (Elle secoua la tête.) Il en a changé juste avant d'entrer à Darmouth College. Je n'ai jamais compris pourquoi. Il s'imaginait peut-être que le jour de la cérémonie de fin d'études il allait dire : « Voilà mes parents, Helen et Morton Spiegel. A l'origine ils s'appelaient Spencer, mais ils ont judaïsé leur nom. » Quitte à changer de nom, il aurait dû aller jusqu'au bout et se faire appeler Johnny parce qu'au fond Sy et Seymour ça n'est pas franchement différent.

Bonnie s'arrêta brusquement de parler, happée par le souvenir. Elle écarquilla grand les yeux comme quelqu'un qui essaie de retenir ses larmes. Elle se leva et commença à frotter une tache imaginaire sur la cuisinière.

Et puis, comme tout à l'heure, elle se ressaisit en un

clin d'œil. Quand elle se retourna, elle était parfaitement maîtresse d'elle-même, avec juste ce qu'il faut de douloureux dans la voix :

— Vous avez la moindre idée de qui est l'assassin ?

Elle avait l'air sincère. Triste et pleine de compassion. Et fausse.

— Et vous ?

— Non, répondit-elle.

Pour une femme de son âge elle était sacrément bien conservée. J'essayais de me rappeler où j'avais pu la voir avant. Peut-être au jogging. Elle avait des jambes de sportive, minces et tout en muscles.

— Essayez de vous souvenir de ce qui s'est passé pendant les dernières semaines. Est-ce que Sy Spencer s'était brouillé avec quelqu'un ?

Elle s'appuya contre le plan de travail et sourit.

— Quelqu'un ? Vous voulez dire tout le monde. Quand Sy produisait un film, tout le monde devenait un ennemi potentiel. C'est marrant d'ailleurs, lorsque nous étions mariés il ne s'énervait jamais. Il nous arrivait de nous disputer, moi je cassais la vaisselle pendant que lui me regardait faire, impassible, comme si j'étais une actrice en train d'improviser sur le thème « scène de ménage ». Mais quand il faisait un film, adieu le sang-froid, bonjour le massacre. C'était son argent et sa réputation qu'il mettait en jeu. Il ne criait pas, jamais. Il était glacial, au contraire, une vraie terreur froide. Et croyez-moi, il avait toujours le dessus.

— Il était en mauvais termes avec quelqu'un la dernière fois que vous avez parlé ?

— Avec Lindsay, je pense.

— Ils vivaient ensemble, non ? Et ils s'aimaient comme des fous, à ce qu'il paraît.

— Ecoutez, pour ce qui est de l'amour fou, permettez-moi d'en douter. Et tant que le show-biz sera le show-biz, amoureux ou pas, aucun producteur ne tolérera jamais qu'une actrice lui fiche en l'air un projet de vingt millions de dollars. Sy m'a dit que les rushes étaient nuls. Ça m'a franchement étonnée du reste, parce que Lindsay n'est pas seulement une fille superbe, c'est une actrice de talent.

— Vous croyez qu'elle l'a déçu ?
— Sy s'attachait et se détachait facilement.
— Laissons l'amour de côté, vous voulez. Est-ce qu'il lui en voulait selon vous ? Il était en rogne contre elle ?
— Plutôt, oui. Il disait qu'elle était là en touriste, qu'elle ne faisait aucun effort sous prétexte que ça n'était pas un « film important ». Ce genre de réflexions, ça le mettait hors de lui. Pour lui, un film important c'était un film émouvant, un film qui touche le public, même si ça n'est qu'une petite comédie. Il croyait dur comme fer à *Nuit d'été*. Mais elle, pas. Cette fille est tellement sûre d'elle qu'elle ne se rendait même pas compte que son jeu était nul. Selon elle, tout allait bien. Mais croyez-moi, si Sy était encore vivant, à l'heure qu'il est elle serait en train d'en baver des ronds de chapeaux.
— Il était prêt à la faire valser, en somme.
— Absolument. Et le metteur en scène avec.
— Qui est-ce ?
— Victor Santana.
— Qu'est-ce qu'il lui avait fait ?
— Santana est complètement gaga devant Lindsay et il ne l'aurait remplacée pour rien au monde.
— Quelqu'un d'autre était en bisbille avec lui ?
— Oh, la liste habituelle. Le directeur de la photo, un Français, génial paraît-il, mais qui filmait trop pastel. Et puis le chef de l'équipe technique, un membre de la NABET — le syndicat des techniciens — qui avait des revendications plein la bouche. Bref, Sy avait tout le monde à dos.
— Bon, d'accord. Et du côté des acteurs ?
— Je ne sais pas. Je ne faisais pas partie du tournage de *Nuit d'été*.
— Et Lindsay Keefe ?
— A votre avis ? Quand on a dit à une star de réputation internationale qu'elle joue comme une patate et que les rushes sont tout juste bons à mettre à la poubelle, elle le prend comment ? Cela dit, je ne l'imagine pas en train d'assassiner Sy pour ça.
— Qui alors ?
— Je ne sais pas.
Je la regardai droit dans les yeux :

— Si, vous savez. C'était votre ex-mari, après tout. Il lui arrivait de se confier à vous.

— Nous ne nous parlions pas tant que ça.

— Suffisamment, en tout cas. Dites-moi ce qui le turlupinait.

— Il n'entrait jamais dans les détails.

— Je veux savoir.

— D'accord. Je vais vous dire ce que je crois. Mais sachez que c'est ma version à moi, pas celle de Sy.

— Allez-y.

— Un film comme *Nuit d'été,* ça coûte la peau des fesses pour un producteur indépendant. Sy avait peut-être peur que ses créanciers n'aient eu vent des difficultés sur le tournage.

— Qui était-ce ?

— Vous dire précisément, je ne saurais pas. Je crois que certains d'entre eux étaient des types que Sy avait connus du temps de Spiegel et Crown. (Elle s'arrêta.) Et vous savez, dans ce genre de business il n'y a pas que des enfants de chœur.

— Vous voulez dire qu'il y a de l'argent sale ?

— Je ne sais pas, mais d'après Sy ces types ressemblaient plus à des hommes d'affaires en complet veston (bien que portant des gourmettes en or massif) qu'à des mafiosi.

— Et à part ça, personne d'autre ?

Elle réfléchit un petit moment.

— Non, je crois qu'on a fait le tour. Personne d'autre.

Je me levai. Elle baissa la tête, ses cheveux noirs brillaient. J'étais juste devant elle. Elle respirait vite, par saccades. Visiblement, je lui faisais de l'effet. Pas seulement en tant que flic, je veux dire, en tant qu'homme aussi.

— Bonnie, vous êtes une fille intelligente, observatrice et charmante. Je le pense sincèrement. — Elle essaya de prendre un air dégagé et de me fixer dans les yeux, mais elle piqua un fard. — Mais j'ai le sentiment que vous me cachez quelque chose.

— Je ne vous cache rien.

Sa voix resta coincée un instant dans sa gorge.

Je me rapprochai davantage.

— Vous pouvez m'aider à trouver le coupable, Bonnie.

— Je ne peux pas. Sincèrement, je vous ai dit tout ce que je savais.

— Ecoutez, quand ça n'allait pas, le film, Lindsay, et tout le reste, à qui est-ce que Sy pouvait se confier ? A quelqu'un qui connaissait le métier et qui le connaissait bien, lui. Non ?

— Je vous en prie. Je vous ai dit tout ce que je savais.

— Je sens que vous n'êtes pas parfaitement réglo. Qu'est-ce que vous essayez de me cacher ? — Elle détourna la tête. — Répondez ou je vais finir par croire que vous êtes dans le coup, Bonnie.

— Et pourquoi ?

Elle n'avait pas l'air effrayé, mais elle n'avait pas l'air à son aise non plus.

— Répondez. — Je m'approchai d'elle, elle recula d'un pas. Maintenant elle était coincée contre l'évier. Je me rapprochai encore. Je la touchais presque. — Dites-moi ce que vous ne m'avez pas encore dit. Ne soyez pas stupide. Si je commence à me mettre dans la tête que vous êtes dans le coup, je vous promets que vous allez passer un sale quart d'heure. Je ne vous lâcherai pas tant que je n'aurai pas découvert la vérité.

Après Bonnie Spencer, j'avais quelques minutes pour souffler un peu. Je partis en direction de la plage. Je n'avais pas aimé la façon dont l'interrogatoire s'était terminé. Un poil de séduction n'a jamais fait de mal à personne, mais là, il s'agissait d'autre chose. Je m'étais approché de Bonnie et je l'avais menacée, mais ça n'était pas seulement pour l'impressionner. J'avais désiré la sentir contre moi. Il était temps que j'aille prendre un peu l'air.

A la plage, le vent soufflait par petites rafales et soulevait le sable qui venait me frapper au visage et dans le cou. Les éléments se déchaînaient. Les baigneurs commençaient à s'éparpiller. Il y avait de l'hystérie dans l'air. On fermait les parasols, on remballait les pliants et les thermos et on filait tout droit vers les bagnoles. Pas question de prendre un grain de sable dans l'œil — qu'il fallait garder grand ouvert sur la prochaine OPA.

J'ôtai mes chaussures et je m'accroupis dans les dunes près d'un buisson, à l'abri du vent, pour regarder détaler les New-Yorkais et les New-Yorkaises.

Dans les années cinquante, quand j'étais gosse et qu'il faisait très chaud, il m'arrivait de dormir sur la plage, à cet endroit précisément. Les plus grands avaient des tentes mais nous, les mômes, on dormait à la belle étoile, enroulés dans des couvertures. On s'amusait à se faire peur avec des histoires d'étrangleurs d'enfants ou bien on se racontait tout bas des blagues pornos. Et puis vers onze heures, on se mettait sur le dos et on regardait les étoiles dans le ciel, sans rien dire. C'était tellement beau que ça vous coupait la chique.

Je devais avoir dans les dix ans quand j'ai pris l'habitude de venir dormir sur la plage deux ou trois soirs par semaine. Je le faisais presque toute l'année, sauf les mois d'hiver. J'attendais qu'il n'y ait plus de lumière dans la maison, et puis je descendais l'escalier sur la pointe des pieds. J'allais chercher ma couverture dans l'appentis, j'enfourchais mon vélo et je partais à fond la caisse, dans le noir complet sur un kilomètre.

C'était plus fort que moi, il fallait que je sorte. Il faut dire qu'à l'époque mon frangin et moi on n'était pas vraiment comme cul et chemise. A la vérité, on s'ignorait plus qu'on ne se détestait. Pour moi, Easton n'était qu'un petit faux-derche qui repassait ses T-shirts.

Ma mère ? C'était une dame. Ma mère ne criait pas, elle ne me frappait jamais mais elle ne m'aimait pas non plus. A ses yeux, j'étais le portrait craché du cul-terreux alcoolo qui l'avait mise en cloque et qui s'était tiré après. Le simple fait d'être moi-même — me balancer sur l'accoudoir du divan ou siffler deux ou trois fausses notes en frottant les carreaux, par exemple, ça la rendait malade. Elle ne disait rien, non, elle passait simplement à côté de moi en soupirant d'exaspération. Quand j'étais plus petit je lui demandais : « Qu'est-ce qu'y a, m'man ? » Elle répondait toujours par un petit grognement pincé qui voulait dire « Rien » et puis elle me sortait :

— Steve, mon garçon, ne m'appelle pas « m'man », veux-tu ? Ce sont des manières de paysan.

Avec ma mère j'avais toujours l'impression d'être le dernier des étrons.

Il faut dire qu'elle n'avait pas eu une vie marrante. Mon vieux avait liquidé la ferme et puis il s'était tiré. Le fric manquait sérieusement à la maison. Il y avait à peine de quoi nous nourrir, mon frangin et moi, et de quoi nous payer un jean et une paire de baskets. Ça n'était pas exactement le genre de vie qu'elle aurait voulu, elle qui se prenait pour une lady. Elle trouva une place de vendeuse chez Saks, dans la Cinquième Avenue de Southampton. C'était sa façon à elle de se rapprocher des bourgeoises : en leur remontant la fermeture Eclair et en palpant leurs cartes de crédit. Et après le boulot, elle allait se défoncer dans les ventes de charité de ces mêmes bonnes femmes. Elle aurait fait n'importe quoi : disposer trois cents tables de bridge en plein soleil ou bien passer une nuit entière à coller des enveloppes, pourvu que ces dames la tolèrent dans leur cercle.

Je me suis toujours demandé où ma mère avait bien pu se choper le virus du jet-set. Sa famille était l'une des plus anciennes de Sag Harbor, c'est vrai, mais ses ancêtres étaient des loups de mer ordinaires — jambes arquées et vieux chicots — et pas des capitaines au long cours comme elle aurait voulu le faire croire. Son paternel, qui ne m'a pas connu, était guichetier des ferry-boats qui reliaient Sag Harbor à New London.

Quoi qu'il en soit, ma mère était persuadée d'être une lady. Elle méprisait le gratin local. Les femmes d'avocats, les femmes de toubibs ou de riches fermiers, très peu pour elle. Peut-être parce qu'elle savait qu'ils savaient qui elle était, ou plutôt qui elle n'était pas. Enfin, bref, elle ne vivait que pour le jour où ses « amies » viendraient réouvrir leur résidence d'été. Depuis tout gosses on l'entendait déballer ses salades à table, au sujet de ses « amies » de New York.

Quand elle disait « mes amies » il fallait comprendre ses clientes, les propriétaires de « cottages » à Southampton — ces grandes résidences d'été comme celle de Spencer. Elle était intarrissable au sujet des combinaisons brodées main de Mme Oliver Du Shmoll et des trente et une robes (Chanel, Dior, Nina Ricci...) — une pour chaque jour du mois — de Mme Du Genou.

Dur, dur. Tous les matins, ma mère tirait la gueule parce qu'elle n'avait pas de chauffeur, pas de zibeline et pas de femme de chambre. Elle n'avait même pas un toit étanche.

C'est sans doute pour ça que je ne pensais qu'à me tirer. C'est qu'il fallait se la farcir à table, tous les soirs, autour d'un grand plat de nouilles à l'eau avec un soupçon de râpé (« Pas vraiment original, mais trèèès sympâââ »). Elle avait une voix de fumeuse, éraillée et complètement trafiquée — la reine d'Angleterre avec une pharyngite — et elle nous rebattait les oreilles avec sa Gabrielle de Machinchose (une des sœurs Machinchose de Philadelphie) qui ne portait rien d'autre que de la soie. A dire vrai, elle s'adressait à Easton, jamais à moi. Je savais et elle savait qu'elle aurait perdu son temps.

Je ne faisais pas partie de son monde. Comme le paternel, je n'étais pas un mec bien.

— Pouvez-vous nous dire si M. Spencer a reçu des lettres ou des coups de téléphone de menace ?

Robby Kurz était en train d'interroger Lindsay Keefe.

Kurz s'était levé aux aurores pour se mettre sur son trente et un, ça crevait les yeux, il avait mis une pochette jaune à deux pointes dans la poche extérieure de son veston en prince-de-galles marron et il dégageait une forte odeur de spray qui couvrait complètement le parfum de l'énorme bouquet de roses blanches posé sur la table basse devant le canapé où nous étions assis.

— Des menaces ? Certainement pas, siffla Lindsay Keefe entre ses dents. — Visiblement, elle essayait de toutes ses forces de rester calme. — Qu'est-ce que vous vous imaginez, au juste ? Que l'assassin est venu le trouver pour lui annoncer « Sy, tu es un homme mort » ? Et il n'y a pas eu de coups de fils obscènes non plus.

Le moins qu'on puisse dire, c'est que, pour une nana en état de choc, elle tenait sacrément la rampe, Lindsay

Keefe. Pas un poil d'hystérie, la tête froide comme tout. A croire que l'histoire du Valium et de la crise de nerfs était un coup monté.

Je me l'étais imaginée comme une espèce d'idole géante, une poupée de dix mètres de haut avec une bouche énorme et des jambes immenses faites pour broyer les hommes qui se glissaient entre elles. Mais en fait, Lindsay Keefe, en chair et en os, debout devant la fenêtre, en train de caresser le rideau de voile blanc, était une nana carrément fluette — sauf les nichons bien sûr —, le genre de nana qui donne aux mecs l'impression d'être des surhommes. Pour Spencer, ça devait être la taille idéale. Deux poupées miniature : une espèce à part.

Mais Spencer, lui, n'était pas spécialement beau, alors que Lindsay Keefe était extraordinaire. Avec un physique pareil, il n'y avait rien d'étonnant à ce qu'elle ait eu une ascension fulgurante. Elle était divine. En général, tous les acteurs ont un défaut : un kyste, une verrue ou de grandes oreilles, un truc tellement visible qu'on se demande ce qui les retient d'aller trouver un chirurgien esthétique. Lindsay Keefe, elle, avant un grain de beauté sur le cou, juste à l'endroit de la pomme d'Adam. Un truc banal au fond, mais qu'on ne pouvait s'empêcher de fixer.

Sa peau très pâle, transparente, laissait deviner le bleuté des veines, et ses cheveux d'un blond presque blanc tombaient jusqu'aux épaules avec des reflets argentés et dorés. Ses yeux ? Noir de jais.

Elle était tout en blanc. Une longue jupe blanche transparente et un chemisier blanc tout simple. Le salon était tout blanc aussi. On se serait cru dans un décor de cinéma, spécialement fait pour mettre les blondes en valeur. Tous les meubles — d'époque —, des fauteuils mastoc, des divans profonds recouverts de tissus étaient de styles différents, mais également blancs. Comme si le blanc était une couleur.

— La vérité, continua Lindsay Keefe, c'est que Sy n'avait peur de rien. Il contrôlait parfaitement la situation. Il était en pleine possession de ses moyens. Intellectuels, émotionnels, financiers...

Elle s'arrêta net. Comme si, quand elle avait dit « moyens », elle avait surpris un sourire entendu entre Kurz et moi. Exaspérée par ce qu'elle s'imaginait sans doute être notre humour de potaches, elle précisa :

— ... Et sexuels, si c'est ça qui vous intéresse.

Là, elle était franchement à côté de ses pompes, insupportable. Mais Kurz et moi on l'écoutait sans broncher. Sa voix était profonde, sensuelle, fascinante. On avait envie de l'écouter rien que pour le plaisir. Elle aurait pu raconter n'importe quoi, parler de Spencer, réciter une table de multiplication ou lire une étiquette de boîte de camembert, elle était irrésistible.

On avait envie d'applaudir, pas seulement sa frimousse et sa voix, mais aussi son corps. Elle avait pris la pose idéale. Juste devant la fenêtre, rideaux ouverts. A la lumière du jour, on devinait presque ce qu'elle avait mangé au petit déjeuner. Rien ne pouvait nous échapper : la ligne de son string, sa taille de guêpe, son ventre plat et puis surtout ses seins. Des roberts pas croyables, dirigés vers le nord et défiant les lois de la gravitation universelle. Et bien sûr, Madame s'était mise de profil pour qu'on voie pointer les bouts sous son corsage.

— Sy avait réussi aussi bien sur le plan artistique que financier. Je ne vous apprendrai rien en vous disant que, dans ce métier, personne ne fait de cadeau. Mais ne me faites pas croire qu'on assassine un homme parce qu'il a remporté la Palme d'or au Festival de Cannes ou parce que son dernier film a rapporté quatre-vingt-dix millions de dollars.

Kurz acquiesçait à tout ce que disait Lindsay Keefe. On aurait dit qu'il avait la tête montée sur ressort.

Moi, en revanche, je n'acquiesçais pas. Même si j'étais subjugué par sa voix et par sa silhouette — bien éclairée —, il me restait quand même assez de cervelle pour déceler du blabla. Son indifférence me sidérait. Lindsay Keefe était une actrice, non ? Elle aurait pu au moins nous servir un ou deux sanglots de poitrine. Eh bien tintin. Elle faisait semblant de se soumettre à l'interrogatoire pour qu'on la croie coopérative. Et elle en profitait pour nous titiller, simplement parce qu'elle ne pouvait pas s'empêcher de titiller tout ce qui porte un falzard. Mais au fond, elle se fichait éperdument de ce qu'on pensait d'elle. Dans toute ma carrière de flic, je n'avais encore jamais vu ça.

Un meurtre, pour la plupart des gens, n'est pas un événement banal. En règle générale, quand on voit débarquer un flic de la Criminelle, ça fait quelque chose. On est respectueux, agressif, obséquieux, renfermé, coopératif ou hypocrite. Pas question de familiarité. Pour n'importe qui, Kurz et moi on aurait été les représentants de la Loi, les symboles de l'autorité. Pour n'importe qui, oui, mais pas pour Lindsay Keefe. Pour elle, on était deux ploucs endimanchés.

Elle releva ses cheveux qui s'étaient pris dans son col et les fit retomber sur ses épaules.

— Autre chose ? demanda-t-elle.

Robby essayait d'avoir l'air détendu mais il était dans l'impasse. Il dégageait une odeur de suint. C'était les nerfs qui lâchaient — et l'excitation aussi.

— Y avait-il quelqu'un, dans le passé de M. Spencer, qui aurait pu lui en vouloir et dont il vous aurait parlé ? demanda-t-il.

Lindsay Keefe prit une inspiration très lente et très profonde pour nous montrer à quel point elle était obligée de prendre sur elle pour continuer l'interrogatoire.

— Mademoiselle Keefe ?

Je n'irai pas jusqu'à dire que Kurz avait la voix dans le cul, non, mais il commençait sérieusement à pédaler dans la choucroute.

Elle quitta la fenêtre et vint s'asseoir en face de nous, les jambes repliées sous elle, croisant les mains comme une dame.

— Je crois que j'ai tout dit. Je n'ai plus rien à ajouter, messieurs.

Quelle voix, nom de Dieu. Une voix de polar des années trente : chaude et lascive. Cela dit, lascive ou pas et malgré ses nibards à tout casser, Lindsay Keefe ne m'excitait pas plus que ça. Evidemment, si on aimait le genre blonde ravageuse, on était servi. Mais moi, je ne vois pas de charme à l'arrogance. Alors soit elle se donnait des airs parce qu'elle était sur le point de craquer — ou parce qu'elle avait la trouille —, soit elle nous montrait sa nature, tout simplement : une bêcheuse hautaine et glaciale.

— Eh bien, d'autres questions ?

Robby Kurz, l'inspecteur Haleine Fraîche, le flic de choc de Suffolk County, avait perdu tous ses moyens :

— Je crois que ce sera tout pour aujourd'hui, annonça-t-il d'une voix blanche.

— Parfait, répondit-elle et elle se leva.

Kurz se leva aussi — non sans se cogner le menton au guéridon en marbre blanc.

Je restai assis.

— M. Spencer avait-il revu ses ex-collègues du temps où il était dans la charcuterie cacher ?

Lindsay Keefe eut l'air un peu surprise. A part « bonjour » et « pardon » jusque-là je n'avais pas moufté. J'avais laissé faire Robby.

— Une petite minute encore, voulez-vous, madame ?

Elle se rassit. Kurz aussi. Je repartis à l'assaut :

— La charcuterie cacher ?

— Non, répondit-elle. Il ne les voyait plus. Tout ça, c'était du passé. Mais je vais vous dire, inspecteur... votre nom m'échappe.

— Inspecteur Brady. Certains de ses ex-collègues participaient au financement du film, n'est-ce pas, madame Keefe ?

— Un ou deux, je crois.

— Vous connaissez leurs noms ?

— Un seul. Mikey. Michael j'imagine.

— Il a un nom de famille, ce Mikey ?

— Je ne le connais pas.

— Est-ce que M. Spencer et lui s'étaient rencontrés dernièrement ? (Elle fit non de la tête.) Ils s'étaient téléphoné ?

— Sy téléphonait presque toujours de son bureau.

— D'accord, mais il vous est peut-être arrivé d'entendre, par hasard, une conversation entre lui et Mikey.

— Une fois. Je passais justement — épargnez-moi vos sous-entendus, inspecteur, je n'écoute pas aux portes.

— Très bien. Et qu'avez-vous entendu en passant ?

— Sy lui assurait que tout allait bien sur le tournage.

— Pourquoi ? Mikey avait des doutes ?

— Mais non. Seulement Sy le caressait dans le sens du poil. C'est une tactique. Il était très fort pour ça.

— Pas de problèmes sur le tournage, donc ? insistai-je. Elle secoua la tête et une longue mèche blond platine retomba sur son épaule. Elle se mit à l'enrouler autour de son doigt. Pour m'hypnotiser peut-être. Manque de bol, ce qui me fascinait, c'était son grain de beauté dans le cou. On aurait dit un troisième œil.

— M. Spencer était content du film ?

— Oui.

— Pas de problèmes avec le metteur en scène ou les acteurs ?

— Non, rien de spécial.

— Il était content de vous ?

— (Avec emphase.) Evidemment. (Intriguée.) Pourquoi ?

— J'essaye simplement d'y voir clair, répondis-je.

— Ecoutez, inspecteur, je vais être franche avec vous. Les langues vont toujours bon train sur un tournage, surtout quand il s'agit de la vedette. Et il arrive que ça dépasse la simple médisance. J'imagine aisément tout ce qu'on a pu vous dire sur moi : que j'étais une peau de vache — parce que je prends mon métier à cœur, passionnément à cœur —, ou bien que mon jeu n'était pas assez bon. Ou qu'il y avait de l'eau dans le gaz entre Sy et moi. La vérité c'est que, oui, je suis intraitable. Mais il m'arrive aussi d'être vulnérable.

— Je veux bien le croire.

— Et j'aimais Sy, passionnément.

— Je comprends.

— J'espère que vous comprenez aussi que Sy aimait mon travail... — elle inclina la tête un instant, marqua une pause et puis elle me regarda droit dans les yeux — ... et qu'il m'aimait.

— Je n'en ai jamais douté, dis-je en pensant aux cheveux noirs qu'on avait retrouvés sur la tête de lit de la chambre d'amis.

— Nous devions nous marier.

— Vous connaissez ses ex-femmes ?

— Je ne les ai jamais rencontrées, ni l'une ni l'autre.

— Il lui arrivait de vous en parler ?
— Pas très souvent. Je sais que la première s'appelait Felice et qu'il l'avait épousée après l'université. Elle était diplômée de Columbia University. Une fille brillante, apparemment, et de très bonne famille. Une grosse fortune.
— Et pourquoi ça a craqué ?
— Vous voulez la vérité ?
— Oui, rien que la vérité.
— Elle était chiante.
— Il l'avait revue récemment ?
— Non, pas que je sache. Ils étaient divorcés depuis les années soixante. Elle s'est remariée d'ailleurs.
— Et sa deuxième femme ?
— Bonnie ? La fille du Far-West ?
— Dites-moi ce que vous savez d'elle.
— Une mésalliance complète. — Lindsay Keefe posa les doigts d'une main dans la paume de l'autre. Pour les reposer ou pour en admirer les ongles ? — Elle écrit. Elle venait d'écrire un scénario quand il l'a rencontrée. Je suppose que c'est son côté « nature » qui l'avait séduit... cinq minutes.
— Et puis ? demandai-je.
— La vérité ? Cette fille n'a pas été capable d'écrire plus d'un scénario. Quand ils se sont mariés, elle n'était déjà plus dans la course.
— Vous savez s'ils se sont revus ? demanda Kurz.
— Non. Bien sûr que non. Mais je sais qu'elle habite dans le coin. Elle a gardé leur ancienne résidence d'été quand ils se sont séparés. En fait, je me souviens qu'elle a recontacté Sy il y a quelque temps. Elle lui avait envoyé un nouveau scénario.
— Ça l'intéressait ? demandai-je.
— Pas du tout.
J'avais du mal à avaler ma salive.
— Il l'a refusé ?
— Oui. Il m'a dit qu'il ne pouvait pas faire autrement. Je suppose qu'il l'a fait gentiment. Gentiment mais fermement. Oh, et je me souviens maintenant. Elle est même venue une fois sur le tournage à East Hampton, pour le relancer. Je ne l'ai pas vue, mais elle s'est payé le

culot d'aller le trouver jusque dans sa caravane. Très pénible. Il l'a envoyée promener en lui disant quelque chose comme « Inutile de revenir ici » ou « Tes scénarios tu peux te les garder ». Je sais, ça n'est pas très élégant, mais il n'avait pas le choix. Le cinéma attire tous les paumés de la terre.

— Ce n'était pas une étrangère quand même. C'était son ex-femme, dis-je. Il trouvait que c'était une paumée ?

— Non. Pas vraiment. Mais il savait que ça n'était pas une gagneuse en tout cas. S'il lui avait donné le moindre signe d'encouragement, il n'aurait plus pu s'en dépêtrer. Ça aurait été des « Aime-moi, prends mon scénario, rends-moi riche et célèbre » à n'en plus finir. Les gens comme ça, il n'y a rien à en tirer. Il fallait que Sy s'en débarrasse.

4

Nous étions six en tout à la réunion de travail de la Criminelle. Six flics et un tableau noir. Kurz n'avait pas réussi à interroger Easton parce qu'il s'était lancé sur les traces de Mikey, le gros Mikey Lo Triglio — un vrai tendron. Comme les Spiegel-Spencer, la famille de Mikey était dans la charcuterie industrielle. Mais il avait des liens avec une autre famille aussi, les Gambino. Le gros Mikey avait un casier épais comme ça — extorsions de fonds, attaques en tout genre — et pas une condamnation. Un mec pour nous, en somme.

Ray Carbone, lui, avait passé tout son temps à essayer de calmer les gros bonnets et à rédiger un communiqué de presse. C'est tout juste s'il avait réussi à se procurer le nom de la première femme de Spencer, Felice Vanderventer, qui vivait dans Park Avenue.

Le rapport d'autopsie pratiquée par Hugo Schultz — dit le Boche — était plutôt encourageant : hormis le fait qu'il était mort, Sy Spencer était en parfaite santé. Aucune maladie. Pas de traces d'alcool ou de drogue. Son dernier repas semblait avoir été de la salade et du pain. On avait trouvé des traces d'éjaculation récente — post-salade. Oh, et puis, c'est la première balle qui l'avait tué, celle qui l'avait touché à la nuque. La seconde était superflue : une balle gâchée, selon Schultz.

Les deux autres flics écoutaient en buvant du café mon petit topo sur Bonnie Spencer, sur sa version contre celle de Lindsay Keefe au sujet du scénario envoyé à Spencer. J'ajoutai que quelque chose me chiffonnait chez Bonnie, et que l'affirmation de Lindsay Keefe comme quoi elle aurait été géniale dans le rôle était contredite à la fois par Bonnie Spencer et par Gregory. D'après moi, *Nuit d'été* — et les vingt millions de dollars que ça représentait — allait droit au bide et Lindsay Keefe avec.

C'est en sortant de cette réunion, qui ne m'avait rien appris de vraiment nouveau, que je pensai soudain à mon vieux pote le Germe — Jeremy.

Jeremy Cottman, le fameux critique de films à la télé, était mon seul et unique copain riche et célèbre. Enfin, n'exagérons rien, on n'était quand même pas copains comme cochons. Ça devait faire pas loin de vingt ans que je ne l'avais pas revu.

Jeremy était un gosse de riches — riches mais pas célèbres — qui venait passer l'été à Bridgehampton. Son paternel, un agent de change, arpentait les terrains de golf toute la sainte journée et sa peau avait la texture d'un croque-monsieur bien cuit. Maman Cottman, qui appelait tout le monde « mon petit bout de Zan », passait tous ses étés dans son jardin. Un fichu sur la tête et un sécateur à la main, elle coupait tout ce qui dépassait et qui ne pouvait pas s'enfuir. Ils habitaient une maison victorienne en bois, toute blanche, qui donnait sur la baie de Mecox.

Les gosses de riches comme Jeremy montaient à cheval et tuaient le temps en s'invitant dans leurs piscines ou dans leurs clubs de voile respectifs. Pendant ce temps, nous, on travaillait. Mon premier boulot avait été de nettoyer les poulaillers et de gratter les patates du type qui avait racheté notre ferme. A douze ans j'avais pris du galon : je nettoyais les piscines. Et plus tard j'ai trouvé un job de caddie sur un terrain de golf.

Malgré le boulot, l'été c'était fantastique. Le jour tombait très tard. On dînait au lance-pierre et on fonçait au terrain de jeu. Du cours moyen jusqu'à la terminale, on ne ratait pas un des matchs de base-ball de la saison. Tous les ans c'était les mêmes maillots et les mêmes gamins. Mais au fil des étés les maillots s'élimaient et les gosses montaient en graine.

Les matchs se disputaient toujours à Bridgehampton. De temps en temps un gosse de riches passait par là sur un vélo de course. Il passait et repassait plusieurs soirs de suite. Et puis un jour il s'arrêtait, il descendait de vélo et faisait mine d'inspecter ses pneus. En général on lui battait froid, l'air de dire : « Tu peux toujours te brosser, petite tête, ce club-là c'est pas pour toi. » Mais si le môme était un vrai mordu et s'il n'était pas trop bien sapé, on lui donnait sa chance. A condition qu'il fasse le premier pas, bien sûr. A ce moment-là on lui demandait s'il voulait pas faire une balle.

C'est comme ça que le Germe (c'est moi qui lui avais trouvé son surnom) était entré dans notre équipe. Il avait un fameux coup de batte mais il ne courait pas très vite. Par contre, quand il vous balançait des vannes en imitant Marilyn ou Joe Di Maggio, on était pliés en deux.

C'était la première fois que je rencontrais quelqu'un comme Jeremy. Un mec qui pouvait mettre en boîte n'importe qui, le pied ! On est devenus très potes, lui et moi, au point de se raconter nos fantasmes sportifs les plus bizarres. On est restés amis jusqu'à l'université.

Ensuite le Germe est allé à Brown et moi à Albany. Je suis repassé le voir un été (j'étais alors en deuxième année), mais sa mère — qui faisait un sort à son rosier — m'a dit : « Désolée, bout de Zan, il est à Bologne, il apprend l'italien. » On s'est revus une ou deux fois après ça, mais on n'avait plus grand-chose à se dire. Lui c'était un intello et moi, un baba cool. Et puis l'un et l'autre on avait abandonné le base-ball.

De temps en temps j'avais des nouvelles. J'apprenais qu'il était à Chicago ou qu'il travaillait dans un journal à Atlanta ou à Los Angeles. Il était critique de cinéma.

Et puis un soir que j'étais devant la télé — j'avais pas mal picolé, mais j'étais pas complètement cuit quand même — je zappais gentiment en sirotant une petite cannette, et là qui vois-je ? Le Germe ! Assis dans un énorme fauteuil en cuir, jambes croisées, en train de faire la critique de *Out of Africa* (un film surfait d'après lui) en imitant Robert Redford et Meryl Streep.

Le Germe passait à la télé, c'était une célébrité ! Deux ans après, son émission faisait un tabac. Il était moins vache qu'avant dans ses critiques, ce qui ne l'empêchait pas de continuer ses imitations sanglantes ni d'égratigner Untel ou Unetelle au passage. Mais il avait arrêté de frimer avec sa supériorité intellectuelle. Il passait des extraits de films au ralenti, donnant des analyses détaillées de tel ou tel plan. Il expliquait pourquoi tel metteur en scène était génial et tel autre, bidon. Il connaissait tous les acteurs et tous les potins.

Bref, le vendredi soir, à dix-neuf heures, l'Amérique entière avait les yeux braqués sur le Germe. Sa photo paraissait dans des magazines comme *People, Time, Newsweek*. C'est là que j'ai appris qu'il avait épousé la fille d'un metteur en scène des années quarante et qu'il habitait une maison sur la côte ouest, tout en haut d'une falaise. Ensuite il était revenu à New York, il avait divorcé après quinze ans de mariage pour épouser une décoratrice de Broadway très en vogue. Le bruit circulait en ville que son paternel avait fait une crise cardiaque au dix-huitième trou et qu'il était mort avant d'atteindre le Club house. Il avait perdu sa mère aussi et avait hérité de la maison. Cela dit, j'avais beau savoir ce qu'il était devenu, je ne l'avais pour ainsi dire jamais revu depuis l'époque de nos matchs de base-ball à Bridgehampton.

J'étais un peu nerveux à l'idée de l'appeler. On était samedi après-midi et il faisait un temps splendide. Le Germe pouvait très bien être dans les parages en train de s'exercer à imiter Clint Eastwood, ou de sauter sa nana. Ou alors (l'idée me fit sourire) en train d'enfiler son gant de base-ball, jambes croisées, sur son lit, comme il le faisait dans le temps.

Une minute plus tard, il était devant moi, dans l'embrasure de sa porte, une main sur chaque montant, barrant le chemin à l'éventuel intrus venu lui péter son salon Louis XV.

— Oui ?

Comme accueil, c'était plutôt froid.

— Eh ben, on reconnaît plus les vieux potes, le Germe ?

Alors là, il me fit le coup du « Bon Dieu, je rêve ! ». Après quoi suivit une poignée de main fraternelle et bien moite. Mais c'était sincère. On était vraiment contents de se revoir, mais pas assez à l'aise pour se tomber dans les bras l'un de l'autre pour une accolade virile.

— Steve ! Entre !

Je le suivis dans le hall d'entrée, en direction du salon. J'avais la sensation de me retrouver en 1959 : le même porte-parapluies bleu et blanc rempli de raquettes de tennis et le même vieux miroir avec son cadre en bois sculpté.

— Je n'arrive pas à y croire, dis-je, rien n'a changé. J'ai l'impression que ta petite sœur va débarquer d'une minute à l'autre et me cracher à la figure.

— Ah, oui, c'est vrai qu'elle te crachait toujours dessus. Tu lui faisais un de ces effets !

La maison des Cottman avait gardé son côté mal entretenu : des coussins à fleurs complètement passés, des tapis usés jusqu'à la corde qui glissaient sur le parquet, des vieilles chaises en rotin et, sur la terrasse, derrière la maison, des pots de fleurs tout verts de mousse et des meubles de jardin en fonte qui dataient de Mathusalem.

Le Germe n'avait pour ainsi dire pas changé non plus. Evidemment, il était plus grand, ma taille à peu près, mais il avait toujours sa tête de bébé Cadum avec des yeux comme des billes de loto et un nez en bouton de culotte. Il avait bien quelques rides quand même, et quelques cheveux blancs, mais avec ses lunettes en écaille et son pull de tennis il faisait penser à un môme qui aurait mis le costard de papa. Il me fit signe de m'asseoir.

— Tu veux boire quelque chose ? Un café ? — Et puis il se souvint. — Ah, non, une bière, bien sûr ?

Je secouai la tête.

— Steve, nom d'un chien, parle-moi un peu de toi ! Où est-ce que tu habites maintenant ? Qu'est-ce que tu fais ?

Le Germe était trop bien élevé pour demander : « qu'est-ce que tu veux ? » même si intérieurement il était persuadé que j'étais venu pour le taper, ou pour lui demander un truc pas possible comme une photo dédicacée de Farrah Fawcett Major.

— Je crèche tout près, à Bridgehampton, du côté de la décharge.

— Marié, célibataire, div... — Il s'interrompit, emporté par son propre enthousiasme. — Je me suis remarié l'année dernière. Et tu sais avec qui ? (Là il marqua une pause pour que je me prépare à tomber sur le cul.) Avec Faith Armstead !

J'écarquillai tout grand les yeux avec un air de dire : « Ouah ! Faith Armstead ! La décoratrice ! »

— Félicitations.

— Elle est au théâtre aujourd'hui. Incroyable, non ? — Visiblement il était heureux. Heureux et fier de sa bonne femme, qui travaillait même le samedi ! — Et toi Steve, raconte un peu.

— Je ne me suis jamais marié. En rentrant du Viêt-nam j'étais pas très beau à voir.

— Le Viêt-nam, répéta le Germe.

— Et puis le célibat ça a ses bons côtés... la liberté. Mais depuis j'ai rencontré quelqu'un. Une fille en or. On va se marier en novembre.

— Tu es parti au Viêt-nam ? dit-il doucement.

C'était « l'émotion contenue », le nouveau truc à la mode. Maintenant, les petits gars comme moi qui avaient bouffé du Viêt faisaient partie du Patrimoine.

— Tu t'es battu ?

— Penses-tu ! Ils avaient besoin d'un lanceur dans l'équipe de Diên alors j'ai fait la guerre sur un terrain de base-ball. Ecoute, vieux on aurait sûrement beaucoup de choses à se raconter mais je suis venu pour parler boulot.

Je vis la tête du Germe qui commençait à s'allonger.

— Relax Max, je ne suis pas là pour te vendre une assurance.

Et toc ! Le Germe retrouva son sourire et son humour ravageur :

— Je me disais aussi, il a plutôt une tête à vendre des aspirateurs.

— Je suis inspecteur à la Criminelle de Suffolk County.

— Toi !

— Ouais. Ça te la coupe, hein ?

— A la Criminelle ! Mais c'est super, dis-moi.

— Ouais, c'est pas mal quand on aime les tripes.

— Non, blague à part, ça te plaît ?

— Disons que c'est bon pour mes méninges.

— Blague à part, j'ai dit.

— Ouais, j'aime ça. Maintenant, est-ce que tu as une vague idée de ce qui m'amène ?

Il ne lui fallut pas plus d'un quart de seconde pour trouver :

— Sy Spencer.

— Exact. Je veux tout, tout, tout ce que tu sais sur Spencer. Tu l'as connu ?

Il fit pivoter sa chaise face à moi, le dos à la mer.

— Un petit peu.

— Tu le rencontrais dans des soirées ?

— Non, c'était une autre génération. Il fréquentait les nouveaux riches surtout, des écrivains, des patrons de boîtes, des couturiers. Et pas mal de nanas liftées et leurs gros maris.

— Lui, il n'était pas gros. Un mètre soixante-huit, cinquante-huit kilos.

— C'était une exception. — Le Germe hésita : — Tu as su combien il pesait par... ?

— L'autopsie. Il était en pleine forme. J'aimerais bien avoir un foie comme le sien. S'il ne s'était pas pris deux pruneaux dans le buffet, tu sais qu'il nous aurait tous enterrés. Le problème c'est que j'en sais dix fois trop sur sa prostate et pas assez sur lui. Or c'est lui qui m'intéresse. Tu peux m'aider. Même si vous n'étiez pas les meilleurs copains du monde, tu le connaissais suffisamment pour m'éclairer.

— C'est vrai.

— Bon, qu'est-ce que tu sais de *Nuit d'été,* par exemple ?

— Tu veux les ragots ou les faits ?

— Les faits d'abord, comme ça on sera débarrassés.

Le Germe retira ses lunettes et commença à mâchonner pensivement une des branches.

— Très bien. J'ai eu l'occasion de lire une des toutes premières versions du scénario. C'est une histoire d'amour avec de l'action et de l'aventure. Un salaud plein de charme qui épouse une femme pour son argent.

Elle, elle est plutôt guindée en apparence, le genre « Hampton » en quelque sorte. Sauf qu'elle est tombée sous l'emprise de la sensualité de son salopard de mec. Bref, je te passe les détails, lui a plus ou moins fricoté dans la drogue par le passé et un beau jour son passé le rattrape. Des Colombiens kidnappent sa femme, je ne sais plus très bien pour quelle raison. D'abord le salopard s'en fiche et puis, patatra ! la situation se renverse et il découvre qu'il est fou amoureux d'elle. Pendant ce temps, elle, elle est retenue prisonnière dans une cave, à Bogota, je crois, à moins que ce ne soit à Brooklyn. Bref, elle s'aperçoit qu'il est plus qu'un étalon pour elle, que c'est le premier grand amour de sa vie. Il part à sa recherche. Elle s'échappe, bla, bla, bla. Ils ont les méchants aux trousses. Et puis tout finit par s'arranger, et ils vivent heureux dans le meilleur des mondes.

Pendant une minute je contemplai en silence les rayons du soleil qui jouaient sur les vagues, dans la baie.

— Tu crois qu'un type comme moi allongerait six dollars pour aller voir ce film ?

— Difficile à dire. C'est un film sur la découverte de soi. Et les dialogues sont sans doute les meilleurs que j'aie lus ces dernières années. Ils sonnent juste. Il y a des moments assez forts, avant l'enlèvement, par exemple, quand les deux héros commencent à s'apprécier et puis qu'ils se rétractent. Cela dit, rien de nouveau sous le soleil. L'intrigue est plutôt éculée. Mais les personnages sont bien esquissés pour un scénario post-littéraire. (Il remit ses lunettes.) Au cas où tu ne le saurais pas, nous vivons une époque essentiellement post-littéraire.

— Ça ne m'a pas échappé. C'est une tragédie au quotidien pour moi.

— Je savais que tu allais dire ça.

Nous laissâmes passer une délicieuse minute de silence. Quand on se connaît depuis l'enfance, une espèce de télépathie vous lie.

Je sentais que le Germe était détendu, comme moi, avec du soleil plein la tête et qu'il crevait d'envie de parler des Yankees et de tout ce qui leur était arrivé depuis Steinbrenner.

Mais j'avais un homicide sur les bras. Pas question de se laisser distraire.

— Tu as l'air d'avoir des doutes sur le scénario de *Nuit d'été*...

— Ça pourrait faire un film intéressant, stylisé. Mais tout est dans la réalisation. D'abord, il faut que les acteurs soient crédibles. Est-ce qu'on peut croire au grand amour entre Lindsay Keefe et Nicholas Monteleone ? Lui, sa force est plutôt émotive que sexuelle. Il n'a jamais été meilleur que dans des rôles d'aventurier, de cow-boy, de flic (il sourit) — la camaraderie virile. Et puis deux stars, ça ne suffit pas pour faire un film. Il y a tout le reste. Les Colombiens, par exemple. Ça dépend s'ils en font des Latinos gominés ou des vrais tueurs. Comment vont-ils tourner les scènes d'action ? Est-ce que la grande poursuite va être réussie ? Quoi qu'il en soit, la vraie question, c'est pourquoi Sy Spencer n'a pas réussi à faire financer le film par les studios. Vraisemblablement parce que Cary Grant en étalon, ça ne fera jamais un tabac. En tout cas ça n'attirera pas les moins de vingt-cinq ans. Le film n'est pas assez émouvant pour faire un deuxième *Love Story*, et pas assez cochon, non plus, même si cette fois Lindsay Keefe décide de retirer le bas. Le public l'a déjà trop vue à poil. A force on a envie de lui dire : « Garde ta chemise, Lindsay, ça ira comme ça. » Le sexe dans ce scénario est avant tout verbal. Il n'y a pas de scènes torrides. — Le Germe se pencha en arrière, les mains croisées derrière la nuque. — Ça te suffit ?

— Ouais, ça ira. Et maintenant, le fric. Le film aurait coûté dans les vingt bâtons, d'après ce qu'on m'a dit. Comment fait-on pour rassembler autant de pognon ?

— Des capitaux privés. Ou bien des banques qui faisaient confiance à Spencer.

— Mettons que tu sois banquier, tu accepterais de financer son film ?

Le Germe croisa les bras.

— Oui, en partie. Pas vingt millions, bien sûr. C'est beaucoup trop pour un film tourné presque exclusivement ici et à Manhattan, même avec des décors et des costumes somptueux et un metteur en scène jamais content qui refait dix fois chaque prise. Mais fric à part, Spencer était un bon producteur. Une valeur sûre. Il croyait au fait que tout part d'un scénario abouti. Il savait choisir les bons acteurs, pas forcément des célébrités. J'ai toujours aimé ses films.

— Aimé ou adoré ?

Il eut un petit temps de réflexion :

— Adoré, non. Il y a toujours, comment dirais-je... quelque chose d'un peu prétentieux dans ses films. Comme s'il voulait dire : « Regardez comme je suis sensible, regardez comme je suis provocant », etc. C'est du bon boulot, intelligent et soigné, mais ça manque d'âme. Ses films lui ressemblaient, au fond.

— A première vue, toi qui l'as un peu connu, il était comment ?

— Intelligent, raffiné mais pas pédant. Pas du tout m'as-tu vu ni grande gueule comme c'est si fréquent dans le show-biz. Il était très réservé. Beaucoup de classe.

Le Germe s'arrêta net.

— Dis-moi à quoi tu penses, même si ça n'a aucun rapport.

— Eh bien, Spencer était quelqu'un de difficilement classifiable. Une espèce de caméléon, à l'aise en toutes circonstances. Séducteur avec les femmes, intraitable avec les syndicats — et même carrément salaud —, chaleureux avec les journalistes de la vieille garde, échangeant trois mots en yiddish avec Untel ou Untel. Et les rares fois où nous nous sommes vus, il était très professionnel. Il m'a parlé du déterminisme chez Fritz Lang comme s'il ne connaissait que ça. A mon avis, il m'avait confondu avec quelqu'un d'autre, parce que, entre nous, Fritz Lang, c'est vraiment pas ma tasse de thé.

— Et de toutes ces personnalités, laquelle est la plus proche du vrai Spencer ?

— Mystère et boule de gomme.

— Qu'est-ce qu'il cherchait, à ton avis ? Le fric ? Le cul ? Le pouvoir ?

— Tout ça à la fois, j'imagine. Mais il n'avait pas de grande passion. Même quand il était absolument charmant, il lui manquait quelque chose. Sur le plan humain, je veux dire. Je crois qu'il n'était pas capable de vraie chaleur.

— Tu connais son ex-femme, Bonnie Spencer ?

Le Germe secoua la tête :

— Jamais entendu parler.

— Elle a écrit le scénario de *Cowgirl.*

— Ah, ça en revanche, ça me dit quelque chose. Un bon film.

— Qui parle de quoi ?

— De l'amour de la terre. La femme d'un petit fermier prend la relève à la mort de son mari. C'est l'histoire de ses relations avec les journaliers et avec les autres femmes de fermiers des environs. Les dialogues sont émouvants et la photo est belle.

— Une grosse production ?

— Non, mais une bonne production.

Il retira ses lunettes et recommença à les mâchouiller.

— Elle ne s'appelait pas Spencer à l'époque. Elle portait un autre nom. Spencer l'a épousée après la sortie du film. Après quoi elle n'a jamais plus réussi à caser un seul de ses scénarios.

Tout en parlant, je revoyais Bonnie, avec son caleçon de cycliste et son T-shirt trop grand, appuyée contre l'évier de sa cuisine. Difficile de l'imaginer dans le show-biz.

— Tu n'en as jamais entendu parler ?

— Non, dit le Germe.

— Apparemment il l'a laissée tomber quand il s'est aperçu qu'elle n'était pas aussi cotée qu'il l'avait crue au départ.

— C'est classique dans le métier et ça n'a rien de surprenant de la part de Spencer.

— Et Lindsay Keefe ? Il paraît qu'elle jouait comme un pied dans *Nuit d'été.*

— Bon, tu veux les potins ? C'est aussi ce que j'ai entendu dire et ça ne m'étonne pas vraiment. C'est une cérébrale. Elle a l'habitude de jouer les femmes de tête, les passionnées dévouées corps et âme à une cause : missionnaire, révolutionnaire, poétesse en détresse, ce genre de truc. Mais dans *Nuit d'été* c'est très différent.

C'est un personnage tendre, innocent. Une pauvre petite fille riche. Pour Lindsay Keefe, jouer les tendres, c'est une gageure.

— Tu crois qu'ils vont continuer le tournage avec la mort de Spencer ?

— Tu rigoles ? Si c'était un des acteurs, ou encore le metteur en scène, qui avait cassé sa pipe, ils se seraient peut-être arrêtés quelques jours, le temps de trouver un remplaçant. Mais pour un producteur, on n'arrête pas un tournage, même pas pour une pause café.

— Tu as entendu d'autres trucs sur le tournage ?

— Les ragots habituels.

— Parfait, raconte.

— Spencer était mécontent de la prestation de Lindsay Keefe. Ils se seraient engueulés à ce sujet. Bref, engueulade ou pas, elle sentait bien que ça tournait au vinaigre avec Spencer et elle aurait essayé d'entortiller le metteur en scène, Victor Santana, pour s'en faire un allié.

— Comment elle s'y prend dans ces cas-là ?

— A ton avis ?

— Sans blague ? Lindsay Keefe couche avec Santana ?

— Steve, quand un producteur quitte le plateau pour la journée et que le metteur en scène et la vedette se retrouvent, stores baissés, dans une caravane, pour une réunion de travail de quarante-cinq minutes sans pause café, à quoi tu penses ?

— A *Promotion canapé.*

En fait, la vraie question était de savoir ce que pensait Spencer, ce qu'il savait, et ses intentions concernant Lindsay Keefe.

Après cette discussion, nous sommes allés dans la cuisine manger des glaces à même la boîte, comme au bon vieux temps. Au bout d'un moment nous échangeâmes les boîtes. Crème-pralines contre café-pépites de chocolat. Des parfums qui n'existaient pas à l'époque.

Le Germe me parla du cancer de sa mère, de ses souffrances intolérables et de l'overdose de morphine qui avait mis fin à ses jours. Je lui dis que je n'aurais jamais imaginé qu'elle pouvait mourir un jour, je la revoyais avec son fichu sur la tête, son sécateur à la main et j'étais vraiment désolé qu'elle ne soit plus là pour m'appeler son « petit bout de Zan ».

Jeremy posa sa cuillère.

— Steve, quand on était gosses, tu ne m'as jamais dit... ton père, il s'était tiré de chez toi ? C'est ta mère qui vous élevait ?

— Ouais. Après avoir vendu la ferme, il a cherché du boulot à l'extérieur mais il se faisait jeter de partout, il était toujours bourré. Et quand je dis bourré je ne veux pas dire un peu bourré, je veux dire soûl comme une vache, au point de gerber sur les pompes de son patron. Bref, il a mis les bouts quand j'avais huit ans.

— Et tu sais ce qu'il est devenu ?

— Non. Peut-être qu'il est encore en vie. Mais ça m'étonnerait.

» Mon père était un vrai sac à vin, sale et fainéant comme pas deux. Mais il lui arrivait aussi d'être presque à jeun, et là c'était un chic type. On discutait de sport et il m'achetait une pleine poignée de chewing-gums, ceux avec des joueurs de base-ball dessus, pour ma collec. Ou bien il s'asseyait à côté d'Easton quand il fabriquait ses maquettes de bateaux et il disait : « Ça c'est de la belle ouvrage, fiston ! », même s'il ne pouvait pas l'aider vu qu'il avait la tremblote. Et puis il lui arrivait de parler à ma mère, de l'appeler « chérie » ou « mon petit rayon de soleil », et dans ces moments-là on sentait qu'ils avaient été proches.

— Tu ne m'as jamais invité chez toi, dit le Germe doucement. Tu trouvais toujours une excuse. Les peintres, ta mère qui recevait des amis...

— On était raides, tu sais. Je n'aurais même pas pu t'offrir un verre de limonade. Et puis la maison tombait en ruine alors que toi tu vivais ici, dans tout ce luxe, et ça n'était qu'une résidence d'été.

Il y eut un silence. C'était la première fois qu'on parlait de nos problèmes personnels. Nous ne savions pas comment reprendre le fil de la conversation. Je me levai et marchai jusqu'à l'extrémité de la terrasse. Au loin on voyait briller la voile rouge et blanc d'une planche à voile qui filait dans la baie de Mecox. Je me tournai vers le Germe.

— Tu te souviens de ton voilier ? Celui que tu avais eu pour tes seize ans. (Il hocha la tête.) Tu me l'avais prêté et j'étais parti tout seul, très, très loin. Si loin que j'ai cru que je ne pourrais jamais revenir. J'avais une trouille bleue de me faire pincer par le garde-côte, j'aurais préféré couler plutôt que de me faire prendre.

— C'est à cette époque-là que tu t'es mis à faire les quatre cents coups, je me souviens. C'était le dernier été avant d'entrer en fac. Tu t'étais mis à boire. J'ai commencé à ne plus me sentir très à l'aise avec toi.

— Je sais.

— Tu te vantais de faire des casses en hiver, de rentrer chez les gens et de tout péter, pour le plaisir. — Il me regarda droit dans les yeux. — C'était des conneries ou quoi ?

— Non, c'était vrai. Je filais un mauvais coton, Jeremy. Je volais. Des télés couleur, des chaînes hi-fi que je revendais ensuite à un type d'Islip. Je claquais tout le fric dans des conneries : la bibine, les disques, une veste en cuir. Sauf une fois, je suis allé voir les Yankees. Je me suis payé une place d'enfer, au tout premier rang. Manque de pot, ce jour-là on a perdu.

— Quelle année ?

— Juillet 66.

— C'est vrai, c'était une année pourrie. On a terminé derniers.

— Ouais, je m'en souviens. La première d'une longue série d'années pourries. Pour moi, je veux dire. Les Yankees, eux, ils se sont rattrapés depuis. Moi j'ai continué d'en chier pendant un bon bout de temps. J'ai frôlé la mort de ça.

J'écartai le pouce et l'index d'un demi-centimètre.

— Tu as dû avoir la trouille de ta vie.

— Ouais, répondis-je.

Et intérieurement j'ajoutai : « Et c'est pas fini. »

5

Il était trois heures quand je quittai le Germe. L'équipe de *Nuit d'été* ne tournait pas le samedi après-midi. Je les avais convoqués au poste de police de Southampton où j'avais réquisitionné la salle de la photocopieuse et de la machine à café. On m'avait fait comprendre qu'à tout instant je risquais d'être dérangé par une crise de reproduction intempestive.

La salle n'était ni plus ni moins moche que n'importe quelle salle analogue dans un poste de police. Une pièce aveugle, éclairée au néon et garnie de fauteuils en tube d'acier recouverts de skaï vert. Ça sentait le renfermé, le vieux marc de café et l'encre à photocopier. Le sol était jonché de confettis roses et blancs — les emballages de sucres et de sucrettes — ainsi que d'une poudre blanche non suspecte, celle du lait en sachet. Bref, une pièce comme celles où les flics ont l'habitude de bosser : pas absolument invivable mais complètement déprimante.

Victor Santana, le metteur en scène, tiré à quatre épingles — cheveux courts et moustache épaisse — était assis en face de moi, décidé à se démarquer de son environnement. Et le fait est qu'il y arrivait plutôt bien. A le voir, on aurait dit qu'il débarquait tout droit du *Ritz* : chemise blanche impeccable, cravate bordeaux, pantalon gris clair et veste anthracite. Un vrai paquet cadeau.

Malgré son nom et son teint beige foncé, Santana n'avait pas l'accent espagnol. Il essayait plutôt de prendre celui d'Oxford, mais sa diction était comme ses rouflaquettes, un peu trop travaillée. Je n'irai pas jusqu'à le soupçonner de renier ses origines, mais j'étais sûr qu'on ne risquait pas de le surprendre à crier « Olé ! » à la corrida.

Il était plutôt affable. Si James Bond l'avait rencontré dans un wagon-restaurant, il lui aurait sûrement taillé une petite bavette. Mais, malgré ses sourires polis et son air gentillet, je sentais que l'interrogatoire allait être long et difficile. Comme Lindsay Keefe, il avait un laïus tout prêt sur *Nuit d'été* : le film était génial, Lindsay était géniale. Spencer était génial.

— Un film, susurra-t-il avec son accent britiche, c'est un travail d'équipe. Je ne saurais vous dire à quel point, sur le plan artistique et personnel, c'était merveilleux de travailler avec Lindsay et Sy.

Je l'arrêtai net :

— Monsieur Santana, le baratin ça ira comme ça. Passons aux choses sérieuses. Vos rapports avec Lindsay Keefe, par exemple.

Il se raidit comme s'il avait reçu une secousse électrique.

— Calomnie ! s'exclama-t-il, toujours avec son accent made in Oxford.

— Nous avons des témoins.

En fait de témoins, on avait des ragots sur sa réunion de travail dans la caravane. Mais il fallait tenter le coup.

— Des témoins qui vous ont vus, vous et Mme Keefe, dans votre caravane.

Il se mit à observer attentivement les veines de ses mains. Au bout d'un moment, je m'aperçus qu'il ne regardait pas ses mains, mais son alliance. Santana avait dans les trente-cinq ans et il commençait à connaître un certain succès. De deux choses l'une : soit il était en train de calculer combien sa petite incartade allait lui coûter si son mariage s'effondrait, soit il se sentait tout simplement coupable.

— Allons, dites-moi tout.

— Très bien, soupira-t-il.

On ne pouvait pas faire plus couillon. Malgré ses airs de grand seigneur, ce mec n'avait même pas eu la présence d'esprit de me demander qui étaient les témoins. Il crevait d'envie de tout avouer. Il se cala bien le cul sur sa chaise et se pencha en avant :

— Nous avons une liaison, chuchota-t-il. Comprenez-moi, il s'agit d'une véritable liaison, pas d'une passade. C'est même, heu... une histoire d'amour. Je ne voudrais pas que vous imaginiez...

— Allez-y franco, monsieur Santana. Ecoutez, en temps ordinaire, je vous aurais dit : « Tout cela ne me regarde pas, c'est vos oignons. Deux personnes travaillent ensemble et en pincent l'une pour l'autre. Quoi de plus normal, ça arrive tous les jours. » Mais dans ce cas précis, le fiancé de la dame a été assassiné. Alors je suis obligé de vous poser quelques questions.

— Vous croyez qu'il va me falloir un avocat ?

— Un avocat et même deux ou trois si ça vous chante. Vous êtes un homme averti, monsieur Santana. Vous connaissez vos droits. Mais un avocat pour quoi faire ? Vous n'avez rien à vous reprocher, si ?

— Non, rien du tout.

— Alors ou bien vous répondez tout de suite à mes deux ou trois questions et l'affaire est classée, ou bien vous attendez votre avocat et on remet ça à plus tard.

Je n'essayais pas de l'embobiner mais je n'avais pas envie d'attendre une semaine pour voir se pointer un guignol en costard cravate qui m'aurait fait un speech sur le code pénal.

— Sy Spencer était au courant de votre liaison avec Lindsay Keefe ?

— Non, bien sûr que non.

— Vous en êtes sûr ?

— J'ai posé la question à Lindsay car j'étais un peu anxieux. Mais elle m'a affirmé qu'il ne savait rien.

— Ils avaient l'air de filer le parfait amour, tous les deux.

— Oui, lui le croyait en tout cas.

— C'est-à-dire ?

— C'est-à-dire qu'il ignorait la nature des sentiments de Lindsay à mon égard... et des miens envers elle.

Dans les romans à l'eau de rose, il y a toujours un moment où les yeux du héros se mettent à briller. Eh bien les yeux de Victor Santana étaient en train de briller... d'amour. Difficile à croire. Un grand garçon comme ça, tout pimpant dans son blazer fait sur mesure ! Une vraie fleur bleue.

— Sy Spencer était-il satisfait de la prestation de Lindsay Keefe ?

Visiblement c'était une question à mille balles. Pour le coup, les yeux de Santana ne brillaient plus. Il restait silencieux et tapotait sa cravate où étaient épinglés des tas de petits insignes de clubs, à moins que ce ne fussent ses armoiries.

— Ecoutez, monsieur Santana, j'ai déjà interrogé pas mal de monde et je commence à avoir une idée assez claire de la situation. Alors, s'il vous plaît, dans notre intérêt à tous les deux, inutile de tourner autour du pot. Soyez bref, c'est tout ce que je vous demande. Est-ce que Sy Spencer était satisfait du travail de Lindsay Keefe ?

— Disons qu'il n'était pas emballé.

— Objectivement, elle était comment ?

— Merveilleuse ! Je le pense vraiment.

Il avait arrêté de tripoter sa cravate et il commençait à faire tournicoter son alliance.

— Autrement dit, Spencer avait tort ?

— Oui. Complètement tort.

— Mais alors, comment expliquez-vous qu'un producteur de son envergure ait pu trouver le jeu d'une actrice mauvais — une actrice dont il était amoureux pardessus le marché — si ça n'était pas le cas ?

— Sy voulait tout contrôler de la vie de Lindsay. Dès qu'elle prenait un peu de liberté, il la rabrouait. Il la voulait entièrement soumise.

Le scénario de Santana différait quelque peu de celui de Lindsay Keefe, mais le débit mécanique du metteur en scène montrait qu'il en avait appris par cœur les répliques.

— Sy avait terriblement peur de la perdre, alors il jouait sur la corde sensible. Lindsay donne l'impression d'être quelqu'un de solide comme ça, mais en réalité elle est très fragile.

— Mais qu'est-ce qu'il vous a dit au sujet de son jeu ?

— Il le trouvait froid.

Santana secoua la tête comme un acteur dans un film muet, l'air de dire : « Quel manque de sensibilité ! »

— Il attendait quoi de vous ?

— Il voulait que je la fasse vibrer.

— Et vous l'avez faite vibrer ? En tant qu'actrice je veux dire ?

— C'était parfaitement inutile. Son jeu était excellent.

Il prononçait « excheeellent ». J'avais envie de lui dire : « Arrête ton char, Santana. Je sais que ton paternel est dans le bâtiment. »

— Elle vibrait, je vous assure. Et pas seulement avec la voix, avec ses gestes aussi. Avec mille petits riens. La caméra ne ment pas, vous savez.

— Elle vibrait aussi sur les rushes ?

— Tout à fait.

— A part vous et Lindsay Keefe, qui d'autre l'a senti ?

Santana se tut. Ma question l'avait mis mal à l'aise. Je changeai aussitôt de sujet. Il ne fallait surtout pas que je me le mette à dos.

— Sy Spencer était content de votre travail à vous ?

Santana oublia un instant son alliance et leva les yeux.

— Mis à part notre petit différend concernant Lindsay, je crois qu'il était satisfait. Nous n'en étions qu'à la troisième semaine de tournage.

— Il vous donnait des conseils pour diriger Lindsay Keefe ? — Autre silence. — Allons, j'ai déjà une quantité de versions plus ou moins fantaisistes sur la question. Mais c'est la vôtre qui m'intéresse.

— Il m'a dit...

Il secoua à nouveau la tête, comme s'il avait honte de répéter les mots de Spencer.

— Il vous a dit quoi ?

— Que si Lindsay ne se décidait pas à...

— A quoi ?

— A y mettre du sien, il me remplacerait par un...

— Par un quoi ?

— Il était... vulgaire. Il a dit, je cite : « un mec qui a suffisamment de couilles pour lui botter le cul et la faire filer droit. »

— Fin de citation ? ajoutai-je.
— Euh oui, bien sûr, acquiesça-t-il, fin de citation.

Je ne comprenais vraiment pas pourquoi Nicholas Monteleone était tellement coté comme acteur. D'accord il n'était pas vilain. Cheveux bruns, yeux bruns, lèvres épaisses — les critiques appellent ça des lèvres sensuelles. Et puis bien musclé, de partout — même des avant-bras —, ce qui faisait plutôt bizarre chez un type aussi mince. A croire qu'il faisait déménageur pour boucler ses fins de mois. S'il avait travaillé à la Criminelle, question look, il aurait été dans les trois premiers. Mais de là à le payer un million de dollars chaque fois qu'il montrait sa gueule ! Je l'avais déjà vu une ou deux fois au cinéma, sans jamais le trouver terrible. Avec ses paupières affaissées qui lui donnaient toujours un air à moitié endormi, ce type était l'innocence personnifiée.
Il faut quand même avouer qu'il avait bien la gueule de l'emploi pour jouer les play-boys dans *Nuit d'été* : cheveux épais, mi-longs, crêpés sur les côtés et chemise rose pâle aux manches relevées élégamment sur les avant-bras. Cela dit, dans la salle de la photocopieuse-machine à café, ce vieux Nick n'avait pas le cœur à la frime. Je dirais même au contraire : il avait décidé de jouer les mecs normaux. Oubliez la star et faisons ami-ami.
Je n'ai rien contre l'amitié, même provisoire. Il avait vraiment l'air d'un brave type. Et puis après tout, on ne fait pas tous les jours copain-copain avec une star. Quoi qu'il en soit, et malgré toute sa bonne volonté, Nick Monteleone n'avait pas grand-chose à dire. « Avait-il vu Spencer se mettre en pétard ? » « Hmmm. Non, pas vraiment. » « Savait-il si quelqu'un s'était engueulé avec Spencer ? » « Ummm, pas que je sache. » Et comme ça pendant vingt minutes.
Pour finir il me dit :
— Euh... Je sais que nous ne sommes pas ici pour rigoler. Vous allez peut-être penser que je suis un abominable égocentrique, mais je voudrais tellement savoir : est-ce que par hasard vous m'avez vu dans *les Rois de la gâchette* ? J'étais un des policiers.

— Ouais, répondis-je. — Je ne serais jamais allé voir un navet pareil. En fait il était passé sur le câble, mais je ne pouvais quand même pas le lui dire. — Vous étiez très bien.

Je reconnais qu'il n'était pas mal dans le rôle du flic épuisé par son boulot de dingue. Mais il portait son flingue en bandoulière — j'ai jamais vu un flic faire ça — et le moins qu'on puisse dire c'est qu'il était mou. Vu le temps qu'il mettait à dégainer, il aurait dû se faire descendre dans la première minute du film. Ce type ne savait pas bouger. Et maintenant que je l'avais en face de moi, je me rendais compte qu'il ne savait pas se tenir assis non plus. Il cherchait à avoir l'air relax en se balançant sur les pieds arrière de sa chaise, mais il perdit l'équilibre et manqua de se casser la gueule. Il se rattrapa de justesse, mais ne put s'avouer vaincu en s'asseyant correctement sur sa chaise. Ses pieds s'agitèrent alors en un rodéo insensé jusqu'à ce qu'il retrouve son équilibre. Un as question coordination, Monteleone ! Muscles ou pas, personne n'en aurait voulu dans une équipe de foot.

— Vous avez senti mon personnage ? Je veux dire, il vous a paru crédible ?

— Bien sûr.

Maintenant qu'on en parlait, je me souvenais que dans le film il avait un accent de Black new-yorkais alors qu'il était censé être un flic blanc de la Criminelle de Chicago.

— Je sais, inspecteur, vous devez vous dire ce type est narcissique au dernier degré — et vous avez sans doute raison — mais je suis simplement curieux de savoir si j'aurais pu être l'un des vôtres.

Ça y est, je venais de comprendre : ce mec avait besoin d'être accepté inconditionnellement. Pas seulement comme un ami, mais aussi comme un collègue. Il voulait que je l'aime totalement et que je lui prouve mon amour. C'était le prix à payer pour qu'il se mette à table. Je sortis aussitôt la brosse à reluire :

— Et comment ! lui dis-je. Vous et moi, on aurait très bien pu être dans le même bureau au QG.

Je le sentis se détendre complètement. Il se rassit

normalement, étendit les jambes et croisa les pieds. Il portait des chaussures en cuir tressé.

Maintenant que nous étions amis intimes et qui plus est collègues, je lui demandai :

— Parlez-moi donc des rushes. C'est quoi au juste des rushes ?

— Ce sont toutes les prises de vue de la veille, qui arrivent développées du labo. De la pellicule au kilomètre en somme, avant montage. Le metteur en scène et le monteur se mettent au fond de la salle pour visionner les plans et ils discutent — à voix basse en général — de ceux qu'il faut garder, des changements à faire sur la couleur ou sur la lumière, etc.

— Qui d'autre voit les rushes ?

— Les acteurs, parfois, les membres de l'équipe. Personnellement, je suis très critique envers mon propre travail et j'aime bien aussi garder un œil sur celui des autres ; ça me permet de vérifier mon éclairage, mon costume, mon maquillage...

— Lindsay Keefe allait voir les rushes ?

Nick prit un air pincé.

— Non, elle rentrait tout de suite chez Sy pour travailler... ses pectoraux. Elle faisait des longueurs de piscine.

— Comment se fait-il qu'elle ne s'intéresse pas aux rushes ? Elle semble pourtant intelligente. Elle n'est pas aussi critique que vous vis-à-vis de son travail ?

— La vérité, c'est que Lindsay est complètement narcissique.

Lui, de ce côté-là, il n'était pas mal non plus.

— Elle est persuadée qu'elle n'a pas besoin de se voir aux rushes pour juger de l'effet qu'elle produit. Et puis — Montelone eut un hochement de tête désabusé — si elle a besoin d'une réaction, elle n'a qu'à se regarder dans les yeux noirs après la prise. Si vous voyez ce que je veux dire.

— Elle court vraiment après Santana ?

— Après Santana ! C'est elle qui marche devant et qui tient la laisse : Au pied, Victor ! Assis ! Couché ! Une tragédie pour les autres membres de l'équipe. La première semaine, Victor était en pleine forme, plein d'énergie et plein d'idées, c'était formidable. Et il n'était pas spécialement tendre avec Lindsay, vu que Sy la trouvait mauvaise. Mais Lindsay ne serait pas Lindsay si elle n'avait pas senti le vent tourner. Il lui fallait un allié. Elle a tout de suite flairé le point faible chez Victor. Pour ça elle est très douée.

— Et c'est quoi le point faible de Santana ?

— Il rêve d'appartenir au gratin du cinéma. Avant de passer à la mise en scène, Victor Santana était un excellent cadreur. Puis il a réalisé deux films qui ont été très bien accueillis. Mais malgré ses grands airs, c'est encore un nain au pays des géants. Il n'arrive toujours pas à croire qu'il a quitté East Harlem. Alors vous pensez, quand une nana comme Lindsay, avec sa réputation de militante gauchiste, son passé de tragédienne classique et ses nichons en couverture de *Playboy*, jette son dévolu sur un type comme Victor, rien ne va plus. Le type se dit : quand une fille comme Lindsay qui a couché avec tout le gratin de la terre : les nouveaux philosophes, le ministre de la Défense de Fidel Castro et Sy Spencer, s'intéresse à toi, ni une ni deux, c'est le moment ou jamais de faire partie du club.

— Et comment a-t-elle eu Sy Spencer ? C'était quoi son point faible à lui ?

— Oh, c'est simple. Sy était un snob intellectuel de première et Lindsay, même si elle se met à poil ou presque dans ses films, est toujours considérée comme une grande actrice. Elle est plébiscitée par les critiques du monde entier. Et puis elle avait vu juste sur ce qui allait se passer au Nicaragua, à l'époque où personne ne savait ce qu'était le Nicaragua. Sans même parler de sa beauté. Elle est incroyablement belle — sans chirurgie esthétique. On voit peu de vraies blondes comme elle.

— Sans blague, c'est sa couleur naturelle ?

— Et j'ai appris de source sûre que le bas c'était pareil.

— Waoh ! j'ai dit. Revenons-en aux rushes, s'il vous plaît. Est-ce que Sy visionnait les rushes tous les jours ?

— Il était obligé. D'abord parce qu'il s'y intéressait. Et puis c'était la seule façon pour lui de contrôler le budget du film.

— L'avez-vous entendu dire qu'il était mécontent ?

— Non. Ça dépend du metteur en scène mais, généralement, il y a du monde aux rushes : le directeur de la photo, le scénariste, les cameramen, les ingénieurs du son, les assistants, les habilleuses, le décorateur, bref, toute l'équipe peut venir si le cœur lui en dit. Ça fait à peu près une quinzaine de personnes. Sy Spencer ne se serait jamais abaissé à descendre Lindsay en flammes devant tous ces gens-là, il avait trop de classe.

Les paupières de Nick Monteleone brillaient à la lumière électrique. Au début je pensais que c'était l'éclairage, puis je me suis rendu compte que c'était du maquillage.

— Mais alors comment savez-vous qu'il n'était pas content de Lindsay Keefe ?

— Eh bien, il y a une semaine à peu près, on avait fini de tourner très tard, tout le monde était lessivé. Il n'y avait donc pas grand-monde aux rushes, et quand ils ont rallumé les lumières, la plupart ont filé — même Santana. On n'était plus que quelques-uns. Moi j'étais resté parce que j'avais quelque chose à demander à Sy...

— Quoi donc ?

— J'ai oublié. Rien d'important en tout cas. Bref, Sy s'est mis à faire des commentaires. Sans hausser la voix, même pas en colère. Ça vous montre à quel point ce type savait se contrôler. Il faut dire que Lindsay, à l'écran, avait l'air d'une poupée gonflable. Pas une étincelle de vie dans le regard. Sy restait très calme, il plaisantait simplement. Il disait que ça allait lui coûter une fortune en effets spéciaux pour animer un peu la scène. Ceux qui étaient dans la salle ont embrayé sur le thème des effets spéciaux et puis, tout à coup, Sy s'est mis à rire et il a dit que le meilleur d'entre eux serait de faire tomber la foudre... sur Lindsay. Ensuite il a dit qu'il plaisantait. Mais tout le monde avait compris.

— Compris quoi ?

— Qu'un accident est vite arrivé. C'est connu dans le milieu. Quand un acteur est vraiment mauvais, on lui souhaite d'être foudroyé. La foudre fait partie des risques garantis, donc l'assurance paye et le film redémarre avec un nouvel acteur. Sy disait ça en rigolant mais pour qui sait lire entre les lignes ça voulait dire : « Basta les violons, je l'ai assez vue, cette nana. »

Nicholas Monteleone fit une pause. Il concoctait quelque chose. Inspiration. Expiration. Inspiration. Finalement, il la cracha, sa pastille Valda :

— Je peux vous appeler Steve ?

J'avais beau ne pas être acteur de cinéma, je lui décochai ce que j'avais de plus avenant dans ma panoplie de sourires de flic.

— Mais, naturellement.

Il me sourit en retour.

— Appelez-moi Nick. Ecoutez, Steve, entre nous. Au sujet de la disgrâce de Lindsay, il semblerait que Sy ait pris des contacts à l'extérieur, la semaine dernière, justement. — Nick leva les sourcils (qu'il avait bien fournis). — Vous me suivez ?

— Vous voulez dire qu'il y avait une autre femme ?

— Je ne peux pas l'affirmer. Mais en tout cas Lindsay ne le lâchait plus d'un pas. Elle se mettait en quatre pour lui faire plaisir, et lui, visiblement, n'en avait rien à cirer. Par exemple, elle lui mettait un bras autour des épaules et lui la prenait par la taille. Mais on ne me la fait pas à moi. Je suis un acteur. Pourquoi croyez-vous que je gagne des millions ? Parce que j'ai de l'instinct. Le langage du corps, ça me connaît. Le geste de Sy voulait dire : « Pas ce soir, chérie, j'ai la migraine. »

— Il était peut-être contrarié à cause du tournage.

— Peut-être. Mais les deux premières semaines en tout cas, c'est lui qui lui collait au train à longueur de journée. Il savait qu'elle n'était pas très bonne mais il était tellement fou d'elle qu'il passait l'éponge. Il fallait le voir : un bélier en rut. Et puis, toc, un beau jour, il regarde sa montre et à onze heures il est parti.

— Des bruits ont circulé à ce sujet ? Même vagues ?

— Non. C'est ma théorie à moi.

Nicholas le playboy se leva, étira les bras et whamm ! donna un grand coup du plat de la main sur le mur. Il se rassit en faisant mine de ne pas avoir les doigts en compote.

— Dites-moi, Steve, je peux vous faire confiance ?

— Allez-y, vieux.

Je lui donnai une petite bourrade amicale sur le bras.

— Vous avez entendu parler de Katherine Pourelle ?

— L'actrice ? Bien sûr.

— Ce que je vais vous dire est strictement confidentiel. Nous avons eu une petite aventure, elle et moi, à nos débuts. A l'époque elle vivait avec son agent, ils étaient même mariés. Bref, elle et moi ça a été le grand amour, les grandes bagarres, la grande haine. Enfin, passons. L'hiver dernier, on s'est retrouvés au ski, à Vail. Elle était avec son nouveau mari — il est dans l'immobilier — et son nouvel agent. Eh bien je vous le donne en mille ! On a arrêté de se battre comme des chiffonniers et on est redevenus, disons... amis.

En fait, ce type était en train d'essayer de me dire qu'il était au plumard avec Katherine Pourelle pendant que son mari était sur le tire-fesses. Je lui décochai un sourire entendu.

— Eh bien, pas plus tard que mardi soir, je l'ai eue au téléphone. Elle appelait de Los Angeles pour que je lui raconte ce qui se passait sur le tournage. Au début j'ai cru qu'elle était au courant des déboires de Lindsay — Kat ne peut pas supporter Lindsay et elle adore l'enfoncer. Elles ont joué ensemble au théâtre, il y a quelques années. Il faut dire que tous les gens qui ont travaillé avec Lindsay la détestent. Bref, on a commencé à parler de Lindsay et Santana, comme quoi c'était le premier Espagnol non communiste qu'elle se tapait. Et puis on est passés à sa façon de fermer les yeux quand le metteur en scène prend la parole, comme si c'était le bon Dieu en personne — dans ces moments-là on la giflerait. Bref, on parlait de tout et de rien, mais en même temps je sentais qu'elle avait un truc derrière la tête. Vous savez, Steve, c'est mon métier de m'ouvrir aux autres.

— Tout à fait, renchéris-je, encourageant.

— Alors je lui ai dit : « Vas-y, Kat, vide ton sac. » Elle m'a fait jurer de ne rien répéter : elle avait eu un coup de fil de Sy ce matin-là !

— Et alors ?

— Alors il voulait qu'elle lise le scénario de *Nuit d'été* le soir même. Top secret. Vous me suivez ?

— Il voulait qu'elle lise le rôle de Lindsay ?

— Exact ! Sy avait compris qu'il courait à la catastrophe, une catastrophe de vingt millions de dollars. Et puis je crois qu'il s'était trouvé quelqu'un d'autre. Une nana encore plus blonde ou avec des nichons encore plus gros. Vous savez quoi, Steve ? A mon avis, pour Sy, Lindsay c'était déjà de l'histoire ancienne.

Quand Lynne m'a choisi, elle savait que nous avions beaucoup d'atouts pour nous. Je cherchais ce qu'elle cherchait : l'amour, un foyer, la tendresse. Et puis en me choisissant moi, elle qui recevait en moyenne une demande en mariage tous les quinze jours, c'était l'occasion ou jamais de faire chier un bon coup ses emmerdeurs de parents. Cela dit, elle savait à quoi s'attendre en épousant un ex-alcoolo, ex-camé, ex-coureur (de jupons) et coureur (à pied) invétéré, grisonnant et obsédé du boulot. Mais elle m'avait choisi en son âme et conscience, elle me prenait tout entier, tel que j'étais.

Etait-elle parfaite ? Non. C'était une maniaque de l'ordre et du récurage depuis le berceau. Moi j'étais propre et elle était folle de propreté. Elle devait vraiment prendre sur elle pour ne pas courir faire le lit dès que je mettais un pied par terre. Tous les soirs elle vérifiait que ses crayons soient bien taillés pour le lendemain. Etre spontanée dans son esprit, c'était prendre un bain de minuit — après la vaisselle et juste avant le journal du soir. Mais j'avais beau pester tout le temps, son sens de l'ordre avait quelque chose de rassurant pour moi. J'avais besoin d'une vie simple, avec des crayons bien taillés et des lumières qu'on éteint juste après la météo. Vus sous cet angle, ses défauts devenaient des qualités.

Et pourtant je ne sautais pas au plafond de joie. Pourquoi n'arrivais-je pas à la prendre comme elle était ? Elle le faisait bien, elle. J'aurais dû me dire, d'accord elle n'est pas toujours marrante mais elle est sacrément bien roulée. Qu'est-ce que ça peut faire au fond si ça n'est pas l'extase à cent pour cent ? Quatre-vingt-dix-neuf pour cent, ça devrait suffire, non ? Quelque chose ne tournait pas rond chez moi. Je faisais une fixation sur la rigolade.

Oh, elle avait de l'humour, bien sûr. Mais c'était l'humour des autres. Elle souriait quand je disais quelque chose de pas trop con. Elle riait quand elle voyait Eddie Murphy ou Woody Allen au cinoche, ou quand mon copain McCormack balançait des vannes débiles sur les curés, les rabbins et les pasteurs. Et puis elle riait quand les gamins de sa classe — des petits mongoliens — faisaient les guignols.

Lynne manquait de vie. Je savais bien que j'étais injuste avec elle, un peu comme si je lui avais dit : « Tu sais, moi, j'aime les petites grosses », alors qu'elle était tout le contraire.

Rien à faire, la scène de la veille, chez moi, me revenait par bouffées. J'oscillais entre la déception et l'appréhension. Et voilà que je l'appelais, pendant la pause, les pieds sur la photocopieuse et que j'enfonçais le couteau dans la plaie en lui demandant : « Okay, poupée, qui est le plus sexy, moi ou Nicholas Monteleone ? »

Evidemment Lynne avait dit : « Toi ». Et je lui en voulais de ne pas avoir répondu : « Quelle question, Monteleone, bien sûr. »

Elle me demanda :

— Il est sympa ?

— Ouais, très. Il cause plutôt bien pour un mec qui passe sa vie à débiter des textes appris par cœur. Quand l'interrogatoire s'est terminé j'ai même regretté qu'il s'en aille. Mais l'ennui avec les acteurs, c'est qu'on se demande toujours s'ils sont sincères ou si c'est du cinoche.

— Qu'est-ce que tu en penses ?

Je regardai ma montre. Il était cinq heures passées.

— Dis-moi, chérie, tu tiens absolument au homard ?

— Non, c'est toi qui y tenais.

— Tu as déjà fait la sauce ?

— Non, et je parie que tu n'as pas acheté les homards. Je commence à te connaître, tu sais, je te connais même si bien que je sais déjà que je vais me faire un steak surgelé et qu'aux alentours de dix heures tu passeras pour dire un petit bonsoir.

— Je suis un type très affectueux, tu sais.

— Tu ne pourras pas trop le montrer ce soir parce que mes colocataires sont de retour.

— Et merde. Ça fait rien, je ferai un saut vers dix heures, dix heures et demie et puis on ira chez moi, OK ?

Et juste au moment où Lynne allait me répondre : « OK, mais je ne resterai pas trop tard parce que j'ai un tas de devoirs à corriger », un flic de Southampton se pointa à la porte avec un invité surprise : Gregory J. Canfield.

Gregory était bouche bée, mâchoire tombante, en train d'enregistrer mentalement tous les détails de la pièce — y compris le réservoir à gobelets de la machine à café et mes pieds sur la photocopieuse. Ça lui donnait peut-être des idées pour son mémoire de stage sur les décors de cinéma. Maintenant qu'il n'y avait plus de cadavre pour lui gâcher la vue, Gregory était redevenu M. Cinéma.

Je dis : « V'là du monde (à Lynne), à plus tard. », et je remerciai le flic qui avait amené Gregory. Ensuite je raccrochai, je retirai mes pieds de la photocopieuse et priai Gregory de s'asseoir. Il scrutait passionnément le tableau d'affichage recouvert d'annonces écrites à la main : à vendre véritables croisés Doberman, Datsun 280 ZX 79, carabine Winchester à air comprimé. Il avait l'air de vivre un moment d'une grande intensité.

— Très bien, dis-je, maintenant que tu as compris ce que c'était que les classes moyennes, Gregory, tu peux t'asseoir. Tu es venu pour m'aider, j'imagine ?

Il acquiesça. Il était un peu moins répugnant que la veille. Un pantalon cachait ses jambes squelettiques et ses rotules protubérantes..

— Je viens de me rappeler ce que j'avais oublié hier.

— Parfait, répondis-je.

J'attendais la suite. Il était en train de reluquer l'étui de revolver attaché à ma ceinture.

— De quoi tu t'es souvenu, petit ?

— Vous m'avez demandé si M. Spencer avait reçu des menaces.

— Et alors ?

— Je ne sais pas si on peut appeler ça des menaces, des menaces sérieuses, je veux dire.

Gregory hésitait. Il me dévisageait avec la même passion que si j'avais été une annonce du tableau d'affichage. Sans doute venait-il de se décider à me confier le premier rôle de son premier film. Il était tout rouge et se tortillait sur sa chaise. J'étais le flic de ses rêves.

— Ecoute, Gregory, l'indice le plus petit, un regard de travers par exemple, a son importance pour moi. Alors vas-y.

— Est-ce que vous saviez que l'ex-femme de M. Spencer vivait ici, à Bridgehampton ?

Je sentis mon cœur s'emballer. Je me redressai. « Bon Dieu, pensai-je, j'avais raison, il y avait quelque chose de pas net chez cette fille. »

— Bonnie Spencer ? dis-je.

Le visage de Gregory se décomposa.

— Ecoute, petit, si depuis hier je n'avais pas encore découvert que l'ex-femme de Spencer vivait dans les parages, je ne serais pas dans la police.

Gregory avait toujours l'air aussi flippé.

— Relax, mon gars. J'ai besoin de ton témoignage. D'accord, je t'ai donné son nom. Bonnie Spencer, mais maintenant c'est à toi de jouer.

— OK. M. Spencer l'a épousée au tout début de sa carrière de producteur. Elle avait écrit le scénario de *Cowgirl,* à la fin des années soixante-dix. A l'époque elle écrivait sous le nom de Bonnie Bernstein.

Bernstein ? Un drôle de nom pour cette grande fille du fin fond de l'Utah.

— Elle avait été mariée avant ça ? demandai-je.

— Je ne sais pas.

— Ça fait rien, continue.

C'est drôle, à mesure que le môme parlait, je réalisais que la pensée de Bonnie ne m'avait pas quitté depuis le matin. J'étais poursuivi par son image. Celle de Bonnie, la vraie, que j'avais vue le matin même, mais aussi celle d'une autre Bonnie, complètement fantasmatique : une fille avec un maillot sans manches qui laissait nues ses belles épaules bronzées et soyeuses, une fille très désirable, sans grand rapport avec la grande bringue en T-shirt que j'avais interrogée.

— Leur mariage n'a pas tenu, poursuivit Gregory, et la fille est tombée dans l'oubli en tant que scénariste.

— Comment ça se fait ?

— Je ne sais pas.

Peut-être que Bonnie me rappelait quelqu'un d'autre, une fille de mon passé. Ça n'était pas impossible au fond. Nos maisons n'étaient pas très éloignées l'une de l'autre. Je l'avais peut-être tout simplement croisée en faisant mon jogging et fantasmé sur son cul. Comment savoir ? De toutes ces années de biture — en particulier les dernières — il ne me restait pour ainsi dire qu'un grand trou noir. On aurait même pu se rencontrer dans un bar et passer toute la nuit à refaire le monde, je l'avais complètement oubliée.

— D'après ce que je sais, continua Gregory, à part son mariage avec Sy Spencer, Bonnie Spencer est une ratée. Je n'en aurais jamais entendu parler si elle n'était pas venue sur le plateau.

C'était exact. Bonnie m'avait bien dit qu'elle était allée voir Spencer sur le tournage.

— Et qu'est-ce qui s'est passé ?

Gregory joignit les mains, comme s'il allait tomber à genoux et prier.

— Un des assistants est venu me trouver pour me prévenir que l'ex-femme de M. Spencer était là et qu'il ne savait pas quoi faire. Mais je ne vois pas ce qu'il aurait pu faire, vu qu'elle était juste derrière lui, elle l'avait suivi. C'est une fille assez ordinaire, n'empêche qu'elle a dû apprendre deux ou trois trucs avec Sy Spencer, parce que je n'ai pas eu le temps de dire ouf qu'elle était déjà à la porte de sa caravane. Je lui ai dit : « Excusez-moi madame, ceci est une propriété privée. Je dois vous demander d'aller vous asseoir et d'attendre », mais juste à ce moment-là M. Spencer est sorti de sa caravane. Il l'a regardée et... c'était pas croyable.

— C'est-à-dire ?

— Il a piqué un fard. Mais alors là, un de ces fards : une vraie tomate. Elle a dit quelque chose du genre

« Salut Sy », comme si elle s'attendait à ce qu'il l'accueille à bras ouverts. Evidemment il ne l'a pas fait.

Gregory s'arrêta. Il attendait les ovations.

Pas question d'applaudir.

— Eh bien, petit, tu es venu me parler de menaces, n'est-ce pas ?

— Euh, oui. Alors Sy l'a fusillée du regard et il a dit : « Ceci n'est pas une production Bonnie Bernstein, madame. Vous devriez savoir qu'on ne vient pas sur un tournage à moins d'y avoir été invité. » Et je vous prie de croire qu'il ne parlait pas à voix basse. On aurait pu l'entendre.

« Merde », je pensai. Je sentais bien que quelque chose clochait chez Bonnie Spencer, mais ça me faisait de la peine pour elle.

— Comment a-t-elle réagi ? demandai-je.

— Elle était sidérée. Complètement sidérée. Elle s'attendait à être bien accueillie, c'est clair et...

Je l'interrompis :

— La menace, Gregory.

— Ah, oui. Eh bien elle est restée plantée là une bonne minute. Vous imaginez un peu la claque ! A un moment j'ai même cru qu'elle allait pleurer. Mais elle a tenu bon. Et puis, calmement, mais alors là, le plus calmement du monde — je crois bien que je suis le seul à l'avoir entendue — elle a dit : « C'est la dernière fois que tu me fais un tour de salaud, mon vieux ! » et puis elle est partie.

6

Quelle journée, bon Dieu ! Essayer de percer à jour le masque glacial de Lindsay Keefe et celui, plus convivial, de Nick Monteleone. Flipper pour mon frangin à l'idée qu'il allait, une fois de plus, devoir chercher du boulot. Revoir le Germe et tout mon passé. Lynne.

Et puis Bonnie Spencer. Ça c'était la partie la plus rude de la journée. Depuis le matin j'essayais de me la sortir de la tête — Bonnie, mon fantasme aux bras nus, et puis la vraie Bonnie, la grande fille nature avec ses jambes de jogger. Moins je voulais d'elle dans mes pensées, plus elle y revenait au galop.

Gregory était parti après avoir décrété tout fort devant une demi-douzaine de flics que j'avais la gueule de Starsky et Hutch réunis. Je voulais appeler Marty McCormack chez lui, le mettre au courant et lui demander s'il fallait que je convoque Bonnie, histoire de l'intimider un peu. En fait, j'avais surtout besoin de parler.

C'est à ce moment-là que je me suis senti, comment dire... dans un état que connaissent tous les alcoolos : tendu, la gorge serrée, avec un creux au niveau du plexus et une brusque sensation de fatigue. Ça vous tombe dessus avant qu'on ait le temps de dire ouf. J'avais soif. Ni une ni deux, je raccrochai et mis le cap sur West-Hampton Beach.

A six heures tapantes je m'assis sur une chaise pliante, au rez-de-chaussée d'une église méthodiste au milieu d'un brouillard de fumée typique des réunions des AA.

Mais je n'arrivais pas à faire le vide pour l'introspection habituelle. Je me laissais aller à un rêve érotique éveillé. Je revivais ma rencontre du matin avec Bonnie. J'étais dans sa cuisine, j'avançais sur elle. Elle s'appuyait contre l'évier et je me collais à elle. Je l'embrassais, elle laissait échapper un petit cri de soulagement et de désir en m'enlaçant. Elle avait des bras incroyables.

Ma respiration s'accéléra. Je croisais et décroisais les jambes en essayant de me concentrer.

A travers l'épais brouillard de fumée, je distinguais les lèvres rouge foncé de Jennifer, la fille qui avait pris la parole. Elle avait du rouge à joues marron et un fard à paupières assorti qui lui remontait jusqu'aux sourcils. Ça lui donnait un air revêche qui n'allait pas du tout avec sa voix frêle et haut perchée de petite fille. A peu de chose près elle avait l'âge de Lynne.

— Eh bien, avant je vidais les flacons de solution pour mes verres de contact et je mettais de la vodka dedans ! expliquait Jennifer. — On riait, on applaudissait. Celle-là, on ne l'avait encore jamais entendue. — Et j'en avais trois flacons d'avance dans un tiroir, au bureau. Deux ou trois fois par jour, je me mettais à cligner des yeux et à les frotter comme une dingue.

L'été, les réunions des AA me sortaient par les trous de nez. Elles devenaient une espèce de version sans alcool des bars pour célibataires. C'était bourré de freluquets bien mis et pleins aux as qui s'échangeaient leurs histoires sordides et leurs cartes de visite, et malgré les recommandations, ça flirtait sec : « Salut poupée, tu veux un sponsor ? » Nous, les autochtones, on n'était pas à l'aise.

Jennifer rigolait :

— Alors je prenais un flacon et je partais direction les WC, et hop ! je descendais la vodka ! Et puis, je fourrais les flacons dans mon sac à main, je les ramenais à la maison et je les remplissais pour le lendemain.

La réunion n'était pas si moche, après tout. Comme tous les autres, je hochais la tête d'un air entendu quand Jennifer déballait ses angoisses et sa connerie. En même temps je pensais : « C'est bizarre, quand il s'agit de se foutre en l'air, même le plus con est toujours assez intelligent. »

J'étirai mes jambes et je me calai bien sur ma chaise. J'essayais de me détendre, d'écouter, de comprendre, d'apprendre. Mais juste au moment où m'arriva une idée plutôt intéressante — la fascination quasi religieuse que la vodka exerce sur les alcoolos, à cause de sa pureté et de son absence d'odeur, par exemple —, Bonnie Spencer resurgit.

Qui était cette femme, au juste ? Une brave fille sans histoire ? Une psychopathe sortie tout droit de *Liaison fatale*, qui poursuivait Spencer pour qu'il produise son scénario pourri ou pour qu'il revienne vivre avec elle ? Ou bien une ratée qui s'était gonflée à bloc (avec une ligne de coke ou un coup de gnôle) avant de se pointer sur le tournage ?

Et la menace dont Gregory avait parlé ? Dire à un mec que c'est la dernière fois qu'il se comporte en salaud, pour un flic c'est quand même plus anodin que « J'aurai ta peau », ou bien « Je vais te couper les couilles pour m'en faire des boutons de manchettes ». Cela dit, quand je l'avais interrogée, Bonnie avait laissé entendre que Sy l'avait encouragée à passer. « Une petite visite cordiâââle, quoâââ », pour rencontrer Johnny, le pilier de la maison, ou pour déplacer une ou deux virgules dans son scénario.

Et son histoire d'invitation chez Spencer ? Comment un aussi fin stratège que Sy aurait risqué de se mettre Lindsay à dos pour le plaisir de faire la visite guidée des appartement royaux à son ex ? (A gauche les penderies géantes et à droite le plumard géant.) Je ne le voyais pas mufle au point de lui faire visiter une baraque pareille alors qu'elle avait renoncé à la pension alimentaire. A moins que ce ne soit Bonnie qui lui ait forcé la main, encore une fois. Mais alors pourquoi m'en avait-elle parlé ? Par franchise ? Parce qu'elle avait été surprise en train de faire du ramdam ou de fouiller dans les tiroirs ? Ou parce qu'elle savait que les flics allaient passer toute la maison au crible, depuis les poignées de porte jusqu'à l'écumoire de Marian Robertson, et qu'ils risquaient de trouver ses empreintes digitales ?

Sacrée Bonnie. Dire qu'elle ne m'avait pas quitté de la journée et qu'elle avait même fait de l'ombre à Lindsay Keefe. Moi qui comptais me rincer gentiment l'œil, la tasse ! C'est vrai qu'à côté de Bonnie Spencer, Lindsay Keefe faisait carton pâte.

Bon, d'accord, Bonnie était bien conservée et elle était plutôt marrante, mais là je faisais carrément une fixation. En principe j'étais un homme comblé, non ? Lynne était belle, fraîche, adorable. Alors pourquoi fantasmer les yeux fermés sur les bras soyeux de Bonnie ? — Soyeux ? qu'est-ce que j'en savais au fond ? Elle avait peut-être la peau visqueuse, ou rêche comme une peau d'iguane, ou couverte de verrues.

En fait, je ne savais pas si c'était Bonnie Spencer qui m'avait envoûté ou si j'étais en train de m'envoûter tout seul. Gregory avait vu juste, du reste : une fille banale. Des yeux assez beaux, admettons, mais sans plus. Un nez quelconque. Sa bouche ? Oubliée. Plutôt pâle, je crois (un signe de pré-ménopause). Alors pourquoi tenais-je absolument à... à quoi faire, d'ailleurs ? A la revoir ? Non, même pas. A la sauter.

Goodbye réalité. Je me sentais trop bien dans ma rêverie pour ouvrir les yeux : ma veste gisait sur le sol de sa cuisine ainsi que mon nœud de cravate. J'ouvrais ma chemise et je lui arrachais son soutien-gorge. Je sentais sa peau contre la mienne. Des applaudissements me firent sursauter. J'ouvris les yeux. Jennifer avait fini, elle souriait de toutes ses dents tachées de rouge à lèvres.

J'avais des fantasmes de futur jeune marié. C'était ça, au fond, mon problème. Quand on a passé plus de la moitié de sa vie à boire — et à baiser —, qu'on s'est joué la comédie pendant des années (« Pas plus de trois bières ce soir »), et qu'on est passé maître dans l'art de baratiner ces dames (« Chérie, tu es merveilleuse, je t'aime »), ce n'est pas évident de redevenir un mec ordinaire.

Willie, un ex-mécano natif du coin, animait la réunion. C'était le genre armoire à glace en chemise à carreaux. Il monta à la tribune. Il avait perdu toutes ses dents dans une bagarre, des années auparavant, et il portait un dentier splendide qui le faisait zozoter :

— Ch'est chympa d'êt' fenus les gars. La réunion est tcherminée. Maintchenant, pour cheux qui le chouhaitent, on va dchire la prière dche la chérénité.

Souffrais-je d'un banal problème d'alcoolo en cours de normalisation ou était-ce beaucoup plus grave ? Je courais peut-être tête baissée à la catastrophe. Foutre en l'air ma relation avec Lynne, c'était me foutre en l'air moi-même. Adieu bonheur, stabilité, adieu humanité. Retour au néant.

On était quarante-cinq à faire la chaîne en se tenant par la main. Je serrais fort et je sentais des mains fraternelles des deux côtés, même à droite, le richard en tenue de tennis. Je pensais : « C'est pour ça que je suis ici, pour qu'on m'aide. Je ne peux pas y arriver tout seul. J'ai besoin d'eux. J'ai besoin de Dieu. J'ai besoin de... »

Et voilà Bonnie Spencer qui revenait à la charge. Je me disais : « Il y a quelque chose qui cloche chez cette femme. Et puis, franchement, elle casse rien. » Mais au même moment j'imaginais mes lèvres sur sa peau satinée.

— Que Dieu me donne la volonté...

J'entendais ma voix résonner.

Je devais absolument garder la tête froide pour mener cette enquête. Après tout il y a des bonnes femmes plus très fraîches qui ont un sex-appeal d'enfer. Elles ne sont ni belles ni moches. Quand on les croise dans la rue on ne les voit même pas, mais dans l'intimité elles font des ravages. Bonnie était comme ça : elle émettait des signaux subliminaux ou bien elle sécrétait une substance animale particulière. Il fallait vraiment que j'arrête de me prendre la tête avec cette histoire.

— ... d'accepter des choses auxquelles je ne peux rien changer, priai-je. Et le courage de changer celles que je peux changer. Qu'Il m'aide à faire la part des choses. Amen.

Du strict point de vue de l'architecture, la maison de ma mère, une construction ancienne avec un balcon en cèdre patiné et une grande véranda sur le devant, aurait pu avoir un certain charme, un air accueillant. Mais ça n'était pas le cas. D'abord les arbres étaient plantés trop près les uns des autres : des chênes mastoc, des érables trop noirs et des sapins sinistres. Ça faisait de l'ombre et ça bouchait la vue. Et puis l'intérieur était toujours humide, en particulier le salon. Les fauteuils étaient « un peu frais ». Si on restait assis trop longtemps, on finissait par rouiller du côté des fesses. Pas étonnant que je n'aie pu tenir plus de trois jours dans cette fichue baraque quand je suis rentré du Viêt-nam, et que je n'y aie plus jamais remis les pieds. Le frangin, par contre, il n'en était jamais parti.

Si je vous dis ça vous allez penser : « Trente-huit ans et toujours chez sa maman. » Mais non. Easton n'était pas un fifils à sa môman. Evidemment, avec ses blazers bleu marine et son teint hâlé il aurait pu passer pour un gosse de riche gâté pourri des environs. Mais en fait, c'était tout le contraire d'un désinvolte, Easton. Mon père ne lui avait pour ainsi dire jamais rien donné (à part un peu de dégueuli quand il était bourré) et il s'était tiré quand il avait six ans. Quand ma mère avait trois sous — et bien qu'Easton ait toujours été son préféré — elle les dépensait pour grimper l'échelle sociale. Elle achetait un billet de tombola à cent dollars au bénéfice d'une secte d'anglicans maoris qui organisait un lunch princier (avec des bouquets de crevettes sur des cygnes en glace sculptée) chez un riche des environs. C'était sa façon à elle de faire plaisir à son gamin. Easton avait hérité des rêves de sa mère mais il avait su garder le sens des réalités, lui. Contrairement à bien des gars du coin, le champagne des riches ne lui montait pas à la tête. Même après avoir passé pas mal de temps dans leurs baraques sublimes, il n'oubliait pas qui il était. Il savait qu'il n'était pas de leur monde. Qu'il était pauvre et surtout qu'il n'avait pas ce qu'il faut pour attirer l'argent.

Il était donc hors de question qu'il achète sa propre maison ou même qu'il loue un appartement. A eux deux, ma mère et lui, ils arrivaient à assurer le quotidien. Easton avait compris qu'il n'était pas doué pour décrocher le job durable (il était surtout balaise pour faire des tortillons en peau de citron à mettre dans les cocktails).

Oh, il n'avait sûrement jamais pris ma mère entre quat'z'yeux pour lui dire : « Ecoute, maman, je sais jouer au golf, au tennis et au croquet. Je sais manœuvrer un voilier. Je sais m'habiller pour toutes les circonstances depuis la Saint-Sylvestre jusqu'à la Saint-Glinglin. Mais pour une raison qui m'échappe, je n'arrive pas à tenir plus de six mois dans la même boîte. Alors si ça ne te dérange pas je vais rester ici. Comme ça, au moins, je ne risque pas de me faire exproprier. OK ? »

Finalement, ça les arrangeait bien tous les deux qu'Easton reste à la maison. Il ne payait pas de loyer, il donnait juste sa contribution quand il était en fonds. La maison était en retrait de la route, à l'abri des regards. Il pouvait très bien passer pour un riverain aisé. Aucune de ses « relations » ne serait descendue de sa Porsche pour inspecter la maison, et on ne pouvait pas savoir que le terrain adjacent ne nous appartenait plus. Personne n'allait lui demander son pedigree et découvrir que son papa n'était pas un gentleman-farmer mais un soûlard qui pissait dans la salle du bar de la taverne locale.

(Les amis du frangin étaient des « relations ». Pour ça il était comme ma mère, il ne vivait que pour les occupants des résidences d'été. Du jour où il avait décroché son permis de conduire, il avait battu froid les gosses du lycée et s'était mis à fréquenter les fils à papa de Southampton. Il se fichait éperdument de savoir qui ils étaient du moment qu'ils l'invitaient sur leurs bateaux ou dans leur club de golf et qu'il pouvait sortir avec les amies de leurs femmes. Tous ces types étaient interchangeables : très bronzés, assez riches et plutôt cons.)

Passons. Cet arrangement avec ma mère lui convenait tout à fait. Et j'imagine que ma mère était bien contente de l'avoir sous la main pour tondre la pelouse, fermer les volets et faire le tour des pièges à souris à la cave. Elle n'avait jamais été une maîtresse de maison modèle même du temps où elle avait un mari.

En plus, Easton lui servait de public quand elle se lançait dans ses monologues. Elle s'asseyait à table, chipotait dans son assiette, allumait une cigarette avant de démarrer. C'était la robe que Mme Trucmuche avait fait faire en France, qui lui avait coûté cinq mille dollars et qu'elle voulait rendre après l'avoir portée à sa soirée du samedi ou bien c'était les bruits qui couraient comme quoi Edward Machinchose avait plaqué Mme Machinchose, qui fait un petit trente-six, pour se mettre avec leur fille au pair, une fraülein de dix-sept ans originaire de Munich. Ou alors — elle faisait tomber sa cendre dans le cendrier — elle racontait comment elle avait réussi à se faire nommer vice-présidente du cocktail annuel du musée commun à Southampton et Peconic.

La vanité de ma mère, son indifférence — sa totale insignifiance — laissaient mon frangin froid. Il n'était pas comme moi. Il pouvait l'entendre disserter pendant des heures sur le bon goût sans avoir envie de l'étrangler.

En plus, ils se passaient très bien l'un de l'autre. Ma mère occupait la grande pièce du fond, au rez-de-chaussée, et Easton était au premier. C'est vrai qu'à côté de moi Easton était l'orgueil de ma mère, mais à côté de ce qu'elle aurait voulu qu'il soit — directeur de banque ou juriste à Wall Street —, c'était un raté. Mais un raté bien sapé quand même.

Les yeux de Kurz lui étaient sortis de la tête quand le frangin était venu nous ouvrir. Easton lui avait tendu la main en disant : « Easton Brady. »

Robby écarquillait tout grand les yeux. Il n'en revenait pas. Il l'avait sans doute imaginé comme ma copie conforme, plus jeune de deux ans. Ce n'était pas tout à fait faux d'ailleurs. A cela près qu'Easton était un vrai gentleman : pantalon de flanelle grise, chemise bleu pâle et pull en V bleu marine. Le genre dandy qui ramène ses cheveux en arrière d'un geste élégant — des cheveux un soupçon trop longs. Il n'avait pas l'air d'un hippie hirsute, non, plutôt d'un milliardaire qui revient d'une croisière aux Bermudes.

Une demi-heure plus tard, Robby Kurz était toujours en train de nous dévisager, Easton et moi, passant de l'un à l'autre avec des coups d'œil rapides. On se trouvait dans le boudoir d'Easton — mon ancienne chambre à coucher. Robby s'était assis en face d'Easton devant une table pliante — la table qui lui servait étant môme pour faire ses maquettes de bateaux. Maintenant elle était cachée sous un grand tapis de table à franges dorées qui recouvrait presque entièrement les pieds métalliques. Un truc comme on en voit sur les pianos dans les vieux films. Je m'installai directement derrière le frangin, sur un vieux canapé en cuir marron foncé qu'il avait dû trouver dans un dépôt-vente. Il y avait le même dans le cabinet du psy à South Oaks.

Ray Carbone et moi avions passé un marché : je pouvais assister à l'interrogatoire d'Easton à condition de ne pas intervenir. Mais de temps en temps le frangin regardait de mon côté pour que je le rassure pendant que Kurz le questionnait. Alors je hochais la tête. Mettez-vous à ma place. Je hochais la tête pour lui dire que tout allait bien. Et c'était vrai d'ailleurs.

— Qu'est-ce que vous faisiez à New York, hier ? demanda Robby.

— Je suis passé voir la responsable du casting pour régler quelques factures et négocier un nouveau contrat. Sy et Santana cherchaient un Colombien qui ait l'air méchant, pour le rôle du gros bonnet de la drogue.

— Vous voulez dire que tous les rôles n'avaient pas encore été distribués ? demanda Robby.

— Non. — Easton avait l'air à l'aise. On aurait dit qu'il était dans le cinéma depuis toujours. — C'est fréquent, vous savez. On aurait pu prendre un acteur que l'on connaissait déjà, mais on cherchait quelqu'un de spécial pour cette fois. Tout le problème était de savoir où le trouver.

J'appuyai ma tête sur le cuir froid du canapé, croisai les bras et observai le frangin. Pour le coup, il m'impressionnait. Ça n'était plus le baratineur forcené qui vendait des maisons, des Jaguar ou des pulls marins faits main. C'était un authentique assistant de production.

— On avait déjà auditionné pas loin de cinquante acteurs latinos à New York et en Californie, mais sans succès. On a décidé de continuer. Encore un peu, en tout cas.

Il avait l'air de savoir de quoi il causait. Tout à coup, j'étais fier de lui.

Il n'arrêtait pas de tirer sur le col de son pull pour le mettre bien droit.

— La responsable du casting voulait commencer les auditions à Chicago et refiler le bébé à son associé là-bas. Cela dit, son tarif était exorbitant et Sy pensait qu'il fallait essayer de négocier en tête à tête avec elle, plutôt que par téléphone. Comme il ne pouvait pas y aller — il devait assister au tournage et préparer son voyage à Los Angeles — il m'a demandé d'y aller à sa place.

— Vous êtes resté combien de temps ?

— De quatorze heures à quinze heures trente, seize heures. Je ne suis pas absolument sûr. Mais vous pouvez lui demander à elle.

— Vous avez eu Spencer au téléphone pendant ce rendez-vous ?

— Non, je devais le rejoindre chez lui après dîner, vers vingt et une heures, et l'informer des négociations.

— Il avait des invités à dîner ? demandai-je.

— Non. Juste Lindsay, répondit Easton.

— Vous êtes rentré directement ici après votre retour de New York ? reprit Kurz.

— Non. Je suis allé chez le chemisier de Sy apporter un métrage de coton égyptien qu'il voulait utiliser, et prendre les chemises qui étaient prêtes.

De ma place je ne pouvais pas voir la tête d'Easton, mais il devait sûrement sourire parce que l'inspecteur « Cheese » était toutes dents dehors.

— Assistant de production et saute-ruisseau, poursuivait le frangin. En réalité, mon job consistait à simplifier la vie de Sy. J'allais à ses rendez-vous à sa place, je passais les coups de fil, je lui servais de chauffeur à l'occasion et puis il m'arrivait de négocier les petits contrats. — Il se tut un moment puis ajouta : — C'était le meilleur boulot que j'aie jamais eu.

Dehors, par la fenêtre, on voyait les feuilles des chênes presque noires dans la lumière bleu-gris du crépuscule. C'est une mauvaise heure pour les ex-alcoolos. Et pourtant, pour une fois, je me sentais bien. J'étais content pour Easton.

Il avait toujours souffert d'une étrange aberration qui l'empêchait de réussir. Pourtant, à le voir, comme ça, il donnait l'impression d'être bien dans sa peau. Clean, équilibré, posé, pas dévoré par un feu intérieur. C'était difficile de comprendre pourquoi il n'arrivait pas à s'en sortir, lui qui ne faisait jamais d'excès. Il noyait son scotch et quand il buvait du vin, c'était un verre ou deux, pas plus. Si on lui proposait un joint, il n'en prenait qu'une bouffée. Même ses nanas il les choisissait effacées, pour ne pas dire invisibles : bien élevées, bien sapées, avec des nichons pas plus gros que le nez.

C'était bizarre. Le show-biz et tout son chiqué, ça le rendait plus vrai que nature, le frangin. Il était moins guindé. Quand même pas au point d'aller au match de foot du samedi soir, mais il était plus chaleureux, plus décontracté. Un être humain, quoi. Pas le chien savant de sa mère. Je me disais qu'après toutes ces années on allait peut-être devenir frangins pour de bon. Lynne me lancerait : « Qu'est-ce que tu dirais d'inviter Easton à dîner ? », et moi je répondrais : « Génial ! »

— Pour quelle raison M. Spencer allait-il à Los Angeles ? demanda Kurz.

— Il était sur quatre ou cinq projets à la fois. Il avait des quantités de rendez-vous.

Je l'interrompis :

— C'est normal qu'un producteur s'absente comme ça, pendant le tournage ?

Easton se tourna de profil vers moi.

— Bien sûr. Sy était producteur exécutif. Il avait ce qu'on appelle un directeur de production, responsable de la coordination et chargé de régler les problèmes au jour le jour. Et puis moi j'étais là aussi, pour les affaires courantes. Rien ne l'empêchait de s'absenter un jour ou deux.

— Rien, sauf que ça ne marchait pas très fort sur le plateau.

— Comment ça ?

— Eh bien, les difficultés autour de Lindsay.

— Lindsay ? — Easton avait l'air un peu mal à l'aise. Comme si, en approuvant, il aurait trahi Spencer. — Je vois que vous avez eu vent des rumeurs.

— On a entendu dire que les rushes étaient dégueulasses, dis-je. Ils étaient vraiment si moches que ça ?

Il haussa les épaules.

— Je ne peux pas être sûr à cent pour cent, Steve. Comprends-moi, je fais ce métier depuis trois mois. Quand je me suis présenté à Sy, la première fois, j'y suis allé au culot. J'avais peur de passer pour un crétin. Mon opinion vaut celle de n'importe quel amateur. En gros, ou ça me plaît ou je m'ennuie. A mon sens, Lindsay jouait bien. Et puis, physiquement, elle est — il n'y a pas d'autre mot —, elle est sublime.

A ces mots Robby Kurz s'était remis à hocher la tête comme un bouddha monté sur ressort.

— Mais je crois comprendre ce que Sy voulait dire. Quand on voyait Lindsay, on n'était pas fasciné, sauf par son corps. Je regardais les images mais sans me concentrer. En fait, si je n'avais pas fait partie de l'équipe, je me serais sans doute encore moins concentré.

— Mais ça n'était pas un désastre, si ? demandai-je.

— Non, pas son jeu en soi. Mais du point de vue de Sy, le film entier était remis en cause, parce qu'il fallait que le public aime cette femme. Et même moi je me rendais compte qu'elle n'était pas attachante dans les rushes. En fait, elle n'était pas émouvante. Elle vous laissait froid.

Kurz reprit la parole :

— Sy allait à Los Angeles voir Katherine Pourelle et lui proposer de reprendre le rôle de Lindsay, n'est-ce pas ?

Je surpris la réaction d'Easton avant qu'il ne tourne la tête vers Kurz. Il avait l'air complètement sidéré. Sidéré de voir à quelle vitesse l'enquête progressait.

— Bon sang, qui vous l'a dit ?

Kurz et moi on se taisait. Finalement, Easton lança :

— Félicitations !

Et il se tourna vers moi. Il voulait savoir.

— Désolé, East. Je ne peux pas te le dire.

— Très bien, dit-il, excusez-moi. Je ne voulais pas être indiscret... — Il sourit. — Enfin, pas trop indiscret. Toujours est-il que Sy avait rendez-vous avec Katherine Pourelle. A mon avis, ce n'était qu'une manœuvre. Il voulait que le bruit se répande qu'il l'avait rencontrée avec son agent, pour que Lindsay s'affole et qu'elle réagisse. Mais je suis sûr d'une chose : Sy n'aurait jamais renvoyé Lindsay.

— Il vous l'a dit ? demanda Kurz avant de se racler la gorge.

Il avait la voix rauque. Rude journée pour l'inspecteur Cheese. Il commençait à fatiguer et sa pochette jaune s'avachissait.

— Non. Mais je commençais à connaître Sy. Il pouvait être objectif, dur et même méchant avec l'actrice, mais il restait complètement sous le charme de la femme. Elle avait un énorme ascendant sur lui.

— Sexuel, tu veux dire ? demandai-je.

— Oui.

— C'était juste sexuel ou bien il y avait aussi de l'amour ? demanda Robby.

— Les deux, je pense.

Easton parlait tête baissée. Ses épaules montaient et descendaient avec sa respiration. Je venais de comprendre : Easton était comme Sy, objectif quand il s'agissait de l'actrice, mais pas quand il s'agissait de la femme. Il en pinçait pour elle, c'était évident.

— Elle n'est pas seulement belle, douée ou intelligente, continuait-il en prenant un air détaché. Elle est tout ça à la fois, bien sûr, mais surtout elle est fascinante.

La tête de Robby faisait oui ! oui ! oui !

— Sy ne l'aurait jamais renvoyée, il ne pouvait pas se passer d'elle.

Je l'entendis avaler sa salive. Il avait une grosse boule dans la gorge. Lui non plus ne pouvait pas s'en passer, apparemment.

— Même si ça lui coûtait vingt millions de dollars ? demanda Robby.

— Même.

Ça ne cadrait pas avec la version de Monteleone, qui affirmait que Sy en avait jusque-là de Lindsay Keefe, au point de quitter le plateau à onze heures pour aller s'envoyer en l'air ailleurs. Je pensais aux longs cheveux noirs qu'on avait trouvés à la tête du lit, dans la chambre d'amis.

— Tu étais là quand Sy a parlé de faire tomber la foudre sur Lindsay ? demandai-je.

Easton se raidit tout à coup. Il était sincère. Encore une fois sidéré de voir qu'on était des vrais flics et qu'on faisait notre boulot. Finalement il dit :

— Eh ben, vous ! on peut dire que vous ne perdez pas de temps. Heu... oui j'étais là. Mais c'était juste des mots, une façon pour Sy de laisser sortir la vapeur.

— Comment ça ?

— C'est vrai qu'il était très déçu, mais il ne l'aurait pas congédiée pour autant. Crois-moi, Steve. Il avait besoin d'elle. — Il se passa la langue sur les lèvres. — Vraiment besoin.

En temps normal, je l'aurais charrié. Je lui aurais balancé un truc du style : « Il avait besoin d'elle ? Et toi, petite tête ? » Je me serais foutu de sa gueule et de sa star ! Mais je ne pouvais quand même pas faire ça devant Robby Kurz. Et puis au fond, même si c'était une histoire d'amour impossible, ça lui faisait du bien au frangin d'en pincer pour quelqu'un. En réalité, il n'y avait pas de quoi rigoler.

— Et l'argent ? demanda Kurz. Mikey Lo Triglio ? Il avait mis de l'argent dans le film, non ?

— Mikey ! s'écria Easton. Oui, bien sûr. Je l'avais oublié. C'est un personnage, ce Mikey. Il faut le voir. Le Parrain, à côté, c'est un agneau. — Il s'arrêta et médita sur ce qu'il venait de dire. — Je suis injuste, au fond. C'est vrai qu'il a un accent new-yorkais à couper au couteau et qu'il a une tête de... truand. Mais si on se fiait aux apparences...

— Sy avait peur de lui ?

Silence. Easton se mordillait probablement la lèvre. Je regardai autour de moi. Un scénario était posé sur la table basse, devant le canapé. Je l'ouvris. Easton se retourna en entendant le bruit du papier. Il était comme liquéfié, il avait perdu son aplomb — et oublié Robby.

— Tu vois ce scénario, Steve ? — On aurait dit un gosse au bord des larmes. — Sy me l'avait donné jeudi, la veille de... En me le passant, il m'avait dit : « Notre prochain film, Easton. Un film qui va sans doute faire date dans l'histoire du cinéma. »

— Je suis désolé, dis-je. Les choses avaient l'air de marcher pour toi, non ?

— Finalement... — Il s'interrompit en réalisant que Robby était là. — Ma vie tout entière était impliquée dans le film, dit-il doucement. — Il inspira un grand coup et quand il reprit la parole il était redevenu Easton le fringant. — Enfin, je vais recommencer à prospecter pour trouver un autre job. — Il secoua la tête. — Je n'ai pas envie de m'exiler en Californie, mais il va peut-être bien falloir si je veux rester dans le cinéma.

Je pensai : « Merde, quelle foutue poisse pour le frangin ! Lui qui s'était trouvé un patron sur mesure, un mec qui aimait son style et qui lui faisait confiance. Enfin quelqu'un qui lui donnait sa chance. Et voilà le travail. Sy n'était même plus là pour lui faire une lettre de recommandation. Qu'allait-il leur dire à Hollywood ? " Avant je vendais des bagnoles mais ça n'a pas marché " ? Ça faisait des années qu'Easton essayait sans succès de fourguer des shorts en madras à des collégiens débiles. Il manquait de conviction, et on le comprenait. Comment allait-il s'en tirer à Los Angeles, ce panier de crabes ? »

— Bon... de quoi on parlait, déjà ? lança Kurz.

Il se frottait le dessus du nez comme s'il avait découvert le point d'acupuncture qui rendait l'œil vif et les idées claires. Peine perdue. Il était complètement hors circuit. Je pensai : « Trente ans c'est un peu jeune pour se fatiguer aussi vite. » C'était peut-être pour ça qu'il bâclait le boulot et qu'il arrêtait des gens en pagaille. Ce mec n'avait aucun punch. Il ne tiendrait jamais le coup si l'enquête durait un peu.

— On en était à Mikey, dis-je.

— Ah oui, Mikey.

— Sy était toujours un peu... tendu quand Mikey téléphonait, avoua Easton. Tendu, pour quelqu'un comme vous ou moi, ça veut dire irritable, soupe au lait. Mais chez Sy c'était simplement un petit durcissement dans la voix. Il fallait bien le connaître pour s'en rendre compte.

— Il avait peur ? demanda Kurz.

— Je ne pourrais pas vous dire. Il était juste un peu à

cran et c'était déjà anormal pour lui, qui n'avait jamais l'air anxieux. Par contre il était très fort pour rendre les autres anxieux. Chaque fois que Mikey appelait, il secouait la tête et disait : « Je ne suis pas là. »

Pendant ce temps j'étais en train de parcourir *La Nuit du matador,* scénario original de Murray Mishkin. Je tournai la page :

PANORAMIQUE VERTICAL DU MATADOR, immense, imposant, menaçant sur fond noir.

> MATADOR
> *Je suis Rodrigo Diaz de Bivar... El Cid. Et je suis Francisco Romero, sept cents ans plus tard, je transperce le taureau de mon épée.*
> BANDE SON : Souffle puissant d'un animal. Est-ce le matador ? Ou bien le taureau ?
> *Et je suis Manolete, mort éventré. Et je suis El Cordobes.*
> PLONGÉE VERTICALE : Le fond s'éclaire et voilà le MATADOR au centre de l'arène, entouré de PICADORS à cheval et de BANDERILLEROS. Il brandit sa muleta rouge.
> *Je suis l'Espagne.*
> ZOOM et GROS PLAN sur la muleta. On entend un air de flamenco.
> *Je suis l'homme.*

GÉNÉRIQUE D'OUVERTURE sur fond rouge.

Je pensai : « Il faudrait me payer très cher pour que je lise un truc pareil et encore plus cher pour que j'aille le voir au cinéma » — ce qui voulait probablement dire que c'était un chef-d'œuvre.

— Mikey Lo Triglio téléphonait souvent ? demandait Kurz.

— La semaine dernière, oui. Trois ou quatre fois par jour.

Robby commençait à jouer avec les franges du tapis de table.

— Qu'est-ce qu'il voulait ?

— J'imagine qu'il avait eu vent des difficultés du tournage. Mais Sy démentait, bien sûr.

— Spencer aurait été menacé par le Mikey en question ?

— Je n'entendais pas ce que Mikey disait au téléphone. Tout ce que je sais, c'est que ça ne plaisait pas à Sy. — Easton s'arrêta. Puis il reprit : — Il se mettait à transpirer. Vous imaginez ce que ça veut dire. Sy n'était pas le genre de type à avoir des sueurs froides.

Provoquer la transpiration d'un tiers n'est théoriquement pas un délit dans l'Etat de New York. Mais quand on voyait la tête de Kurz, on n'en était plus vraiment sûr. Ça l'avait brusquement réveillé, il était plus à l'affût que jamais (« Mikey, mon gros, ça va être ta fête »). Je voyais déjà scintiller les menottes dans les yeux de Robby.

— Hé, du calme, Robby. Y a pas le feu, dis-je.

— Steve, on tient une piste, répondit Robby devant Easton, comme si c'était un flic — ou un membre de la famille. Ce Mikey est un méchant.

— Possible, mais il n'est pas idiot. Qui irait descendre un mec pour une histoire d'investissement foireux ?

— Un mafioso.

— D'accord, mais ça ne ressemble vraiment pas à un de leurs coups. Deux balles de 22 à distance ? Trop ordinaire.

Cela dit, Sy pouvait avoir d'autres ennemis ; un écrivain rancunier de son ancienne revue ; une relation du show-biz ; un type du coin qu'il aurait insulté — un pompiste, un électricien, un concessionnaire quelconque — un mec complètement cuit prenant une pleine poignée de bastos dans la poche de son veston. Et Lindsay dans tout ça ? Calculatrice, narcissique, arrogante, impitoyable et peut-être sur le point de se faire balancer et comme actrice et comme concubine. Savait-elle tirer ?

Et puis il y avait Bonnie. L'auteur de *Cowgirl*.

— Et son ex-femme ? demandai-je. Il paraît que Sy s'intéressait à son nouveau scénario.

Easton secoua la tête.

— Non. Sy me l'avait donné à lire peu de temps après que j'ai commencé à travailler pour lui, avant le tournage de *Nuit d'été*. Il m'avait demandé de trouver quelque chose de sympa à dire, pour qu'il puisse le lui refuser en disant, je sais pas moi, que les dialogues étaient chouettes, authentiques.

— Ils étaient comment, les dialogues ?

— Je ne sais plus. Pas franchement mauvais. Mais Sy disait qu'elle était née quarante ans trop tard, qu'elle écrivait des séries B qui auraient plu aux femmes en 1942.

— Est-ce qu'elle lui téléphonait ? demanda Kurz.

— Oui. Une ou deux fois par semaine, en fait. Elle est même venue sur le tournage. Le moins qu'on puisse dire c'est qu'il n'a pas eu l'air enchanté. Je le sais parce que j'étais dans sa caravane quand c'est arrivé. Vous savez, Sy était toujours très calme. Mais ce jour-là, j'ai bien cru qu'il allait avoir une attaque.

Easton s'arrêta et se tourna vers moi.

— Qu'est-ce que tu en penses ? lui demandai-je. Crime de femme humiliée ?

— Je n'en sais rien, dit Easton, pensif. Je ne suis pas flic. Je n'ai pas les moyens d'estimer ces choses-là. Tout ce que je peux te dire, Steve, c'est que je n'ai pas aimé la tête de Sy quand il l'a vue. J'ai eu le sentiment que ça allait mal tourner.

7

Si je voulais arriver à temps chez Lynne, je devais faire en deux minutes un trajet d'un quart d'heure. Alors ? Je fonçai tout droit chez Bonnie Spencer et je me garai au coin de la rue pour observer la maison depuis le trottoir d'en face.

C'était une bâtisse de style colonial, plutôt sobre, austère même. Un cube de deux étages coiffé d'un toit et d'une cheminée, construit juste derrière un saule pleureur, dont les feuilles argentées scintillaient au clair de lune.

A travers les rideaux imparfaitement tirés, on voyait les reflets bleutés de la télévision allumée. Qu'avais-je dit à Lynne, déjà ? Ah, oui, que je serais chez elle à dix heures, dix heures et demie. Il était vingt-huit. Je traversai la rue et remontai l'allée qui menait chez Bonnie.

Cette Moose, comme chien de garde, elle se posait là. Pas le moindre grrrrr jusqu'à ce que je sonne. Après quoi — je l'apercevais à travers la partie vitrée du chambranle — elle se mit à remuer si frénétiquement la queue que tout son arrière-train dansait.

La lumière s'alluma à l'extérieur. J'enfonçai mes mains dans mes poches pour les ressortir aussitôt. Bonnie apparut dans le hall d'entrée. Une seconde je pensai qu'elle pouvait être avec un mec et que je les avais dérangés. Maintenant que je l'observais de plus près, il était évident qu'elle était seule. Elle portait un jogging en coton et un pull-over rouge. Pas de maquillage, mais se fardait-elle jamais ? Ses cheveux défaits tombaient sur ses épaules et, à la façon dont ils étaient aplatis à l'arrière, elle avait dû rester allongée un certain temps.

J'essayai de capter son expression quand elle me vit. Le soulagement d'abord de ne pas avoir affaire à un rôdeur, et puis l'appréhension de me revoir à une heure pareille et peut-être aussi (mais que peut-on réellement discerner à travers une vitre de chambranle ?) de l'empressement. J'espérais que mes manœuvres du matin lui avaient fait de l'effet.

La porte s'ouvrit et soudain je me sentis très con. Comment avais-je pu fantasmer toute la sainte journée sur une femme comme elle ?

— Je sais qu'il est tard, dis-je, sans lui laisser le temps d'en placer une, mais j'enquête sur un assassinat.

— Euh... entrez, je vous prie.

Les coins de sa bouche hésitèrent une seconde : sourire ou ne pas sourire ? Finalement elle décida que non et prit à droite en direction du salon. Elle alluma une lampe, éteignit la télé — un vieux film en noir et blanc.

Il restait encore la marque de sa tête sur un des coussins du canapé. Je m'assis à côté, le coussin avait gardé sa chaleur. Moose, à mes pieds, tendait son museau noir vers moi, avec l'intention avouée de venir me rejoindre. Mais elle finit par renoncer et reposa son gros derrière par terre en me lançant au passage l'équivalent canin d'une œillade assassine. Puis elle s'affala sur mes pieds, comme la première fois. « La maîtresse ne casse peut-être rien, pensai-je, mais le toutou vaut le déplacement. » Je lui caressai le dessous du ventre avec le pied.

Bonnie me faisait face, assise dans un rocking-chair. La pièce était agréable — dans les tons blanc, jaune et abricot — je ne l'imaginais pas dans ce cadre-là. C'était pas mal... dans le genre rustique made in Manhattan. Tout y était : les tapis tressés, le parquet en chêne, les couvre-pieds capitonnés à l'ancienne avec les coussins assortis, les tapisseries encadrées et les vieux pichets en faïence blanche alignés sur la cheminée. Et puis à gauche, un soufflet décoré à la main assez gros pour gonfler un dirigeable. Elle surprit mon regard.

— Quand nous avons acheté cette maison, Sy s'intéressait à l'art folklorique américain. — Elle me montra du doigt une collection de canards en bois peint sur les étagères. — Tout ce qui faisait coin-coin, il achetait. Il a même failli acheter un métier à tisser de 1813, sculpté à la main. Pour faire quoi, franchement? Tisser du lin pendant ses week-ends? Enfin... Lorsque nous avons donné notre première soirée ici, un éditeur très connu a regardé autour de lui et il a dit : « Mais c'est mignon tout plein! » Un type ignoble. Bref, du jour au lendemain, Sy s'est mis à haïr la maison.

Je me taisais. Elle reprit aussitôt :

— Euh... Je peux vous offrir un verre? Un café?

— Pourquoi êtes-vous allée voir Sy sur le tournage?

Elle eut une seconde d'hésitation avant de répondre :

— C'était juste une petite visite amicale... Je crois que j'avais la nostalgie du bon vieux temps.

— Il vous manquait?

— Non, pas lui, le cinéma. Parfois... — sa voix était rauque —... j'ai envie d'écrire autre chose que : « Admirez, mesdames, ce délicieux nuage en imitation soie. » Et puis l'ambiance des tournages me manque et...

Je la coupai net avant qu'elle ne me déballe tout son roman-photo :

— Vous êtes donc allée sur le tournage de *Nuit d'été.* Ça s'est passé comment? Sy Spencer était content de vous voir?

— J'imagine que vous connaissez déjà la réponse.

La lumière éclairait ses cheveux noirs juste à l'endroit où ils touchaient l'épaule.

— C'est votre réponse que je veux. — Je dégageai mes pieds du corps de Moose, que ce mouvement brusque surprit. — Où est le problème? Il était content de vous voir ou pas? Ce n'est pas si compliqué comme question, si?

Elle se décida à répondre :

— Il avait l'air contrarié que je sois venue sans être invitée. Oh, pas furieux au point de me réduire en chair à pâté et d'en faire des boulettes... — Tout à coup elle était gênée. — Je vous demande pardon. Pendant une seconde j'ai oublié la raison de votre présence. Je suis désolée. Je ne voulais pas blaguer avec ça.

— C'est pas grave. Vous disiez qu'il ne serait pas allé jusqu'à vous esquinter le portrait.

— C'est ça. Mais il n'était pas spécialement poli, non plus. Il ne m'a pas dit : « Tu aurais dû me prévenir que tu venais, Bonnie chérie. »

— Quelle a été son attitude ?

— Voyons. Disons qu'il était partagé entre l'indifférence et la rage.

— Mais encore ?

— Il n'a pas élevé la voix.

Je jetai un coup d'œil rapide à la hauteur de ses seins pour une évaluation discrète. Son pull-over la moulait assez pour que je puisse me rendre compte qu'elle avait des seins moyens.

— On aurait dit qu'il essayait de se retenir de me cracher à la figure.

— Mais puisque, selon vous, vous étiez en bons termes, comment se fait-il qu'il ait réagi comme ça ?

— Je ne sais pas. Peut-être qu'il était en colère à propos de tout autre chose et que je suis arrivée au mauvais moment.

— Peut-être.

Je me serais botté le cul, tiens. Dire que j'avais passé la journée à m'imaginer que cette frangine de cow-boy était la sensualité incarnée !

A ce moment-là Bonnie releva les bras, juste un instant, pour tirer ses cheveux en arrière. Elle avait le dessous des bras nacré, parfait. Je l'imaginai allongée à côté de moi, sur le canapé, la tête sur l'oreiller, les bras relevés. Je me voyais en train de l'embrasser, de passer ma langue sur sa chair satinée.

Je toussai pour m'éclaircir la voix.

— Vous étiez passée le voir pour parler de votre script ?

— Non. — Elle laissa retomber ses cheveux. Son geste était beau, gracieux comme un ralenti. — On avait déjà parlé des changements à apporter au scénario et j'étais en train d'y travailler.

— Vous m'avez dit qu'il l'aimait...
— Oui.
— Vous n'avez jamais pensé qu'il aurait pu dire ça juste pour vous faire plaisir ?
— Me faire plaisir ? Pourquoi ?
— Vous n'avez pas idée ?
— Non. Mais dites toujours.
— Peut-être qu'il vous trouvait plus intéressante que votre scénario. Et peut-être qu'au fond de vous-même vous le sentiez et que...
Elle piqua un fard maison.
— Vous avez l'air d'oublier deux ou trois choses, inspecteur. Primo je ne suis pas névrosée au point de ne pas savoir ce que je vaux. Et deuxio, Sy n'aurait jamais fait une chose pareille. Mon scénario était bon et Sy le savait.
— Eh, je ne cherche pas à vous blesser, mais c'est mon boulot de poser des questions. OK ?
Elle se calma.
— C'est vrai qu'on s'aimait bien. Mais je n'étais pas son genre, même à l'époque où on s'est mariés. Et ces neuf ans supplémentaires ne m'ont pas rendue plus séduisante ! Lui, il aimait les femmes sublimes, comme Lindsay. Ou les génies, les intellos sorties de Harvard à vingt-deux ans. Ou alors le genre mondain avec l'accent français, un château, des poils sous les bras et qui récite Racine par cœur. Moi j'étais son ex. Il n'avait aucune raison de me faire du gringue, il savait mieux que personne ce que j'avais à offrir... et il avait déjà dit non merci.
— Même pas en souvenir du bon vieux temps ? — Elle secoua la tête. Ses yeux tournoyaient doucement. — Bonnie, est-ce que vous et Sy avez couché ensemble ? Cela expliquerait que vous vous soyez sentie libre de passer à l'improviste, le plus naturellement du monde.
— Non !
— Ou alors pour qu'on sache que vous alliez faire un come-back ?
— Non !
— Si c'était le cas, ça vous mettrait à l'abri de tout

soupçon. — Baratin évidemment ! — Deux personnes qui se connaissent bien et qui s'apprécient...

— Passez-moi l'expression, mais tout ça c'est de la couille en barre.

— Parfait. L'interrogatoire est terminé... pour l'instant, dis-je en me levant et en m'avançant vers elle.

Moose me collait au train.

Je lui offris mon plus beau sourire et un clin d'œil. Charme, charme.

— Pardonnez-moi si je vous ai blessée.

— Ce n'est pas grave.

Sa voix s'était adoucie. Le charme... le charme avait l'air d'agir. Elle me regarda ; ses yeux devinrent légèrement vagues, presque comme si elle attendait d'être embrassée.

— Bien, dis-je. Je suis content que vous compreniez.

Je passai ma main sur sa tête. Zut : le bouton de ma manche s'était pris dans ses cheveux. « Désolé » (j'étais sincère) et j'essayai de dégager le bouton. Ses cheveux sentaient bon : le lilas ou la jacinthe. Finalement je dégageai ma manche en tirant d'un coup sec.

— S'il vous plaît, dis-je, ne prenez pas ça pour une brutalité de flic.

J'eus droit à un beau grand sourire :

— Je sais.

— Salut, Bonnie. A la prochaine.

En remontant en voiture, je glissai quatre cheveux de Bonnie Spencer dans une petite pochette en plastique, dont trois avec la racine. Assez pour analyser l'ADN.

Je ne supporte pas les femmes qui parlent en faisant l'amour. Remarquez, je n'ai rien contre un petit encouragement par-ci par-là, une petite suggestion bien amenée ou un cri de joie. Mais je veux dire qu'avant Lynne, presque toutes les femmes que j'ai séduites ouvraient pour moi leur grand guide touristique du sexe.

C'était toujours le même scénario. Impressions générales de voyage : « Oh, c'est génial, t'arrête pas, continue... » Indications au chauffeur : « Plus vite, non, du calme, tout doucement, non, plus haut, plus haut... » Et puis il y avait l'arrêt surprise : « Laisse-moi te prendre dans ma bouche. » (Là je ne disais jamais non, parce que c'était bon et silencieux.) Et bien sûr, elles vous prévenaient toujours quand la virée se terminait : « Ça y est. Ça vient. Attends, juste un peu. Oh, oui, c'est trop bon. Oh, nom de Dieu ! »

Lynne, elle, ne disait rien. C'était reposant. Lynne était jeune et Lynne était belle. Elle n'avait pas besoin de faire des discours pour attirer l'attention. Et puis dans son pensionnat de jeunes filles, à Manhattanville, on avait dû lui apprendre qu'il ne fallait pas dire : « Vas-y, Gaston, fais-moi tout ! » quand on était au plume avec un monsieur.

Mais ce soir-là, elle se taisait parce qu'elle était fumasse. Je m'étais pointé chez elle à onze heures et quart et j'avais dit : « Désolé, chérie », en voyant qu'elle était déjà en chemise de nuit. Elle ne m'attendait plus. En plus, elle s'en voulait de m'avoir laissé ouvrir sa penderie, prendre son imperméable et le lui jeter sur les épaules pour la ramener à la maison en disant un truc du style : « Je t'en prie, chérie, j'ai besoin de toi ce soir. » Elle l'avait bouclée pendant tout le trajet.

Après, dans la chambre, quand j'avais défait son imper, elle avait éteint la lumière. Elle me punissait en m'empêchant de la regarder.

— Tu es vraiment dingue, dis-je en ôtant mon flingue de ma ceinture et en le posant sur la commode — délicatement, pour pas l'énerver un peu plus avec mes bruits de ferraille. Bon, qu'est-ce qu'il y a ? Vide ton sac.

— Très bien. Je suis en boule, si tu veux savoir.

— Pourquoi ?

— Parce que tu t'imagines que je suis à ta disposition vingt-quatre heures sur vingt-quatre. Je sais que tu as des horaires impossibles, mais tu n'as pas l'air de comprendre que j'existe, moi aussi. Que j'ai ma vie, ma structure à moi. Non. Monsieur veut faire l'amour, Monsieur veut parler, donc Monsieur pense que je dois tout planter là pour lui être agréable. C'est complètement injuste.

— Je suis désolé.

Je m'approchai d'elle et passai la main sous sa

chemise de nuit en coton pour la lui retirer tout doucement. Je l'attirai à moi. Elle commençait à s'adoucir — mais pas au point de me donner un coup de main. Je la tenais d'une main et de l'autre j'entrepris de me déshabiller.

— Je t'aime, Lynne.

J'attendis. Pas de réponse.

Les grandes manœuvres s'imposaient : la porter dans mes bras jusqu'au lit, par exemple, même si j'étais complètement lessivé — sans compter qu'il faisait noir et qu'à mon âge on n'est jamais à l'abri d'une hernie discale. Mais Lynne était une plume et il fallait absolument débloquer la situation. Et, miracle! ça avait marché. Elle ne m'avait pas dit : « Je te pardonne. » Elle n'avait rien dit. Seulement une fois sur le lit elle m'avait cherché à tâtons et attiré à elle.

Et on avait commencé à faire l'amour, dans le noir. Lynne était encore plus muette que d'habitude. Mais c'était pas plus mal. Ça intensifiait le plaisir. J'arrivais mieux à me concentrer sur tout, le froissement de son corps sur le drap, le rythme de sa respiration, haletante.

C'était parfait. Et puis ça changeait de l'ordinaire. Mais juste au moment où j'allais crier « Lynne », je perdis le contact.

Je ne faisais plus l'amour avec ma fiancée. J'étais en train de baiser, comme avant, quand je sautais tout ce qui avait une chatte. Tout ce que je voulais c'était l'enfiler et en finir. Et juste à ce moment-là... Grosse surprise — pour moi, je veux dire —, j'étais avec Bonnie Spencer. Complètement allumée. C'étaient les mains de Lynne, mais c'étaient les jambes de Bonnie qui m'enserraient le dos. Elle grognait de plaisir, avec moi. Et de plus en plus fort. Et puis ses cheveux noirs, parfumés, inondaient l'oreiller. J'étais dingue. A chaque fois que je la pénétrais elle poussait un soupir. Dieu que c'était bon! Je me suis mis à crier : « Je t'aime, bon Dieu, je t'aime comme un fou! » Et j'ai entendu la voix de Bonnie qui criait : « Au secours! » au moment où elle allait jouir, et puis : « Je t'aime, je t'aime! »

C'était parfait. C'était fini. Lynne dit :

— C'était bien.

— Oui, c'était bien.

— Tu me réveilles à six heures, OK ? Il faut que je sois à la maison de bonne heure, demain. Je voudrais me faire un brushing et passer chercher des bouquins à l'école.

— OK, dis-je et je fermai les yeux.

Il était neuf heures cinq quand je poussai la lourde porte vitrée de la South Fork Bank and Trust de Bridgehampton. Je me dirigeai aussi sec vers le bureau de Rochelle Schnell, la vice-présidente.

— J'admire ton esprit, dis-je en m'asseyant sur le coin de son bureau.

— Tu me l'as déjà faite il y a vingt ans, celle-là.

— Et ça a marché ?

— Evidemment que non. Mais j'aime assez que tu essayes.

Rochelle avait quarante ans. On se connaissait depuis la maternelle, et comme on était nés à deux jours d'intervalle, elle et moi, on fêtait toujours nos anniversaires ensemble à l'école. (Sa mère, Mme Maziejka, était censée apporter le gâteau et la mienne, la limonade, mais Mme Maziejka apportait toujours tout. Elle ne le prenait pas mal, notez. D'ailleurs elle écrivait Rochelle en rose, sur un côté du gâteau, et Steve, en bleu, sur l'autre côté.)

Assise derrière son immense bureau en bois massif, Rochelle portait un tailleur gris foncé — la couleur des gagnants. Mais quand elle se leva pour me faire la bise et me dire : « Qu'est-ce que tu deviens, vieille branche ? T'as l'air en pleine forme », sa jupe en stretch lui remonta au ras des fesses. On aurait dit une ceinture orthopédique.

— Toi aussi, Rochelle. Mais il y a un petit problème, on dirait. J'ai du mal à croire qu'il y a des mecs assez dingues pour confier leur argent à une nana qui porte des jupes au-dessus du nombril.

— Tu te trompes. Je peux faire quelque chose pour toi ? A moins que tu ne sois venu que pour te rincer l'œil.

Je la poussai gentiment jusqu'à son fauteuil et je m'assis en face d'elle.

— Comme ça, entre nous, je voudrais savoir si tu as une cliente qui s'appelle Bonnie Spencer.

— Non, non et non ! Je suis une fille réglo, Steve. Je ne peux rien te dire. Je vais demander au service juridique, si tu veux, mais je suis pratiquement sûre qu'il te faut une assignation et si elle a effectivement un compte chez nous, il faut que j'appelle...

— Je veux simplement savoir si elle a son compte ici. Rien d'autre. Pas de détails. S'il te plaît, Rochelle, fais ça pour ton vieux pote. Tu me connais quand même.

— Oui, justement, soupira-t-elle.

Elle fit pivoter son fauteuil face à l'ordinateur et posa ses doigts sur le clavier. Elle portait un diamant gros comme ça. Un petit cadeau de M. Schnell, le type qui avait racheté la banque pour pouvoir la draguer. Ses ongles rouges cliquetaient sur le clavier.

— Oui, elle est cliente chez nous.

— Merci.

— De rien.

— Elle a combien d'argent à son compte ?

— Ah, non. Tu es flic, nom d'un chien. Tu dois respecter la loi. Et ne va surtout pas t'imaginer que je vais me laisser entortiller. Je t'en ai déjà dit dix fois trop. Maintenant c'est terminé. Je ne peux plus rien pour toi sans le feu vert de la commission rogatoire.

— Mais, Rochelle, avec la nouvelle loi sur le secret bancaire, tu vas être obligée de lui dire que les flics ont fourré leur nez dans son compte en banque.

— Et alors ?

— Ecoute. Ça ne serait pas sympa pour elle. Bonnie Spencer est une personne foncièrement correcte et je ne voudrais pas qu'elle se sente humiliée. Son ex-mari...

— Spencer ! C'est son mari ?

— Ouais. Et il y a un sacré remue-ménage en ce moment chez nous. Les chefs sont sur les dents. Alors j'aimerais pouvoir régler cette affaire sans faire trop de vagues, sans commission rogatoire et sans assignation. Je veux juste être sûr qu'il n'y a pas eu de mouvements d'argent bizarres sur son compte en banque, de façon à l'écarter de cette histoire le plus vite possible. C'est une fille adorable, vraiment. Et qui n'a sûrement rien à voir avec le meurtre. Pas plus qu'elle n'avait à voir avec Spencer, d'ailleurs. Il me faut juste un ou deux chiffres, pour pouvoir tirer un trait dessus. Imagine qu'un stagiaire de première année se pointe chez son employeur pour enquêter sur elle. Allez, Rochelle, sois sympa. Fais-le pour moi, fais-le pour elle.

Les ongles de Rochelle se remirent à cliqueter.

— Il y a cent cinq dollars sur son compte courant. Avec des mouvements d'argent réguliers. *Clic.* Six cent trente quatre dollars sur son compte épargne et le mois dernier un peu plus de sept cents. Sa carte Visa... elle ne l'utilise pour ainsi dire pas.

Je tendis l'index vers l'écran :

— Qu'est-ce qu'on peut en déduire ?

— Que son ex était très en retard pour la pension alimentaire.

— Elle ne touchait pas de pension alimentaire.

— Dans ce cas elle est carrément dans la misère.

La seule chose un peu attirante chez Wendy Morrell, la voisine de Bonnie, c'était son nom. Il n'évoquait pas la vierge folle en ensemble vert olive batifolant au milieu des trèfles. Disons que, dans la lumière du matin, Wendy Morrell ressemblait plus à la sorcière qu'à Blanche-Neige. Elle avait des kystes plein la figure, on aurait dit des grosses bulles d'air sous la peau. Une, notamment, sur la joue gauche. Ça me donnait envie de les percer. Je mis mes mains dans mes poches.

— J'ai lu tout ce qu'il est possible de lire sur le meurtre, bien sûr. Mais si je m'attendais à ce que Bonnie Spencer soit l'ex-femme de Sy Spencer !

Cette femme devait avoir la trentaine. Elle était d'une maigreur qui aurait fait pitié au Sahel et envie à Manhattan. Un énorme bracelet en or ornait son radius et ses cheveux étaient coupés à l'artichaut. Une coupe qu'on devrait réserver aux troufions (ou alors aux très très belles nanas).

Nous étions devant la porte de sa maison, du genre

moderne. Elle ne me proposa pas d'entrer. Elitiste, peut-être ? Ou alors gênée, parce que les baraques comme la sienne, qui coûtaient des millions de dollars, étaient complètement passées de mode ici à South Fork. Ils s'étaient tous rués sur le post-moderne. Des bâtisses rustiques, assez grandes pour loger un troupeau d'éléphants, appartenant à des astrologynécologues ou à des designers en papeterie. La mère Wendy s'était plantée au beau milieu de la porte, comme si elle voulait m'empêcher de voir comment vivent les riches. Des fois que je cherche à apercevoir un bout de sa cuisine hi-tech pour me foutre de sa gueule.

— Elle et lui, mari et femme ? C'est inouï. Enfin, je ne veux surtout pas la dénigrer, mais c'est une telle incompatibilité de styles : la distinction et la gaucherie, non ? Regardez, elle part faire son jogging. J'ai prodigieusement horreur des survêtements. Vous me direz qu'on ne fait pas un drame pour une culotte de coton et un haut à fermeture Eclair. J'imagine aisément que ce genre de problèmes vous passe par-dessus la tête, mais cette fille habite aux Hamptons après tout, pas à Trifouillis-les-Oies, elle pourrait faire un effort de toilette. C'est étonnant qu'elle n'ait pas subi plus que ça l'influence de Sy.

— Vous le connaissiez ?

— Nous n'avons jamais été présentés officiellement, si c'est ça que vous voulez dire. Mais vous savez ce qu'on dit aux Hamptons et à New York : il n'y a guère plus de trois cents familles dans le monde. Dans certains endroits, Soho ou East Hampton, on rencontre des gens comme Kurt Vonnegut, Jacky Onassis ou Sy Spencer. Il se trouve que Sy était l'ami d'un excellent ami à moi. Teddy Unger. Les emplacements publicitaires. Vous voyez qui c'est ? Bref, la moitié de l'Etat de New York lui appartient. La meilleure moitié, bien entendu. Je veux dire, Sy et moi, nous étions du même monde.

Quand on voyait la gueule de Wendy Morrell, on avait vraiment du mal à croire qu'elle faisait partie du « beau » monde.

— Et alors ? continua-t-elle, quel rapport avec son ex-femme ? Elle est impliquée dans l'affaire ?

— Non, en ce qui la concerne il s'agit d'une simple enquête de routine. J'essaye de me faire une idée de sa personnalité.

— Je ne peux pas vous aider. Je n'entretiens pas de relations avec mon voisinage.

Wendy Morrell jeta un regard du côté de chez Bonnie puis dans son allée à elle, là où j'avais garé ma Jaguar, pour que Bonnie ne puisse pas l'apercevoir de chez elle. Elle regardait ma Type E d'un air méfiant, comme si c'était un godemiché. Elle ne devait pas supporter qu'un flic puisse avoir une voiture pareille.

— Mais vous avez peut-être remarqué une ou deux choses comme ça en passant, suggérai-je. Elle reçoit fréquemment ?

Elle mit le doigt sur la broche en or qui maintenait sa veste fermée, Dieu merci, juste à l'endroit qu'on appelle le décolleté — chez une femme normale, je veux dire.

— Mes affaires me prennent tout mon temps.

Quand elle disait « mes affaires » on aurait dit qu'elle parlait de la General Motors.

— Vous faites quoi ?

— Les Wendysoupes. Je suis le P-DG.

Naturellement, tout le monde connaissait les Wendysoupes, c'est-à-dire tout le « beau » monde (donc pas moi).

— Il y a eu une série d'articles élogieux sur moi dans la presse. *New York Times*, *Vogue*, etc, *Elle*... Vous connaissez *Elle* ? Le papier s'intitulait « Super soupes ! »

— Vous les préparez ici ?

Elle sourit (grave erreur) de toutes ses gencives.

— Non, l'usine se trouve à Queens, dans un petit quartier très pittoresque et sympathique. J'ai une quarantaine d'employés.

— Alors vous ne vivez pas ici toute l'année ?

— Non. J'habite l'East End. Je ne viens ici que pour les week-ends prolongés. Autrefois je passais le mois d'août ici, mais depuis l'article du *New York Woman* (je voyais d'ici la photo : sa sale gueule en surimpression sur bol de soupe aux pois), nous faisons un véritable malheur. C'est absolument inouï.

— Madame Morrell, je vois que vous êtes très occupée, mais souvent les gens très occupés sont les plus efficaces (elle était on ne peut plus d'accord). Vous n'êtes pas du genre à fourrer votre nez dans les affaires de vos voisins, mais...

— Je ne connais rien de la vie de cette fille. Entre elle et moi, c'est bonjour bonsoir et rien d'autre. Même ici, je suis absolument débordée, le téléphone, le téléfax, je n'ai pas une minute à moi. Je suis constamment sous pression et je dois faire de gros efforts pour essayer de me détendre. Je n'ai pas le temps de prendre le thé avec mes voisines.

— Mais Bonnie Spencer, elle, elle prend le thé ?

— Pas que je sache.

— Je veux dire est-ce qu'elle reçoit fréquemment de la visite ? — Elle regarda à nouveau ma Jaguar. — Des hommes en voiture de sport ?

— Des hommes en voiture de sport, des hommes en limousine. Des hommes avec toutes sortes de véhicules. Une fois, j'ai même vu une camionnette. Je l'ai remarquée parce que c'était le soir tard. Un jeune homme de vingt-deux ans tout au plus, en jeans. Elle l'avait peut-être fait venir pour une réparation.

— Je vais être direct avec vous, madame Morrell. Je sais qu'on peut être direct avec un P-DG (re-gencives). Avez-vous l'impression que Mme Spencer a des mœurs légères ?

— Elle a dû recevoir quelque chose comme la moitié des individus de sexe mâle de Bridgehampton. Pour les interviewer, sans doute, pour sa chronique du *South Fork Sun*. Elle est venue me demander une fois si je pouvais lui accorder une interview. J'ai été très correcte. Je lui ai dit que j'étais odieusement occupée mais que je serais enchantée à l'occasion. — Elle s'arrêta de parler. — Vous êtes sûr que vous êtes de la police ?

Je lui tendis mon insigne. Elle l'approcha de son nez. J'imaginais son haleine parfumée à la soupe aux lentilles. Beurk. Finalement, elle me le rendit.

— Auriez-vous vu une voiture de sport noire récemment, chez elle ?

— Inspecteur Je-ne-sais-plus-comment, sourit-elle, je sais ce que c'est qu'une Maserati. Mon ex-mari avait une

Ferrari 250 GT, 62. Croyez-moi, j'ai eu l'occasion de voir pas mal de voitures de sport à l'époque. — Elle regarda la mienne. — Ça n'est pas la première fois que je vois une Type E, vous savez. — L'idée qu'elle connaisse les voitures de sport m'était insupportable. — Et la réponse est oui.

— Oui, quoi, madame Morrell ?

— J'ai vu une Maserati dans l'allée. La semaine dernière. Tous les matins où j'ai été là. A midi moins le quart. C'était réglé comme du papier à musique. Un homme très bien habillé en descendait. Je suis en train de me dire que ça devait être Sy Spencer. Pour le déjeuner, sans doute.

— Peut-être. A quelle heure partait-il ?

— A deux, trois ou quatre heures.

— Des bruits de bagarre ?

Elle secoua la tête.

— C'est insensé. Lui qui était tellement distingué. Cet homme aurait pu avoir toutes les femmes qu'il voulait. Qu'est-ce qu'il pouvait bien lui trouver ?

— Peut-être du charme.

— Du charme ?

Wendy Morrell redressa le menton et fronça les sourcils l'air de dire : « Ça c'est la meilleure ! »

8

Charmante Bonnie Spencer, vraiment.

Qu'elle aille donc se faire foutre avec son clébard à la con. J'ai toujours su que quelque chose clochait chez elle. J'étais sûr qu'elle m'avait menti à propos de Spencer, par exemple, mais je gardais quand même un vague espoir. Je me disais que ça ne l'empêchait pas d'être quelqu'un de bien, que ses rapports avec son ex devaient être strictement professionnels. Je me disais tout ça parce que s'il y a une femme avec qui j'aurais voulu être ami, c'est bien elle. J'avais des doutes, c'est vrai, mais elle avait l'air tellement honnête que quand la vilaine bouche de Wendy Morrell s'est ouverte, j'étais sûr qu'elle allait dire : « Une voiture de sport noire ? Non ! Je n'ai vu que la voiture du préposé au gaz, qui ne restait jamais plus de deux minutes. »

Qu'elle aille se faire foutre. Je passai en troisième.

Pour aller de Bridgehampton au QG, à Yaphank, il y a soixante kilomètres par l'autoroute. Une ligne droite. Le rêve. C'était mon circuit d'essai personnel jadis. Mais depuis que j'avais arrêté de boire, je ne dépassais jamais le cent vingt.

Or là, subitement, j'avais besoin de piquer une pointe de vitesse. Je n'arrivais pas à croire que je m'étais gouré à ce point au sujet de Bonnie Spencer. Ça n'était pas Moose la chienne en chaleur, ma parole, c'était elle. Une stupide putain incapable de tenir ses jambes serrées ! Je passai en quatrième. Le moteur se mit à bourdonner et l'aiguille du compteur passa dans le rouge. A cent cinquante je relâchai la pédale. Qu'elle aille donc se faire baiser ailleurs. C'était fantastique ! Avec la plupart des bagnoles de sport, quand on est au maximum on a l'impression de décoller. Avec la Type E c'est tout le contraire. Elle adhère à la route comme si elle faisait corps avec elle.

Il y a rien de tel que la vitesse pour se griser, surtout quand on est à jeun. Quand on est bourré, on sent la mort toute proche, avec sa faux et son peignoir — comme celui de Spencer mais pas de la même marque.

Ras le bol de Bonnie Spencer et puis ras le bol de cette enquête à la con. Dès qu'elle serait terminée, j'épouserai Lynne. Pas question d'attendre le mois de novembre. Il suffisait de trouver un prêtre avec un carnet de rendez-vous un peu moins rempli que le mien. C'était décidé. Et puis tant pis pour les Bahamas. On irait à Londres, voir les musées, voir Shakespeare, visiter les écoles spécialisées et tout apprendre sur la dyslexie. Et puis tiens, promis, on irait même à l'opéra.

Le sergent Alvin Miller, d'Ogden, police d'Etat de l'Utah, parlait trèèèès leeeentement, comme si les mots remontaient un par un le long d'un chemin gravilloneux avant de faire surface.

— Bien, inspecteur Brady. J'ai eu votre message hier soir, vers dix heures. Je ne suis plus dans la police, vous savez. Retraité depuis onze ans.

Je passai l'écouteur à l'autre oreille.

— Mais vu que c'était pas urgent, j'allais pas vous appeler, là-bas, à Neeew Yorrrk à minuit. — Il avait une façon amère de prononcer New York qui me rappelait les gars de ma compagnie au Viêt-nam. — J'espère que ça ne vous a pas retardé dans l'enquête.

— Pas de problème.

En face de moi, Chris, un nouveau, était assis à son bureau, une bouchée au fromage à la main (un petit cadeau de l'inspecteur « Cheese »). Il commença à lécher le fromage, au milieu, avec le bout de la langue. Il valait mieux regarder ailleurs, les photos du cadavre de Spencer étalées sur mon bureau, par exemple, que de voir Chris bouffer son gâteau.

— C'est gentil d'avoir rappelé, dis-je à Miller.

— Et comment. Bon, vous voulez parler de la fille Bernstein ? Ne me dites pas qu'elle a des ennuis.

— Non, pas elle. Son ex-mari...

— Aaah, parce qu'elle a divorcé ?

— Oui. Ça fait quelques années.

— Sans blague. C'était quoi déjà son prénom ?

— Bonnie.

— Aaah oui, c'est ça. Bonnie Bernstein. Elle vit à New York maintenant ?

— Non. A Bridgehampton. C'est une petite ville à l'est de Long Island.

— Ah bon. J'ai entendu dire qu'elle était allée à Hollywood, faire un film. Je ne sais plus comment ça s'appelait, mais je l'ai vu en tout cas. Pas mal.

— Le gars avec qui j'ai parlé m'a dit que vous connaissiez la famille.

— Ouais, enfin, je les ai connus. Assez bien, à un moment.

J'avais envie de l'attraper par la cravate et de le secouer comme un prunier pour le faire cracher plus vite.

— Vous pouvez me parler d'eux ?

— Ouais.

Pour patienter, en attendant la suite, je mouillai mon doigt et effaçai une auréole de café sur le bureau.

— Si mes souvenirs sont exacts, c'est les Bernstein — c'est-à-dire les grands-parents de Bonnie — qui ont ouvert le magasin.

— Hmm, hmm, fis-je pour l'encourager.

— Ils l'ont appelé *Bernstein's*.

— Ses parents ont pris la suite ?

— Oui. Ils étaient très bien.

Dehors, dans l'antichambre, Ray Carbone tendait une feuille de papier à la secrétaire. A voir sa gueule, c'était sûrement un communiqué de presse disant que l'enquête piétinait. La secrétaire cherchait ses lunettes, ne les trouvait pas et reculait la feuille pour pouvoir lire. Au-dessus de sa tête il y avait une bannière gigantesque portant une devise impossible à éviter quand on entrait à la Criminelle de Suffolk County : « Tu ne tueras point. »

— Quel genre de commerce avaient les Bernstein ?

— Un magasin d'articles de sport.

— Des raquettes, des balles ?

— Non, non. Plutôt des fusils, des cannes à pêche...

— Des revolvers ?

— Oui, bien sûr. C'est l'Utah, ici, vous savez.

— Des carabines ?

— Ouais.

— Et le magasin existe toujours ?

— Non. Mme Bernstein — la mère de Bonnie — est morte. Dan — son père — a vendu et il s'est retiré des affaires. Je crois qu'il vit en Arizona maintenant, mais je ne le jurerais pas. Ou alors au Nouveau-Mexique. Et les garçons — il y en a trois ou quatre — ne sont pas restés à Ogden. L'un d'eux est professeur à l'université d'Utah, je ne sais pas ce que sont devenus les autres.

— Bonnie était la seule fille ?

— Pour autant que je me souvienne, et je m'en souviens bien. Elle faisait partie de la Fraternité d'Eddie. Je parie que vous savez pas ce que c'est.

— Non.

— C'est un groupe de jeunes lycéens mormons.

— Les Bernstein sont mormons ?

— Bien sûr que non. Vous êtes de New York, vous devriez savoir ça.

— D'accord. Ecoutez, maintenant, je vais être franc avec vous, sergent Miller.

— C'est bien, ça.

— L'enquête que je mène...

— Je sais de quel genre d'enquête il s'agit. On m'a dit que vous étiez de la Criminelle et que vous aviez besoin de tous les flics de Long Island pour cette affaire, c'est ça ?

— Ouais. La victime, c'est l'ex-mari de Bonnie. Il a été tué au 22. L'assassin est un bon tireur. J'aimerais bien pouvoir blanchir Bonnie.

— Bon. Alors qu'est-ce que vous voulez savoir au juste ?

— Si elle sait tirer avec un 22.

— Je ne sais pas.

— Mais à votre avis ?

— A mon avis ? Une fille comme elle — genre garçon manqué — avec le commerce de ses parents et un père qui tirait comme personne à Ogden... On allait souvent au Wyoming ensemble, avec quelques autres gars, chasser l'élan. Et puis son père l'adorait, cette gamine. C'est possible que lui ou l'un de ses frères lui ait appris à se servir d'un 22.

— Merci.

— Et maintenant, vous attendez que je vous dise qu'elle n'aurait pas pu le faire, pas vrai ?

— Ouais.

— Ça, je ne le dirai pas. Elle a quitté Ogden. Elle est partie à Hollywood, et puis à New York. Dans ces conditions c'est difficile d'être catégorique, pas vrai ?

— Ouais.

— Mais juste entre vous et moi, inspecteur Brady. Vous pouvez être de New York, et vous croire très malin en me disant que vous voulez blanchir la petite Bernstein, mais j'ai comme l'impression que vous pensez qu'elle a liquidé son bonhomme. Avec préméditation. Peut-être. — Il reprit une longue respiration. — Mais si la fille que vous soupçonnez c'est la petite mignonne qui était dans la Fraternité de mon fiston Eddie, alors là, inspecteur, laissez-moi vous dire un truc : vous faites fausse route. Je dirais même que vous vous fourrez le doigt dans l'œil... jusque-là.

Robby Kurz pariait sur le gros Mikey.

— Bon, c'est vrai qu'il n'a jamais été condamné mais il a été impliqué dans au moins deux affaires criminelles. Chaque fois que ce gros-là lève le petit doigt, un mec se fait descendre.

— Impossible, dis-je, c'est Bonnie Spencer qui a fait le coup. Elle avait un mobile et elle a eu l'occasion.

Ray Carbone mit ses vingt dollars sur la table.

— Il reste qui ? Lindsay Keefe ? C'est bon. Elle s'est sentie coincée, son boulot et sa réputation étaient en jeu.

C'est son surmoi qui a craqué. Ça fait un peu roman-photo mais, allez, je tente le coup.

Charlie Sanchez ne paria sur personne. Il était à deux doigts de la retraite et il s'en fichait. Il prit simplement note de nos paris respectifs sur une feuille de papier, plia les biftons et les mit dans la poche intérieure de son blouson en daim — son préféré.

On était dans la salle des interrogatoires. Pas terrible. Le QG logeait dans un ancien bureau d'aide sociale reconverti. Une bâtisse franchement hideuse au milieu d'un parterre de gazon. Murs et sols en béton nu et mobilier en plastique orange. Histoire de rappeler aux pauvres que si le paradis leur était promis, en attendant ils étaient bel et bien dans la merde.

On était assis tous les quatre autour de la table en imitation chêne. Charlie, qui appartenait à la Criminelle depuis vingt ans, n'avait plus que quelques semaines à tirer. Il serait bientôt chef de la sécurité dans un centre commercial à Bay Shore. Il caressait amoureusement le gilet que sa petite amie lui avait offert pour ses quarante-deux ans. Il ne le quittait jamais, ni dedans ni dehors, même par quarante degrés à l'ombre. Il l'aimait presque autant que la petite amie elle-même. (Sa femme lui avait offert un ventilateur à piles pour son anniversaire, sans doute en réponse au taille-crayon électrique qu'il lui avait offert pour le sien.)

— Il manque mille dollars dans le tiroir-caisse, annonça Charlie. — Il avait enquêté sur Sy Spencer —. C'est ce que j'ai découvert. A huit heures quatorze vendredi matin, Sy Spencer est allé au distributeur automatique de la Marine Midland Bank de Southampton.

— Il aurait dit à sa secrétaire de New York qu'il allait prendre du liquide pour son voyage à Los Angeles, ajouta Carbone.

Charlie continua :

— Il avait une carte de crédit spéciale qui lui permettait de retirer jusqu'à mille dollars en une fois. C'est ce qu'il a fait. Aucun de vous n'a trouvé les mille dollars ?

Kurz secoua la tête :

— Non. Il y avait... — Robby consulta son calepin — cent quarante-sept dollars dans son portefeuille.

Je fermai les yeux pour me concentrer. Et puis je dis :

— Attendez, les gars. Qu'est-ce que vous pensez de ça : Spencer va à la banque à huit heures quatorze. Il arrive sur le tournage à East Hampton à huit heures trente-cinq, huit heures quarante — c'est le temps qu'il faut pour aller de Southampton à East Hampton sans s'arrêter en route. Une fois sur le tournage il reste assez longtemps dans sa caravane pour des réunions. OK ? Le petit Gregory ne l'a presque pas quitté et on a interrogé tous les gens qui vont vu Spencer. Personne n'a parlé d'argent. Il a surtout vu des techniciens ce jour-là — le responsable des effets spéciaux, qui devait simuler un incendie et des coups de feu, et puis il a vu Monteleone et sa maquilleuse. Il a passé quelques minutes avec Lindsay Keefe, pendant les essayages avec l'habilleuse et la costumière. Il n'a parlé avec aucun des mecs du syndicat, des flics ou des administratifs à qui il aurait pu graisser la patte. Vous me suivez ? — Kurz et Ray acquiescèrent et Charlie caressa son gilet. — Bon, on admet qu'il n'a rien donné à personne et qu'il a donc quitté le plateau vers onze heures trente avec ses mille dollars en poche. Il ne s'est pas arrêté chez Bonnie Spencer cette fois. Il est rentré directement chez lui. Il y était à midi moins dix, on le sait par la cuisinière. Il lui a demandé une salade et du pain pour le déjeuner.

— C'était ça son déjeuner ? — Charlie secoua la tête. — Non mais je rêve ! Tu vois le mec qui a une cuisinière et qui lui dit : « Pour midi ça sera une salade. » Ah, ces New-Yorkais, c'est tous des pédales.

— Et ta conclusion ? demanda Ray.

— Ma conclusion c'est qu'une fois chez lui, Sy n'a vu qu'une seule personne en dehors de la cuisinière : une personne de sexe féminin — apparemment — qu'il aurait sautée dans la chambre d'amis. On y a trouvé des cheveux qui ressemblent à ceux de Bonnie Spencer sur l'oreiller. Il faut attendre les résultats de l'expertise, mais il y a toutes les chances pour que ce soient les siens.

— C'est une idée fixe, ma parole, dit Ray.

— Ecoute, il s'agit d'un meurtre intelligent et Bonnie

Spencer est intelligente. Il s'est servi d'elle deux fois et ça n'est pas le genre de nana à se faire rouler trois fois de suite. Ce n'est pas tout : depuis la toute première minute, samedi matin, elle m'a caché quelque chose, parce qu'elle était chez Sy Spencer vendredi. Elle avait le mobile et l'occasion, Ray.

— Tu sais ce que je n'arrive pas à gober ? dit Charlie. C'est qu'il trompe Lindsay Keefe avec son ex-femme. Il était dingue ou quoi ?

— Pensez plutôt aux mille dollars qui manquent, dis-je. Et posez-vous la question : où a-t-on retrouvé le portefeuille avec du fric ?

— Dans la poche intérieure de son veston, dit Ray.

— A quel endroit ?

— Dans sa chambre à coucher — là où il dormait avec Lindsay Keefe — sur un cintre, à l'extérieur de la penderie. Toutes ses affaires étaient prêtes pour son départ à Los Angeles — un sac de voyage et une serviette en cuir avec deux scénarios.

— Parfait, dis-je. Mais les poches de son pantalon — celui qu'il avait porté ce jour-là — étaient vides, mis à part ses clefs de bagnole et un peu de monnaie. Et on l'a retrouvé dans la chambre d'amis. A mon avis, ça s'est passé comme ça : il prépare ses affaires, il a une bonne heure devant lui et il a envie de baiser. Il appelle Bonnie Spencer. Il la fait monter ni vu ni connu dans la chambre. Il retire son falzard, la saute et ensuite...

— Et ensuite ? demanda Ray.

— A mon avis ils se sont engueulés. Il lui dit de se rhabiller et de se tirer. Ou bien il ne le dit pas, mais il le lui fait comprendre. Peu importe. Bref, il enfile son peignoir et il la plante là pour aller piquer une tête dans la piscine avant de prendre l'avion. Quoi qu'il en soit, elle comprend qu'il l'a roulée une fois de plus. Elle fouille dans ses poches de pantalon et prend les mille dollars.

— Et après elle sort, elle trouve un 22 et elle lui fait la peau. C'est bien ça ? demanda Charlie. L'histoire de la scénariste qui fait un carton à vingt mètres ?

— Tu pourrais le faire, toi, Charlie, avec un 22 ?

— A vingt mètres ? Pourquoi pas ?

— Et pourquoi pas elle, alors ?

Je lui racontai ma conversation au sujet des Bernstein avec le flic d'Ogden.

— Franchement, ça m'a pas l'air sérieux ton histoire, dit Kurz en décollant les fesses de sa chaise. — Le frottement de son pantalon en rayonne sur le plastique de la chaise fit un bruit bizarre. — Même si elle a les cheveux longs et noirs, même si elle a couché avec lui, et même si c'est un as de la gâchette — ce dont je doute, excuse-moi —, pourquoi l'aurait-elle tué ?

— Ce ne sont pas les raisons qui manquent.

Je commençai à prendre mon pied. J'aimais convaincre, expliquer, reconstituer le puzzle. Mais surtout, ce qui me rassurait, c'est que ma tête l'emportait sur mon cul. Je veux dire que j'étais capable de démontrer la culpabilité de Bonnie Spencer en toute impartialité.

— Primo, elle est raide comme un passe-lacet. Il l'a roulée au moment du divorce, continuai-je. En comparant le train de vie de multimillionnaire de Spencer au sien, elle s'en est pris plein les dents. Elle lui a peut-être demandé de l'aider. Après tout c'est bien son droit, vu qu'elle lui a fait des pipes et des sandwiches toute la semaine. Mais Spencer dit non.

— Pourquoi elle a pas continué ? demanda Ray. Pourquoi elle a pas essayé de l'apitoyer ? De le culpabiliser ?

— Elle a peut-être déjà tout essayé. Ce qu'elle peut lui offrir, c'est quoi ? Son sourire et son cul, c'est tout ce qu'elle a. En plus il n'y a pas que le fric. Si ça se trouve, elle était encore amoureuse de lui et elle espérait qu'il allait revenir. Mais il lui dit « Non ! »

— Alors comme ça il lui tourne le dos pour qu'elle puisse le descendre tranquillos ? dit Robby.

Il n'était pas convaincu. Remarquez, il avait misé vingt dollars sur le gros Mikey.

Je revins à la charge :

— Elle n'a pas arrêté de nous raconter des conneries. Pourquoi ? Pour qu'on ne sache pas qu'elle s'envoie en l'air à tire-larigot ? Non. Parce qu'elle a quelque chose à cacher. Un meurtre.

Robby rumina une minute et demanda :

— Mais pourquoi elle l'aurait tué ? Par revanche ?

— Par revanche, par désespoir, par dèche.

— Et où est-ce qu'elle aurait trouvé un 22 ? demanda Charlie.

— Elle vit seule. Elle doit en avoir un depuis des années. Un cadeau de papa Bernstein. Elle a peut-être senti que c'était la dernière fois avec Spencer et elle a pris son flingue avec elle. Ou alors elle est retournée le chercher chez elle et elle est revenue ensuite. Ecoutez, les gars. Spencer avait son pantalon sur lui quand il était sur le plateau. Donc personne n'a pu lui prendre son fric à ce moment-là. Ça s'est passé après, quand il est rentré chez lui. Il a sauté la donzelle aux cheveux noirs, alias Bonnie Spencer, il a piqué une petite tête et puis il s'est fait refroidir. Goodbye Spencer et goodbye le fric par la même occasion.

— Même si elle était dans la maison, quelqu'un d'autre a pu faire le coup, dit Carbone.

— Peut-être. Mais qui ? Pourquoi ? Maintenant on sait tout sur Bonnie Spencer.

— Alors, d'après toi, elle l'aurait tué pour mille dollars ? demanda Kurz. Ecoute, Steve, ça ne colle toujours pas. Pas avec ta description de la nana. Elle a plutôt l'air sympa, non ? Mis à part le fait qu'elle est très portée sur la chose. Encore que ça s'explique, si elle est très seule.

— Mais pourquoi elle est seule ? — Je faisais exprès de ne pas regarder du côté de Ray, je voulais qu'il m'approuve. — Demande-toi plutôt pourquoi une femme seule, si elle est normale, resterait dans un bled où elle ne connaît personne. Une ville déserte les trois quarts de l'année, où il n'y a le reste du temps que des ploucs dans mon genre et des antiquaires à la mords-moi-le-nœud. Elle aurait pu vendre sa maison, et à bon prix, s'installer à Manhattan et trouver du boulot.

Charlie se frottait le menton. Robby avait l'air moyennement convaincu et Ray penchait la tête.

— Je vais vous dire pourquoi. C'est une ratée et elle le sait. Elle a connu la gloire, mais ça n'a pas duré plus qu'un feu de paille, ça lui est arrivé comme un coup de bol. Et puis juste à ce moment-là elle rencontre Spencer.

Ils se marient. Elle se dit : « S'il m'épouse, c'est que je suis une fille formidable. » Manque de pot, il se lasse et il prend le large. Elle reste dans cette maison isolée parce qu'elle sait qu'à New York il n'y a pas de place pour les ratés. Elle tire le diable par la queue, mais elle préfère garder ses illusions : Sy reviendra peut-être, elle finira bien par caser ses scénarios minables, etc. Et après...

Le gros Mikey pouvait se pointer d'une minute à l'autre avec son avocat, mais Robby était complètement captivé :

— Oui, après ? demanda-t-il, comme un môme à qui on raconte une histoire.

Je mettais toute la gomme. Avoir Robby dans ma poche constituerait un atout majeur.

— Spencer recouche avec elle. Elle se reprend à espérer. Elle se dit : « Je suis géniale, mon mari va revenir, je vais retourner vivre à New York, dans la Cinquième Avenue, et je vais avoir une baraque de sept millions de dollars au bord de la mer. » Elle lui en touche un mot mais il l'envoie se rhabiller aussi sec. Peut-être gentiment. Mais peut-être pas : « Bonnie, petite, j'en voulais à Lindsay et toi tu passais par là, alors j'en ai profité. Maintenant, oublie-moi. »

Ray était en train de faire des miettes avec son gobelet en plastique.

— OK. Elle est fumasse, peut-être même bousillée quand il la balance. Mais est-ce qu'elle aurait franchi le pas pour autant ?

— Oui, parce que cette fois-ci elle a perdu ses illusions pour de bon. Il ne voulait plus ni d'elle ni de son scénario. En plus il l'a humiliée en la traitant comme une pute quand elle s'est pointée sur le plateau. Et puis il n'a jamais levé le petit doigt pour l'aider financièrement. Deux fois il l'a utilisée. Une fois pour se faire des entrées dans le milieu du show-biz et une deuxième fois pour régler ses comptes avec Lindsay Keefe. Et maintenant il lui faisait le coup du : « Désolé, poupée, on m'attend à Los Angeles. »

— Ce n'est qu'une hypothèse, bien sûr, murmura Robby.

Mais on sentait qu'il était à deux doigts d'y croire.

Et Ray aussi.

— OK, les gars, dit-il, on n'abandonne pas les autres pistes mais on garde un œil sur Bonnie Spencer.

Le gros Mikey ressemblait à quelque chose comme la version sicilienne du bonhomme Michelin. Il n'avait pas de cou et portait une cravate de soie bleue tirant dangereusement sur le violet qui avait l'air suspendue à un des doubles mentons qui lui tombaient sur la poitrine.

— Sy et moi on se connaissait depuis tout mômes, expliquait-il. C'était comme mon frère. Je vais vous dire : vous trouvez l'enfoiré qui a fait le coup et vous me passez un petit coup de fil. Juste un petit coup de fil : « Salut, Mikey, on a trouvé l'enfoiré qui l'a refroidi » et alors là, parole d'honneur, je me le...

— Au moment du meurtre, interrompit l'avocat du gros Mikey, M. Lo Triglio était en train de boire un cocktail avec ses associés, qui, bien entendu, peuvent témoigner.

L'avocat devait avoir mon âge. Il portait des petites lunettes rondes cerclées de métal qui lui donnaient un faux air de John Lennon.

— Hé ! dit le gros Mikey en se tournant vers l'avocat. Je bois pas de cocktails, compris ? Je prends des pots. — Il se tourna vers nous pour expliquer : — C'est un nouveau. Mon ex-avocat, Terry Connelly, vous le connaissez ? Infarctus, boum ! A l'hosto à Rhode Island, un vrai légume. Pauv' gars. Et maintenant il manquait plus que cette saloperie de meurtre à la con. — Il hocha la tête. — C'est comme un poignard en plein cœur pour moi.

— Qu'allez-vous faire de l'argent que vous avez mis dans *Nuit d'été* ? demandai-je.

— La participation de M. Lo Triglio dans cette entreprise n'a jamais été établie, coupa l'avocat.

— Nous savons que Mikey a mis quatre cent mille dollars dans l'affaire et que son beau-frère et son oncle en ont rajouté six cent mille, annonça Robby, calmement, pas agressif pour une fois.

Cela voulait dire qu'entre le moment où Ray et Charlie avaient quitté la pièce et celui où Mikey s'était pointé, Robby avait mis Bonnie Spencer dans son collimateur. Je souris intérieurement. J'étais content. J'avais convaincu Robby. Je lui avais refilé le bébé mine de rien. Il allait tout faire pour la coincer maintenant.

— Alors, votre argent, Mikey ? relançai-je.

Mikey battit des paupières, un battement, un seul et prit son air candide.

— Moi, la production, j'y connais rien, vous savez.

— Vous devez bien savoir un petit quelque chose si vous y avez investi un million de dollars.

— Hé ! Si mon frère Sy me demande de mettre de l'argent, je mets de l'argent, vu ?

— Les succès de M. Spencer ont recueilli l'avis favorable des hommes d'affaires de M. Lo Triglio, glissa l'avocat d'une voix douce. *Nuit d'été* leur a semblé un bon investissement. Ils savaient néanmoins parfaitement que la production cinématographique présente toujours quelques risques.

— Sy vous tenait au courant de la progression du tournage ? demandai-je.

Le gros Mikey secoua la tête et ses multiples mentons en signe de négation.

— Un million de dollars, Mikey. Vous n'étiez pas inquiet ?

— Qu'est-ce que ça peut me foutre à moi ? Sy m'a dit : « Il va y avoir des Oscars. » Et il a même ajouté : « Tu peux préparer ton smoking pour le mois de mars prochain. » Moi, ça me suffit.

— Vous n'avez pas entendu parler de problèmes sur le tournage ?

Mikey sourit — c'est-à-dire que les coins de sa bouche remontèrent légèrement — et croisa les bras sur son énorme bide.

— Quel genre de problèmes ?

— Du genre que le film était bon à foutre à la poubelle.

— Ta gueule. J'ai jamais entendu rien de pareil, compris ?

— Du genre que la seule façon de sauver la production

consistait à se débarrasser de Lindsay Keefe. Ce qui voulait dire que vous — les producteurs — alliez devoir cracher quelques millions de plus pour pouvoir faire repartir le film.

— Du vent tout ça, dit Mikey.

— Vous avez téléphoné à Spencer plusieurs fois la semaine dernière. De quoi parliez-vous ? demanda Robby.

Mikey jeta un regard à son avocat qui avait l'air complètement largué, en train de lacer sa chaussure.

— Tu sors de Harvard, oui ou merde ? aboya-t-il. Alors secoue-toi, mon vieux. J'ai pas de mémoire. Aide-moi un peu. Je t'en ai pas parlé, des fois ? Qu'est-ce que j'ai bien pu lui dire à Sy, la semaine dernière ? Je me souviens qu'on était au téléphone lui et moi, ça oui. Mais de quoi on causait, alors là !

— Je crois que vous m'avez dit que vous aviez eu une conversation d'ordre général avec M. Spencer. « Bonjour, comment vas-tu ? Comment vont les affaires ? », et il vous a dit que tout allait bien.

— C'est ça, dit le gros Mikey. — Il tourna la tête et regarda Robby droit dans les yeux. — Tout allait bien, et puis, boum ! Il se fait descendre par cet enfoiré à la con ! Je vais vous dire, quand Sy est mort, y'a une partie de moi qu'est morte avec. On était comme frères, lui et moi. Quand on était mômes, son dabe et mon dabe, on les suivait à l'usine et pendant qu'ils bavassaient sur les saloperies qu'ils foutaient dans les saucisses, Sy et moi on parlait de... la vie.

— De la vie ? répétai-je.

— Ouais. De la vie. On philosophait, quoi. Maintenant, je me souviens. On philosophait la semaine dernière, lui et moi.

L'avocat mit la main sur la grosse cuisse de Mikey, histoire de lui signaler qu'il en faisait un peu trop. Mais le gros continuait :

— Ouais, on était deux hommes d'affaires, mais surtout deux amis d'enfance. On causait pas boulot, on causait de... Platon.

— Vous étiez où vendredi soir, Mikey ? demanda Robby.

— C'est mon alibi que tu cherches ?

— M. Lo Triglio était *Chez Rosie*, un bar du quartier des abattoirs, dit l'avocat. Il est très connu dans le quartier. Tout le monde l'a vu là-bas et il a parlé avec de nombreuses personnes.

— Ils causaient de Platon ? dis-je.

— Mais non, triple con, rétorqua Mikey, on causait saucisses.

Un des types avec qui j'avais l'habitude de courir, T.J., possédait deux magasins de vidéo à South Fork. Il était fou de ma Jaguar et on avait fait un marché. Quand je voulais passer inaperçu, je lui empruntais sa Honda ou sa Plymouth et je lui prêtais ma Type E. Il était un petit peu plus de seize heures quand je garai la Plymouth en face de chez Bonnie Spencer. J'attendais.

J'ai toujours aimé la filature. J'emporte une bouteille de soda, une Thermos avec du café et un bocal pour pisser. Je m'installe et je me mets dans un état crépusculaire. C'est comme dormir les yeux ouverts. Je suis vigilant mais en même temps mon esprit est ailleurs et je perds complètement la notion du temps. Je sais que j'ai veillé toute la nuit quand le ciel vire au rouge le lendemain matin.

Mais ce jour-là j'étais nerveux. Je regardais ma montre toutes les cinq minutes. J'avais l'impression que le temps ne passait pas. Et puis j'avais envie de chocolat. Je regrettais de ne pas m'être arrêté chez le glacier en venant et de ne pas avoir envoyé un stagiaire à ma place. Finalement, les choses allèrent bien plus vite que prévu.

A cinq heures elle sortit pour faire son jogging. Elle s'était habillée exactement comme je me serais habillé moi-même pour courir. Un short et un T-shirt, des chaussettes de laine et un sweat-shirt noué autour de la taille, au cas où il ferait plus frais du côté de la plage. Elle tenait une balle rouge à la main et Moose la suivait en aboyant joyeusement. Je me tassai au fond du siège. Elle fit quelques échauffements en se tenant à la boîte à lettres. Les mollets d'abord, ensuite les cuisses. Quelles jambes, nom de Dieu ! A croire qu'elle jouait au foot depuis la maternelle. Elles partirent toutes les deux au petit trot en direction de la plage.

« Bon sang, pensai-je, je suis vraiment amoureux de ce chien. » Peut-être parce qu'il était noir et qu'il me rappelait le labrador que j'avais quand j'étais gosse. C'était une chienne, Inky. Elle nous traitait comme ses petits, mon frangin et moi. Elle nous regardait jouer, elle aboyait dès qu'on s'éloignait un peu trop et elle grognait si quelqu'un nous approchait.

Je mis une paire de gants en caoutchouc qu'on utilise pour les enquêtes. J'éteignis mon bip et jetai un coup d'œil rapide autour de moi. Personne. Je traversai la rue tout en observant la maison. J'aurais pu rentrer par une des fenêtres du sous-sol ou briser un carreau, elle aurait mis plusieurs jours à s'en apercevoir. J'aurais pu crocheter la porte de derrière aussi. Mais c'était inutile car, comme je m'y attendais, Bonnie avait laissé la porte ouverte.

Même si elle courait comme une dératée et ne lançait qu'une seule fois la balle au chien, ça me laissait vingt bonnes minutes. Je montai tout de suite au premier, des fois qu'elle rentrerait, de façon à pouvoir me tirer par la porte de derrière.

Banco ! Une des pièces lui servait de bureau. Elle avait installé son ordinateur sous un poster encadré de *Cowgirl* et collé des petites notes partout. Une liste d'annonces immobilières dépassait d'un dossier bourré à craquer, intitulé « En attente ». La liste était du 4 août, ce qui voulait dire qu'elle avait mis sa baraque en vente pendant qu'il restait quelques vacanciers dans le coin. Des mecs qui auraient poussé des « Oh ! », des « Ah ! » devant les poutres apparentes. Avait-elle déjà remis ça avec Sy Spencer à ce moment-là ? Elle se voyait peut-être déjà dans un palais, les pieds dans l'eau, avec un compte en banque inépuisable et la bague au doigt. Ou alors sa décision de vendre datait d'avant, quand elle s'était vue au bout du rouleau... Je notai le numéro de l'agence immobilière.

Il fallait faire vite — et bien. Bien, ça n'était pas le plus difficile, vu le bordel invraisemblable de son bureau.

Mais, quand même, ma visite n'avait vraiment rien d'officiel. Je ne voulais pas laisser de traces.

Je passai dans la chambre à coucher. Il y avait pas mal de bouquins empruntés à la bibliothèque locale et un tas de sous-vêtements pêle-mêle. Des soutiens-gorge tout simples, du genre de ceux que mettent les sportives, mais les slips par contre étaient nettement plus sexy : des strings, des noirs et des rouges. Je recommençai à phantasmer, mais je coupai court aussitôt. Il fallait faire vite, et puis j'étais mal à l'aise dans cette chambre à coucher si paisible, avec ses rideaux en dentelle, son lit à l'ancienne et sa commode rustique recouverte d'un napperon. Il fallait que je me tire. J'étais à la porte de la chambre quand je me ravisai et retournai fouiller la penderie.

Et alors là, super banco ! A l'intérieur d'une botte — la planque classique — une liasse entourée d'un élastique : huit cent quatre-vingts dollars. Plus que ce qu'elle avait sur son compte épargne. Beaucoup de fric pour une nana comme elle. La monnaie de mille dollars en somme.

9

Qu'y avait-il de si terrible au fond ? Le sexe qui, à la longue, même avec un fille aussi adorable que Lynne, s'avère routinier ? Et alors ? Il suffit d'imaginer qu'on baise avec une autre et le petit coup vite tiré devient le coup du siècle. C'est banal au fond. Pas de quoi en faire une maladie, surtout quand ça ne fait de mal à personne.

Mais ça n'était pas ce qui me dérangeait le plus. Le vrai problème, c'est que toute ma vie se focalisait sur Bonnie Spencer. Quand j'étais allé à la banque voir Rochelle, par exemple, j'en avais profité pour faire une provision de rouleaux de vingt-cinq cents. De quoi faire toutes les cabines téléphoniques de South Fork. Et voilà qu'une ou deux — et même trois ou quatre — fois par jour, je mettais vingt-cinq cents dans la fente, juste pour entendre la voix de Bonnie répondre : « Allô ! » Une fois, sa voix était angoissée (elle devait redouter un énième coup de fil anonyme) et j'étais resté planté à côté du téléphone avec une boule dans la gorge et envie de pleurer.

Notez, j'étais peut-être tout simplement ému parce qu'en épluchant son dossier une heure plus tôt, j'avais découvert qu'elle mesurait un mètre soixante-dix-huit (ce qui n'est pas une taille très féminine) et qu'elle avait quarante-cinq ans. Quarante-cinq balais, nom de Dieu ! Incroyable. Je m'y étais repris à trois fois pour calculer son âge. Mais le plus dur, c'était que je n'arrivais pas à comprendre ce que je fichais là, sous une pluie battante, littéralement obsédé par une ratée de quarante-cinq balais et à prier le bon Dieu pour qu'elle décroche encore une fois, même pour me raccrocher au nez aussi sec.

A l'évidence, je faisais une fixation sexuelle. Rien d'autre. Mais au lieu de lutter ou d'essayer de comprendre la situation, je passais mon temps à rôder en Plymouth du côté de chez Bonnie. J'y passais le matin en allant au boulot et le soir en rentrant à la maison. Il m'arrivait même d'y faire un saut dans la journée. Quand je surprenais une silhouette à travers une fenêtre ou un vague mouvement de rideau, j'étais aux anges. Une fois, même, rien qu'à voir Moose se lécher la patte avec sa grosse langue rose j'avais frémi de bonheur.

Et quand j'avais fouillé la maison... et que j'avais trouvé une vieille Jeep dans le garage, j'étais tout content à l'idée que Bonnie conduisait un quatre-quatre.

Cela dit, j'étais tout aussi content de trouver la liasse de biftons dans sa botte. Je pensais : « Cette fois ça y est, je l'ai coincée pour de bon. »

C'est pour ça que quand Carbone et Jack Byrne (un lieutenant tout jeune, un peu bizarre ou alors si timide qu'il chuchotait au lieu de parler) m'appelèrent pour me dire : « Ecoute, vieux, aujourd'hui tu fais une petite virée à New York voir une ou deux personnes. La première femme de Spencer et l'avocat du divorce. On préfère que ça soit toi plutôt que Robby, avec ses gros sabots... » j'aurais dû me sentir soulagé de pouvoir enfin respirer et tâcher de me sortir cette nana du crâne.

Sauf qu'en conduisant vers New York, par la voie express de Long Island, je ne pensais qu'à elle et au parfum de ses longs cheveux noirs. J'aurais voulu les toucher, les sentir entre mes doigts après lui avoir fait l'amour. En même temps j'avais hâte de connaître les résultats de l'analyse de l'ADN.

J'aurais surtout préféré prendre la bagnole de T.J. et me garer en bas de sa rue pour pouvoir l'observer toute la journée. Je n'avais pas envie de bosser, et encore moins d'aller traîner mes guêtres du côté de Manhattan.

Felice Tompkins Spencer Vanderventer était un vrai personnage de BD en trois dimensions : une rombière pleine aux as qui a avalé un manche à balai. Oui, elle avait entendu dire que son premier mari avait été assassiné. Désolée.

Désolée ? Apparemment pas tant que ça. Difficile à remarquer en tout cas. C'était l'austérité personnifiée, cette bonne femme. Une gueule rectangulaire (comme un emballage cadeau de bouteille de whisky, mais le ruban était remplacé par un maigre chignon poivre et sel en forme de huit), et une robe couleur caca taillée dans un truc genre papier buvard ornée d'une ceinture assortie.

Elle avait l'âge de Spencer, cinquante-trois ans. Peut-être qu'à vingt ans ils avaient l'air d'un vrai couple, mais aujourd'hui, s'il avait été encore en vie, et en admettant qu'ils soient restés ensemble, il y aurait eu comme qui dirait conflit de générations.

Son salon était comme elle : démodé. Mais pas austère, non, sinistre plutôt. D'abord il était assez grand pour y disputer un match de basket. Sauf qu'il était tellement encombré de bibelots que les mecs auraient eu du mal à jouer sans se cogner partout. On se serait cru dans un dépôt-vente spécialisé dans les horreurs. Ça ne se comparait pas avec chez le Germe, défraîchi mais accueillant. Non, c'était simplement bourré de meubles mastoc et hideux : des fauteuils en bois noir sculptés, si lourds qu'il aurait fallu au moins cinq déménageurs pour en déplacer un et des natures mortes aussi lourdes, des fruits, des faïences et des lapins dans d'énormes cadres dorés.

— Quand avez-vous parlé à M. Spencer la dernière fois ?

Ma chaussure gauche craquait chaque fois que je changeais de posture. Elle ne m'avait pas proposé de m'asseoir.

— Il y a dix ans environ.

On était en tout début d'après-midi, mais le salon était tellement sombre que j'avais du mal à distinguer sa tronche. Je ne voyais rien que ses dents. Il faut avouer qu'elles se posaient là. On aurait dit qu'elle avait emprunté le dentier de son pur-sang. Pour habiter dans un appartement pareil avec une gueule comme la sienne, il fallait que cette bonne femme soit riche de naissance.

— Vous aviez rencontré sa deuxième femme, Bonnie Spencer ?

— Je les ai vus ensemble une fois, à l'entrée de Carnegie Hall. Sy nous a présentées.

Par la fenêtre on avait vue sur Park Avenue et ses parterres de fleurs jaunes qui brillaient au soleil comme des pièces d'or. Sur le trottoir d'en face, de vieux chasseurs ouvraient les portes des limousines et aidaient des riches en bonne santé à descendre de voiture.

— A l'époque où vous et Sy Spencer viviez ensemble, est-ce qu'il lui est arrivé de mentionner un certain Mikey Lo Triglio ?

— Je crois.

— Et qu'est-ce qu'il en a dit ?

— Je ne sais plus. Que son père et le sien étaient tous les deux dans la charcuterie.

Elle prononçait « charcuterie » avec dégoût, comme si elle avait dit « poubelle ».

— Cet aspect de sa vie ne m'a jamais intéressée.

Je l'interrogeai encore cinq minutes puis j'abandonnai. Tout ce que j'avais pu en tirer, c'est qu'elle avait épousé Spencer parce qu'il connaissait tout Shakespeare par cœur et qu'elle avait divorcé quand elle s'était aperçue que les affaires l'intéressaient plus que la littérature. Et aussi, ah, oui, c'est vrai (sa lèvre du haut avait frémi et recouvert presque la moitié de ses énormes dents) parce qu'il la trompait. Avec qui ? Sa cousine Claudia Giddings, marraine de l'orchestre philarmonique de New York. Il lui avait dit qu'il était amoureux de Claudia et qu'il voulait l'épouser mais, bien sûr, il ne l'épousa pas.

Ce petit voyage à Manhattan n'avait visiblement pas servi à grand-chose. Qu'avais-je appris ? Que Spencer sautait sur tout ce qui était mettable, surtout quand ça pouvait servir ses ambitions ? Pas vraiment nouveau. Le Germe avait vu juste : Spencer était un caméléon. Esthète avec Felice, ami de la nature avec Bonnie et nabab cool avec Lindsay. Il ne réservait pas ça qu'aux femmes. Il était le dieu du cinéma pour Gregory J. Canfield, le producteur sympa avec Monteleone, le frère de lait du gros Mikey et le sauveur d'Easton.

Je descendis Park Avenue à pied pour me dégourdir un peu les jambes et assouplir ma semelle gauche. Vingt-cinq pâtés de maisons plus bas, j'entrai dans un building tout en verre et granit. La Nature avait définitivement déserté Manhattan, à part quelques parterres de fleurs impeccables dans Park Avenue et une mince frange de ciel bleu. Bon sang, je détestais New York.

Quand j'étais gosse, avec ma classe, on nous avait fait visiter New York. On était montés tout en haut de l'Empire State Building et, en voyant l'arbre de Noël du Rockfeller Center, j'avais poussé un Oooh ! d'admiration vraiment sincère. Mais depuis, chaque fois que je venais en ville, je ne savais jamais quoi faire de moi si ce n'est que je sentais qu'il fallait que je fasse quelque chose, comme profiter de la culture, par exemple. Une fois, on était sur un coup avec le QG de New York, et j'étais allé au Metropolitan Museum. Trop grand. En plus, ils m'avaient obligé à laisser mon flingue au vestiaire — le gardien devait me trouver une gueule à faire un carton avec les couilles des statues grecques. Bref, la culture c'était pas mon truc.

Quand je marchais dans les rues, je ne voyais que des clodos, des putes et des dealers. Et dans les bureaux il n'y avait que des types comme Spencer. J'avais l'air d'un plouc endimanché qui ne sait pas où il va. J'avais beau mettre ma plus belle veste, le temps d'arriver à Manhattan elle était déjà démodée.

Celle de Jonathan Tullius, l'avocat qui avait expédié le divorce de Sy et Bonnie, était, en revanche, du dernier cri. Apparemment, les affaires avaient l'air de tourner. Mobilier en cuir pleine fleur. Ça sentait bon comme l'intérieur d'une Weston toute neuve.

— Asseyez-vous, inspecteur.

Il avait une voix profonde et une cage thoracique de chanteur d'opéra.

— Dès que j'ai appris la nouvelle j'ai immédiatement appelé votre QG. J'ai eu le sergent Carbone. J'ai bien fait apparemment puisque vous avez donné suite à mon coup de fil. Il semblerait que Bonnie Spencer vous intéresse. — Le type devait adorer s'entendre parler. — Pour en venir aux faits, inspecteur, le sergent Carbone et moi-même sommes convenus que cette conversation devait rester strictement confidentielle et n'être révélée qu'en cas de nécessité absolue.

— Très bien.

— Vous comprenez, le secret professionnel qui lie l'avocat à son client demeure, même après la mort de celui-ci.

— Ouais.

— C'est pourquoi, théoriquement, je ne devrais rien vous dire. — Il pivota sur son trône en cuir et posa les coudes sur le bureau. — D'un autre côté, Sy était plus qu'un client, c'était un ami très proche. Jeudi dernier, il m'a téléphoné. Jeudi, la veille du meurtre. Il était très préoccupé.

Tullius avait la gueule du mec toujours content de lui.

— Et qu'est-ce qui le préoccupait, maître Tullius ?

— L'argent.

J'attendais.

— Et son ex-épouse. Bonnie Spencer.

Je pensai : « Merde ! »

— Elle le faisait chanter ?

— Non. Mais Sy avait peur qu'elle le fasse. Voyez-vous, il l'avait rencontrée aux Hamptons. Elle y vit toute l'année, dans leur ancienne résidence d'été. Il ne voulait pas la revoir mais elle lui avait envoyé un petit mot au sujet d'un scénario qu'elle avait écrit... (Il fit une pause.) Vous savez sans doute qu'elle était scénariste dans le passé ?

— Ouais, fis-je. C'est moi l'expert en matière de Bonnie Spencer.

— Ils se sont téléphonés une ou deux fois au sujet du scénario. Il essayait d'être gentil avec elle, de l'encourager. Là dessus, il vient passer presque tout l'été à Southampton, pour le tournage de *Nuit d'été*. Alors, une fois, il lui a pris l'envie d'aller lui rendre une petite visite chez elle. Et de fil en aiguille...

L'avocat s'éclaircit la voix.

— Rencontre sur canapé ? suggérai-je.

— C'est cela. Et Sy m'avait téléphoné à ce sujet. Elle

est apparemment dans une situation financière critique et Sy — *post hoc, ergo propter hoc* — craignait qu'elle ne lui réclame une pension puisqu'ils avaient eu à nouveau des rapports sexuels. Je l'ai rassuré. Etant divorcé, il n'avait aucune responsabilité vis-à-vis d'elle.

— Il vous a dit qu'ils n'avaient couché ensemble qu'une seule fois ?

— Oui. Absolument. Voyez-vous, il vivait avec Lindsay Keefe. Pourquoi est-il allé retrouver son ex-femme ? Dieu seul le sait.

— Bonnie l'avait menacé de chantage ?

— Non, mais Sy se sentait coupable à son égard. Il était mal à l'aise. Et c'était arrivé comme ça, tout d'un coup. Quelque chose le tracassait. Et c'est pour ça que j'ai appelé votre QG. J'ai connu Bonnie au moment du divorce et, franchement, je ne l'ai jamais aimée. Son côté bonne pâte m'a toujours semblé cacher quelque chose. Elle ne m'inspirait pas confiance. A mon avis, Sy sentait qu'il y avait anguille sous roche. Il craignait peut-être qu'elle aille tout raconter à Lindsay s'il ne lui donnait pas d'argent ou qu'elle se venge en s'attaquant à ses biens. Le dénuement de Bonnie l'avait positivement retourné. Il avait vu des trous dans les taies d'oreillers. C'est symbolique, bien sûr, mais au sujet de sa petite escapade, il m'avait dit : « Je me demande combien ça va me coûter tout ça. » En fait, maintenant qu'il est mort, la question que je me pose c'est : sentait-il que sa vie était menacée ?

« Sacré nom de Dieu », pensai-je en remontant Park Avenue pour aller chercher ma voiture. Dire que Carbone et Byrne ont insisté pour que je vienne jusqu'ici interroger ces deux pignoufs. Apparemment, c'était toute l'administration de Suffolk County qui était en train de perdre la boule et de chier dans son froc à l'idée du cirque médiatique que déclenchait la mort de Spencer. CBS, NBC, CNN et ABC, ils étaient tous sur le coup. Ils montraient des vues aériennes de Sandy Court et de Lindsay Keefe sur la plage et des milliers de gros plans de Shea devant une forêt de micros, déclarant : « A l'heure actuelle nous ne pouvons faire que de multiples hypothèses. » Le *New York Times* avait annoncé que le

QG de Suffolk County « avait l'air complètement dépassé par les événements » et *Newsweek* retournait le couteau dans la plaie en déclarant qu'il n'y avait pas « le moindre début de piste ». Le QG ne voulait surtout pas être la risée nationale et enquêtait tous azimuts, quitte à pisser dans un violon. Bref, encore une journée de perdue. Cent cinquante bornes aller et cent cinquante bornes retour pour apprendre que Spencer sautait des rombières riches et/ou célèbres et qu'il avait entrevu sa perte en posant la tête sur un oreiller rapiécé.

Je tournai au coin de la rue et entrai dans un drugstore. En sortant mes rouleaux de pièces, je regardai du côté de la machine à préservatifs en me demandant quel genre de tordu pouvait bien acheter des capotes à rayures bleues. Je composai le 1-516, le code de Long Island, mais au lieu d'appeler le QG, j'appelai chez Bonnie. Elle répondit : « Allô ! » d'une voix inquiète, comme si elle craignait un nouveau coup de fil anonyme. Je raccrochai et j'appelai Robby. Pas encore d'analyse d'ADN. Rien de rien. Le calme plat. Si je voulais tuer le temps, je n'avais qu'à attendre la sortie des bureaux pour rentrer. Je demandai les noms, adresses et numéros de téléphone des associés de Mikey à Robby, qui les avait obtenus par le FBI et le QG de New York.

Trois d'entre eux avaient juré qu'ils étaient avec lui *Chez Rosie,* dans le quartier des abattoirs, vendredi 18 août, à partir de quinze heures jusqu'à dix-huit ou dix-neuf heures. Les deux autres n'étaient pas disponibles, vu qu'ils avaient pris leurs quartiers d'été à la centrale fédérale de Pennsylvanie. Mme gros Mikey, Loretta Lo Triglio, était à l'hôpital Mont Sinaï où elle avait été admise deux jours avant la mort de Sy. Elle récupérait d'une intervention chirurgicale : son faux néné en silicone s'était fait la malle quelque part sous son bras ou ailleurs.

Comme il fallait tuer le temps, je décidai d'aller rendre visite à la petite amie de Mikey, Terri Noonan. La fille était réceptionniste à mi-temps chez un ophtalmo du côté de Jackson Heights, à Queens.

Je m'attendais à trouver une poule blonde platine en train de mâcher du chewing-gum, mais Terri Noonan était châtain et ne mettait pas de maquillage. Elle portait un chemisier blanc avec un col claudine amidonné et un cardigan bleu layette boutonné jusqu'en haut. Pas de bijoux. Le genre bonne sœur en civil, quoi. En fait, elle avait un corps splendide, mais il fallait s'y reprendre à deux fois pour s'en apercevoir. A mon avis le gros Mikey s'était planté : il avait épousé l'allumeuse et gardé l'oie blanche pour la gaudriole.

Elle me fit le coup du « Mikey comment ? » à quoi je rétorquai : « Faut pas me la faire à moi, poulette », et tout rentra dans l'ordre. Elle me fit entrer et m'offrit une tasse de thé. L'appartement, comme la nana, avait l'air confortable et simple — à part le plumard circulaire recouvert d'un dessus-de-lit violet. Dans le salon il y avait un canapé écossais vert, des fauteuils club en tweed vert et deux arbustes dans des pots énormes posés sur la moquette verte. Joli et confortable. Le genre de trucs qu'une femme de flic achèterait si elle avait du goût. Elle apporta une théière à fleurs et me versa une tasse de thé, après quoi elle retourna à la cuisine chercher des biscuits assortis, probablement prévus pour le gros. Elle était en train de les disposer sur une assiette. Je ne pouvais pas m'empêcher de la mater. Je l'imaginais en topless, avec juste un string pour le bas. Elle dit :

— Mikey était complètement retourné à cause de Sy. Sans blague.

Elle me montra une gaufrette du doigt :

— Fourré à la framboise.

— Vous voulez dire qu'ils s'étaient engueulés à cause du film ?

La fille n'avait pas l'air de jouer les idiotes. Le plus probable, c'est que Mikey ne lui avait rien dit.

— Vous savez, dis-je, le film de Sy, *Nuit d'été* ? Le film que Mikey finançait ?

— Non, monsieur l'inspecteur, juré qu'il m'a jamais parlé de film ni d'argent.

— Et il ne vous a jamais dit non plus que Sy et lui s'étaient engueulés ?

— Juré, craché (elle tendit la main droite), sur la tête de ma mère. Il m'a rien dit, pas un mot. Je connais Sy parce qu'il est connu et qu'une fois, quand Loretta — c'est la femme de Mikey — était à La Costa, il m'a emmenée à la première d'un film de Sy et au cocktail, après. C'étaient des amis d'enfance et Mikey, il en parlait pas souvent, sauf quand il racontait ses souvenirs. Mais quand il est mort, Mikey a rappliqué ici. — Terri battit des paupières. — Il était en larmes, et vous savez, Mikey c'est pas le genre à pleurer pour un oui ou pour un non. Je l'avais jamais vu dans un état pareil.

— Ça c'est passé quand ?

— Euh... voyons voir. C'était samedi matin. C'est le jour de son omelette au fromage.

— Vous savez que Sy a été tué dans l'après-midi du vendredi. Aux environs de seize heures trente.

— Je ne savais pas l'heure exacte, dit-elle en cassant le bout d'un biscuit au chocolat pour le mettre dans sa bouche.

Je posai ma tasse et la regardai droit dans les yeux.

— Terri, c'est très important. Où était Mikey à l'heure du meurtre ?

— Vendredi ?

— Vendredi.

— Pourquoi c'est important ?

— Vous avez besoin d'un dessin ?

Elle rajusta les bords de son col sur son cardigan.

— Mikey était là, chez moi.

— Et vous étiez là aussi ?

— Oui.

— Et il faisait quoi ?

Elle avait les yeux rivés sur ses ballerines.

— Quelque chose de personnel.

— Vous aviez des rapports aux alentours de quatre heures et demie vendredi dernier, c'est ça ?

Elle tendit à nouveau la main droite :

— De trois à six heures, juré craché.

— Mikey a une pêche d'enfer, dites donc.

— Il est bien enveloppé mais il est en bonne santé.

— Vous seriez prête à signer une déposition comme quoi il était avec vous ?

— Avec mon sang, dit-elle.

Je lui tendis un Bic, à la place. Elle se mit à écrire : « Moi, Theresa Kathleen Noonan, jure que... »

— Vous voyez, dit-elle après avoir signé le papier, que Mikey ne pouvait pas être aux Hamptons puisqu'il était ici, avec moi !

Ouais, sauf que maintenant, le gros il avait deux alibis, ce qui revenait à dire qu'il n'en avait aucun.

J'aurais dû me sentir soulagé pour Bonnie, non ? C'est plutôt rassurant de découvrir que votre idée fixe est en fait une brave fille qui ne ferait pas de mal à une mouche.

Sur le chemin du retour, quelque part vers le centre de Nassau County, je m'imaginai frappant à la porte de Bonnie et lui disant : « Vous pouvez me dire merci, fillette. » Elle me demandait pourquoi et je lui répondais que j'avais réussi à coincer le gros Mikey en foutant en l'air son alibi. Du coup on avait mis son téléphone sur écoute et devinez qui a appelé pour prendre des nouvelles ? Le fils de pute qui a tiré les deux balles de 22 sur ordre de Mikey lui-même. Bonnie, vous êtes libre. »

J'avais une autre variante. Bonnie rentrait d'un jogging, toute rose et essoufflée, et je sortais de la voiture pour lui dire : « Ça baigne. On a fouillé la baraque de Santana et on a trouvé une armoire à fusils — le propriétaire a affirmé qu'il manquait un 22 ! Mais, non... pas Santana. Lindsay ! Elle savait que Sy allait à Los Angeles pour rencontrer sa remplaçante et elle a craqué. Incroyable, non ? Elle a foncé tout droit chez l'épicier du coin pour acheter un 22 (le type ne l'a pas reconnue parce qu'elle portait des lunettes noires et qu'il n'avait jamais mis les pieds au cinoche). » Alors je disais : « Ecoutez, Bonnie, je sais que vous avez passé un sale quart d'heure. Je suis désolé. » Et elle m'était tellement reconnaissante qu'elle se jetait à mon cou, et moi je lui disais : « Le cauchemar est terminé » et je frottais ma joue contre la sienne et de fil en aiguille on atterrissait dans la chambre à coucher et on faisait l'amour, comme des fous, toute la nuit.

Je rêvai comme ça jusqu'à Southampton, en bandant

comme un malade et en criant « Bonnie, mon amour ! ». Jusqu'au moment où je passai dans la rue où habitait Lynne. La fièvre retomba net et mon cerveau se remit à fonctionner normalement.

Je venais de comprendre que je fantasmais comme un dingue parce qu'au fond de moi j'étais persuadé que Bonnie avait fait le coup.

La femme de l'agence immobilière allait me confirmer que Bonnie attendait beaucoup de Spencer. Tout à l'heure, elle m'avait répondu d'un sourire : « Bonjour ! Regina, à l'appareil ! » quand je l'avais appelée pour prendre rendez-vous. Ça m'avait tout l'air d'être une de ces bonnes femmes divorcées, abandonnées à South Fork par leur gros richard de mari mais qui s'en tirent grâce à leur bagout d'enfer. Ce genre de bonne femme vous entortille comme un rien. Elles vous vendent un petit palais qui vous coûte la peau des fesses, un truc exorbitant qui vous met sur la paille et qu'on revend au bout de deux ans maximum. De quoi faire tourner le marché immobilier.

Elle me dit :

— J'avais prévenu Bonnie : « Ça n'est pas le moment de vendre. Gardez votre maison. Attendez un peu. » — Il était neuf heures du soir passées mais la bonne femme avait l'air de tenir une forme olympique. — Mais elle m'a répondu qu'elle avait besoin d'argent et qu'elle voulait tenter le coup.

— Elle vous a dit ce qu'elle allait faire si elle réussissait à vendre ? demandai-je.

— Attendez. Oui, elle a dit qu'elle voulait retourner chez elle, je ne sais plus où. Et je me souviens de lui avoir dit : « Bonnie, ne faites pas de bêtises. »

— Vous avez eu des propositions pour la maison ?

— Une ou deux. Mais rien de très intéressant compte tenu du prix qu'elle en voulait. Tout à fait irréaliste, d'ailleurs. Je lui ai dit.

— Et alors ?

— Je l'ai appelée pour savoir si je pouvais venir faire visiter la maison à des clients, mais elle m'a dit non parce qu'elle avait des invités. C'est arrivé deux ou trois fois. Après quoi je lui ai dit : « Bonnie, les maisons comme la vôtre, on ne se les arrache pas. Il y en a des centaines comme ça dans la région. Alors la prochaine fois que j'appelle et que vous avez des invités, emmenez-les donc une petite demi-heure à la plage ou en ville. » Elle a ri et m'a dit que ça n'était pas *des* invités mais *un* invité. Et le lendemain elle m'a rappelée pour me dire de suspendre l'annonce, que tout avait l'air de s'arranger. Je lui ai demandé si ça s'arrangeait avec l'invité et elle m'a dit oui. Que c'était quelqu'un de très occupé mais qu'il venait quand même la voir tous les jours et que dans ces conditions il lui était difficile de faire visiter la maison. Alors je lui ai demandé si elle envisageait le mariage. Ce à quoi elle a répondu : « Pas dans l'immédiat. » Mais à sa voix j'ai bien senti que c'était du sérieux. Et nous avons encore parlé un peu. Je lui ai demandé en plaisantant si son cher et tendre n'avait pas un copain à me présenter et nous avons beaucoup ri à l'idée de deux vieilles dames comme nous concoctant un double mariage.

Donc Bonnie attendait bien un geste de Sy. Pourquoi pas, après tout. Elle avait fait ce qu'il faut pour. Ça aussi ça avait été confirmé par le labo. Les résultats d'ADN étaient arrivés sur le bureau de Carbone à la première heure. Les cheveux de Bonnie et ceux retrouvés dans la chambre d'amis de Spencer avaient une racine identique. Elle était donc bien dans la maison de Spencer le jour du crime.

Le mobile ? Elle l'avait. Et l'occasion ? Aussi, apparemment.

10

J'avais tiré Bonnie du bain. Elle portait un peignoir rayé bleu et blanc. La pointe de sa queue de cheval et ses poignets étaient encore humides. Peut-être essayait-elle de se calmer avec des bains chauds. N'empêche qu'elle avait les yeux gonflés. Manque de sommeil ou excès de larmes ? A mon avis, elle savait qu'elle était première au hit-parade des flics de Suffolk County.

Mais elle ne jouait pas les femmes fragiles. Au contraire, elle se tenait bien droite, les bras croisés, l'air impassible.

— Je vous serais reconnaissante de vous présenter chez moi à des heures décentes, dit-elle.

Ses bras croisés faisaient remonter ses seins. Je la regardai fixement. Pour se donner une contenance, elle décroisa lentement les bras et mit ses mains dans ses poches. Je m'imaginai derrière elle en train d'embrasser ses cheveux et sa nuque et de glisser mes mains dans ses poches en me serrant contre elle.

Drôle de moment : elle savait que je savais qu'elle savait que je savais. Elle savait que je savais qu'elle était nue sous son peignoir. Elle savait que si je tirais sur sa ceinture le peignoir s'ouvrirait et qu'on se retrouverait à faire l'amour comme des bêtes, debout sur le perron, parce qu'on en crevait d'envie tous les deux.

— Je comprends que vous n'aimiez pas être dérangée si tard. Mais ce sont mes heures de bureau à moi.

Elle dit :

— Excusez-moi une minute, je vais m'habiller.

Elle monta au premier. Je m'appuyai contre le mur et commençai à imaginer ce qui se serait passé si j'avais tiré sur sa ceinture. Son peignoir se serait ouvert et je l'aurais attirée contre moi — encore toute chaude du bain — mais avant que j'aie le temps de lui ôter son peignoir, elle aurait ouvert ma braguette, pris mon sexe dans sa main et...

Je l'entendis revenir. J'ouvris les yeux, juste à temps pour la voir descendre les escaliers. Elle portait un jean et un vieux T-shirt blanc décolleté en V, très moulant. On devinait la ligne de son soutien-gorge en dentelle — celui-là avait échappé à ma fouille de l'autre soir. Le genre de truc qui ne soutient rien mais qui plaît aux hommes. Elle était superbe. Je me surpris à me frotter les mains machinalement.

— Euh, dis-je à court d'idée.

— Pardon ?

— Où est le chien ?

C'est la seule chose qui m'était venue à l'esprit.

— Mon chien ? — Elle commençait à se détendre, et même à avoir envie de plaisanter. — Vous avez des questions à lui poser ?

— Oui, je voudrais connaître ses relations avec le défunt.

— Je l'ai achetée il y a deux ans. Elle n'a jamais vraiment connu Sy. Je veux dire en dehors des échanges banals : « Salut, le chien, t'as de beaux yeux, tu sais. »

Je souris.

— Je voulais juste savoir où était votre chien.

Elle continua sur le même ton badin :

— Je l'ai descendue.

— Ça suffit.

— Ah ! s'exclama-t-elle, comme un avocat en train de plaider dans un téléfilm. Vous voyez qu'au fond vous ne me croyez pas capable de commettre un meurtre.

— Non. Je ne vous crois pas capable d'assassiner votre chien.

Bonnie rit. Un peu trop fort. Elle recula d'un pas. Tout ceci était trop réel. Elle commençait à avoir la trouille pour de bon. Elle inspira lentement. Elle devait se dire : « Du calme. Relax. » Elle glissa ses pouces dans les passants de son jean, à la Calamity Jane, avec un air de dire : « Sors de mon ranch, petit. »

— Où est-elle ?

C'était complètement débile de poser toujours la même question, mais maintenant que je m'étais empêtré dans cette histoire de chien, il fallait qu'elle croie qu'il s'agissait d'un détail fondamental.

— Elle aime bien sortir le soir.

Elle avait répondu calmement, spontanément, sans froideur.

— En général, vers dix heures, j'ouvre la porte de derrière et je l'appelle. Elle revient tout de suite.

Bonnie se détourna, peut-être pour ne pas laisser voir qu'elle avait peur malgré son air de cowboy à la cool. Elle avait les dents serrées et les yeux grands ouverts. Elle entra dans la cuisine, ouvrit la porte de derrière et cria : « Moose ! Biscuit ! » Puis elle se dirigea vers le frigo et prit une bière light. Elle ne m'en offrit pas, ce qui m'épargna un : « Non merci. » Elle n'avait pas eu le temps de la déboucher que Moose était déjà à la porte, toute frétillante. Je lui ouvris. Elle poussa un aboiement de joie et se mit à me lécher la main.

Bonnie n'avait vraiment pas l'air de nager dans le bonheur. Elle était trop occupée à avoir l'air dur. Elle écarta Moose de moi, lui tapota la tête, puis prit un biscuit pour chien dans un bocal. A cet instant elle était redevenue tendre, comme une mère qui donne une sucette à son gosse. Moose la regardait. Elle avait beau m'avoir à la bonne, je ne faisais pas partie de son rituel nocturne. Comme si elle avait peur que je lui fauche son dessert, elle l'emporta hors de la pièce. Je souris. Bonnie, elle, ne souriait pas.

— Que voulez-vous savoir ? demanda-t-elle en renversant la tête en arrière pour prendre une gorgée de bière.

Je fixai sa gorge, la naissance de ses seins. Je la désirais comme un fou.

— Eh bien ?

D'accord. Elle voulait vraiment savoir ?

— Vous savez vous servir d'un 22 ?

Au cinéma, Bonnie aurait avalé de travers pour montrer sa surprise. Mais dans la vie courante, ce genre de truc n'arrive jamais. Elle avala juste un peu plus lentement.

— C'est pas drôle.

— Je ne cherche pas à être drôle. C'est vous la rigolote. Moi je suis le flic. Et je suis très sérieux. Est-ce que vous savez vous servir d'un 22 ?

— Je ne répondrai pas.

— C'est comme si c'était fait. Vous n'avez pas dit non.

— Je n'ai pas dit oui, non plus.

Tout à coup sa peur vira à la colère. Elle posa violemment sa bouteille sur la paillasse.

— Ecoutez, les polars j'en vois depuis que j'ai huit ans. Il y a deux sortes de flics : les durs qui sont censés vous faire cracher tout ce que vous avez dans le ventre, et les tendres qui vous font du plat jusqu'à ce que vous craquiez et que vous vous mettiez à table. Manque de bol, Brady, vous n'êtes pas Humphrey Bogart. Et je n'ai rien à prouver. Vous perdez votre temps.

— Ah, ouais ? — J'épaulai une carabine imaginaire. Je visai. J'appuyai sur la détente. — Bonnie Bernstein Spencer. Fille des Bernstein d'Ogden dans l'Utah, marchands d'articles de sport : flingots, pétards, etc. La fille Bernstein est un garçon manqué, entourée de frères plus âgés qu'elle et d'un papa tireur hors pair qui va chasser l'élan au Wyoming à l'occasion. Dites-moi, Bonnie, c'est comment Ogden ? Répondez, ou je vous garantis que je prends le prochain avion pour l'Utah et que je vous ramène ce qu'il reste du dernier lapin que vous avez tiré entre les deux yeux en 1965 ainsi que les dépositions d'une demi-douzaine de témoins qui vous ont vue tirer.

Elle se mit à pleurer. Des grosses larmes silencieuses qui laissaient des traces sur ses joues.

— Je vous en prie, ne faites pas ça, murmura-t-elle.

— Il faut que je sache la vérité. — Voilà que je parlais à voix basse moi aussi. — Est-ce que vous savez tirer, Bonnie ?

— Oui. (Je l'entendais à peine.) Mais je jure que je n'ai pas tué Sy.

« Bon sang, je pensai, je la tiens presque. Presque. »

— Il faut me comprendre, Bonnie. Les gens n'arrêtent pas de jurer : « Je vous jure que je suis innocent. »

— Mais je le suis.
— Prouvez-le.
— Comment ?

Il ne me restait plus qu'à la convaincre tout doucement, tendrement, comme quand on fait du gringue à la plus récalcitrante des femmes.

— Juste un petit test et vous êtes blanchie. Venez avec moi au QG. Je resterai avec vous tout le temps. Je veux juste un peu de salive et un peu de sang, presque rien, une toute petite piqûre sur le bout du doigt et vous êtes libre.

Elle resta silencieuse un long moment. On n'entendait que le bourdonnement du frigo et Moose qui traversait la cuisine. Elle ne comprenait pas pourquoi on faisait la gueule.

— Allez, Bonnie.

Je me voyais avec elle dans la Jaguar, en route pour le QG. Nos épaules se toucheraient dans les virages. Ça ferait peut-être des étincelles... Et puis merde, ras le bol de ces fantasmes !

Probable qu'une fois au QG ça serait fini pour de bon. Là-bas, dans la lumière crue des néons, je verrais Bonnie la vraie, Bonnie l'assassin. Et je n'aurais plus envie d'elle.

Finis les rêves éveillés, les baisers fantômes, et les galipettes imaginaires dans le lit, dans le fauteuil, sur la table, sous la douche, à pied, à cheval et en voiture. Finie la folie. J'allais arrêter de hanter les téléphones publics et pouvoir me marier l'âme en paix, le cœur léger.

Tout à coup, j'eus envie de vomir. Malade à crever. Le désespoir me tombait dessus. Au cours de cette terrible minute, je me suis dit : « Comment pourrais-je supporter de vivre sans cette femme ? » Je n'arrivais plus à parler. Et puis soudain, je ne sais pas comment, je retrouvai la voix :

— Allez, Bonnie. On y va.
— Non.
— Venez. Vous n'avez rien à perdre, tout à gagner.
— Foutez le camp !
— Bonnie...

— Et ne remettez jamais plus vos sales pattes ici. Je ne veux plus vous voir.

— Je suis désolé, mon petit, vous devez venir.

— Je ne suis pas votre petit. Ça non alors, espèce de fils de pute. Si vous avez des questions, vous les poserez à mon avocat. Maintenant, dehors.

Robby Kurz s'avançait vers moi tout frétillant. Il lécha son petit doigt et le passa sur son sourcil.

— Fais pas ta tantouze, Robby, je lui lançai.

— Gideon est dehors, dit-il d'une voix de châtré. Il meurt d'envie de te voir.

— Gideon ?

— Tiens-toi bien. — Il sortit une carte de visite. — Gideon Isaiah Friedman, avocat au barreau. A East Hampton, ma grande. Avocat de Bonnie Spencer.

Gideon Friedman s'approcha. Il ne tortillait pas du cul, il ne zozotait pas et il n'avait pas le petit doigt en l'air, mais il était pédé comme un sac à dos, ça sautait aux yeux. Je ne sais pas au juste à quoi ça tenait. Peut-être à son style anglais : un costume en tweed marron qui tombait impec, avec une chemise vert d'eau, une cravate tissée dans les mêmes tons et des chaussures de daim marron. A moins que ce ne soit ses tifs coupés bien net, plaqués sur le crâne, ou bien sa figure de poupon, son œil rond, innocent. Le genre beau gosse qu'on voit dans les magazines ou sur les courts de tennis.

Mais cela tenait peut-être tout simplement à sa façon de me dévisager quand je lui tendis la main.

— Bonjour, dit-il.

— Salut, répondis-je.

— Je suis l'avocat de Bonnie Spencer.

Il parlait d'une voix feutrée, comme un serveur de restau nouvelle cu. Je le regardai en pensant : « Dur, dur. Bonnie est bonne pour la perpète. »

— Asseyez-vous, suggérai-je.

Il s'assit dans le fauteuil en plastique à côté de mon bureau en parcourant la pièce d'un coup d'œil circulaire. Je m'attendais à ce qu'il fasse un commentaire du genre : « Quelle pétaudière », et qu'il croise les genoux.

— Eh bien, maître Friedman, que puis-je faire pour vous ?

— Bon... — Tout à coup il avait cessé d'être une tantouze. Il était un avocat pour de bon. — Pourquoi ne pas commencer par cette histoire abracadabrante d'échantillons de salive et de sang pour soi-disant « blanchir » ma cliente ?

— C'est très sérieux.

— Arrêtez vos conneries. C'est pour tester l'ADN, n'est-ce pas ? (J'acquiesçai.) Alors je ne comprends pas. Sy Spencer a été abattu à distance. Vous voulez retrouver les traces de transpiration ou de la salive sur l'arme du crime ? Le meurtrier postillonnait peut-être...

Ça faisait bizarre d'entendre un petit mec comme ça parler avec autant d'aplomb.

— Ou alors il y a eu bagarre, et vous avez trouvé du sang ou des cellules suspectes sous les ongles de Spencer ?

Pour un avocat sans carrure et sans la moindre idée du déroulement de l'enquête, il était plutôt fortiche.

— Je ne peux pas parler des pièces à conviction en l'état actuel des choses.

— Et pourquoi ça ?

— Vous devriez le savoir. Les résultats ne sont pas probants.

— Très bien. Dans ce cas, une analyse de sang ne le sera pas non plus.

Il se leva. Désolé. Comme s'il n'avait pas pu m'empêcher de faire la gaffe de ma vie.

— Ma cliente invoquera le cinquième amendement qui l'autorise à ne pas se soumettre à une prise de sang.

C'est là que je réalisai que Gideon devait plaider dans des litiges d'esthéticiennes.

— Vous n'êtes pas spécialiste du droit criminel, n'est-ce pas ?

Je m'attendais à ce qu'il se mette en boule, ou qu'il le prenne de haut. Mais il resta impassible. Il se cala dans son fauteuil et inspecta le bout de ses grolles.

— Pourquoi ça ?

— Parce que vous sauriez que, dans une affaire

criminelle, le suspect ne peut pas se soustraire à une analyse de sang.

— Et pourquoi donc ?

— Parce que les analyses et tous les tests médicaux en général n'ont pas valeur de témoignage mais de fait. Par conséquent, ils ne relèvent pas du cinquième amendement.

— Dixit qui ?

— Dixit la Cour suprême des Etats-Unis.

— Ah, vraiment ? Et depuis quand ?

— Depuis une dizaine d'années à peu près.

— Probablement après que j'ai terminé mes études. Je vérifierai.

D'accord, il représentait les intérêts du groupe de soutien des coiffeurs de Manhattan, mais c'était sans aucun doute un brave type. Pas un frimeur, imbu de lui-même. Mais franchement, qu'est-ce qu'il pouvait bien faire dans un tribunal ? Vous l'imaginez un peu, en robe, avec une perruque blanche, respirant des sels à chaque intervention de l'avocat général ?

— Vous êtes spécialiste dans quoi, au juste ? demandai-je.

Il sourit. Un sourire parfait découvrant une vraie rangée de Chiclets mentholés.

— Dans l'immobilier.

— Dans l'immobilier ? répétai-je. Il y a de quoi faire dans le coin.

— Je sais ce que vous pensez, dit-il.

Je haussai les épaules.

— Vous pensez : « C'est dans la poche. Bonnie Spencer est bonne pour la perpétuité car cette grande folle de Friedman est un nul tout juste bon à lui faire bye-bye quand les grilles se refermeront sur elle. »

Et vlan ! Dans les gencives. J'avais beau faire l'étonné, le mec n'était pas dupe. Il savait qu'il avait mis en plein dans le mille.

— Désolé de vous décevoir, Brady, mais ça ne se passera pas comme ça. Et pour commencer je vous conseille d'arrêter de la tourmenter avant que je ne fasse un scandale, ici même, devant vos supérieurs.

— Qu'est-ce que j'en ai à cirer ? Mais allez-y donc.

Faites une scène. Le bureau du chef est là-bas, de l'autre côté de la réception.

— Vous vous êtes mis dans de sales draps, Brady.

— Non.

— Très bien. Si vous êtes sincèrement convaincu de la culpabilité de Bonnie Spencer, dites-le-moi. Parce qu'à ce moment-là, je reprends mes billes et je refile le bébé à Bill Paterno.

Je pris un stylo et le fis rouler entre mes doigts. Bill Paterno était le meilleur avocat en droit criminel de Suffolk County.

— Vous pensez que Bonnie Spencer peut se payer un avocat comme Paterno ? dis-je, l'air détaché.

Je ne voulais pas avoir l'air de connaître l'état des finances de Bonnie.

— Non, mais moi si. — Friedman prit un accent yiddish. — C'est que je les faisais des bonnes affiires, vous savez. — Puis il ajouta : — Bonnie est une de mes amies les plus chères.

Je les imaginais bien tous les deux. Giddie et Bonnie en train de se faire des confidences ou de parler de Fred Astaire en mangeant un chili con carne arrosé de bière mexicaine.

— Allez chercher Bill Paterno, maître Friedman. Et même le pape si ça vous chante. N'empêche que Bonnie Spencer devra se soumettre aux analyses de gré ou de force. Elle est cuite.

— Pourquoi ? Parce qu'elle vous a dit qu'elle savait tirer ? C'est courant en Utah.

— C'est vrai. Là-bas, aux nanas, on leur donne un 22 en prime avec chaque boîte de Tampax.

— Où est l'arme ? demanda-t-il. (Je ne répondis pas.) Bonnie n'en possède pas. Vous n'avez pas l'arme du crime, que je sache. (Je continuais de me taire.) Pourquoi Bonnie et pas Lindsay Keefe ?

— Lindsay Keefe ?

— Elle sait tirer. Vous ne me croyez pas ? Allez donc voir *Transvaal*. Vous verrez si elle ne sait pas se servir d'une arme.

— Mais c'est du cinéma. Ça n'est pas parce qu'on a une arme à la main qu'on sait s'en servir.

— Renseignez-vous.

— Maître Friedman, nous savons où était Lindsay Keefe au moment du crime.

— Et alors ? dit-il en retirant un bout de fil imaginaire de sa manche. Vous insinuez que ma cliente se trouvait à proximité de chez Sy Spencer au moment du meurtre ?

— Peut-être.

— Je ne vous crois pas.

Je haussai à nouveau les épaules.

— Arrêtez de hausser les épaules, c'est agaçant à la fin. Maintenant, parlons sérieusement. Vous ne voulez quand même pas la foutre complètement en l'air, j'imagine ? Vous voulez la cuisiner un peu. OK, vous avez réussi votre coup. Elle est à bout. Et maintenant j'aimerais savoir pourquoi vous tenez absolument à ces prélèvements. Soyez franc. Je peux peut-être la persuader de le faire si je vois que c'est dans son intérêt.

Je réfléchissais. Quand on laisse entendre à un suspect qu'on a des preuves tangibles, c'est qu'on veut court-circuiter l'enquête et le faire passer aux aveux. Mais là, on n'était pas à la minute. Je pouvais me donner encore vingt-quatre heures. Primo, il restait des pistes, et secundo, il me fallait un mandat de perquisition. Sinon, impossible de faire valoir les pièces à conviction que j'avais trouvées lors de ma petite descente improvisée chez elle : l'annonce de l'agence immobilière et le fric dans ses bottes. Deux indices en béton.

— Vous savez, dis-je, l'assassin est une personne très intelligente — Friedman tira la gueule — mais ça ne l'a pas empêchée de laisser traîner un maximum d'indices. De quoi remplir un camion de déménagement. Et tous les jours on en trouve de nouveaux. Ma liste n'est pas à jour.

— Vous jouez au poker, commenta l'avocat.

— Accordez-moi une faveur, maître. Dites à votre cliente de ma part que si elle a fait le coup elle a intérêt à se rendre tout de suite. Dans ces conditions on pourrait peut-être trouver une solution avantageuse pour tout le monde.

— Pourquoi n'êtes-vous pas honnête ? Bonnie est une

femme formidable, et vous le savez. Vous ne lui laissez même pas le bénéfice du doute.

— Je n'ai pas fini. Il faut qu'elle sache que, plus elle attendra pour passer aux aveux, plus ce sera dur pour elle.

— Dites-moi une chose, dit Friedman. Etes-vous certain d'être impartial vis-à-vis de ma cliente ?

Je n'aimais pas la façon dont il me regardait en disant ça. Avait-il lu en moi ? Bonnie lui avait-elle dit quelque chose ? Mais quoi ? Que je m'étais approché un peu trop d'elle, une fois ? Qu'elle avait senti une bosse sous mon veston, à côté de là où on porte un flingue ?

— Ouais. Je sais être objectif. C'est une femme charmante. Beaucoup d'humour. Chaleureuse. Je dirais même adorable. — Friedman buvait mes paroles. — C'est une femme adorable mais avec un mauvais fond.

— Vous vous trompez.

— C'est moche à dire, mais je sais que je ne me trompe pas. Vous voyez, je pense que Bonnie a été... comment dire ? blessée par Spencer. Elle était seule, divorcée, pauvre, sans succès. Et voilà que son ex rapplique. Il lui fait un peu de gringue et il la saute. On le sait, même si elle affirme le contraire. Elle n'arrête pas de mentir. Bref, il la saute et ensuite il lui dit byebye. Pas de mariage, même pas d'amour, et toujours pas de fric... Oh, et pas de film. Que dalle. Elle le descend.

— Vous ne croyez quand même pas ça ?

— Si.

— Vous n'avez aucune preuve.

— J'en ai en pagaille, au contraire. — Je posai mes pieds sur le bureau. — Je vais vous dire ce que je pense. Je trouve que le meurtre n'est pas digne d'une fille comme elle. Mais ce que je pense n'a pas d'importance. Et de toute façon on va la coincer. Vous pouvez déjà penser à son petit cadeau d'adieu.

L'équipe de production continuait de payer Marian Robertson, la cuisinière de Spencer, pour qu'elle reste au service de Lindsay Keefe jusqu'à la fin du tournage.

— Une cuisinière ! soupirait-elle. Est-ce que Lindsay

Keefe a besoin d'une cuisinière ? Franchement. Tu sais ce qu'elle mange ? Des fruits, rien que des fruits. Et une noisette de temps en temps. Pas étonnant qu'elle soit pâle comme un cachet d'aspirine. Et moi je suis là à longueur de journée, à l'attendre pour lui servir des billes de melon. Qui peut vivre en ne mangeant que du melon ?

Je ne répondis pas, vu que j'avais la bouche pleine. Elle avait insisté pour me faire des œufs au bacon et une montagne de toasts pour accompagner le café.

— Vous ne la portez pas dans votre cœur, on dirait ? dis-je au bout d'un moment.

— Oh, il y a pire.

— Qui, par exemple ?

— Les crâneurs. Les grandes gueules. Et ceux qui arrivent deux minutes avant le dîner avec vingt personnes à nourrir dans la demi-heure. Et puis il y a ceux qui se sentent obligés de vous expliquer ce que c'est qu'un mille-feuille.

Je pris de la confiture dans le petit ramequin de porcelaine blanche et tartinai mon toast.

— Et Bonnie Spencer ? Elle était comment ? demandai-je.

Marian Robertson se mordit l'intérieur de la joue.

— Vous vous souvenez de Bonnie, l'ex-femme de Spencer.

— Oui, bien sûr. Une brave fille, ma foi.

— Madame Robertson, c'est très délicat. Je vous connais depuis que je suis tout gosse. Alors ça me ferait de la peine que vous ayez des ennuis.

— Moi ?

— Oui, vous. Nous avons la preuve formelle que Bonnie Spencer était dans la maison le jour du crime. Vous pouvez me répondre que vous ne le saviez pas. Mais tôt ou tard, Bonnie Spencer sera confrontée à nos preuves. Et peut-être qu'à ce moment-là elle va dire un truc du style : « Mme Robertson me connaissait bien du temps où j'étais mariée avec Sy. Ce jour-là, elle m'a fait mon plat préféré et nous avons causé une bonne partie de l'après-midi. » Ça risque de vous attirer des ennuis, madame Robertson, parce que, dans votre déposition, vous avez dit qu'il n'y avait personne.

— Encore un peu de café ?

— Mentir à la police est un délit, madame Robertson.

Elle finit par dire :

— Il y a erreur sur la personne, Steve. Bonnie est bonne comme le pain.

— Dans ces conditions, pourquoi cherchez-vous à la protéger ?

— Si elle vous a dit qu'elle était là, c'est ses oignons, pas les miens.

Elle retira la confiture et le lait de la table. Je n'étais plus son invité.

— Elle était là vendredi dernier ?

Elle retira le sucrier.

— Oui. (Je l'avais vexée.) Steve, tu as l'air en pleine forme, mon gars. Tu étais le meilleur lanceur de Bridgehampton.

— Vous lui avez parlé ?

— Juste bonjour, comment allez-vous et des choses comme ça.

— C'était amical ? Vous vous êtes fait la bise ?

— Je l'appelle par son prénom et j'étais contente de la revoir et elle était contente de me revoir. Je l'ai embrassée. Et alors, tu vas quand même pas m'envoyer à la chaise électrique pour ça, non ?

— Madame Robertson, j'essaie simplement de reconstituer l'ambiance.

— L'ambiance ? C'est que M. Spencer il en avait jusque-là de la mère « billes de melon » et c'est pour ça qu'il avait ramené Bonnie à la maison. Et il souriait et il avait l'air heureux — comme quand ils étaient mariés. Ils ne sont pas restés à la cuisine, ils avaient d'autres chats à fouetter, au premier. Mais ça faisait rien. Je sentais que Bonnie allait revenir. Et on aurait tout le temps de parler. Je la connais bien. Quand M. Spencer discutait au téléphone elle descendait à la cuisine et on papotait gentiment.

— La vérité maintenant. Vous avez entendu de la bagarre là-haut ?

— Non.

— Des bruits, alors ?

— Non. Ecoute-moi bien, petit. Il serait jamais allé faire un tour à la piscine et passer son dernier coup de téléphone pendant que Bonnie était en haut. M. Spencer, quoi qu'on dise sur lui, c'était un vrai gentleman. Il ramenait toujours les dames chez elles ou alors, si elles étaient venues toutes seules, il les raccompagnait au moins jusqu'à leur voiture. Crois-moi que les bonnes femmes, après Bonnie et avant Lindsay, ça défilait ici. Mais il était toujours galant. Il savait dire au revoir.

— Mais alors pourquoi ne l'avez-vous pas entendu quand il l'a raccompagnée ?

— Je ne sais pas. J'étais peut-être en train de battre des blancs en neige. Ou bien de me mettre de la poudre sur le nez.

— Vous avez entendu Spencer quand il est descendu à la piscine ? — Elle se mordit l'intérieur de la joue avant de hocher la tête. — Et Bonnie, vous l'avez entendue partir après qu'il fut sorti ? — Elle ne répondit pas. — OK, entre le moment où Bonnie est montée avec Spencer et le moment du coup de feu, qu'est-ce que vous avez entendu, au juste ? La voix de Bonnie ? Le bruit de ses pas, celui de sa voiture ?

— Elle ne l'a pas tué.

— Qu'est-ce que vous avez entendu, madame Robertson ?

— Rien du tout. — Elle retira les toasts et mon assiette. — Ça fait ton bonheur, Steve ?

C'était bien vrai ce qu'on disait : on ne se souvient pas de la douleur physique. Quand j'étais au Viêt-nam, un petit mec de Caroline du Nord avait pointé son M60 sur moi par erreur et me l'avait déchargé dans l'épaule. Les toubibs m'avaient injecté une tonne de saloperies pour calmer la douleur, mais pour me retirer ma chemise il avait fallu me bâillonner pour empêcher que mes hurlements alertent les Viêts. Et dire qu'avant ça, chaque fois que je voyais un blessé plié en deux, hurlant de douleur, je me disais : « OK, ça fait mal, mais il pourrait la fermer, essayer de se contrôler un peu. » Et voilà que je gueulais comme un veau et qu'ils ne pouvaient pas retirer le bâillon, sauf pour me laisser gerber, pour éviter que je m'étouffe.

Quand ils m'ont embarqué dans l'hélicoptère, j'avais tellement mal que j'étais sûr de clamser en vol. J'arrêtais pas de crier : « Je veux un prêtre ! », moi qui ne m'étais pas confessé depuis ma première communion. Mais la souffrance elle-même, je l'ai oubliée.

Et la souffrance morale, je crois bien que ça s'oublie pareil.

Comme quand j'étais tout gosse, en train de jouer au base-ball, et que mon père s'est radiné en tracteur au beau milieu du terrain, qu'il s'est foutu la gueule par terre en descendant et qu'il a arraché la batte des mains d'un copain pour faire quelques balles.

Une autre, comme ça ? Quand j'avais trente-cinq ans. Mon meilleur pote, mon confident, la seule et unique personne à qui j'aurais envoyé une carte de Noël — le patron du débit de boisson. Je les revois, lui et sa femme, échangeant un coup d'œil dégoûté en me voyant entrer dans le magasin.

Et puis tout le reste. Quand on y pense, on se sent triste ou humilié, même. Mais la souffrance elle-même, on l'a oubliée.

Tout ça pour dire que j'ai sonné chez Bonnie et que personne n'a répondu. Alors je me suis précipité dans le garage pour voir si sa voiture était toujours là et finalement j'ai trouvé Bonnie dans le potager. J'étais tellement soulagé que j'avais envie de rire. Parce qu'avant ça j'avais ressenti une douleur fulgurante à l'idée de l'avoir perdue. « Et après ? pensai-je, on finit toujours par oublier. »

Et quand Moose a aboyé pour me saluer et que Bonnie m'a reconnu et qu'elle a frissonné — un tremblement incontrôlable —, j'ai eu envie de disparaître, ou de mourir. Mais je me suis dit : « Tu t'en remettras, mon vieux. »

Elle était accroupie à côté d'un panier d'aubergines.

— Qu'est-ce que vous faites avec tout ça ? demandai-je.

— Sortez d'ici.

Sa voix était rauque. Elle se remit sur ses pieds, lentement, comme si ça lui demandait un effort insurmontable. Toute son énergie, toute sa chaleur, tout son humour avaient foutu le camp.

— Ecoutez, je voudrais que vous compreniez que...

Qu'allais-je lui sortir cette fois : « Ne le prenez pas mal » ?

— Bonnie, vous avez menti.

Elle sortit du jardin en laissant en plan ses aubergines, son seau en plastique plein de tomates, et Moose. Elle partit en titubant en direction de la maison. Elle avait perdu sa grâce naturelle, elle avait perdu son centre de gravité. Je la suivis.

— Une de vos voisines a identifié formellement la voiture de Sy, garée devant chez vous tous les jours de la semaine du meurtre. Elle a identifié Sy aussi. Ça veut dire qu'on vous a vus assez de fois ensemble pour... Pourquoi avez-vous menti ?

Elle se taisait. Je lui avais pris le bras pour l'aider à se tenir debout, à moins que ce ne soit pour m'accrocher à elle, mais elle ne réagissait pas.

— Et pourquoi avez-vous menti au sujet de votre scénario ? Ça ne vous faisait rien qu'il dise que c'était de la merde à son entourage.

Elle trébucha sur une racine et tomba sur les genoux.

— Pas de mal ? demandai-je.

Elle n'arrivait pas à se relever. Elle s'assit sur le sol, à bout de souffle, et regarda le gravier et la mousse sur ses mains. Il y avait du sang sur son poignet. Mais elle ne tiqua pas.

— Bonnie, dis-je.

Mais Bonnie n'existait plus.

Moose s'approcha en remuant la queue et lui lécha la main, mais Bonnie ne la voyait pas.

— S'il vous plaît, dis-je. — Je la soulevai. Elle ne résista pas. Une fois sur ses pieds elle repartit cahin-caha en direction de la maison. — Ecoutez, votre ami, l'avocat... Il va vous payer le meilleur avocat de la région.

Je me sentais malade. Complètement vidé. Mais je savais que ça finirait par passer. Que dans deux semaines je trinquerai avec une bière sans alcool en mangeant des chips pendant que Lynne me dirait : « Pense à ton ventre, chéri. »

On finit toujours par oublier la douleur. Toujours.

Bonnie ouvrit la porte grillagée de la cuisine.

— Félicitations, dit-elle doucement.

— Je ne veux pas de vos félicitations. Croyez-moi, je suis désolé.

— Non. Vous avez réussi ce que vous aviez entrepris. Vous m'avez eue. Ça y est, c'est fait. Ma vie est foutue. Vous ne m'avez pas assassinée, non, mais c'est pratiquement pareil : je suis une morte vivante.

Il y avait de la douleur dans sa voix, comme si elle pleurait un être très cher.

— Il le fallait, dis-je.

— Pourquoi ?

— Parce que vous avez tué quelqu'un.

Elle rentra dans la maison. Je ne voyais qu'une image floue, distante à travers la moustiquaire.

— N'essayez pas de fuir. Vous êtes surveillée vingt-quatre heures sur...

— Fuir ? Pour aller où ?

— C'est juste.

— Tout ça est tellement triste.

— C'est vrai, dis-je.

— Non. Je veux dire que c'est triste parce que je n'ai rien fait et que vous le savez.

Il devait faire pas loin de trente-cinq à l'ombre mais je me mis à trembler. Cette douleur-là je ne l'oublierai jamais.

— Vous en faites pas, dit Bonnie, juste avant de refermer la porte de la cuisine, vous vous en remettrez.

11

Le lendemain matin à huit heures tapantes on sonnait chez Bonnie. Trente secondes plus tard elle avait fini de lire le mandat de perquisition. Elle avala sa salive et dit :

— Il faut que j'appelle mon avocat.

— Faites comme chez vous, lui répondit Kurz, magnanime.

Une demi-seconde après, lui et l'autre inspecteur, un petit culturiste dans la trentaine, tentaient de rentrer de force dans la maison. Le body-builder avait les cuisses tellement développées qu'il marchait jambes écartées, comme un chimpanzé.

— Vous n'avez pas le droit ! criait Bonnie, en essayant de bloquer la porte.

Finalement, je réussis à la pousser de côté.

— Soyez raisonnable, dis-je. Appelez le Comité de défense des droits civiques.

Je m'attendais à une crise de nerfs. Quand je vis qu'elle portait son cycliste bleu turquoise et un T-shirt, je me lançai dans un petit fantasme rapido : elle s'évanouissait, je la prenais dans mes bras et je la portais jusqu'au salon en marmonnant quelque chose de rassurant du style « du calme, Bonnie » en la déposant délicatement sur le sofa, « du calme ». J'aimais dire son nom à haute voix.

Mais elle restait plantée en bas de l'escalier, immobile, présente et absente à la fois. Le monde autour d'elle était si horrible qu'elle se repliait sur elle-même, pour chercher refuge dans un monde moins hostile, plus serein.

Finalement, elle passa à côté de moi et entra dans la cuisine pour appeler Friedman. J'aurais pu aussi bien être un fantôme, de l'air, de la fumée. Moose lui emboîta le pas, inquiète. Elle ne remua pas une seule fois la queue en me voyant.

Je les suivis dans la cuisine et ouvris tous les placards. Je faisais mine de croire qu'elle aurait pu cacher des balles de 22 derrière une boîte de sauce tomate. C'était étonnant la quantité de pots de moutarde qu'il y avait dans sa cuisine, surtout pour quelqu'un dans la dèche : moutarde au miel, moutarde à l'estragon, moutarde au poivre vert. Je regardai dans sa direction. Et si j'essayais de la charrier un peu sur sa moutarde, histoire de détendre l'atmosphère ? Mais elle me tournait le dos, absorbée par son coup de fil.

Je secouai bruyamment une boîte de pop-corn, comme si c'étaient des maracas. Je voulais qu'elle me regarde. J'en avais besoin pour me sentir vivre. J'étais complètement à bout.

« Arrête ton char, pensai-je. Ta fixation est en train de passer. Tu devrais être content. » Mais cette idée m'était insupportable. J'avais besoin d'elle pour me remonter.

J'en fis des tonnes en ouvrant son sac à main. Je jouais les fouille-merde. Je dépliai les mouchoirs en papier pour les inspecter. Je sortis ses clefs une à une et je scrutai un vieux ticket de caisse. Lentement, je vidai son portefeuille et j'étalai les dix-sept dollars et quarante cents qu'il contenait sur la table. Et puis je sortis sa carte Visa, sa carte de bibliothèque, sa carte de vidéothèque. Et les photos de famille : papa en chemise écossaise brandissant une énorme truite. Papa et maman — grands et carrés, comme Bonnie — habillés en dimanche, comme pour aller à la noce, souriants mais engoncés comme c'est pas permis. Ils avaient l'air plus à l'aise dans leurs chemises à carreaux. Et puis des beaufs et leurs gonzesses à ski. Des nièces à cheval. Des neveux et leurs chiens. Et tout ça sur fond de paysage montagneux.

J'attendais qu'elle se manifeste : qu'elle se mette à

griffer, à frapper, à hurler. Mais rien. Alors je sortis une boîte en plastique violet qui contenait des Tampax — super — et je les examinai à la lumière comme si je cherchais où était la mèche. Aucune réaction. Devais-je la provoquer ? Lui balancer un truc comme : « Vous avez encore vos règles ? » quitte à nier si l'avocat m'accusait de l'avoir insultée. Mais je la fermai. Le Chimpanzé était à côté et je ne voulais pas qu'il croie que je ne faisais pas mon boulot.

Bonnie raccrocha. Je recommençai mon numéro avec le sac à main. Je trouvai de la poudre au fond, du rouge à joues que les bonnes femmes se mettent avec un gros pinceau. Je la versai soigneusement dans une pochette en plastique, comme un mec qui croit qu'il a mis la main sur une nouvelle sorte de cocaïne, encore plus dévastatrice que le crack. Elle ne broncha pas. Elle prit son mandat de perquisition et sortit de la pièce. Je restai planté là comme un con. Un pauvre con qui lui matait les fesses à mesure qu'elle s'éloignait dans le couloir.

Comme un mari qui se fait plaquer par sa bourgeoise, je m'effondrai sur une chaise — la même que celle du premier jour, quand elle m'avait offert un café —, son sac à la main.

Environ dix minutes plus tard, j'avais terminé de fouiller la cuisine. J'allai la chercher, elle. Elle était dans le salon, assise sur la margelle de la cheminée, le mandat de perquisition posé à côté d'elle. Elle était toute recroquevillée, comme si elle avait voulu fondre. Mais il n'y avait pas de feu, bien sûr, vu que dehors il faisait déjà vingt-huit. Le ciel était très bleu, un bleu à peine supportable. La lumière matinale de la fin du mois d'août. A travers la vitre, le soleil inondait le salon de Bonnie, jetant des petits carreaux de lumière sur le poil de Moose et sur le parquet.

Bonnie était prostrée. Elle ne vit pas entrer le Chimpanzé avec un énorme sac à provisions. Jusqu'ici il n'avait trouvé que les vieux nonosses de Moose qui traînaient sous le canapé. Visiblement, il était impatient de mettre la main sur quelque chose de plus compromettant.

Je vidai le sac à provisions sur la table basse. Bonnie me jeta un regard en biais lorsque je déchirai l'emballage de deux paquets cadeaux intacts. L'un contenait un moulin à café et l'autre une machine à expresso qui coûte la peau des fesses. Au fond du sac je trouvai un reçu de carte American Express : celle de Sy Spencer, membre depuis 1960.

Je m'approchai d'elle et m'assis de l'autre côté du mandat de perquisition en agitant le reçu devant ses yeux.

— Spencer prend son petit expresso après ou avant ? raillai-je. Il y a des types qui ont besoin d'un petit stimulant.

Elle ne répondit pas. Mais je m'y attendais. Pour elle, je n'existais pas. Friedman lui avait sûrement conseillé de la boucler. Elle s'y tenait au pied de la lettre.

— Votre avocat doit venir ? demandai-je.

Elle prit le mandat et chercha une poche où le mettre, mais son caleçon n'en avait pas. Elle le garda à la main. Je me tournai de façon à pouvoir au moins la regarder. Son T-shirt venait d'un festival de films, un truc féministe apparemment. Le slogan écrit en rouge, vert, jaune et bleu disait : « Les femmes font du cinéma. »

Je posai le reçu sur le mandat qu'elle tenait à la main et lui montrai le nom de Spencer.

— Trois cent cinquante-cinq dollars pour une tasse de café, dis-je.

A l'autre bout de la pièce le Chimpanzé ricana tout bas. Il devait trouver ça viril. Bonnie balaya le reçu du dos de la main. Il atterrit sur le plancher.

Le silence tomba. On n'entendait plus que les ronflements du chien et le bruit des pas de Kurz au premier. Clomp, clomp. Je voulais que ce soit lui qui mette la main sur la liasse de biftons et sur l'annonce immobilière. Je lui avais dit : « Moi je reste en bas, je surveille la nana. »

Mais elle ne bougeait pas et je me retrouvais coincé, assis à côté d'elle. Comme un couple en pleine crise dans une salle d'attente de cancérologue ou de juge de paix. Je n'arrêtais pas de lui jeter des petits coups d'œil en biais. Elle s'était fait une natte. Et j'avais envie de caresser du doigt chacune des petites bosses de sa natte. J'aurais voulu lui dire : « Tout va bien. »

Au lieu de ça, je m'entendis lui demander :

— Où est le flingue ?

Elle ne broncha pas.

— Bonnie, vous êtes en train de vous mettre dans de sales draps. Plus vous serez dure avec nous et plus on sera durs avec vous.

C'est à ce moment-là que Friedman fit son entrée, tel un avocat Ninja : jogger en coton noir roulé à la cheville, sweat-shirt noir et cheveux gominés, coiffés en arrière. Je me levai.

— Bonjour, maître Friedman, ravi de vous voir.

Il m'ignora et se dirigea tout droit vers Bonnie.

— Tu lui as dit quelque chose ? demanda-t-il.

Elle secoua la tête.

— Bien joué, petite.

Il ramassa le mandat et le lut pour vérifier sa validité. Il aurait voulu s'en débarrasser mais comme il n'avait pas de poches non plus, il le garda à la main et entraîna Bonnie à la cuisine.

Ils faisaient des messes basses tous les deux. On n'entendait rien du tout, même pas un vague chuchotement. Je m'approchai de la bibliothèque, essentiellement garnie de livres de poche. Des centaines de polars, quelques best-sellers, des bouquins sur le cinéma — des biographies d'acteurs et de metteurs en scène, *Le Guide du cinéaste, L'Humour au cinéma* — et puis des bouquins sur la nature : *Plantes des sables et des dunes, A la découverte de Long Island.* Pas de pornos planqués derrière *Les Oiseaux d'Amérique du Nord.* Pas de romans de Sade ni de guide en dix leçons sur la pêche au mari, le genre de truc que toutes les célibataires ont sur une étagère.

Clomp, clomp, Robby descendait l'escalier. Il devait avoir des fers sous ses écrase-merdes pour faire un raffut pareil. Il exultait en brandissant un sac en plastique contenant la liasse de biftons. J'allai à sa rencontre.

— Huit cent huit, annonça-t-il.

— En dix ou en vingt ? — Je feignais d'être surpris, épaté. — Comme des billets de distributeur ?

— Exactement !

— Rien d'autre ?

— Non, pas vraiment.

Robby était déçu. Il avait dû s'attendre à trouver un 22 tout fumant.

— Pas de vibromasseur dans la table de nuit ? — Robby secoua la tête. — Pas de papiers intéressants ?

— Rien.

« Merde, pensai-je. Il va falloir que j'aille faire un tour au premier, mine de rien, pour aller chercher l'annonce de l'agence. A moins qu'elle l'ait jetée. »

— Non. Il n'y a qu'un tas de papelards genre scénarios, dans le bureau, dit-il, et un dossier plein de lettres de refus. Mais maintenant on est bons. On a ce qu'il faut ! Ce fric, c'est la goutte d'eau. Et avec les analyses de sang, on la tient.

— Tu n'as pas trouvé une lettre de refus de Spencer ?

— Non, mais on n'en a pas besoin. Où est-elle ?

— Dans la cuisine, avec son avocat.

— Tu crois qu'on doit la coffrer tout de suite ?

Il était comme fou, Robby. Un vrai doberman.

— Ouais. Autant en finir.

Ma gorge me faisait mal. J'avais beau respirer à pleins poumons, je manquais d'air.

Dans la cuisine, Kurz agita le pognon sous le nez de Bonnie.

— Huit cent huit dollars, dit-il.

— Si vous avez des commentaires, intervint Friedman, adressez-vous à moi, je vous prie.

— Désolé, dit Robby en riant jaune. Nous avons trouvé ceci dans la botte de votre cliente. Je voudrais bien savoir d'où vient cet argent. Elle peut peut-être nous le dire.

— Oh, commença Bonnie, c'est...

— Tais-toi, lui lança Friedman, brusquement.

— Mais, Gideon, ça n'a rien à voir avec Sy.

Friedman n'avait pas l'air très confiant.

— Vous pouvez nous laisser une petite minute seuls ? demanda-t-il.

Nous sortîmes dans le couloir. On les entendait chuchoter. Je respirais à grandes goulées, mais ça me faisait tourner la tête. Finalement, Friedman dit tout haut :

— C'est bon. Nous avons terminé.

Quand nous entrâmes il fit un signe de tête à Bonnie.

Elle s'adressait à Robby comme s'il était le seul flic de la pièce.

— L'argent que vous avez trouvé, c'est ce qu'il reste des deux mille cinq cents dollars que j'ai gagnés en décembre dernier. Je travaille pour des catalogues de vente par correspondance. On me paye en une seule fois et en liquide. — Puis elle ajouta : — Ça n'est pas déclaré.

— Vous n'avez donc pas de reçu, dis-je.

Bonnie se força à regarder dans ma direction mais en évitant mes yeux.

— Bien sûr que non. C'est tout l'intérêt de se faire payer de la main à la main. — Elle expliquait ça patiemment, comme si elle s'adressait à un demeuré. — Comme ça il n'y a pas de traces.

— Autrement dit, nous devons vous croire sur parole.

— Sinon, d'où sortirait cet argent ?

— Le matin du meurtre, Sy Spencer a retiré mille dollars à la billeterie automatique. On ne sait pas ce qu'est devenu l'argent.

Friedman intervint.

— Vous appelez ça une enquête policière ? Pas moi. Vous essayez de faire endosser à ma cliente tout ce que vous n'arrivez pas à expliquer. De toute évidence, Sy Spencer a donné cet argent à quelqu'un. Ou bien il l'a dépensé.

— Non, rétorqua Robby.

— Ne dites pas non. J'ai connu Sy Spencer. Il ne se refusait jamais rien. Si une cravate lui plaisait, il s'en offrait une de chaque coloris disponible, même à cent dollars pièce.

— Nous nous sommes renseignés, continua Robby. Il n'a pas eu matériellement le temps de faire du shopping. Et il n'a fait aucun cadeau. C'est la dernière personne qui l'a vu qui a pris l'argent. Et nous savons que la dernière personne à l'avoir vu vivant est Mme Spencer ici présente.

— Vous savez ? Et comment vous le savez, s'il vous plaît ?

Friedman avait l'air de se demander comment on pouvait être aussi con. Mais je savais bien qu'il savait.

— Parce que cet après-midi-là ils étaient au plumard ensemble dans la chambre d'amis de Spencer.

— Vraiment ?

Rien ne vaut la gueule d'un avocat à court d'arguments qui veut avoir l'air amusé.

— Ouais, vraiment, dis-je. On a retrouvé des cheveux dans le lit qui n'étaient pas ceux de Spencer. Et quand on aura fait un prélèvement de sang à Mme Spencer, je vous parie qu'on va trouver que l'ADN est identique.

Bonnie posa la main sur sa tête. Elle se souvenait. Elle avait compris. Elle me lança un regard épouvantable : un mélange de haine et de désespoir.

— Et maintenant vous voulez savoir ce qui s'est passé l'après-midi du crime ? — Je n'arrivais plus à regarder Bonnie en face. Je m'adressai à Friedman : — Votre cliente a eu des rapports avec Sy Spencer. Ils se sont disputés. Il a quitté la chambre. Elle a fouillé dans ses poches et pris les mille dollars. Quand il est parti se baigner, elle a mis une paire de tongs...

— Je n'ai pas de tongs, dit-elle à Friedman.

— Et elle est descendue. Elle s'est dirigée vers l'endroit de la véranda, derrière la maison, d'où elle...

Je sentais les yeux de Bonnie sur moi. Des yeux immenses.

— Non. Je n'ai rien fait. Cet argent... Je l'ai...

— Très bien, dis-je. Donnez-moi le numéro de la compagnie de vente par correspondance.

Bonnie jeta un coup d'œil à Friedman, mais sans attendre qu'il lui fasse signe et avant même qu'il ait pu dire non, elle répondit :

— La patron s'appelle Vincent Kelleher. Il vit à Flagstaff, en Arizona. Je fais trois catalogues pour lui : *La Cuisine rustique, Julie* — pour les femmes fortes — et puis, zut... je l'ai sur le bout de la langue... Ah, oui, *Monsieur Bricolo*. Matériel de bricolage et gadgets.

Avant que j'aie pu dire un mot, elle était sortie de la pièce et montée au premier dans son bureau. Je la suivis.

Ses mains tremblaient pendant qu'elle feuilletait l'annuaire.

— Tenez.

Je composai le numéro. Les bureaux étaient fermés, il était trop tôt. L'avocat entra, suivi de Kurz. Finalement, je demandai le numéro personnel de Kelleher aux renseignements. Je le réveillai. Oui, c'était bien Vincent Kelleher. Le Chimpanzé ne voulait pas être de reste. Il s'était pointé au premier mais le bureau était trop petit pour le contenir lui aussi. Il resta à la porte, les yeux fixés sur le poster de *Cowgirl.* Oui, Vincent Kelleher était bien le patron d'une compagnie de vente par correspondance. Oui, monsieur l'inspecteur, et Bonnie Spencer avait bien travaillé pour lui.

— Au noir ? demandai-je. Payée en liquide ? Non ! Vous lui avez payé deux mille cinq cents dollars en liquide au mois de décembre dernier ? Non ! A un autre moment, alors ? Non !

Elle avait travaillé pour lui deux ans auparavant, mais il l'avait payée... par chèque. Pourquoi ? Elle avait des ennuis ?

Je raccrochai et me tournai vers Robby.

— Il ne l'a jamais payée en liquide.

— Je m'en doutais, conclut-il.

Bonnie m'attrapa par le revers de ma veste.

— Je vous jure que...

C'était la première fois qu'elle me touchait. Je retirai sa main.

— M. Kelleher, continuai-je, voulait savoir si Mme Spencer avait des ennuis.

— J'en ai bien l'impression, dit Robby. De gros ennuis même. — Il décocha un sourire à Friedman. — En fait, je crois bien que demain la dame sera sous les verrous.

— Il faut que nous parlions, me dit Friedman.

— C'est trop tard, répondis-je.

— Il a raison, ajouta Robby. C'est bien tard pour les négociations.

— Il ne s'agit pas de négocier, répliqua Friedman.

— Dans ce cas, c'est parfait, lança Robby. Pas de négociation. Et vous savez pourquoi ? Parce que votre cliente est dedans jusque-là. Là-dessus on est tous d'accord.

Admirez les mecs le vétéran du Viêt-nam, le flic de choc avec toutes ses breloques, sa croix de fer et ses couilles en acier trempé qui font drelin-drelin, s'effondrer comme une loque quand on commence à aligner les bagnoles devant chez Bonnie : Bonnie et Giddie dans la BMW de Giddie, Robby et le Chimpanzé dans la vieille tire gris métallisé de Robby — tout ce petit monde en route pour le QG pour faire faire un prélèvement à Bonnie — et moi, qui n'ai pas le courage de suivre le cortège.

Aussitôt après avoir dépassé les magasins de la grand-rue de Bridgehampton, je coupai par-derrière, direction le nord et l'autoroute. Et puis j'écrasai le champignon. Cent soixante.

Le super mec dans sa Jaguar. Mais en arrivant au QG une plombe avant tout le monde, je ne me sentais pas capable de rentrer dans le bâtiment. Finalement, je me réfugiai dans les chiottes et je m'assis sur le trône.

J'avais peur de me retrouver face à Bonnie.

En fait, j'avais peur de ce que je venais de faire. Je restai assis, le cœur dans la bouche, en train de réaliser que j'étais la victime de mon propre acharnement : cette femme qui était tout pour moi, cette femme sans qui je ne pouvais pas vivre, cette femme, à cause de ma logique infaillible, à cause de mon pouvoir de persuasion, à cause de mon talent de détective, allait finir sa vie derrière les barreaux. Je ne reverrais plus mon enchanteresse.

Je ne sais pas à quoi tenait sa magie mais d'évidence elle avait réussi là où les autres avaient échoué : elle m'avait rendu à la vie. Mais avant de percer le mystère de son pouvoir, j'avais résolu l'énigme de la mort de Sy Spencer, moi, le super-flic. J'avais tué sa magie.

Et maintenant je me retrouvais seul, entièrement seul. Sans elle et sans espoir de la revoir, de lui parler, de la toucher pendant les trente ou quarante ans qu'il me restait à vivre. J'allais me marier, faire des gosses, enquêter sur d'autres meurtres, et mes gosses auraient des gosses, et puis je partirais à la retraite. J'allais finir ma vie dans le brouillard. Une vraie purée de pois, épaisse et nauséabonde.

J'étais pourtant bien réel. C'était moi cet inspecteur de la Criminelle, claquemuré dans les chiottes de crainte de regarder en face une tueuse qui faisait du bon café et qui avait un clébard génial.

Finalement je réussis à me contrôler. A peu près. Je restai encore cinq minutes enfermé. Je ne voulais pas croiser un collègue et fondre en larmes ou me mettre à trembler comme une feuille. Je ne voulais pas qu'on sache que je n'étais pas le dur des durs qu'on croyait que j'étais.

Je me terrai donc dans les chiottes en attendant de redevenir un homme, un vrai.

Bonnie et Friedman n'étaient pas originaires de South Fork mais ils y vivaient depuis suffisamment longtemps pour ne pas prendre la voie express aux heures d'affluence. C'est-à-dire quand tous les New-Yorkais se retrouvaient au roue à roue sur l'autoroute de Long Island, réduits à l'impuissance et mijotant en plein soleil, avançant comme des limaces sans même avoir l'idée d'emprunter les petites routes parallèles.

Pourtant Bonnie et Giddie n'avaient pas pris de raccourci. Vu ce qui les attendait au QG ça n'avait rien d'étonnant. Et ça n'était pas Robby et le Chimpanzé qui allaient les contredire, eux qui connaissaient tout juste l'itinéraire et qui savaient que les cartes de South Fork ne sont pas fiables. Pourquoi risquer de se tromper de direction et d'atterrir dans un champ de betteraves ? Friedman aurait pu reprendre du poil de la bête et décider de renvoyer le prélèvement à plus tard. Ils avaient donc décidé de faire la route avec les limaces. Ça leur prendrait une quarantaine de minutes, voire une heure.

Je finis par m'extirper des chiottes et par rentrer dans les bureaux de la Criminelle. Selon le principe des roulements, on est plusieurs à utiliser le même bureau.

C'est Hugo, dit le Boche, qui occupait le mien. Je lui fis signe de rester assis et je pris le bureau de Kurz en attendant. Deux minutes plus tard, Ray Carbone se pointait dans la pièce. Il était d'humeur communicative, je sentis son envie de parler de l'impact de la balle sur le crâne de Sy, ou de la théorie de la personnalité de Jung. Je décrochai aussi sec le téléphone, composai le numéro de l'horloge parlante et fis mine d'être en communication avec quelqu'un d'important. « Au quatrième top, il sera exactement... dix heures, quatorze minutes... et vingt secondes », disait l'enregistrement. Carbone me fit au revoir avec la main et sortit. J'étais tellement vidé que je n'avais même pas la force de raccrocher le téléphone. Je restai planté là, à écouter le temps passer. « Au quatrième top il sera exactement dix heures, seize minutes et trente secondes. »

J'ouvris le tiroir du bureau de Robby. Je cherchais un stylo pour avoir l'air de prendre des notes. Pas de stylo. Juste deux bouteilles presque vides de dentifrice liquide, la carte de visite de l'avocat de Mikey Lo Triglio et, tout au fond du tiroir, le dossier de Robby sur le gros Mikey. Je l'ouvris : « Mikey Francis Lo Triglio, alias M. Piggy, alias Michael Trillingham. » J'y trouvai aussi des faxes et des extraits du casier de Mikey en provenance du département de police de New York et du FBI : extorsions de fonds, abus de confiance, recel d'obligations, fraude fiscale. Et homicide. A deux reprises. On avait retrouvé Richie Garmendia, membre du Syndicat des bouchers détaillants, le crâne défoncé, flottant au large des quais de West Side. Et puis Al Jacobson, comptable d'une société de transports, disparu et présumé mort, probablement à la suite d'un passage forcé à la bétonneuse. Selon toute vraisemblance, le type faisait aujourd'hui partie des fondations du Battery Park City de Manhattan.

Malgré son casier judiciaire, Mikey n'avait comparu qu'une seule fois en justice, pour une histoire de fraude fiscale. Il faillit y avoir une deuxième fois, mais la mort de deux membres du jury par pendaison avait provoqué le retrait de la plainte.

« Au quatrième top, il sera exactement dix heures dix-huit minutes et dix secondes. » Je fermai les yeux et pensai à Bonnie. Je la revoyais telle que je l'avais vue pour la dernière fois, en train de descendre les escaliers. Elle s'était changée pour venir au QG. Elle portait des chaussures à talons noir et blanc, une jupe droite blanche et un T-shirt noir. Elle avait dû se maquiller légèrement parce que ses paupières semblaient plus foncées et ses lèvres plus roses, comme si elle avait mangé des framboises. Ce n'était plus Bonnie, mais une figure élégante et tragique, une femme au cœur brisé qui portait des boucles d'oreilles en or. J'avais beau ouvrir les yeux, je n'arrivais plus à chasser son image.

Je me concentrai à nouveau sur le dossier du gros Mikey. Robby avait une écriture de petit garçon. Il avait pris des pages et des pages de notes sur les associations du gros avec des malfaiteurs, y compris avec des personnalités en vue ; sur le commerce de ses parents qui lui servait de couverture ; sur ses liens avec Spencer et le fric qu'il avait mis dans *Nuit d'été.* Visiblement, Robby avait pris toutes ces notes en prévision de la réunion du lundi, quand il avait parié sur Mikey.

Mais à la réunion j'avais réussi à le convaincre de la culpabilité de Bonnie. Au fur et à mesure, les pages fondaient en paragraphes, puis en simples phrases. « 26 septembre, seize heures dix », avait-il noté environ une demi-heure après la visite du gros et de son avocat. Quelle importance puisqu'on savait qui avait fait le coup. « Parlé à Nancy Hales, comptable de Nuit d'été Productions, Inc. A finalement reconnu que Mikey lui a versé un dessous-de-table pour parler du film $$... »

Je tournai la page, mais elle était blanche, mis à part : « Jour se lève... » et puis plus rien. Quelque chose clochait, bon sang. Plus de notes ? Même si Bonnie avait été prise la main dans le sac il aurait dû poursuivre l'investigation. Se demander, par exemple, ce que « A finalement reconnu » voulait dire. Quel était le montant exact du dessous-de-table ? Et comment il lui avait proposé ? Au téléphone ? Face à face ? Savait-elle que Mikey était un truand ? Avait-elle accepté, refusé ? Je remis le dossier dans le tiroir et fermai les yeux. « Relax, pensai-je. C'est pas ton problème. »

Mais je rouvris les yeux et décrochai le téléphone pour appeler Nancy Hales à Nuit d'été Productions. Leurs bureaux se trouvaient à Queens, dans des studios de cinéma. Je la baratinai en lui disant que Kurz avait été nommé sur une autre enquête et que j'étais chargé de vérifier ses notes sur le dossier Lo Triglio.

— Combien de fois avez-vous parlé à l'inspecteur Kurz ? demandai-je le plus naturellement du monde.

— Je l'ai vu une seule fois.

— Dans votre bureau ?

— Oui. Et il m'a téléphoné deux fois.

Elle parlait très lentement, d'une voix rauque. Elle m'avait l'air complètement idiote, ou alors elle était du Sud.

— Parlez-moi de Mikey Lo Triglio.

— J'ai déjà dit...

— Je sais, mais je veux vous entendre moi-même. On ne peut pas toujours se fier à des notes. — Et j'ajoutai : — Croyez-moi, c'est dans votre intérêt à vous.

— L'inspecteur m'a assuré qu'on ne me ferait pas d'ennuis si je coopérais.

Elle flippait.

— C'est vrai. Maintenant, racontez-moi.

— M. Lo Triglio est venu au bureau un jour. Il cherchait M. Spencer, mais je crois qu'il savait que M. Spencer n'était pas là. Vous voyez ce que je veux dire ?

— Ouais.

— Il a demandé à voir le comptable et on l'a dirigé vers moi. Il s'est assis et il m'a questionné sur ce qui déconnait avec le film. Alors j'ai répondu : « Qu'est-ce que vous voulez dire par là ? »

— Et alors ?

— Il a dit : « Je te conseille de pas te foutre de ma gueule. » Alors je lui ai dit que je n'étais pas autorisée à lui communiquer quoi que ce soit concernant la comptabilité. Il m'a répondu qu'il avait mis beaucoup d'argent dans *Nuit d'été*, mais je lui ai répété qu'il me fallait une autorisation de M. Spencer. — Elle marqua une pause. — C'est un... comment dire ? je savais que c'était un gangster. Pas Al Capone, bien sûr, mais enfin quand même, j'avais les jetons. C'est pour ça que je l'ai fait.

— Pris l'argent, vous voulez dire ?

— Mmm...

— Il vous l'a donné comment ? demandai-je.

— Il l'a, comment dirai-je ? Il l'a glissé sous le téléphone.

— D'accord, mais sous quelle forme ?

— Des coupures de cinquante.

— Combien ?

— Votre collègue ne vous l'a pas dit ?

— Je croyais que vous étiez prête à coopérer, rétorquai-je.

— Dix.

— Et qu'est-ce que vous lui avez lâché pour cinq cents dollars ?

— L'histoire avec Lindsay Keefe.

— S'il vous plaît, Nancy. Je suis en train de reprendre toutes les notes. Alors on va recommencer depuis le début. Racontez-moi donc l'histoire de Lindsay Keefe.

— Bon. Les deux caravanes et les deux chauffeurs supplémentaires, la séance de repérage, l'augmentation du cachet de Monteleone, et la construction de quatre décors en intérieur, tout ça c'était du pipeau. Sy m'avait demandé de rajouter des factures... pour pouvoir jongler avec l'argent.

— Et le donner à Lindsay Keefe ?

— C'est ça.

— Et ça faisait combien en tout ?

— Cinq cent mille, murmura-t-elle.

— Un demi-million de dollars ?

— Mmm... mmm.

— Et pour quelle raison lui aurait-il donné un demi-million ?

Elle parlait encore plus bas :

— Je ne sais pas. Elle avait dû le menacer de se retirer.

Je n'y comprenais rien. C'était Spencer qui voulait s'en débarrasser !

— Ça s'est passé quand ?

— Trois jours avant le début du tournage.

Je pris une grande inspiration.

— Nancy, pourquoi est-ce qu'il lui a donné un demi-bâton de mieux ? Elle avait un contrat, non ?

— Oui.

— Alors ?

— Alors, il en était fou de cette fille. Et quand je dis fou, je dis fou. Il aurait fait n'importe quoi pour la garder.

La garder dans son plumard, ouais. C'était bien lui, ça. Il pouvait toujours jongler avec le pognon. Puisque *Nuit d'été* allait rapporter dans les quatre-vingt-dix bâtons, on n'allait pas faire une jaunisse pour une poignée de dollars. Et voilà comment, avec un million plus un demi, Sy Spencer s'était payé le coup du siècle... et une actrice à chier qui était en train de lui foutre son film en l'air. Il avait quand même dû la trouver amère, celle-là.

— Vous pensez que Mikey Lo Triglio était au courant des bruits qui couraient sur Lindsay Keefe ?

— Des rumeurs... il y en avait des tas. Il a forcément eu vent de quelque chose.

— Par qui ?

— Par quelqu'un de l'équipe qu'il a dû payer.

— Qui ça, par exemple ?

— Je ne sais pas.

— Ensuite il a appris par vous que Spencer magouillait avec le fric pour le donner à Lindsay Keefe.

— Oui.

— Et il a réagi comment, Mikey ? (Silence.) L'inspecteur Kurz ne vous a pas posé la question ?

— Non. Je n'aurais pas refusé de lui dire, mais il ne m'a rien demandé.

— Et vous n'avez pas eu l'idée de lui en parler ?

— Non. J'avais peur.

— Qu'est-ce qu'a dit Lo Triglio ?

— Quand il a su la somme exacte que Lindsay avait reçue, il a dit : « Vous pouvez dire à mon pote Spencer que ça va lui coûter une couille, cette affaire-là. » Et puis il est parti.

12

Robby déconnait là ou quoi ? Si moi j'avais été chargé de l'enquête sur Lo Triglio et qu'un flic me soutenait que l'assassin était l'ex-femme de Spencer j'aurais fait un scandale. Je l'aurais complètement démonté, le mec : « Bonnie couchait avec Spencer, et alors ? Il y a une loi contre ça ? Ils baisent, elle lui dit " Tchao, on s'appelle quand tu reviens de Los Angeles " et puis elle rentre à la maison. Ça te défrise ? Elle sait se servir d'un flingue, tu dis ? Et Lo Triglio, alors ? C'est une oie blanche peut-être ? Et Lindsay Keefe ? Sors un peu, mon vieux. On l'a déjà vue tirer dans ses films.

» Et même si l'ex était née avec un 22 entre les cuisses, aurait-elle tué Spencer pour autant ? Une fille sympa comme ça, tu crois que ça peut descendre un type de sang-froid ? Réveille-toi, petit gars, t'es pas Hercule Poirot, t'es flic à la Criminelle.

» Et la psychologie du crime, t'en fais quoi, pauv' pomme ? Qui est le plus susceptible de passer à l'acte ? La nana qui s'est déjà fait plaquer par un mec sur deux à South Fork ou le gros méchant truand qui apprend que son meilleur pote vient de l'escroquer de cinq cent mille dollars ? »

Si j'avais été Kurz, je me serais battu comme un diable. Je lui aurais réglé son compte vite fait bien fait, au gros Mikey. Même chose pour Lindsay Keefe : une star follement égocentrique sur le point de se faire balancer par Spencer !

Mais que s'était-il passé dans la tête de Robby ?

Pourquoi m'avait-il laissé descendre Bonnie en flammes le jour de la réunion, sans même essayer de me contredire ? C'était pourtant facile.

Une pensée me foudroya comme un éclair : « Mon Dieu ! Et si j'avais détruit la vie d'une innocente ! »

Mais immédiatement, je me repris : « T'es con, t'as pas vu tout le cinéma qu'elle t'a fait ? D'abord son air éploré en voyant le mandat de perquisition, et puis sa façon de te regarder avec un air de dire : " Comment peux-tu me faire ça ? ", et pour finir, elle se transforme en glaçon. Elle est très douée, cette Bonnie. Tu te croyais le plus fort, Brady, mais tu t'es fait baiser dans les grandes largeurs. Elle avait bien vu qu'elle te faisait de l'effet. Elle s'assied, l'air abattu, devant la cheminée par une chaleur torride et elle se met à grelotter et elle te jure qu'elle n'a rien fait avec des trémolos dans la voix. Elle va tout tenter pour s'en sortir. Mais tu tiens bon. Alors, elle joue sa dernière carte. Elle monte se changer. Elle met une jupe sexy et des boucles d'oreilles en or.

» Et si elle disait la vérité ?

» Alors pourquoi avait-elle tant menti ?

» Cela dit elle pourrait mentir comme une arracheuse de dents et ne pas avoir fait le coup pour autant. Mais qui alors ? Bonnie Spencer, Mikey Lo Triglio, Lindsay Keefe, lequel des trois ? »

A ce moment-là, Kurz rentra comme une flèche dans le bureau. Visiblement, il n'appréciait pas mes pieds sur son bureau, à côté de son porte-stylo. Mais il était trop excité pour gueuler.

— Ça y est, Bonnie est au labo !

Si ma semelle n'avait pas frôlé la plaque gravée à son nom : « Inspecteur Robert Leo Kurz », je crois bien qu'il aurait explosé de joie.

— Elle y est, là, en ce moment. Avec l'avocat.

Je ne bougeai pas.

— Qu'est-ce qui se passe ? Tu ne veux pas y aller ?

— Dis donc, Robby, tu ne m'avais pas parlé du pot-de-vin de Mikey.

Il prit un air tellement idiot que je compris que c'était forcément du chiqué.

— Le pot-de-vin à la comptable de *Nuit d'été*.

— On s'en fout.

— Moi je m'en fous pas. Tu sais très bien que l'alibi de Mikey c'est de la couille en barre. Il avait la possibilité de descendre Sy. Et maintenant, je découvre qu'il avait le mobile. Pourquoi diable as-tu arrêté l'enquête, Robby ?

Il leva la main. Stop ! Agressif, furibard, on aurait dit un de ces enfoirés de néo-nazis qui font la circulation.

— Ecoute-moi bien, Steve. (Il était vachement vexé, le Robby.) On tient l'assassin. Tout le monde est d'accord là-dessus, même le labo.

Il fit un demi-tour, marche, droite et il repartit aussitôt au labo.

Je lui filai le train. Cet enfoiré de première empestait tellement le dentifrice et la laque qu'on pouvait le suivre à la trace. Un enfoiré en beige clair, assorti à ses pompes. C'était censé être du lin, son machin, mais c'était de l'imitation. J'en avais des boutons rien qu'à le regarder. Un truc brillant, hideux, tout couvert de cloques.

— Hep ! Il faut que je te parle cinq minutes, criai-je.

Il ne s'arrêta pas.

Il arriva à la porte du labo au moment où Bonnie et Friedman en sortaient. Elle tenait une compresse à la pliure du coude, là où on lui avait pris du sang. Elle ne me vit pas jusqu'au moment où je dis :

— Comment ça s'est passé ?

Elle me regarda, surprise, terrifiée, on aurait dit la gentille fille surprise par le monstre dans un film d'horreur.

C'était à peu près ça, du reste. Elle se mit à marcher très vite et faillit perdre l'équilibre. Friedman la retint par le bras et elle prit appui sur lui, rien qu'une seconde pour pouvoir repartir.

Nos regards se croisèrent un instant. Elle avait des yeux de folle. Terrorisés. Et puis elle repartit à grandes enjambées, aussi vite que sa jupe serrée le lui permettait. Friedman arrivait tout juste à la suivre.

Quand ils eurent tourné le coin, Robby dit :

— Je file au tribunal chercher le mandat d'arrêt.

Je l'attrapai par la manche de son affreux costard.

— Pas encore.

— Comment ça, pas encore ?

— Je veux dire que nous ferions une erreur en précipitant les choses.

— Mais non.

— Mais si.

— Non !

— Robby, combien de temps tu as passé à chercher le 22 ? Sûrement pas assez. L'enquête doit continuer.

Sa lèvre du haut remonta comme s'il allait mordre. Il avait les dents de la même couleur que son costard et ses pompes.

— Qu'est-ce qui te prend, tout d'un coup ? Tu te dégonfles ou quoi ? Tu ne vas quand même pas la laisser s'échapper ?

— S'échapper pour aller où ?

— N'importe où. Ecoute, j'ai bien vu quand j'ai fouillé sa penderie, elle a des chaussures de randonnée, elle a même un sac à dos !

— Tu parles ! Que veux-tu qu'elle fasse ? Qu'elle aille camper dans les marais ?

Je ne voulais pas qu'il sache que c'était précisément ce que je redoutais et qui m'avait fait cauchemarder cinq heures durant, cette nuit. Bonnie pouvait s'échapper. Elle pouvait se barrer, regagner le Nord, voler un bateau et quitter Long Island.

— Ou alors tu t'imagines que sa tantouze d'avocat va la cacher dans sa cave ? insistai-je.

— Non, mais elle peut retourner au Utah !

— Et faire quoi, là-bas ? On a l'adresse de tous ses frères et de son père en Arizona. Elle n'a nulle part où aller.

— Si on la coffre avant le week-end, on est des héros. Tu comprends ça ? Ou bien tu te fous de ta carrière ?

— Va chier, Robby.

Kurz balança un coup de poing contre le mur. Il y eut un petit bruit sec. Mais pour compenser il se mit à hurler. Sa voix résonnait dans le petit couloir étroit et on l'entendait dans tout l'étage.

— Tu vas nous bousiller l'enquête, triple con !

— Non. Je vais faire mon boulot. Je continue les recherches, un point c'est tout. J'ai pas envie de jouer les lèche-bottes et de brûler les étapes rien que pour arriver le premier. « Coucou, capitaine Shea ! c'est moi qui ai trouvé le coupable du meurtre qui a fait tellement de bruit dans la presse. Je suis bien content d'avoir fait du bon boulot. »

Robby serra les poings et se mit en position de combat. Ses clefs sonnaient dans sa poche.

— Bon Dieu, Robby, pas ça. Non, pas ça ! raillai-je.

— Ta gueule, Brady !

— Ne me bats pas ! Non ! Robby ! Pitié ! Tu ne lèverais quand même pas la main sur un pauv' vieux de quarante balais !

— Ecoute, espèce de pochard de merde, j'y vais tout de suite, au tribunal.

— C'est ça. Tire-toi d'ici, on t'a assez vu. Et pendant ce temps, je vais aller trouver Shea, lui dire que t'as pas fait ton boulot, que tes conclusions à la mords-moi-le-nœud, on peut les démolir en cinq secondes et demie.

On se serait cru au cinoche. Plan fixe. Moi, immobile, et Kurz les poings en l'air. Lentement, il finit par les desserrer. Il avait les doigts écartés comme s'il s'apprêtait à me sauter à la gorge.

Finalement, je dis :

— Relax, vieux.

— Ta gueule, sac à vin.

— Ecoute, t'excite pas. Tu vas pousser Shea au cul pour des prunes. Il reste trop de pistes inexplorées. Mikey, Lindsay Keefe.

— Lindsay Keefe !

Il ricana.

— Tu vois donc pas que ça nous pend au nez. La photo de Lindsay dans *Transvaal*, un flingue à la main, à la une de tous les canards à sensation. « Lindsay Keefe a-t-elle fait mouche ? » Et le *Daily News* qui va nous pondre un bel article sur la Spencer Connection. Tu comprends pas que si on répond « Bonnie Spencer » à chaque fois qu'on nous pose une colle, on va soupçonner le QG de vouloir faire endosser le crime à une brave fille sans le rond. Et qui va trinquer dans l'histoire ? C'est noszigues.

Robby se taisait. Finalement, il ne se rua pas sur moi

pour m'étrangler. Il baissa les mains, fit demi-tour et repartit, clip, clop, en direction de la Criminelle.

— Ne me demande pas comment va l'enquête, le Germe, je ne peux pas te répondre.

— Je ne te parle pas de l'enquête, dit-il de sa voix à cent mille dollars. Je suis critique de films, pas pigiste à la chronique juridique. Et d'abord je ne t'ai pas demandé comment allait l'enquête, je t'ai demandé comment tu allais, toi. Tu n'as pas l'air très en forme, on dirait.

— Je suis trop vieux pour ce métier.

J'avais tous mes dossiers étalés sous les yeux. Le Boche les avait sortis avant de continuer sa tournée des bureaux.

— Parle-moi de Lindsay Keefe, tiens, repris-je.

— Oh, Lindsay la ravageuse. Classique. Le flic mal léché qui en pince pour la blonde éthérée.

Il avait réussi à me faire rire, une seconde.

— Parle-moi plutôt de *Transvaal.*

— Pourquoi ?

J'hésitai, puis je dis :

— Je pense que je te connais depuis assez longtemps pour te faire confiance, Jeremy.

— Tu peux, Steve.

J'étais en train de gribouiller les initiales de Bonnie sur son dossier, d'en faire des capitales en relief. Et je réalisai tout à coup qu'elle avait les mêmes initiales que moi, à l'envers.

— Bon. J'ai entendu dire que Lindsay Keefe se servait d'un flingue dans *Transvaal.*

Le Germe répondit par un « Ah » mélangé de « Oh » très distingué.

— En clair, est-ce que tu connais quelqu'un qui a travaillé sur le tournage ?

— Quelqu'un qui pourrait te dire si Lindsay sait se servir d'un flingue ou bien si l'ingénieur du son faisait Bang ! quand elle tirait, c'est ça ?

— En plein dans le mille !

— Rappelle-moi dans une heure. (Il fit une pause.) Et écoute ton vieux pote, Steve, ne te surmène pas. OK ?

— OK, dis-je. Te fais pas de mouron.

J'appelai Lynne en espérant tomber sur son répondeur. Mais Lynne était là.

— Allô !

Elle était toute chaleureuse. Je n'avais rien à lui dire, je raccrochai et appelai le frangin.

— Easton ? Tu te souviens m'avoir dit que Spencer n'aurait jamais renvoyé Lindsay ? demandai-je.

— Hum, il voulait lui faire peur, mais il ne l'aurait jamais renvoyée.

Easton avait une voix pâteuse comme s'il avait pris un calmant.

J'avais dû l'arracher à une cure de sommeil comme il lui arrivait d'en faire pour s'évader. Ça pouvait durer des semaines : il mettait son pyjama à rayures, un oreiller sur le téléphone pour étouffer la sonnerie ; il fermait les rideaux avec des épingles à nourrice et de temps en temps il chaussait ses savates en cuir pour descendre à la cuisine avaler un petit quelque chose, généralement de la glace ou des fruits au sirop. Comme un bébé qu'on force à manger.

Il trouvait des excuses du style : « Le docteur pense que c'est viral » et il se mettait à toussoter. Ça le prenait quand il se rendait compte qu'il ne serait jamais un agent d'assurance génial ou un héros du prêt-à-porter pour hommes. Il arrivait de plus en plus tard au boulot et en repartait de plus en plus tôt — après le déjeuner parfois. Le patron téléphonait, une fois pour l'engueuler et la seconde pour le foutre à la porte. Easton marmonnait : « C'est comme vous voudrez. » Il raccrochait et retournait au plumard.

Depuis que Spencer était mort, il n'avait plus de raison de rester éveillé.

— Easton ? Secoue-toi, mon vieux !

Il était de mauvais poil.

— C'est fait.

— Tu crois que Lindsay savait que Katherine Pourelle

avait reçu le scénario, ou que Spencer allait à Los Angeles pour la voir ?

Easton essayait d'émerger. Je l'imaginais secouant la tête pour dissiper le brouillard.

— Si elle savait ? répéta-t-il. — Tout à coup il eut l'air alerte, décidé, protecteur. — Pourquoi tu me demandes ça ?

— Ecoute, je sais que... qu'elle te plaît, mais essaye d'être objectif, East. Il y a eu meurtre.

— Et tu penses que si elle avait su... Steve, c'est complètement idiot.

— Peut-être mais je ne peux négliger aucune piste.

— Attends-moi une petite minute, s'il te plaît, dit-il. J'ai dû m'assoupir. Je me sens tout groggy.

J'ouvris mon tiroir et pris mon coupe-ongles gagné en prime à la station-service pour me faire un semblant de manucure. Parti comme c'était parti, j'allais pouvoir retirer mes chaussures et mes chaussettes et commencer à me faire les orteils. Mais Easton revint. Il reprit , d'une voix hésitante :

— Lindsay... comment dire... s'intéressait aux affaires de Sy.

— Qu'est-ce que ça veut dire en clair ? Qu'elle fourrait son nez partout ?

— En apparence, oui.

— Donne-moi un exemple. — Il se taisait. — Arrête de jouer les chevaliers servants, tu veux ? Il n'est pas question de la coffrer. Il faut simplement que je termine la paperasse sur cette affaire.

— On soupçonne Lindsay ?

— Non.

— Qui, alors ?

— Top secret, vu ?

— Vu.

— Son ex-femme, Bonnie Spencer. Mais comme Lindsay tire au pistolet dans *Transvaal*, je suis chargé d'approfondir un peu la question. Alors, elle fourrait son nez partout ?

— Je t'ai dit qu'elle « s'intéressait » aux affaires de Sy. Bon. Généralement, Sy allait se baigner après elle.

Elle remontait se doucher, du moins c'est ce qu'elle disait, mais en fait elle allait dans le bureau de Sy.

— Et ?

— Et sous prétexte de chercher un timbre ou une agrafe, elle fouillait dans les papiers posés sur le bureau. Oh, et puis une fois, elle s'est servie d'un petit agenda électronique appartenant à Sy. A mon avis elle interrogeait la mémoire. On pourrait croire qu'elle était fouille-merde, mais ça n'est pas vrai. Sy n'était pas seulement son amant, il était aussi son boss. Elle le connaissait mieux que personne. Elle le savait redoutable quand il n'était pas content et elle n'ignorait pas à quel point il lui en voulait. Elle, au fond, elle cherchait à protéger ses intérêts.

— C'est essentiel, Easton. Elle savait pourquoi Spencer allait à Los Angeles ?

— Essentiel ? — Il réfléchit. J'attendais. — Elle était de plus en plus curieuse. Elle allait dans son bureau de plus en plus souvent. Elle lisait les faxes qui arrivaient tous les matins, avant que Sy ne se lève et avant d'aller sur le tournage.

— Et comment tu sais ça ?

— J'arrivais tôt le matin. Ça me gêne de parler de ça.

— Ecoute, tu n'es pas le premier mec à en pincer pour une nana, quand même. Je suis ton frère, non ? Tu peux me parler. Tu arrivais tôt pour pouvoir la voir ?

— Oui. Elle ne se cachait pas de moi. J'avais l'impression d'être un meuble pour elle. Je ne la gênais pas, en tout cas. Ou bien alors elle savait que j'étais amoureux d'elle et se sentait en sécurité. (Il soupira.) C'est sûrement ça la raison. Quoi qu'il en soit, tu veux savoir si elle se doutait que Sy allait agir ? Eh bien oui, elle le savait.

Le Germe rappela une demi-heure plus tard. Il avait eu le producteur de *Transvaal :* Lindsay avait pris quelques leçons de tir avec un garde-chasse sud-africain. Cela dit, le producteur ne savait pas si elle tirait bien ou non, mais il avait ajouté qu'elle avait eu un flirt avec le garde-chasse et ensuite avec l'acteur noir qui jouait le rôle du militant anti-apartheid.

Friedman appela à midi, de son bureau. Il avait contacté Bill Paterno, mais il voulait me toucher un dernier mot, d'homme à homme. Il me proposa de passer me voir au bureau. Je regardai du côté de Kurz. Tête baissée, il épluchait mot à mot tous les rapports d'analyses médicales. Il remuait les lèvres. A mon avis, il priait le bon Dieu de lui apporter la preuve de la culpabilité de Bonnie Spencer. Il avait l'air légèrement sonné. Je donnai rendez-vous à Friedman dans le restau le plus proche à une heure et demie, s'il était d'accord pour me parler pendant que j'avalerais ma salade de poulet, mon sandwich au bacon et mon milk-shake à la vanille, opération qui pouvait prendre jusqu'à quatre minutes et demie quand je ne bouffais pas comme un cochon.

Le Grec qui avait racheté le *Blue Sky* avait entièrement revu la formule, si bien que, maintenant, les couverts étaient à peine dégueulasses. Les murs étaient couverts de panneaux imitation chêne. Des lustres et des plantes vertes en plastique graisseux pendaient du plafond. Le menu, épais comme le bottin, était une liste quasi exhaustive de tout ce qui peut passer au micro-ondes. Le patron se pointa, son carnet à la main, pour prendre la commande.

Je regardai Friedman :

— Le cuistot se lave toujours les mains quand il revient des chiottes. Vous pouvez y aller les yeux fermés. La salade de poulet est inoffensive, les hamburgers ont un arrière-goût de pneu, le reste est à chier.

— Ne l'écoutez pas, dit le patron. Il vous fait marcher. La cuisine est bonne. Comme plat du jour nous avons du carrelet sur lit d'épinards avec de la feta.

Friedman répondit que non, merci, il avait déjà mangé. Juste un café glacé. Je passai ma commande et le patron retourna à la cuisine.

— Allez-y, dis-je. Je suis tout ouïe.

Friedman aligna soigneusement son couteau, sa fourchette et sa cuiller, et s'assura que sa serviette était bien parallèle au bord de la table. Puis il la déplia et la mit sur ses genoux. Malgré son look clean et sa belle gueule, Friedman avait le nez tordu. De deux choses l'une, soit le canal utérin de sa mère était trop étroit soit il s'était pris un marron dans une bagarre.

— J'avais espéré que cette conversation ne serait pas nécessaire, dit-il calmement.

— Elle ne l'est pas. Vous auriez pu vous épargner le voyage — et des brûlures d'estomac par la même occasion. L'enquête est pratiquement terminée. Il est probable que demain votre cliente sera sous les verrous.

— Elle s'appelle Bonnie.

— Je sais.

Mes joues commençaient à être douloureuses. Je sentais la pression des larmes quelque part derrière mes yeux. Il n'était pas question de craquer. Et surtout pas devant ce type-là.

— Continuons.

— Pourquoi vous acharnez-vous sur elle ?

— Monsieur Friedman, avec tout le respect que je vous dois, comprenez que ceci n'est pas de votre compétence. Vous êtes en train de mélanger le boulot et l'amitié. Ceci est une enquête policière. Vous perdez votre temps, vous me faites perdre le mien et vous ne rendez pas service à votre cliente. Soyez gentil, attendez demain. Paterno va prendre l'affaire en main. Il a l'habitude, lui, il nous connaît et il connaît le juge.

Le patron revint avec le café glacé et un sucrier minuscule. Friedman attendit qu'il soit reparti.

— C'est vous qui en faites une affaire personnelle, dit-il.

— Comment ça ?

— Je veux dire qu'il n'est pas déontologique de mener une enquête sur quelqu'un avec qui...

« Attention, pensai-je, ça va être ta fête. »

— Avec qui... ?

— Avec qui on a couché.

La moutarde me monta au nez. Mes oreilles bourdonnaient. J'étais hors de moi. Et déçu aussi. Je n'arrivais pas à croire qu'elle lui avait fait ce coup-là. Qu'elle ait eu le cran de descendre un mec de sang-froid, oui, mais raconter un bobard pareil ! Non, pas ma Bonnie !

— C'est un affreux bobard, dis-je.

— Non, c'est la vérité.

Il était parfaitement calme. Tout ce qu'il pouvait me balancer lui avait été soufflé par Bonnie.

— Je pense que votre cliente souffre de mythomanie, cher maître. Je ne l'ai jamais touchée. Je ne lui ai jamais rien dit de déplacé. Rien.

— Ça c'est un bobard.

— Ecoutez, je crois que vous n'avez pas vraiment envie de ce café. Retournez à East Hampton faire du droit commercial et oubliez-moi, compris ? — Il ne tiqua pas. — Bon. Très bien, le chef de la Criminelle s'appelle Shea. Allez le trouver et dites-lui ce que vous voulez. Ou bien déposez une plainte en bonne et due forme.

— Que s'est-il passé entre vous pour que vous lui en vouliez à ce point ?

Le type revenait avec mon milk-shake et un sandwich tout blanc, délavé, boursouflé. On aurait dit qu'il était venu à la nage.

— Ecoutez, dis-je. Elle vous a fait croire qu'il y a eu quelque chose entre nous. Je ne vais pas essayer de vous convaincre.

Un morceau de bacon tout sec et recroquevillé pendouillait sur le côté du sandwich.

— Mais je ne vais pas vous laisser gâcher mon déjeuner et me raconter que je lui ai mis la main au cul ou que je lui ai dit : « Tu couches avec moi ou tu vas au gnouf. » OK ? Bon vent, monsieur Friedman.

Je l'entendis à peine.

— Je ne vous parle pas de ce qui s'est passé ces derniers jours, dit-il. Je vous parle de ce qui s'est passé il y a cinq ans.

— Quoi ?

— Il y a cinq ans. Ce n'était pas une histoire d'amour. Disons que c'était un flirt d'un jour.

— Il y a erreur sur la personne, dis-je.

— Elle m'avait téléphoné exprès pour m'en parler. Je me souviens très bien. Elle m'avait dit : « Gideon, j'ai rencontré un type formidable. »

— Elle ment. Ou alors, toute cette histoire lui a tapé sur le système. A moins qu'elle n'ait toujours été comme ça.

— Bonnie a toutes ses facultés.

— Alors, elle est sincère et elle croit qu'elle m'a vu dans son lit. Ecoutez, vous savez très bien que des tas de mecs ont défilé dans son plumard.

Friedman portait un blazer vert olive sur son ensemble Ninja. De la soie apparemment. Il déroula une des manches et la remonta à nouveau.

— Bonnie m'a aussi dit : « Il est né à Bridgehampton. Ses parents avaient une ferme, à deux pas d'ici. »

Je ne disais rien. Je secouai la tête.

— Je me souviens très bien de cette conversation, monsieur Brady. Elle était complètement transfigurée. Elle a dit : « C'est un flic. Un flic, tu te rends compte ! Un type vachement intelligent. Plein d'humour. C'était génial. »

— Pas avec moi en tout cas.

Il recommença son manège avec l'autre manche.

— Je suis désolé, je sais que vous y croyez, mais il y a erreur sur la personne.

Friedman ôta la protection sur le pot de lait en plastique et versa la crème dans son café.

— Elle a dit...

— S'il vous plaît, vous perdez votre temps.

— Laissez-moi terminer. Elle a dit : « Il s'appelle Stephen Brady. »

Je continuai de secouer la tête.

— Je me souviens du nom parce qu'on s'était demandé si Brady était un nom irlandais et on avait fait une longue digression sur les comportements sexuels des différentes cultures. Bonnie avait dit qu'elle vous poserait la question la prochaine fois qu'elle vous verrait. — Friedman ouvrit un sachet de sucrettes et le versa dans son café. — Elle croyait dur comme fer que vous alliez vous revoir. C'est ça le plus étrange. Elle était persuadée qu'il s'était passé quelque chose de spécial entre vous. Et croyez-moi, Bonnie n'est pas du genre à se faire des illusions. Elle connaissait la chanson, ça n'était pas la première fois qu'elle rencontrait un homme dans un bar...

— Quel bar ?

— Le *Gin Mill.* Du côté de...

— Je sais où c'est. Continuez.

— Je crois que j'ai tout dit. Bonnie n'était pas dupe. Quand on rencontre un homme dans un bar et qu'on couche avec le soir même, on ne s'attend pas à recevoir des fleurs le lendemain.

— Elle vous a dit que je lui avais envoyé des fleurs ?

— Non. Je parlais au sens figuré. Mais elle avait la certitude que cette fois-là il s'était passé quelque chose. Quelque chose de fort.

Je me frottai le front avec la main.

— Vous ne pouvez quand même pas l'avoir oubliée à ce point. Même si ça n'était qu'un coup en passant. En la revoyant, en revoyant la maison...

— Je n'ai pas de mémoire.

Friedman, le beau gosse au nez tordu, avait l'air étonné plus qu'autre chose.

— Mais pourquoi cet acharnement si vous ne vous souvenez pas ?

— Il ne s'agit pas d'acharnement. Elle est coupable.

Il remuait sa cuiller bruyamment, mais il parlait très calmement.

— Pourquoi n'avez-vous pas demandé à un de vos collègues de se charger de l'enquête sur Bonnie ?

— Parce qu'il n'y avait pas de raison. Je ne l'avais jamais vue.

— Mais si. Ça s'est réellement passé.

Il y eut un long silence et puis finalement je dis :

— Ecoutez, je suis alcoolique. J'ai arrêté de boire il y a quatre ans. Mais des pans entiers de ma vie ont disparu. Des journées entières, et même des semaines. Peut-être que... J'ai eu des tas de femmes dans ma vie. Il me semblait bien, en la voyant, que sa tête me disait quelque chose. Je me suis dit que je l'avais peut-être déjà croisée en ville.

— Autrement dit vous ne niez pas.

— Non. Mais je ne dis pas que c'est certain non plus. J'ai peut-être passé une nuit avec elle. Je lui ai peut-être dit qu'elle était géniale, comme à toutes les filles : « C'est pas seulement le sexe qui m'intéresse, poupée, c'est toi. Tu es une fille super. » Je ne peux pas vous raconter ce qui s'est passé entre nous, ce que je lui ai dit ou fait.

— Vous lui avez dit que vous l'aimiez.
— Mais je ne l'ai jamais revue, que je sache.
Friedman se cala au fond de la banquette et croisa les bras. Calme.
— Elle prétend que vous étiez plus gros à l'époque.
J'avais perdu dix kilos depuis que j'avais arrêté de boire et commencé à courir.
— Et que vous aviez une moustache. Epaisse, qui tombait sur les coins de la bouche. Oui, et c'est pour ça qu'elle a mis un certain temps à vous reconnaître quand vous vous êtes présenté chez elle. Et vous savez ce qu'elle a pensé ? « Tiens, il s'est finalement décidé à revenir ! »
— Monsieur Friedman, vous n'avez pas l'air de comprendre. De deux choses l'une, ou bien elle s'est rencardée en ville et elle vous a monté le coup, ou bien ça s'est réellement passé, mais ça n'a plus aucune espèce d'importance. Même si on me retire l'enquête et qu'on nomme quelqu'un d'autre à ma place, Bonnie Spencer comparaîtra devant les juges. Les preuves contre elle sont accablantes. Elle sera très probablement condamnée et elle ira en tôle. Que j'aie couché avec elle ou pas, que je lui aie dit que je l'aimais ou pas ne change rien au problème.
— Bonnie avait raison. Vous êtes très très malin.
— Merci.
— Ecoutez-moi, bon sang. Votre théorie sur les circonstances de la mort de Spencer est intelligente. Tout ce que je vous demande de faire, c'est de revenir sur celle-là et d'en élaborer une autre tout aussi parfaite.
Je secouai la tête.
— Essayez, bon Dieu. Repartez à zéro. Et tâchez de trouver le vrai coupable, cette fois.
— C'est impossible.
— Réfléchissez, Brady.
— C'est tout vu, il n'y a rien à faire.
— Si, c'est encore possible, et vous le savez.

13

Je quittai le restau sans avoir pu avaler une bouchée. Il faisait une chaleur à crever. J'avais envie d'aller faire un tour du côté des AA, mais finalement je décidai d'aller au nord, droit devant moi, loin du QG.

Je garai la voiture devant un centre commercial ouvert vingt-quatre heures sur vingt-quatre. Le paradis des banlieues avec son onglerie, sa yaourterie et sa carterie où l'effigie des Peanuts décorait nappes et serviettes en papier, couverts en plastique et assiettes en carton.

Je verrouillai le toit ouvrant, bouclai mon flingue et enfilai le short et les tennis que je gardais toujours à l'arrière, dans mon petit vestiaire portable. J'accrochai mon bip à l'élastique de mon short. Comme je m'étais servi de ma chemise de jogging pour nettoyer la jauge à huile, je restai torse nu.

L'humidité était suffocante. Pour une fois, j'aurais bien eu l'usage d'un de ces bandanas ridicules que les riverains se mettent autour de la tête quand ils veulent avoir l'air d'être dans le bâtiment. J'aurais même bien pris un petit sac à dos avec une gourde d'eau minérale.

Pendant les trois premiers kilomètres j'oubliai Bonnie et tout le reste. Je dépassai les mobile-homes en alu déjà tout bouffés aux mites, sans boîte aux lettres, sans rosiers, sans rien, sauf un malheureux géranium gracieusement offert par le promoteur pour décorer la pelouse. Ensuite je longeai un champ de quelques hectares avec un panneau « à vendre ».

Après ça je dépassai une ferme toute pareille à celles de South Fork, sauf que les embruns marins n'arrivaient pas jusqu'ici pour couvrir l'odeur du fumier et des pesticides. C'était joli quand même. Un champ de bintjes brun clair prêtes à être ramassées était bordé d'un parterre de trèfle rose sombre parsemé de clochettes blanches. Je pensai : « Les patates ont une bonne gueule. » Beaucoup de paysans n'aiment pas les bintjes à Long Island parce qu'elles sont facilement noueuses. Mais cette année-là il y avait eu assez d'eau.

Bonnie ! Pas de fantasmes cette fois. Des souvenirs bien réels.

1er septembre, jour férié aux Etats-Unis. Quatre heures de l'après-midi. Dans le bar. « T'as raison Gideon, c'était bien le *Gin Mill.* » C'était plein comme un œuf. On se serait cru un samedi soir en plein été. Sauf que la saison était terminée et que les chébrans sur le retour n'avaient pas franchement l'air de s'éclater. Ils traînaient toujours les mêmes gueules, se bousculaient devant le zinc, étiraient désespérément leurs bras bronzés-toastés tout raides pour attraper leurs margarita sunrises (« Sans sel, garçon ! »), éclusant comme des damnés pour oublier l'été qui passe et la solitude qui reste.

C'était la belle saison pour un autochtone comme moi. J'avais occupé mon été à sauter tout ce qu'il y avait de mettable comme nurses et comme hôtesses d'accueil accueillantes dans les parages. Mais en septembre les vice-présidentes dans la trentaine ne tournaient plus les talons quand je leur disais que j'étais flic. Toutes pomponnées, laquées, tartinées qu'elles étaient, ces bonnes femmes n'avaient pas réussi à se dégoter un banquier, un toubib, ou même un comptable sans CAP. Alors évidemment, elles vous tombaient dans les bras avec des : « Ce que vous avez de la chance de vivre ici toute l'année », et des : « Inspecteur à la Criminelle ! Dites-moi, mais ça n'est pas dur de côtoyer tous les jours la... comment dire ? la part maudite de l'humanité ? »

Mais ce jour-là je n'étais pas tombé sur une femme d'affaires, j'étais tombé sur Bonnie. Pourquoi elle ? Peut-être parce que cette année-là la mode était aux frisettes et qu'elle était la seule à ne pas en avoir. Ou bien parce qu'elle ne portait pas des rayures, des fleurs, et des carreaux à la fois, pour être dans la mouvance.

Bonnie était accoudée au zinc, un pied sur la barre métallique, dépassant toutes les bonnes femmes d'une tête. Elle fouillait dans la poche de sa jupe courte à carreaux jaune et rouge, cherchant du fric pour payer sa bière. Son bustier rouge mettait en valeur ses belles épaules hâlées. « La peau douce, pensai-je. Pas du crocodile. » Je mis ma main sur son épaule. Elle était soyeuse. Je lui dis : « C'est pour moi », et je donnai trois dollars au barman. Elle me sourit. « Merci. »

C'est tout ce qui me revenait : une image. Je continuai de courir encore trois kilomètres. Je transpirais à grosses gouttes. Je repassai devant la ferme, puis devant l'arpent de terrain à vendre, et enfin devant la rangée pathétique de mobile-homes en alu. Je voulais m'éclaircir les idées, mais il faisait trop chaud. Je ne me souvenais de rien d'autre que de Bonnie dans la fraîcheur du *Gin Mill*, tenant sa bière à deux mains comme un bouquet de violettes. Elle portait les cheveux courts à l'époque, un peu trop dégradés. Visiblement elle s'était trompée de coiffeur. Les lumières tamisées du bar donnaient de l'éclat à ses bras nus et à ses épaules.

Je marchai un petit moment sur le parking du supermarché pour me rafraîchir un peu, mais l'air était tellement épais et humide que j'arrivais à peine à reprendre mon souffle. J'attendis cinq minutes encore que la brise se lève mais rien ne se passa. Je remontai dans la voiture et m'essuyai avec le T-shirt sale. J'avais une marque sur le côté droit, là où mon bip avait frotté. Un petit coup de déodorant sous les bras et je renfilai ma liquette et mon falzard à toute blinde. Je ne voulais pas me faire repérer par une ménagère pendant que je remontais ma braguette. Je revoyais la scène du *Gin Mill* mentalement.

« C'est pour moi », j'avais dit en posant mon verre — vodka citron vert —, et j'avais donné trois billets de un dollar au garçon.

Bonnie souriait. « Merci. » Une seconde, je m'étais senti transporté.

Je rentrai dans le supermarché acheter une grande

bouteille de soda. Je devais être cramoisi parce que la caissière me lança :

— Faut y aller mollo, jeune homme. Par cette chaleur...

« C'est pour moi », avais-je dit à Bonnie.

« Merci. »

Je remontai dans la Jaguar, tout en descendant la bouteille de soda. J'essayai de me rappeler la suite. J'avais dû dire un truc comme : « Steve Brady », et elle avait dû répondre : « Bonnie Spencer. » Elle était bien bonne celle-là : les deux ploucs de Bridgehampton qui se retrouvent à East Hampton sous un ventilateur à la con dans un vrai faux bar branché, où les mecs sont « in », donc pas rasés, et où les nanas portent des sandalettes à deux cents dollars.

Cela dit, je n'arrivais pas à me souvenir du reste. Peut-être que ça n'avait pas été plus loin, que la rencontre avait tourné court mais que Bonnie, en bonne scénariste, avait bâti tout un scénario d'histoire d'amour où elle tenait le rôle principal. Après quoi elle avait dit à Friedman : « Tiens, essayons toujours. » Si ce n'est que Friedman affirmait l'avoir vue euphorique, et elle lui avait dit mon nom. Il était pédé, d'accord, mais ça n'avait pas l'air d'être un avocat véreux. Il était intelligent et, manifestement, honnête. Pas le genre à raconter des bobards dans une enquête criminelle, même pour aider une amie.

En tout cas, ce qui avait pu se passer après, je l'avais bel et bien oublié. Dommage. J'aurais bien aimé savoir comment c'était de baiser avec elle.

Je partis en direction de la ferme. Je rouvris le toit et je pissai dans le fossé avant de rentrer au QG. Je passai la première.

Et voilà que ça me revenait, tout d'un coup !

On avait siroté un petit moment et puis on s'était présentés. Habitants tous deux de Bridgehampton mais pas du même côté.

— Vous n'êtes pas d'ici ? lui avais-je demandé.

— Vous, si ?

— Oui. Vous êtes d'où ?

Elle avait dû dire de l'Ouest ou de l'Utah parce que —

maintenant ça me revenait parfaitement — on avait parlé de pêche à la truite. Elle pêchait à la mouche. Je lui avais dit que je n'y connaissais rien, qu'en tout et pour tout j'étais allé deux fois à la pêche, mais qu'on pourrait peut-être y aller ensemble un de ces quatre. Elle avait répondu que la truite ça se pêchait la nuit. Elle avait souri et ajouté : « Appelez-moi le jour où vous êtes vraiment décidé. Je connais les rivières qu'il faut. » J'avais répondu : « Je peux peut-être vous appeler avant ça. » Et elle m'avait offert un autre magnifique sourire.

Juste au moment où je me disais : « Ça c'est une femme ! », quelqu'un m'a poussé et je me suis retrouvé collé à Bonnie. Wahooo ! Quel choc !

Electricité ? Magnétisme ? N'importe, je n'arrivais pas à y croire. Nos corps se touchaient, incapables de se séparer. Comme si une foule déchaînée nous pressait l'un contre l'autre. A vrai dire, rien ne nous empêchait de nous séparer. Il n'y avait pas de foule. Juste une poignée de New-Yorkais qui s'excitaient autour du bar. Mais c'était si bon d'être ainsi, corps contre corps, à sentir la chaleur de l'autre.

La douce, la gentille Bonnie — courtoise (« Merci bien pour la bière »), marrante et experte en pêche à la ligne —, Bonnie était aussi sensuelle, aussi délirante que moi. Sa main glissa jusqu'à ma braguette. Bon Dieu ! Autour de nous tout s'était évaporé : la lumière tamisée, la fumée, la cohue, l'odeur d'after-shave et de dentifrice, les voix et le bruit des verres. Son geste n'était pas provocant, elle y prenait du plaisir et moi, le sentant, j'en prenais aussi. Un petit grognement sourd lui avait échappé.

— On se tire ?

Ça nous avait échappé à tous les deux en même temps. Normalement, quand ça arrive on rigole. Mais là, on avait dépassé ce stade. C'était du sérieux.

Ensuite ? On avait pris ma voiture pour aller chez elle. On devait être chauffés à blanc parce que je n'avais aucun souvenir de conversation, ni même du décor. Je me revoyais simplement lui collant au train dans l'escalier et lui arrachant ses vêtements la minute d'après dans la chambre.

Nous commencions à peine, mais nous étions si enflammés que nos grognements de plaisir ressemblaient plutôt à ceux qu'on pousse juste avant de jouir. Nous nous arrêtâmes une seconde. Bonnie tremblait, elle n'arrivait pas à me déboutonner. Je retirai moi-même mon pantalon. Elle me regardait, intensément, ça m'excitait tellement que je n'arrivais plus à me contrôler. Je jetai pêle-mêle ma chemise, mon slip et mes pompes.

Bonnie s'approcha et me toucha, comme si elle avait voulu vérifier que j'existais vraiment. Puis elle se rapprocha encore, me tendit ses lèvres et me prit entre ses jambes. Pas de préambule. Trop tard pour les hors-d'œuvre, on avait dépassé ce stade depuis belle lurette. Je la pénétrai debout, appuyée contre le montant du lit. On baisait comme des fous.

Elle jouit presque aussitôt. Je l'allongeai sur le lit. Je voulais continuer dans cette position, enserré par ses bras et ses jambes, pour ne faire qu'un avec elle.

Je n'avais jamais baisé comme ça avant. Je n'arrivais pas à me contrôler. Chaque fois que j'étais sur le point de reprendre haleine, de ralentir ou d'accélérer, de la soumettre, une sorte de lame de fond balayait tout et me mettait K-O.

Au bout d'un moment, ses feulements devinrent des cris de plaisir. Je criai aussi, si fort que c'était effrayant.

Quelques instants après, on était allongés sur le dessus-de-lit en coton blanc, muets. En général, c'était le moment où je commençais à tâtonner du pied ou de la main pour trouver mes chaussettes ou mon slip. Mais là, j'étais incapable de bouger. Je n'avais pas envie de partir. Finalement Bonnie avait dit :

— Trouve un moyen de rompre ce drôle de silence...

— Parle-moi de la pêche à la truite.

— D'abord il faut une canne en fibre de verre, dit-elle. Surtout pas de bambou.

Je la serrais délicatement dans mes bras et ma main courait sur son dos. Elle avait une peau de velours. Une petite brise automnale soulevait le rideau de dentelle blanche.

— C'est merveilleux, dis-je.

— Je sais.
— Je voulais parler de la brise.
Tout à coup elle venait de se rendre compte que la fenêtre était restée ouverte.
— Oh, merde !
— Quoi ?
— Les voisins. Ils ont dû croire qu'on était en train de trucider quelqu'un. Ils vont peut-être appeler la police — après les hors-d'œuvre, bien sûr.
Je me mis à rire. Je ne lui avais pas dit que j'étais flic.
— Tu ne rigoleras plus quand tu verras les warnings dehors.
— Tu paries ? — Je l'attirai face à moi. — Je suis flic. Inspecteur à la Criminelle.
— Non, tu me fais marcher, ça serait trop beau.
— Mais si, je t'assure.
Elle secoua la tête.
— Et moi, je fais quoi ?
— Voyons. Tu as un côté garçon manqué, mais tu dois faire quelque chose d'adorable, comme... vendeuse chez un marchand de chaussures pour bébés. « Des vernis en 19 et un ballon gonflable en prime, un. »
Elle rit, puis se mordit les lèvres.
— Bon sang, je n'arrive pas à croire que tu es vraiment flic.
Je me levai tant bien que mal pour chercher mon pantalon qui avait atterri entre un petit tabouret et la coiffeuse à volants. Bonnie eut l'air étonnée, puis blessée. Elle se passa la main dans les cheveux, l'air digne, prête à dire adieu. Mais je lui jetai mon badge. Elle l'attrapa au vol de la main gauche.
— Bons réflexes, dis-je.
— Ça vaut mieux, avec un mec comme toi. Tu n'es pas exactement un Sandy Koufax.
Nos yeux se croisèrent, elle, épatée que je sois flic, et moi, sidéré qu'elle s'intéresse au base-ball. On avait basculé dans l'intimité. On s'était mis à discuter comme de vieux copains. Elle était passionnée d'enquêtes policières. Je lui demandai quelque chose à boire. « Coca light ou thé ? » « Non, j'avais répondu, je veux de la vraie bibine. » Tout ce qu'elle pouvait m'offrir, c'était

une bière light ou un verre de vin, qu'elle avait acheté en prévision d'un pique-nique annulé pour raison de mauvais temps. Je me décidai pour le vin. Elle passa un peignoir et descendit à la cuisine.

Elle n'avait pas quitté la pièce depuis une minute que je commençai à me sentir claustrophobe. Je voulais me tirer. Ce n'était pas la chambre elle-même, assez spacieuse, toute blanche à part les poutres apparentes et les plinthes bleu-vert. Et elle n'était pas trop meublée non plus : un lit à colonnes, une table de nuit en bois toute simple de chaque côté, un petit tabouret devant la coiffeuse à volants, un fauteuil club accueillant recouvert de tissu imprimé à grosses fleurs jaunes et feuillage bleu-vert et un lampadaire.

Malgré la petite brise qui soufflait par la fenêtre j'avais envie de me tirer. Je voulais rentrer, boire un verre ou deux et peut-être descendre sur la baie un peu plus tard, voir le coucher du soleil. Je remis mon slip.

Je l'entendis remonter l'escalier. Je décrochai le téléphone et je m'apprêtai à dire quelque chose du genre : « Ah, merde. Bon, j'arrive », quand elle entrerait dans la chambre et ensuite je lui raconterais une histoire bien atroce et bien sanguinolente avec des gorges tranchées ou des couilles mutilées pour pouvoir mettre les bouts avant qu'elle ait le temps de s'en remettre.

Mais elle est apparu dans la chambre, un Coca dans une main, la bouteille de pinard et un verre dans l'autre et le tire-bouchon entre les dents, tout empotée et absolument craquante. Je raccrochai et pris le tire-bouchon.

— Tu appelles le bureau ? dit-elle.

— Ouais. Mais y a rien qui presse.

J'ouvris la bouteille et bus un verre. Je commençai à me détendre à nouveau. Nous avons dû parler encore un petit moment, parce que, si je l'avais prise dans mes bras à ce moment-là, j'aurais complètement perdu la boule. Je me revoyais en train d'étendre la main pour caresser sa peau incroyable, en gardant une certaine distance. C'était l'extase, je sentais la chaleur de son corps, la fraîcheur de la brise. La lumière du jour avait presque disparu, le bleu du ciel était plus doux, teinté de rose et d'or.

Je murmurai :

— C'est mon heure préférée.

Bonnie regarda le ciel.

— C'est l'heure exquise.

Elle baisa mes lèvres délicatement, en les frôlant. Au cinéma on appelle ça l'heure magique. Juste avant le crépuscule, quand il reste encore assez de lumière pour filmer. Une lumière douce, tranquille — une lumière magique. Mais il faut aller très vite, parce que ça ne dure pas... mais quand on y arrive, le résultat est fabuleux.

Je continuai de boire encore un peu. Et puis j'ai dû m'assoupir un instant. Quand j'ouvris les yeux, Bonnie était penchée sur moi en train d'étudier mes traits. Elle détourna les yeux et dit précipitamment :

— Je me demandais de quoi tu aurais l'air si tu te rasais la moustache.

— Non. Tu te disais : « Whaoo, quel beau mec ! »

— Ouais.

Je fis courir mes doigts le long de sa gorge, vers ses seins. Je caressai son ventre et sentis ses abdominaux se contracter. Je l'embrassai longuement, et on remit ça pour le deuxième round. Encore plus fort que la première fois. On y allait avec les dents, avec les ongles. Je râlais de plaisir.

Bonnie se dégagea. C'était trop bestial pour elle. Elle voulait redevenir plus civilisée, une femme sexy, pas un animal. Elle revint calmement vers moi, me caressa du bout de la langue une ou deux fois. Puis elle se mit à genoux pour pouvoir m'enfourcher. Je savais ce qui allait se passer : elle allait se cambrer, secouer la tête, faire tanguer sa poitrine. Et puis elle se baisserait à nouveau pour me taquiner du bout de la langue. Elle voulait ce que je voulais aussi : la maîtrise.

Or je n'avais pas envie d'être civilisé. Je la renversai sur le dos. Nous étions deux bêtes et j'étais le mâle. Il fallait qu'elle le sache. Je lui plaquai les bras et écartai ses cuisses avec mon genou. Je la pénétrai. Elle avait de la force, elle se débattait, mais je l'entendais haleter un mot, toujours le même : « Encore. »

Quand ce fut fini, elle se tourna vers le mur. Elle était complètement silencieuse, mais je sentais son dos trembler comme si elle pleurait. Je tremblais aussi. J'avais perdu le contrôle. Si elle n'avait pas crié « encore ! » mais « arrête ! », aurais-je seulement pu arrêter ?

Je posai ma joue contre sa nuque.

— Bonnie, tout va bien.

Elle ne répondait pas.

— Trop brutal ?

— Non.

— Alors, quoi ?

— C'était too much.

— Too much quoi ?

— Je ne sais pas.

Je l'attirai vers moi et l'embrassai. Ses joues étaient mouillées.

— La prochaine fois, je ne serai que douceur, OK ? Tu diras : « Ouah, quel artiste ! »

Elle se dérida, se mit à sourire. Elle était superbe, rayonnante.

— La prochaine fois je vais faire le pont, la tête entre les jambes et la queue qui pointe à l'est, et je te baiserai de côté.

Elle essuya une larme du bout du doigt. C'était émouvant de la voir pleurer, cette grande fille-là.

— Quand tu m'as plaquée sur le lit tout à l'heure...

— Dis-moi.

— Si tu avais été un sale type...

— Mais je ne suis pas un sale type. Je suis un mec bien. Allez, parlons d'autre chose. Tes yeux, ils sont bleu-gris ou gris-bleu ?

— Arrête, je suis sérieuse.

Je retournai mon oreiller du côté frais.

— Eh bien si tu es sérieuse, comment peux-tu inviter des mecs que tu ne connais ni d'Eve ni d'Adam à venir chez toi ?

Jusqu'à ce que je dise ça, je ne m'étais pas rendu compte à quel point ça me dérangeait. Ça me foutait même carrément les boules. Bon Dieu, elle s'était laissé emballer comme de rien. C'est même elle qui m'avait touché la première, moi un étranger, dans un lieu public.

Je regardai cette grande fille pure, toute fine, qui pêchait la truite : une femme merveilleuse. Mais au lieu d'un petit baiser qui aurait calmé le jeu au moment de la cohue elle m'avait mis la main au sexe, sa main encore toute froide d'avoir tenu la bière.

— Tu ne savais rien de moi quand tu m'as dit : « Foutons le camp d'ici. »

Mais Bonnie n'était pas du genre à se laisser culpabiliser. Je m'attendais à ce qu'elle sorte un truc comme : « Tu me prends pour une pute ? »

— Je te croyais mieux que ça, dit-elle à la place.

— Ecoute. Je ne suis pas en train de te faire la morale. Je te parle en tant que flic. Un flic qui a déjà vu des histoires de ce genre tourner mal.

— Je suis une grande fille.

— Mais oui. Un roc, une fille des montagnes. Si j'avais été un enfoiré, tu m'aurais fait une prise de judo, c'est ça ? Ecoute-moi bien, petite. Si ça avait mal tourné, le temps que tu mettes le doigt dans l'œil de ton agresseur ou que tu lui foutes un genou dans les couilles, il t'aurait déjà violée... ou assassinée.

— Je suis capable de voir à qui j'ai affaire.

— Tu crois que toutes ces filles qui y ont laissé leur peau s'étaient dit : « C'est un psychopathe mais il est mignon » ? Non, elles se sont dit : « Je suis capable de voir à qui j'ai affaire. »

Elle se tut une minute puis elle s'appuya sur un coude.

— T'as pas envie de casser une petite graine ? proposa-t-elle.

— C'est pas une mauvaise idée.

— Des œufs brouillés ou une omelette ?

Je me douchai rapidement pendant qu'elle préparait les œufs. Je descendis pieds nus à la cuisine. Assis, je la regardais cuisiner en peignoir et je me sentais vachement bien. Je me disais : « Ça doit être comme ça quand on est marié. » C'était bizarre, derrière ses fourneaux, elle n'avait plus rien à voir avec la femme que je venais de sauter au premier. Elle se retourna et je remarquai ses lèvres gonflées d'avoir tant embrassé.

Elle me tendit une assiette bleu et blanc pleine d'omelette et un toast beurré coupé en triangle. J'ouvris le frigo et pris une de ses abominables bières light. Je me souviens qu'on est restés un bon moment à bavarder dans la cuisine, une heure ou plus, mais je ne sais plus de quoi on a parlé.

Je me souviens aussi qu'en remontant dans sa chambre, je la suivais dans l'escalier; je m'étais dit que Bonnie avait beaucoup de chien. La grâce naturelle des sportifs. La démarche assurée, bien droite, sans forcer. Et puis elle savait se tenir. Elle savait quand on pouvait rigoler et quand il fallait être sérieux, quand il fallait l'ouvrir et quand il fallait la fermer.

Elle avait la grâce de la sensualité. Elle aimait faire l'amour — et le faire avec moi — elle désirait chaque baiser, chaque étreinte. Sans exhibitionnisme : elle ne montrait pas son cul pour qu'on lui dise qu'il était beau (pourtant il était admirable) elle ne vous mettait pas ses lolos sous le nez comme des trophées. Elle était nature, gracieuse. Sans chichis.

On était trop épuisés pour rebaiser comme des bêtes, alors on a fait l'amour, doucement. Je me revois après, en train de contempler les poutres, au plafond et de me dire : « J'ai fait plus que la satisfaire. Je compte vraiment pour elle. » Elle me demanda si elle pouvait dormir.

— Mais oui, répondis-je.

— J'aimerais bien que tu restes jusqu'à demain matin.

— Bien sûr que je reste.

J'étais pas content, cela dit. Je ne voulais pas qu'elle croie que j'étais juste venu pour la baiser et que j'allais filer à l'anglaise à trois heures du matin.

— Ne te fâche pas, dit-elle. C'est pas toi, c'est moi. J'avais envie d'être rassurée.

— Tu peux dormir tranquille, murmurai-je.

A trois heures du matin, je me réveillai. Une minute. Elle dormait à poings fermés, sa tête sur mon bras.

— Bonnie.

Je sentis le mouvement de ses cils sur ma peau quand elle ouvrit les yeux.

— Bonjour.

— Bonjour. J'ai quelque chose à te dire, murmurai-je.

— Quoi ?

— Je t'aime.

— Moi aussi, je t'aime. — Et elle ajouta : — Tu ne trouves pas qu'on est trop vieux pour ça ?

— Non. Dors, chérie.

Je me levai à six heures et demie. Bonnie prépara du café et je lui redis : « Je t'aime. » Je promis de la rappeler du boulot ou alors si j'étais complètement débordé, de rappeler dès que j'aurais fini.

Je remontai dans ma bagnole. Elle était restée dehors toute la nuit et les sièges étaient humides. Je rentrai, crevé, mouillé, mais heureux.

Une fois à la maison, je n'avais qu'une envie, me remettre au lit, bien au chaud dans les bras de Bonnie. Complètement K-O, j'étais. J'avais besoin d'un petit remontant. Une double vodka orange. Et puis une deuxième. J'appelai le bureau pour dire que j'avais la crève, trente-neuf neuf. Je toussai.

— Ça n'a pas l'air d'aller très fort, a compati Carbone.

Et j'ai répondu :

— Non, je suis malade comme un chien.

Je pris cinq jours. Le sixième, Bonnie n'était plus qu'un vague souvenir.

C'est l'année suivante que je rentrai à South Oaks pour me faire désintoxiquer — insuffisance du pancréas et malnutrition due à l'alcool. Bonnie était définitivement sortie de ma tête.

Elle n'avait jamais existé.

14

Il était à peine quatre heures quand j'arrivai au QG. Avant même de voir la gueule cramoisie de Ray Carbone, Julie, la réceptionniste, m'avait fait comprendre que j'allais passer un sale quart d'heure. Je n'avais pas la moindre idée de ce qui m'était reproché, j'en prenais pour mon grade assez régulièrement au QG. Quand je vis l'index de Carbone pointer en direction du bureau de Shea, je compris que ça avait un rapport avec l'affaire Spencer... et que ça allait être ma fête.

Frank Shea me montra un siège. Malgré le drapeau américain et le fanion de Suffolk County qui servaient de toile de fond à son bureau, le chef avait plus une gueule de crooner qu'une gueule de flic : une mèche de cheveux gominée sur le front, la cravate défaite, la chemise ouverte sur une énorme médaille en or, une croix, plus une griffe d'animal pas très conciliant, le tout sur deux trois poils en bataille. Il ne mettait sa veste que pour voir le grand chef et pour les enterrements.

Carbone prit une chaise et s'assit à côté de Shea, en face de moi.

— Qu'est-ce qui se passe ? demandai-je.

— Je t'avais prévenu, Brady, répondit Shea.

— Prévenu de quoi ?

— Tu le sais très bien. Non, mais regarde-toi un peu.

D'accord j'étais au bord de l'apoplexie à cause de ce sacré footing en plein soleil et de tous les souvenirs qui m'avaient assailli sur le chemin du retour. C'est vrai, j'avais le teint gris sous les coups de soleil, mal au crâne et je transpirais comme une vache. Mais, bon, y avait quand même pas de quoi en faire un plat.

— Non, mais tu t'es vu ? gueulait Shea.

— Eh ben quoi ? Il y a un look imposé, maintenant, au QG ?

— Ta gueule, Brady. Pas la peine de jouer au con.

Je me tournai vers Ray.

— Tu peux m'expliquer ce qui se passe ?

— Steve.

Maintenant que Shea jouait les durs, Carbone allait jouer les tendres. Quelque chose qui tient le milieu entre le psy et le curé.

— Robby nous a tout dit.

— Tout dit quoi ?

Shea attrapa un presse-papier et le jeta sur le bureau :

— Que tu ne voulais pas aller chercher le mandat d'arrêt !

— Ah, ouais, il a dit ça ? Eh ben il a bien fait. Il est trop tôt pour le mandat d'arrêt.

— Non mais, tu te prends pour qui ? dit Shea. On a assez de preuves pour la faire coffrer à vie. Elle le sait. Elle va se tirer.

— Où ça ?

— Ta gueule ! Elle va se tirer et toi tu te mets à délirer sur Lindsay Keefe !

— Ecoutez, on a été un peu trop vite en besogne, par ma faute. Il faut reprendre l'enquête. Il reste Lindsay et le gros Mikey en piste. Shea, juste une seconde...

— Ta gueule, Brady. Tu ne me referas pas ce coup-là deux fois.

— Mais de quoi parles-tu ?

— Tu te souviens pas ? Tu m'avais juré craché que tu ne toucherais plus à la bibine.

— Et merde. Tu sais très bien que j'ai arrêté de boire.

— Robby Kurz ne dit pas ça.

— Qu'est-ce qu'il a été raconter, ce fils de pute ?

— Robby était vraiment emmerdé. Il ne voulait pas nous le dire. — Shea s'arrêta une seconde. — Il a juré que c'était vrai. Il a vu que je ne le croyais pas, alors il a juré. « De la vodka », il a dit. Les alcoolos s'imaginent que ça ne laisse pas d'odeur, mais c'est pas vrai. « Il empestait la vodka », il l'a affirmé.

— Dites à Kurz que sa bouteille de Smirnoff, il peut se la mettre où je pense, ce sale menteur ! Ecoutez, on a eu des mots, lui et moi, et peut-être que j'y suis allé un peu fort. Mais de là à dire que j'étais bourré...

— Il l'a senti. Quand tu marchais on te suivait à la trace...

— Non !

— Il s'en est aperçu il y a deux jours déjà. Il n'aurait pas dû attendre, sa seule faute est d'avoir voulu te couvrir.

A ce moment-là j'ai bien cru que j'allais dégueuler. Je sentais la brûlure du vomi me remonter dans la gorge. Je me calmai de toutes mes forces.

— Tu crois que je suis bourré, là, tout de suite ?

Carbone avait l'air désolé pour moi. Shea répondit :

— Tu pues la bibine.

— Très bien, dis-je. L'un de vous vient avec moi au labo et on fait un alcootest.

Ils se regardèrent en silence. Ils savaient que l'alcootest n'est fiable que dans les deux heures qui suivent l'absorption d'alcool.

— D'accord, ajoutai-je, ça ne suffit pas, alors on va faire le grand jeu : analyse de sang, analyse d'urine. Comprenez-moi bien. Je n'ai pas touché une goutte d'alcool depuis trois ans.

— Tu es tout rouge ! lança Shea d'un ton accusateur. Et tu sues comme un porc.

— Ah, oui ? Tiens, et vous ne me demandez même pas pourquoi ? Ce serait la moindre des choses, non ? Vous savez pourquoi je suis dans cet état ? — Je cherchais un truc à dire à toute allure. — Je suis allé à Old Pond, à moins de cinq cents mètres de chez Spencer. Et j'ai quadrillé toute la zone centimètre par centimètre. Pourquoi faire ? Pour essayer de mettre la main sur le flingue. Pendant que ce gros tas de Kurz, qui était chargé de le retrouver, est resté le cul bien calé sur sa chaise à bouffer des gâteaux secs en rédigeant son discours de promotion et en inventant des bobards.

— Tu l'accuses d'avoir menti ? demanda Shea avec un ricanement forcé.

— Ouais.

— Et pourquoi il aurait menti ?

— Parce que c'est un fayot, un arriviste et un enfoiré. Tu sais très bien comment il est quand il croit tenir quelqu'un. Il a des œillères. Il refuse de voir la réalité. Et il y va à l'esbrouffe parce qu'il croit que s'il boucle l'affaire rapidement il prendra du galon le mois d'après — il brigue ta place, entre nous soit dit, il attend ton départ à la retraite. En plus il peut pas me saquer et il cherche à me doubler. Il veut absolument la coffrer mais moi j'ai des doutes, alors je suis gênant. Ecoute, Frank, j'ai vraiment des doutes et je sais que si on l'arrête pour rien ça va nous retomber dessus. Elle va faire tout un cirque. Elle a une grande gueule, tu sais.

Shea et Carbone se regardèrent.

— Et il veut me doubler parce qu'au départ, Bonnie Spencer, c'était mon idée à moi — Ray est témoin. Kurz veut être tout seul en ligne au moment des récompenses.

Shea se contenta de ricaner. Carbone baissait la tête. Il m'aimait bien, Ray. Il était prêt à me croire. Mais il avait fait trop de psycho. Pour lui, les alcoolos sont des menteurs, des égocentriques infantiles.

— Viens, Ray. On descend au labo.

— Brady, lança Shea, tu sais où ça va te mener, tes airs de bravache : « Allez, Ray, on descend au labo » ?

— Ouais. Je sais. Je vais avoir la paix une bonne fois pour toutes.

— Non. Parce que cette fois-ci je te prends au mot. Tu descends au labo directo. Compris ? On est près de toucher au but et toi, paf ! tu sabotes le boulot. J'ai toutes les grosses légumes et toute la presse sur le dos, pendant que toi, tu fais le mariole. De quoi on aura l'air si elle est coupable et qu'elle nous file entre les doigts ?

— Frank, pourquoi est-ce que je ferais une chose pareille ?

— Parce que tu es rond comme une queue de pelle et que tu as perdu ton sens commun et ta dignité... — Il parlait de plus en plus fort, sur un ton de plus en plus menaçant. Il attrapa le presse-papier et l'agita sous mon nez. — Et tes devoirs vis-à-vis du QG ! Et vis-à-vis de moi ! Je me suis mouillé pour toi, Brady.

— C'est toi le psy, Ray. Même si j'avais pris la biture de ma vie, quels motifs auraient pu m'entraîner à saboter l'enquête ? Si je savais que Bonnie Spencer avait tué Spencer, qu'est-ce qui m'empêcherait de l'arrêter, même avec cinq vodkas dans le nez ?

Shea ne laissa pas à Carbone le temps de répondre.

— Parce que Robby t'a vu faire le joli cœur quand vous êtes allés chez elle pour la perquisition. Tu l'as envoyé au premier pour te débarrasser de lui pendant que tu tournais autour de la fille. Tu la suivais comme un petit chien. Et quand tu lui as demandé d'où venait l'argent caché dans sa botte, il paraît que tu as mis des gants. Apparemment ça te brisait le cœur de téléphoner au directeur du catalogue. C'est la vérité qui te brisait le cœur, Brady.

— Shea, toute cette histoire est complètement délirante.

— Et puis brusquement, tu t'intéresses à Lindsay Keefe et au gros Mikey. Tous les prétextes sont bons pour éloigner Robby de Bonnie Spencer. Et pour répondre à ta question, ce qui t'empêcherait d'arrêter la mère Spencer, c'est que tu t'es entiché d'elle, comme un pauvre alcoolo que tu es.

Je passai l'alcootest d'abord. Ensuite on me fit réciter l'alphabet et mettre un pied devant l'autre le long d'une ligne peinte par terre et ramasser des pièces de monnaie, sans trembler. Après quoi je pissai dans une éprouvette et je passai à la prise de sang. Ray était à côté de moi.

— Shea devrait être content des résultats de l'alcootest, et si les autres tests sont normaux... dit Ray.

— Tu y crois, toi, à cette histoire d'amour ?

— Je ne sais pas.

— Tu connais Lynne, Ray. Tu crois vraiment que j'échangerais une nana comme elle contre une vieille peau qui s'est fait sauter par tous les mecs du coin ?

— Je l'ai aperçue quand elle s'est présentée au labo tout à l'heure. Elle est pas mal.

— Pas à côté de Lynne.

— Ecoute, Steve. Tout ce que je sais, c'est que jusqu'ici tu avais un compte rendu d'enquête en béton — j'étais là quand tu l'as présenté — et brutalement tu fais volte-face. Pourquoi ?

— Parce que je crois qu'elle est innocente.

Carbone secoua la tête.

— Tu ne me feras pas avaler ça, Steve.

— Où est Robby ?

— Pourquoi ?

— J'aimerais savoir pourquoi il ne m'a pas dit les choses en face.

— Il l'aurait fait.

— Mais ?

— Mais il est au tribunal de Southampton. Il est allé chercher un mandat d'arrêt. Ensuite, il ira arrêter Bonnie Spencer.

Bonnie entrouvrit la porte de derrière d'un millimètre.

— Vous avez un mandat d'arrêt ?

— Non. Ecoutez, Bonnie...

Elle referma la porte aussi sec, en la claquant presque. Je sonnai. Rien. A part Moose qui aboyait devant la porte et qui montait la garde en remuant gaiement la queue. J'essayai de regarder au travers du rideau de la cuisine. Mais Bonnie avait disparu.

J'adore voir les flics crocheter les serrures au cinéma. Ils font ça avec une carte de crédit. Je m'acharnai à peu près cinq minutes avec la mienne, puis avec mon couteau suisse, après j'essayai toutes les clefs que j'avais sur moi. Croyez-moi, c'était pas de la tarte. Il ne fallait pas faire de bruit sinon elle risquait d'appeler le QG pour m'accuser de harcèlement. Finalement le verrou sauta et j'entrai.

Inutile de la chercher, je n'avais qu'à suivre le chien au sous-sol. Bonnie était dans la buanderie en train de plier un torchon à côté du séchoir. Elle leva les yeux pour accueillir Moose, et quand elle me vit elle poussa un hurlement.

— Bonnie, écoutez-moi. Je ne vous veux pas de mal.

Elle se mit à chercher des yeux quelque chose pour se défendre, mais on ne repousse pas les assauts d'un flic psychotique avec une bouteille de Cajoline. J'avançai d'un pas pour la toucher, pour la rassurer et lui dire que j'étais venu l'aider, mais elle se recula comme si elle avait voulu se glisser entre la machine et le sèche-linge. Je gardai mes distances.

— Je sais que vous me prenez pour un bargeot, mais je vous en prie, écoutez-moi. Le temps presse.

Merde. Je n'aurais pas dû dire « le temps presse ». Ses yeux se remplirent de larmes, comme si elle venait de comprendre qu'il ne lui restait que quelques minutes... à vivre.

— Bonnie, écoutez-moi attentivement. Le mec avec qui je travaille sur cette affaire, Kurz, le connard aux cheveux laqués, il a quitté le QG avant moi. Il est allé au tribunal chercher un mandat d'arrêt. Il n'y a pas de temps à perdre. S'il se pointe dans la minute qui suit, je ne pourrai plus vous aider. Vous comprenez ?

Elle ne disait rien. Elle écoutait. Elle me regardait droit dans les yeux comme si elle voulait me jauger, comprendre exactement ce que je faisais là. Elle attendait.

— J'ai des doutes. Je veux dire que je ne suis pas sûr qu'il faille vous arrêter tout de suite. Il reste trop de questions en suspens pour décider de boucler l'enquête. Mais la balle est dans votre camp, maintenant. Vous pouvez décider de rester ici et d'attendre Kurz.

— Ou bien ?

— Ou bien vous tirer d'ici en cinq sec. Avec moi. Maintenant.

Pas folle la guêpe. Elle avait déjà remis tout le linge qu'elle venait de plier en vrac dans le sèche-linge. Comme ça on ne penserait pas qu'elle s'était barrée sans crier gare. Nous sortîmes à toutes jambes par derrière, à travers le potager, puis à travers un champ contigu jusqu'à la Jaguar que j'avais planquée dans un bosquet — au cas où Robby se serait pointé. Moose nous suivait en courant, aussi vite qu'un gros tas comme elle pouvait le faire. Bonnie monta dans la voiture et le chien sauta sur ses genoux par la portière ouverte, s'affalant de tout son long en travers des deux sièges avant.

— Faites-la descendre ! intimai-je en ouvrant ma portière et en attrapant le collier de Moose.

— Dans combien de temps vais-je revenir ?

— Comment voulez-vous que je le sache ? Dans deux minutes si vous n'arrivez pas à me convaincre.

— Et si j'y arrive ?

— Je ne sais pas.

Tout à coup elle s'anima :

— Je vais baisser le toit ouvrant comme ça je pourrai la prendre sur mes genoux. Il y aura assez de place pour nous trois à l'avant.

— Si on baisse le toit, espèce d'andouille, une demi-douzaine de témoins vont dire : « Mais oui, Bonnie et son chien, je les ai vus, ils allaient chez Steve Brady, dans sa Jaguar. » Complicité d'évasion, ça vous dit quelque chose ?

— Vous voulez dire que ça n'est pas légal ? — Mais elle connaissait la réponse, évidemment. — Je ne peux pas vous laisser faire ça.

Elle mit la main sur la poignée.

— Ne bougez pas ! dis-je.

Elle secoua la tête.

— Désolée, mais je ne reste pas ici.

Je dégainai mon flingue.

— Un seul geste, Bonnie, et je vous en mets une entre les deux yeux.

— Oh, ça suffit.

Bon Dieu, mais qu'est-ce que je foutais là ? Un tam-tam dans la tête, déshydraté jusqu'à la nausée, mon flingue braqué sur une nana soupçonnée de meurtre que j'aidais à fuir avec son molosse de cinquante kilos, langue pendante, les griffes plantées dans le cuir du siège et qui avait l'air d'attendre que le feu passe au vert.

— On n'a pas le temps de parler de ça maintenant. C'est votre vie qui est en jeu. Sortez-moi cette bestiole de là, et que ça saute !

Bonnie parlait tout bas, je l'entendais à peine.

— La porte est fermée. Elle ne pourra pas boire et si je ne suis pas là...

Je rengainai mon flingue, tirai Moose hors de la voiture et montai à la place du chauffeur. Bonnie saisit l'occasion pour ouvrir sa portière et sortir.

— Remontez tout de suite ! criai-je.

Elle secoua la tête. Je mis en route.

— Salut !

Bonnie siffla, deux petites notes rapides et Moose courut la rejoindre de l'autre côté de la voiture. Bonnie la poussa à l'intérieur.

Et c'est comme ça que nous allâmes chez moi. Bonnie à côté de moi, moi à la place du chauffeur, et le gros tas de poils allongé sur nos genoux et aboyant gaiement.

Les baraques de prolos, c'est pas des cathédrales, c'est bien connu. L'architecte bidon qui m'avait vendu la mienne avait dû faire avec. Il y avait le « coin famille », c'est-à-dire une pièce qui servait à la fois de cuisine, de bureau, de salle à manger et de living, avec à chaque bout un « coin repos » qu'il montrait d'un geste large en disant « Voilà, pour le dodo ». Les acheteurs éventuels étaient censés dire « génial », après quoi on échangeait des compliments, on faisait ami-ami et l'affaire était conclue. Sauf que moi, j'aurais préféré être pendu par les couilles plutôt que de dire « génial ! » et le mec à queue de cheval, sachant que j'étais flic, n'avait pas osé dire « pour le dodo », des fois que je prenne ça pour des avances. Pour moi c'était « la chambre à coucher » et basta.

La chambre à coucher était meublée, comme le reste de la maison — il faut dire que j'avais acheté la baraque témoin, la première d'une longue série de baraques de prolos qu'il avait décidé de retaper —, mais le lit était à peine assez grand pour contenir deux nains dans la position du missionnaire et je l'avais remplacé par un kingsize qui laissait tout juste assez de place pour accéder à la penderie et à la salle de bains.

De l'autre côté du « coin famille », le même espace exactement était divisé en deux chambres d'amis. J'emmenai Bonnie dans la première, qui n'était pas vraiment différente de la deuxième, à part les ananas peints aux murs et par terre à la place des coquilles Saint-Jacques. Je ne mettais jamais les pieds dans cette partie de la maison et j'avais complètement oublié les ananas et surtout la lampe verte, hideuse avec un pied fait de baguettes de bois attachées avec du cuir. Un parti pris rustique, comme disait l'architecte, qui ne plaisait pas à tout le monde. Le pauvre mec était tellement flippé à l'idée de ne pas vendre sa baraque qu'il me la cédait pour une bouchée de pain le jour même.

Je baissai les stores.

— N'allez pas vous imaginer des choses, dis-je à Bonnie. C'est simplement pour qu'on ne puisse pas vous voir.

— Je ne m'imagine rien du tout.

Sa voix tremblait. Elle était terrorisée mais elle ne le montrait pas.

— Je n'attends personne, mais c'est au cas où, précisai-je.

Je me retournai, elle était assise, bien droite, sur une chaise à barreaux. Je m'assis sur le coin du lit, mais la chambre était si petite que nos genoux se touchaient presque.

— Maintenant, vous allez me dire tout ce qui s'est passé. Je veux tout savoir, dans les moindres détails, depuis les premiers mots que vous avez échangés avec Spencer quand vous l'avez revu. A moins que vous n'ayez jamais coupé le contact depuis le divorce.

— Non.

— Bon, mais d'abord, il y a quelque chose que je voudrais éclaircir.

— Vous voulez parler de...

— Non.

Mais il fallait que ça sorte.

— Gideon m'a appelée. Il m'a dit que vous n'aviez aucun souvenir de... de notre rencontre.

— Ecoutez, ça n'est pas le moment d'en parler. — J'étais redevenu distant, professionnel. — C'est votre dernier bobard que je veux éclaircir.

— A vous entendre, on croirait que je n'ai fait que mentir jusqu'ici.

— A peu de chose près, c'est ça.

— Si je suis tellement menteuse, je ne vois pas pourquoi je dirais la vérité maintenant, alors que j'ai les flics aux trousses.

— Parce que vous êtes au bout du rouleau.

— OK, dit-elle, la voix tremblante, je suis au bout du rouleau.

Elle baissa la tête. Elle regardait fixement ses mains croisées sur ses genoux. Elle avait de longues mains fines aux ongles ovales, sans vernis, comme on en voit dans les pubs.

— Bon. Pourquoi avez-vous baratiné au sujet des huit cents dollars qu'on a retrouvés dans vos bottes ?

— Je n'ai pas baratiné. C'est la vérité.

— Bonnie, attention : un seul mensonge et vous reprenez vos cliques et vos claques.

— Dans ce cas, rappelez Kelleher.

Je secouai la tête.

— Essayez de comprendre, bon Dieu. Vincent Kelleher est un angoissé de première. Un type pas très fortiche en affaires qui vend des cache-pots en plastique imitation écaille de tortue et des joggings pour femmes fortes en rose, vert et mauve. Il reçoit un coup de fil de l'autre bout de l'Amérique d'un flic qui lui parle de fric non déclaré. De travail au noir. Déjà qu'il n'était pas très chaud pour ce genre d'arrangement, quand vous avez appelé, il a cru que c'était Elliot Ness et la COB qui lui tombaient sur le dos.

— Excellent, Bonnie. Très fort !

— Pas si fort que ça, sinon vous m'auriez crue quand je vous ai réellement bluffé. Et je ne serais pas dans ce merdier à l'heure qu'il est. Je vous en prie, appelez Vincent Kelleher.

Mais juste à ce moment-là mon bip se mit à sonner : « Brady, appelle Carbone dès que possible. » J'invitai Bonnie à ne pas bouger et je passai illico dans ma chambre pour téléphoner.

Carbone me demanda où j'étais et je lui dis que j'étais rentré à la maison parce que ça faisait soixante heures que j'étais sur la brèche et que j'étais lessivé. Et puis j'ajoutai que j'étais écœuré par le savon que Shea m'avait passé et je lui demandai s'il voulait un autre alcootest des fois que je serais en train de me descendre une bouteille de Johnnie Walker avec une paille. Il me répondit qu'ils avaient été un peu vite en besogne et que Kurz, qui ne connaissait pas grand-chose à l'alcool, avait dû se tromper et...

— Et quoi ? dis-je.

— Bonnie Spencer a disparu, ajouta-t-il.

— Et Kurz est complètement hystéro ?

— Ouais, et Shea aussi et je ne te parle pas du grand chef.

— Eh, Ray, du calme, bon Dieu. Il est six heures et demie. Il commence à faire plus frais. Elle est peut-être à la plage ou en train de dîner avec une copine. Dis-leur de se calmer et de boire un coup... à ma santé. Ecoute, Ray, tu veux que j'aille faire un tour là-bas ?

— Ouais, c'est pas une mauvaise idée.

J'ai dit OK, je vais y aller pour surveiller la baraque jusqu'à ce que tu trouves quelqu'un pour me relayer. Après ça j'irai voir à droite à gauche et puis j'ai des coups de fil à passer. Sois gentil, Ray, appelle Robby et dis-lui de se tirer avant que j'arrive. Si jamais je le rencontre, je fais un malheur. Carbone dit d'accord, et juste avant qu'il raccroche je lui ai demandé : est-ce que vous avez eu les résultats des analyses de sang et d'urine ? Il a dit oui. Que tout était en ordre. Merci. Et sois raisonnable, il a ajouté. Nous sommes dans une situation très tendue qui nous met à bout les uns et les autres. C'est comme ça qu'on commet des erreurs de jugement. Je lui demandai si Shea se rendait compte qu'il avait fait une erreur de jugement ou s'il avait l'intention de me faire pisser un bock tous les jours de la semaine ? Carbone a répondu calmement, Shea a eu les résultats de l'analyse. Il n'est pas idiot. Mais soyons réalistes, toi et lui vous n'avez pas des masses d'atomes crochus. Il t'a repris dans l'équipe parce qu'il avait besoin de toi, pas parce qu'il t'aimait ou parce qu'il avait confiance en toi, et tu le sais très bien. Oh, oui, j'ai répondu. Alors, fais-toi une fleur, Brady, essaye de prendre du galon en retrouvant Bonnie Spencer.

Le moteur de la bagnole de Robby tournait déjà quand j'arrivai chez Bonnie. J'approchai ma voiture jusqu'à hauteur de la sienne. Il lança le mandat d'arrêt par la portière et fila sans demander son reste — aussi vite que son vieux tas de boue à roulettes le lui permettait — et sans me regarder. Il savait que j'allais lui faire payer tout ça, à moins qu'il ne me fasse payer d'abord.

Quelques minutes plus tard, deux patrouilles de police de Southampton se garaient devant la maison. Ils étaient là pour assurer le relais en attendant un flic de la Criminelle de Suffolk County. Je leur tendis le mandat en leur disant que j'allais faire une deuxième tournée d'inspection. J'enfilai une paire de gants en caoutchouc, sous leur nez, bien ostensiblement, comme un chirurgien qui va pratiquer une greffe du rein et j'entrai dans la maison. Cinq minutes plus tard, je ressortais avec des slips et un T-shirt pliés bien à plat dans une poche et une brosse à dents et un paquet de croquettes pour chien dans l'autre. Dans les deux sacs à indices, j'avais fourré une paire de tennis et une brosse à cheveux. Je sortis par la porte principale en faisant un petit salut aux flics en faction et repartis illico à la maison.

Soudain l'angoisse. Les mains moites, l'estomac qui fait des nœuds. Pas parce que j'étais en train de foutre en l'air ma vie professionnelle et ma vie privée, pas parce que je savais que je risquais deux ans pour complicité d'évasion. Tout ça, je l'avais fait en toute lucidité. J'avais pensé à tout, aux conséquences pour ma retraite, à la présence des AA au pénitencier et je m'étais même dit qu'avec mes relations au tribunal de Suffolk County je pourrais peut-être espérer une remise de peine. Mais les mains en sueur et les nœuds dans l'estomac n'avaient rien à voir avec tout ça.

Non, j'avais une boule dans la gorge parce que j'avais peur que Bonnie soit partie. Sur un coup de tête. Comme quand elle avait descendu Spencer une semaine avant. Non. Elle n'avait pas tué Spencer. Je la croyais. Mais elle s'était vue au tribunal, devant les jurés hochant la tête pendant la lecture du verdict et elle s'était enfuie. Ou bien elle avait simplement eu peur. Elle avait besoin de sentir quelqu'un auprès d'elle, quelqu'un qui la prenne dans ses bras, qui lui caresse la tête. Comme son pote Gideon. Ou alors, Bonnie la brave petite, la citoyenne modèle avait décidé de faire face et d'appeler la Criminelle, l'inspecteur Kurz, s'il vous plaît.

Oh, bon Dieu de bon Dieu. Qu'allais-je faire si elle avait décampé ?

On était jeudi soir, mais il y avait autant de circulation qu'un samedi. Le trafic était encore plus dense qu'une demi-heure plus tôt quand j'étais parti chez Bonnie. Un serpent de métal qui s'étirait sans fin vers l'est. Et bien sûr, dans chacune de ces milliers de bagnoles se trouvait quelqu'un d'important avec des choses importantes à faire. Comme écouter les messages sur le répondeur automatique pour foncer à une invitation marrante de dernière minute. Comme mettre une liquette noire à trois cents dollars et faire un peu de rangement avant que les invités arrivent. Et puis la mozzarella était en train de fondre sur le siège arrière et de tremper les baguettes. C'était intolérable. Il fallait que ça cesse.

Pas une seule bagnole ne voulait me laisser passer pour rejoindre l'échangeur de Montauk. Je klaxonnais et je mitraillais d'appels de phares la Mercedes SL 560 qui roulait devant. Je finis par accrocher le regard du mec dans son rétroviseur. Je ne le lâchai pas des yeux tout en continuant à conduire. Le type était tellement exaspéré qu'il freina d'un coup sec juste au bon moment. Il était vert de rage, mais il comprit qu'il avait affaire à un bargeot qui n'aurait pas hésité à lui esquinter sa Mercedes à soixante-cinq mille dollars.

Je rentrai chez moi sur les chapeaux de roue. Il avait quand même fallu que je m'arrête au passage à niveau pour laisser passer le train le plus long de toute l'histoire de Long Island.

Je pénétrai comme une trombe dans la maison en butant au passage sur Moose, venue à ma rencontre. Je lui dis : « Tire-toi de là, emmerdeuse. » Elle remua la queue. Je lui tapotai la tête. « OK, pensai-je, elle a laissé le chien. » Pas folle, elle savait que je m'en occuperais. La baraque était complètement silencieuse. Je fonçai vers la chambre aux ananas en criant « Hou hou ! » Pas de réponse. « Hou hou ! » Le silence total. Je criai : « Bonnie ! »

— Hou hou ! répondit Bonnie.

Ça m'a fait un de ces chocs.

— C'est vous ? Je vous ai entendu m'appeler mais je n'étais pas sûre... ça aurait pu être un de vos amis ou un cambrioleur.

Je me sentis envahi par une sensation de soulagement. J'étais vidé, la tension était tombée d'un coup. Je dus m'appuyer au mur une minute pour reprendre mon équilibre. J'entrai ensuite dans la chambre aux ananas. Elle était recroquevillée sur le lit, en train de lire l'histoire des Yankees, le seul bouquin de la pièce. Elle le posa par terre et s'assit en tailleur.

— Tenez, dis-je en lui tendant le T-shirt et la brosse à cheveux et en sortant les slips et la brosse à dents de ma poche.

J'étais encore tout chaviré. Je n'arrivais pas à parler.

— Merci.

Je secouai la boîte de croquettes pour chien. Elle sourit et attendit que je parle. Alors je lui dis que j'allais les donner au chien, prendre une douche et revenir. Je lui demandai si elle voulait quelque chose à dîner, un petit plat surgelé. « Non merci. » Elle n'avait pas faim.

Je mis deux dîners surgelés au four en pensant qu'elle ne résisterait pas devant une barquette en alu bien grasse avec une cuisse de poulet panée. Dans le pire des cas, je serais obligé de manger les deux. Sous la douche, grâce à l'eau, à beaucoup de savon et à la bonne odeur du shampooing au pin, je me sentis revivre. Un mec tout frais, tout propre, c'est mieux qu'un porc écumant et fiévreux, à peine bon à jeter aux orties. Je cherchai la serviette à tâtons, déçu que Bonnie ne soit pas là pour me la tendre. Tout au fond de moi, je m'imaginais avec elle sous l'eau. Je lui aurais dit : « Sortez d'ici tout de suite », et elle aurait répondu : « Je vais te laver le dos ».

Et puis elle se serait collée à moi, m'aurait caressé en murmurant « Stephen ».

Je me rhabillai, pris mon carnet et appelai Vincent Kelleher, le roi de la vente par correspondance.

— Inspecteur Brady à nouveau.

— Oui, monsieur ?

— Monsieur Kelleher, je n'ai pas l'honneur de vous connaître, mais quelque chose me dit que vous n'avez pas été très sincère avec moi, la dernière fois. (Silence.) Ecoutez, je me moque éperdument de votre déclaration d'impôts. Que vous employiez des gens au noir, je m'en tape. Mais ce que je n'aime pas, en revanche, c'est qu'on me raconte des salades.

— Pourquoi pensez-vous que j'ai menti ? murmura-t-il.

— Parce que je suis flic. Je sais que vous avez menti. Maintenant vous allez me toucher un mot de vos arrangements financiers avec Bonnie Spencer. (Silence.) Si vous êtes correct, je raccroche et je passe l'éponge sur cette affaire. Si vous essayez de me berner, je vous colle les polyvalents au cul, compris ?

— Je l'ai payée...

Sa voix était inaudible. Ce type avait un nom irlandais. Dur à croire, un dégonflé pareil. Parlez-moi de l'assimilation.

— Payée comment ?

— En liquide.

— Combien ?

— Deux mille cinq cents dollars pour trois catalogues. Mais c'est elle qui a demandé à être payée en liquide. Je vous jure que je ne le lui ai pas proposé.

— Comment lui avez-vous remis l'argent ?

— Son père habite à Scottsdale. Elle va le voir une fois par an et puis ensuite elle passe ici pour voir les maquettes des catalogues. On discute et...

Si ce mec grillait un feu, il se passerait probablement les menottes, se rendrait lui-même à la police en demandant la peine maximum.

— Vous parlez et puis ? Vous lui donnez l'argent ?

— Oui, dans une enveloppe. Mais je vous jure que je ne recommencerai pas.

« Bon, pensai-je en raccrochant. Un bon point, un ! »

Je trouvai deux livres de poche à lui donner à lire. Stephen King et Chandler. Je ne voulais pas qu'elle se morfonde dans sa petite piaule et surtout pas qu'elle me prenne pour un demi-analphabète qui ne savait lire que des statistiques — ce qui était vrai du reste. Elle était scénariste, elle disposait d'étagères pleines de bouquins. Qu'allais-je lui dire ? Que je lisais trois journaux par jour et que je regardais toutes les émissions historiques à la télé. « Vous voulez que je vous raconte Pearl Harbor ? La vie de Metternich-Winneburg ? »

— Ça c'est pour plus tard, dis-je en lui tendant les deux livres. Maintenant on va parler.

Je relevai le store pour regarder dehors. Le jour déclinait, l'heure magique touchait à sa fin.

— OK, je ne vais pas vous apprendre votre métier... mais... vous pourriez peut-être appeler Kelleher.

— Pourquoi ?

— Parce qu'il a menti. Et moi je vais vous dire la vérité. Je me suis fait suffisamment de tort jusqu'ici. Puisque vous me donnez une deuxième chance, je vais vous montrer que je suis digne de votre confiance. Il faut que vous me croyiez.

Cette fois le flic avait repris le dessus en moi. OK, elle voulait me convaincre, eh bien qu'elle le fasse. J'attendais de voir.

— Peut-être que je l'appellerai plus tard. Pour le moment vous allez me raconter comment vous avez renoué avec Spencer.

15

— Il y avait beaucoup de ressentiment entre Sy et vous, quand vous avez divorcé ?

— Non.

Bonnie était adossée à la tête de lit en lamelles de bois tressées qui craquait à chaque fois qu'on inspirait. Elle portait les vêtements qu'elle avait sur elle dans la buanderie : un short rouge et un caraco noir. Elle avait ôté ses chaussettes blanches qui s'étaient salies pendant notre course à travers champs car elle était partie sans chaussures.

Elle ramena ses genoux sous son menton et croisa les bras. Bon sang, que cette fille était souple ! Il faut avoir huit ans pour trouver ce genre de position confortable.

— Le jour où j'ai signé la procédure de divorce, il m'a emmenée dîner. Lumières tamisées, nappes en tissu, cuisine soft, pour ne pas faire de bruit en mâchant. On était assis côte à côte. Il m'a pris la main sous la table et m'a dit : « Je n'ai pas su t'aimer comme tu le mérites. Mais je serai toujours là si tu as besoin de moi. »

Moose aussi, de toute évidence. Elle avait posé sa tête sur la couverture et attendait que Bonnie la caresse, ensuite elle s'était affalée sur mes pieds.

— Vous n'avez pas dégueulé quand il a sorti ça ?

— Non, c'était juste avant l'apéritif. Mais vous savez, c'était sa façon à lui d'être sincère. Il croyait à ce qu'il disait, même si vingt minutes après il me laissait au train de Bridgehampton et que je cessais d'exister pour lui. Je ne lui avais pas cherché d'ennuis au moment du divorce. J'avais pas mal pleuré et insisté pour qu'on aille voir un conseiller matrimonial, mais c'est tout. Comme je n'avais pas réclamé de pension alimentaire, il était plutôt bien disposé à mon égard. Si on lui avait demandé : « Sy, elle était comment ta deuxième femme ? » il aurait dit : « Ma deuxième femme, hmmm... Ah, oui, Bonnie. Une gentille fille. Très nature. » C'est drôle comme la gentillesse ne lui faisait aucun effet. Par contre, ses ennemis, il ne les oubliait pas.

— Pourquoi n'avez-vous pas essayé de raccrocher les wagons ?

— Parce que... — Elle mit ses mains l'une contre l'autre comme pour prier, et toucha ses lèvres avec la pointe de ses index. Elle finit par dire : — Parce que je savais qu'il ne m'aimait plus, si tant est qu'il m'ait jamais aimée. Sy tombait amoureux, mais comme un acteur qui rentre dans la peau d'un personnage. Le jour où nous nous sommes rencontrés, à Los Angeles, il sortait d'un festival John Ford — et je suis devenue sa cowgirl. Il se baladait partout avec une veste en jean et la clope au bec, un œil à demi fermé — ça c'était avant qu'il se mette au déca. Il arrachait les filtres des cigarettes et frottait ses allumettes sur sa semelle. Il portait même des santiags. Ça n'était pas plus mal, au fond, vu que je le dépassais d'une bonne tête. Je ne sais pas où il les avait dégottées, celles-là. Peut-être dans une boutique très chic de Madison Avenue. Toujours est-il que nous passions beaucoup de temps à cheval. Selle mexicaine. Il disait : « La selle anglaise, c'est pas assez viril. » Mais trois semaines après être rentrés à New York — autrement dit nous étions mariés depuis six semaines —, il en avait marre de jouer les Buffalo Bill. Et il en avait marre de moi, aussi. Je le sentais. — Elle se retourna et plia son oreiller en deux pour se caler les reins. — Ça m'aurait avancée à quoi de me battre pour ne pas divorcer ? Sy avait fait tout ce qu'il pouvait pour être un bon mari. Mais c'était devenu trop dur pour lui.

— Etre un bon mari, c'était quoi pour Sy ? Je croyais que vous m'aviez dit qu'il vous trompait.

— Etre un bon mari, pour Sy, ça voulait dire me tenir

la porte, ne pas oublier mon anniversaire, ma fête. Il faisait ça très bien. Le jour de la Saint-Valentin, une fois, il m'a offert une mallette de pêche neuve et quand je l'ai ouverte j'ai trouvé un sautoir de perles de quatorze millimètres.

— Ça veut dire quoi, quatorze millimètres ?

— Ça veut dire énorme.

Ça me contrariait qu'elle aime les bijoux. J'aurais souhaité qu'elle ajoute : « J'ai dit à Sy de reprendre ses perlouzes, la mallette me suffisait. » Mais elle ne le dit pas. Elle continua.

— Il faut comprendre Sy. Il n'était ni fidèle ni direct. Il ne pouvait pas s'empêcher d'être... comment dirai-je ? tordu. C'était un manipulateur. L'argent le rendait comme ça. Il craignait toujours de se faire rouler. Alors il montait son avocat et son comptable l'un contre l'autre. Mais, lui, il roulait les gens en permanence. Il faisait passer ses frais personnels dans la comptabilité des films. Et pas des bricoles, du genre brosse à dents ou porte-clefs. Je veux dire une salle de gym et un sauna pour notre appartement de New York, qu'il avait payés sur le budget de son deuxième film. Illégal ou immoral, pour lui, ça ne voulait rien dire. C'était même plutôt flatteur. Il vivait ça comme une aventure. C'était une espèce de Robin des bois perverti. Il volait les riches pour donner aux riches.

— Vous ne vous en étiez pas rendu compte quand vous l'avez épousé ?

— Non. J'étais éblouie par le séducteur raffiné, avec des petites rides au coin des yeux. Il était fou de *Cowgirl* et il connaissait tout sur le western. Et pas superficiellement. Je me souviens en particulier d'une analyse qu'il avait faite de *Cactus Jim,* un film muet de Tom Mix. En fait, Sy pouvait parler absolument de tout, depuis l'architecture cambodgienne jusqu'aux langues finno-ougriennes en passant par le Big Bang. Mais ce qui m'attirait le plus chez lui, c'est qu'il s'intéressait à moi. A mon travail. A mes yeux. A mes cheveux. A mon... enfin, tout quoi. Il avait tellement l'air de s'y connaître que j'avais fini par me dire : « Ma petite, tu es vraiment quelqu'un ! »

Elle se frottait le genou, lentement, d'avant en arrière, comme on frotte une vieille blessure. Tout à coup elle leva les yeux sur moi et les baissa aussitôt. Je savais ce qu'elle pensait : malgré nos vies très différentes, j'étais comme Spencer. Comme lui, je l'avais aimée, moi aussi, cette nuit-là ! « Bonnie, je le jure devant Dieu, je n'ai jamais rencontré de femme comme toi. Bonnie, ta peau est plus douce que du velours. Tu sais quoi, Bonnie ? T'as des yeux bleus comme l'océan. L'océan en hiver, quand il fait soleil, c'est si beau. Bonnie, je pourrais te parler pendant des heures et des heures. Bonnie, je t'aime... »

— Mais avec Sy, rien ne durait. Il avait un placard plein d'articles de sport qu'il avait essayés et laissés tomber : le golf, le tennis, la plongée, le polo, le ski de fond. S'il avait pu mettre ses femmes dans un placard, il l'aurait fait. Au bout de deux mois de mariage, il était déjà en quête de nouveaux horizons.

— C'est triste.

— Non. Ça finissait même par être drôle.

Elle leva le menton et sourit. Bouche fermée. Un truc bien maîtrisé mais complètement bidon.

— Rien qu'à voir sa façon de s'habiller, je savais avec quel genre de fille il me trompait. Un jour il a mis son costume cintré au rancart et sorti un vieux jean et un vieux T-shirt. Ce jour-là, j'ai compris que c'était fini avec la chef décoratrice aux bijoux surréalistes et qu'il entamait une idylle avec une critique de cinéma de troisième zone qui travaillait pour le *Village Voice*. Une gamine hirsute qui devait avoir dans les seize ans et quinze minutes. C'était vraiment comique.

— Je ne trouve pas.

L'architecte avait eu l'idée de mettre une couverture vert pisseux sur le lit, peut-être pour lui donner un air champêtre. Bonnie traça une marque sombre avec son doigt.

— OK, dit-elle calmement. Il a été salaud avec moi. Et même pire que ça, il m'a brisé le cœur. Je ne suis pas une tombeuse, mais pour une fois, j'avais un homme à moi. Je nageais dans le bonheur. Mais avant même que j'aie fini de lui écrire le sonnet que je lui dédiais — quatorze vers pas fameux —, il avait tourné la page.

— Autrement dit, votre mariage était foutu bien avant le divorce.

Elle acquiesça.

— On faisait encore l'amour, mais sans amour. Et on n'avait plus grand-chose à se dire. Les soirs où il était à la maison, il s'enfermait dans son bureau pour lire des scénarios ou passer des coups de fil. Après le divorce, j'ai continué ma vie. Ça n'était pas si dur que ça, au fond. Nous n'avions jamais formé un vrai couple.

— Mais votre situation financière et votre train de vie ont changé. A quoi ressemblait votre vie ?

— Qu'est-ce que vous voulez dire ?

Elle se concentrait sur une deuxième ligne qu'elle était en train de tracer sur la couverture.

— Vous étiez heureuse dans cette misère ?

— Ça allait.

Elle ne leva pas les yeux pour me le dire.

— Mais encore, Bonnie ?

— Pourquoi est-ce si important ?

— Je veux savoir dans quel état d'esprit vous étiez, vous et Sy, quand vous avez renoué.

— Dans quel état d'esprit ? J'étais — je suis — une femme indépendante. Sans attaches. J'ai perdu ma mère quand j'avais dix-sept ans — tumeur du cerveau. Mon père s'est remarié avec une femme de Salt Lake City qui va chez le pédicure. Il a vendu le magasin et il est parti s'installer en Arizona, dans une résidence pour retraités. Ils jouent au bridge. Mes frères sont tous mariés, avec des gosses.

Elle resta silencieuse un moment, perdue dans ses pensées. Elle cessa de tripoter la couverture et se mit à jouer avec sa natte. Elle défit l'élastique, distraitement. Puis elle dénoua sa natte et se mit à caresser ses cheveux en parlant, comme pour se réconforter. Dans la lumière verte de l'abat-jour, ils avaient des reflets cuivrés.

— Voilà ma vie : j'habite une charmante villégiature de bord de mer, loin de mon sol natal. Mes seuls amis sont Gideon, son amant, et deux femmes. Je connais aussi pas mal de gens sympas qui viennent surtout l'été. Il me reste quelques amis du temps de Sy — un producteur, un journaliste qui fait la rubrique spectacles dans le *Wall Street Journal* — qui possèdent des maisons dans les environs. On se voit de temps en temps et on se marre bien. Je donne des cours d'alphabétisation bénévoles et je milite pour la protection de l'environnement. C'est comme ça que j'ai rencontré Gideon. Il défendait un type qui saccageait l'environnement. Nous avons commencé par nous injurier sur le thème des espèces en danger. Et puis nous sommes devenus de très bons amis. Quoi d'autre ? Je gagne dix-huit mille dollars par an en écrivant pour des catalogues et des journaux locaux et aussi pour certaines revues spécialisées dans l'automobile. Que voulez-vous savoir de plus ? Le sexe ? Avant le sida, quand un homme me plaisait, je couchais avec lui. Maintenant je lis, je fais du jogging et je regarde deux films par soir. J'ai avorté quand j'étais mariée avec Sy, parce qu'il ne se sentait pas prêt à avoir des enfants. Et moi c'était ce que je désirais le plus au monde. Quand j'ai eu trente-huit ans et que j'ai compris que plus personne ne me redemanderait en mariage, j'ai arrêté de prendre la pilule. Je suis stérile. J'ai eu les trompes bouchées à la suite d'une blennorragie que m'a refilée mon mari six mois après l'avortement. Et voilà. — Bonnie fit claquer ses mains sur ses genoux. — J'imagine que vous auriez voulu quelque chose de plus croustillant.

— Un peu plus, ouais.

Je devais continuer à jouer les flics. Je n'avais pas le choix. C'était ça ou la prendre dans mes bras, la cajoler, lui murmurer de tendres mots de consolation.

Je lui demandai :

— On a trouvé deux enveloppes de capote dans la corbeille à papier de la chambre d'amis de Sy. Puisque vous ne pouvez pas avoir d'enfants...

— Et le sida, les chlamydiae, la blennorragie ? Si j'avais pu, je lui aurais bien mis une capote sur la tête avant de l'embrasser, mais ça manque un peu d'élégance.

— Parlez-moi encore de votre vie.

— Que pourrais-je vous dire de plus ? J'ai eu une enfance heureuse. Après ça j'ai vendu mon scénario et on en a fait un film plébiscité par la critique. Ensuite Sy m'a épousée. Bien sûr, je me doutais que tout n'allait pas être toujours rose, et que j'allais traverser des drames, comme la mort de ma mère. Mais je ne soupçonnais pas que la vie pouvait être si triste. Pourtant... Oh, ça n'est pas insupportable, non, simplement la solitude, c'est toujours désolant.

— Maintenant, il s'agit d'autre chose que d'un simple problème de bonheur personnel, lui rappelai-je.

— Je sais.

— Vous pourriez être arrêtée pour meurtre.

Ma voix était si caverneuse qu'on aurait dit un 45 tours qui passe en 33. La petite piaule était devenue minuscule, tout à coup, étouffante comme une cellule.

Bonnie avait l'air décidée à ne pas se laisser abattre. Elle me balança un sourire éclatant.

— En imaginant le pire, si je suis condamnée pour meurtre, je ressortirai de prison dans vingt ou trente ans. Imaginez un peu le scénario que je pondrai. Pas l'histoire d'une blonde enchaînée avec un pyjama déchiré et les doudounes à l'air. Non, un scénario en béton, crédible sociologiquement et peut-être que je passerai au « Cinéma de minuit ».

— Parlez-moi du scénario que vous écriviez avec Spencer.

— OK. *Vacances à la mer.* Je me suis inspirée d'un fait divers réel qui s'est produit pendant la Deuxième Guerre mondiale. Un sous-marin allemand a fait surface au large des côtes de Long Island et deux saboteurs ont réussi à gagner la côte. Dans mon histoire, deux femmes les repèrent depuis la plage. L'une d'elles est une femme au foyer type et l'autre est une serveuse de bar qui fait des passes le samedi soir. Bref, c'est l'histoire de ces deux femmes qui vont aider à capturer des nazis et qui vont devenir amies.

— Vous l'avez envoyé à Spencer après avoir fini de l'écrire ?

— Je lui ai téléphoné.

— Et alors ?

— Eh bien, d'abord j'ai eu sa secrétaire et j'ai demandé qu'il me rappelle. Il l'a fait deux jours plus tard. Plutôt méfiant, à vrai dire. Il devait craindre que je lui demande de l'argent. Mais quand je lui ai parlé du scénario, il a été charmant. Il m'a dit : « Ça a l'air passionnant. Envoie-le en exprès. Je meurs d'envie de le lire. »

Bonnie ne portait pas de maquillage et avait des mollets fantastiques, c'est vrai. Mais ce qui la rendait vraiment unique, c'est qu'elle ne savait pas tricher. Je la regardais droit dans les yeux sans qu'elle se défende avec des mimiques ou des gestes comme le font la plupart des femmes. Elle ne retouchait pas sa coiffure mine de rien ; elle ne roulait pas des yeux de bovin, elle ne prenait pas des airs de biche aux abois, n'écartait pas subrepticement les jambes, ne se cambrait pas. Non, elle me regardait droit dans les yeux en retour. Je pensai que ça lui venait peut-être de son éducation au milieu des garçons, avec son père chasseur d'élan et sa mère taillée comme un roc. Peut-être même que si elle avait essayé de battre des cils ou de caqueter comme une poule personne ne s'en serait aperçu. Ou bien elle avait peut-être joué les femmes fatales dans le magasin de son paternel au milieu des Browning et des Winchester et elle s'était pris un coup de pied au cul. Bonnie n'était pas féminine, c'était une femme.

— Votre scénario avait plu à Spencer, dites-vous ?

— Tout juste.

Je repensai à ce qu'avait affirmé Easton.

— Dans ce cas, pourquoi avait-il demandé à son assistant de trouver quelque chose de sympa à dire pour pouvoir vous envoyer promener gentiment ? Et pourquoi l'aurait-il raconté à Lindsay ?...

Je ne trouvais pas les mots pour lui dire que Spencer pensait que c'était de la merde sans être aussi direct.

— Je n'en sais rien, mais pour ce qui est de Lindsay, il avait intérêt à ce qu'elle ne sache rien de notre relation. — Bonnie faisait des cercles avec ses pieds. — Lindsay a des antennes qui fonctionnent jour et nuit. Elle vous repère une bonne femme à cent kilomètres à la ronde. Sy était très prudent. Il prenait toutes les précautions possibles et imaginables pour venir chez moi — à part mettre des lunettes noires et un nez en carton.

Elle arrêta de faire tourner ses chevilles et commença

des élongations. Elle s'échauffait comme pour un marathon, ma parole. Cette femme ne supportait pas le confinement.

— Pourquoi diable a-t-il chargé son assistant de trouver quelque chose de sympa à dire ?

— Parce qu'il était débordé, sans doute.

— Non.

— Quand est-ce que son assistant l'a lu ?

— Il y a deux mois environ.

— C'est-à-dire au moment où j'ai apporté la deuxième version à Sy. Sy m'a dit qu'il aimait beaucoup mais qu'il n'aurait pas le temps de le passer au crible avant la fin de *Nuit d'été*.

— C'était la version corrigée selon ses suggestions ?

— Oui.

— Vous qui connaissez Spencer, vous pensez qu'il aurait pu vous dire qu'il aimait le scénario alors que ça n'était pas vrai ?

Elle réfléchit un moment.

— Il aurait pu le faire, oui. Peut-être qu'il... je ne sais pas, moi... peut-être qu'il voulait renouer avec moi pour un temps.

Elle me semblait très abattue, comme quelqu'un qui vient de recevoir une lettre de refus brutale.

— Mais il a quand même pris la peine de m'écrire un petit mot gentil. Un truc du genre : « J'ai parcouru ton scénario. J'ai adoré. J'ai hâte de pouvoir le lire à fond. »

Voilà un autre bon point en perspective. Avec la preuve écrite que Spencer avait aimé son scénario, elle avait tout intérêt à ce qu'il reste en vie. Un producteur mort ne fait pas de films.

— Il vous a écrit ? demandai-je.

— Oui, sur une feuille de papier à en-tête demi-format.

— Ecrite à la main ?

— De sa main, je pense.

— Vous l'avez gardée ?

— Elle doit être dans mon dossier *Vacances à la mer*. Dans mon bureau. — Elle s'arrêta net. — Une seconde, vous voulez prouver qu'il avait aimé le scénario original, aussi ? Très bien. Dans la même chemise il y a des comptes rendus de la première lecture. Typique de Sy. Huit pages, écrit serré. Il a tout passé au crible, la psychologie des personnages jusqu'à l'emploi du subjonctif. Et puis il y a des remarques comme « brillant », « poignant », « transcendant ».

— Ça veut dire quoi, « transcendant » ?

Elle se mordit la lèvre.

— Je ne sais pas exactement, pour être honnête. C'est un mot qu'on rencontre un peu partout, mais personne n'en connaît vraiment le sens. Il a même écrit « branché » à un endroit. Ça a dû l'épater, lui qui me disait toujours que j'étais née trop tard et que j'étais faite pour la RKO — si la RKO avait continué d'exister — parce que mes scénarios se seraient vendus comme des petits pains en 1941. Il n'arrivait pas à croire que j'avais pondu un truc qui pouvait plaire au grand public.

Elle se leva et se mit à faire les cent pas. Enfin, façon de parler, vu qu'il y avait juste la place pour faire trois pas en avant et trois pas en arrière.

— Vous avez obtenu un mandat de perquisition. Pourquoi n'avez-vous pas lu ce dossier ?

— Kurz a dû y jeter un coup d'œil et penser que ça n'était pas important.

Je pris mon carnet et notai : « Voir dossier Bonnie *Vacances à la mer.* »

— Pas important ? On vous raconte que Sy n'a pas aimé mon scénario et qu'il m'a envoyée balader — ce qui aurait été une raison de le supprimer — et vous ne trouvez pas ça important ?

— On n'est pas payés pour trouver des preuves d'innocence.

— Non, vous êtes payés pour coffrer les gens.

— Asseyez-vous.

— Je n'ai pas envie de m'asseoir, glapit-elle. Bon Dieu, on étouffe ici.

J'étais fumasse. J'aurais voulu qu'elle soit contente d'être avec moi.

— Vous préférez aller en tôle ?

— Et vous ? On pourrait vous mettre dans la cellule d'à côté, pour complicité d'évasion, par exemple.

Bonnie était de plus en plus désespérée, elle marchait

de plus en plus vite. Tout à coup elle s'arrêta net. Elle me fit un grand sourire. Un sourire immense, faussement chaleureux, complètement trafiqué, horriblement séduisant.

— Je viens d'avoir une idée géniale. On pourrait nous mettre dans la même cellule. On pourrait s'envoyer en l'air après l'extinction des feux. Pas seulement baiser. S'aimer, aussi. Et parler ! Tout se dire. Se raconter nos vies, sans chiqué, même si ça fait mal. Et puis faire l'amour ! Debout, couché, assis, dessus, dessous.

— Ça suffit !

— Pourquoi ? Ça serait fantastique, ça serait comme refaire le monde. En inventer un nouveau. Et puis le lendemain...

— Ça suffit, j'ai dit.

— Et puis le lendemain, ça serait fini. Vous auriez oublié. — Elle leva un verre imaginaire. — A ta santé !

— Je suis désolé si je t'ai fait mal, balbutiai-je. A cette époque-là, je pédalais complètement dans la choucroute.

Je me levai pour aller dans la salle de bains. Moose me suivit. Je ne trouvai pas les Kleenex, je lui apportai un rouleau de papier toilette à la place. Je savais qu'elle allait pleurer. Je lui passai le bras autour des épaules, prêt à la consoler. Mais elle se détourna de moi et prit du large. Elle ne pleurait pas, elle ne voulait pas être consolée.

— Bonnie, dis-je, aux AA on fait la liste des gens à qui on a fait du mal. Et on s'engage à réparer les dégâts. Je sais que je t'ai fait mal. Je n'ai aucune excuse...

— Gideon m'a dit que tu ne te souvenais de rien.

— C'est vrai. Mais après, quand il est parti... ça m'est revenu, par bribes... Je ne me souviendrai jamais exactement de tout ce qui s'est passé entre nous, de ce dont on a parlé. Mais je voudrais te dire à quel point je suis désolé...

Elle fit volte-face et planta ses yeux dans les miens. Je n'arrivais pas à soutenir son regard.

— Pas d'excuses, OK ? Je n'ai pas envie que tu t'excuses pour te sentir mieux. Oui, tu m'as fait mal. Mais c'est ma faute. On a couché ensemble et c'est moi qui ai sorti les violons. Je me suis prise à mon propre piège.

— Tu sais que ça ne s'est pas passé comme ça.

— Tout ce que je sais, c'est que c'est de l'histoire ancienne.

Elle se rassit sur le lit, pieds au sol, cette fois, et mains sur les cuisses. Ça n'était plus Bonnie, c'était une collégienne bien sage. Il y eut un long silence que déchira le cri d'une mouette qui piquait dans la mer.

— Je regrette de m'être emportée, dit Bonnie.

— Tu n'as rien à regretter.

— Je ne veux pas être amère. J'ai perdu les pédales. Je suis crevée. Je ne dors plus depuis que Sy est mort. Depuis la minute où tu as sonné à ma porte. J'ai peur. Je me réveille, il fait beau, je m'étire, je bâille... et puis tout à coup je suis prise de panique. C'est un vrai cauchemar, le soleil ne me réchauffe plus. Et puis, il y a toi. Ces souvenirs de toi et ma peur de toi. C'est dur d'être ici, chez toi.

— Je sais, je veux simplement te dire que...

— Ça suffit, maintenant.

— Je voudrais...

— Non, je t'en prie, arrête.

Le soir commençait à tomber. Il fallait que j'appelle Lynne. J'allai dans la cuisine. Mais au lieu de décrocher le téléphone, je donnai des croquettes et un peu d'eau au chien. Ensuite je sortis les barquettes du four et les apportai dans la chambre sur des assiettes avec des couverts et des serviettes. Je m'attendais à ce qu'elle dise « Non merci, j'ai l'estomac qui fait des nœuds », mais avant même que j'aie eu le temps de revenir avec les Coca elle avait déjà terminé sa cuisse de poulet et avalé la moitié des patates et du maïs.

J'étais assis, mon aile de poulet à la main, sans savoir quoi en faire. Je pensais à toutes les choses dont j'aurais voulu parler avec Bonnie : le base-ball, les mormons, l'Europe de l'Est, la dette extérieure, le cinéma, la pollution, quel était son itinéraire de jogging préféré ? Comment elle s'était esquinté le genou ? Est-ce qu'il lui arrivait de regarder autre chose que des westerns avec John Wayne ? Des films d'horreur, par exemple. Croyait-elle en Dieu ? S'était-elle sentie coupable ou juste malheureuse après son avortement ? Etait-elle tombée amoureuse de moi quand on avait fait l'amour ?

Je lui demandai :

— Quand avez-vous recommencé à avoir des rapports Spencer et toi ?

— La dernière semaine.

— Pourquoi ?

— Pourquoi ?

— Oui, pourquoi ? Tu pensais peut-être qu'en couchant avec lui il produirait ton scénario ?

— Tu connais cette blague qu'on raconte dans le show-biz : c'est une nana superbe, une actrice de première bourre qui entre dans le bureau du producteur et qui lui dit : « Je veux ce rôle et je ferais n'importe quoi, mais absolument n'importe quoi pour l'avoir. » Elle se met à genoux et lui dit : « Je vais te faire la pipe du siècle » ; à ce moment-là, le producteur la regarde et lui dit : « Non merci, je fume que le cigare. » — Bonnie s'essuya les mains. — Qu'est-ce que Sy pouvait gagner dans l'histoire ? Rien. S'il ne voulait pas faire quelque chose, rien ni personne n'aurait pu l'y obliger.

— Mais comment as-tu pu coucher avec un salaud pareil ? Bon, il t'a laissé la maison, c'est vrai, mais à part ça tu pouvais crever la gueule ouverte. En plus, il t'a obligée à avorter...

Elle me coupa brusquement.

— Personne ne m'a obligée.

— Peut-être, mais il t'a quand même refilé la chtouille, non ? — une preuve d'adultère entre parenthèses — et à cause de lui tu ne peux pas avoir ce que tu voulais le plus au monde.

J'avais touché le point sensible. Elle resta impassible. Elle se tenait bien droite, l'assiette à la main.

— Je vais rapporter les assiettes à la cuisine, dit-elle d'une voix trop aiguë, comme quelqu'un qui a la gorge serrée.

— Non. Il n'y a pas de rideaux aux fenêtres, on pourrait te voir. Je les rapporterai moi-même plus tard.

Je lui pris l'assiette des mains et la posai par terre.

— Tu commences à ronger ton frein, c'est ça ?

— Si on veut, dit-elle doucement.

— Viens.

Je lui présentai le sac de perquisition qui contenait ses tennis. Elle les enfila. Ensuite j'éteignis la lampe, je la pris par le bras pour traverser le salon dans le noir et l'amener jusqu'à la porte de derrière. Il faisait presque nuit. Les étoiles commençaient à pointer dans le ciel indigo — la couleur de ma Type E. Elle s'assit sur la marche. Je lui demandai de parler bas.

— Tu n'as pas peur qu'un paysan nous voie ? Il y en a peut-être un là-bas, derrière la haie.

— Je me méfie toujours des paysans. Et puis un de mes amis pourrait passer. Mais il faudrait savoir ce que tu veux. Si tu préfères rester claquemurée, dis-le.

Elle répondit par un soupir et s'appuya contre le chambranle de la porte. On sentait l'air de la mer, l'odeur des pins et celle, plus musquée, de la terre. Que voulait-elle de plus ?

— On continue les questions, Bonnie ?

— OK.

— Comment as-tu pu coucher avec Spencer après tout ce qu'il t'avait fait ?

Elle ne répondit pas. Peut-être qu'elle pensait encore à l'enfant qu'elle n'avait pas eu.

— Réponds, insistai-je. Tu ne m'as pourtant pas l'air d'être une masochiste qui s'envoie en l'air pour mieux se traiter de pute le lendemain matin. Toi tu prends du bon temps, tu dis : « Merci », et puis tu passes à autre chose.

— Ça n'est pas aussi simple que ça.

— Mais ça ressemble à la vérité quand même. Tu ne dis pas : « Doux Jésus, aidez-moi, je me déteste. »

— Dans ma religion on ne dit pas Doux Jésus.

— Tu sais bien ce que je veux dire.

— Est-ce que je fais partie de ces femmes qui s'envoient en l'air pour s'avilir ? Non. Je m'envoie en l'air — pardon, je m'envoyais en l'air — pour le plaisir. Et parfois parce que j'avais besoin de chaleur.

— Alors réponds à ma question.

— J'ai couché avec Sy parce qu'il était là. Un être humain qui existait vraiment et qui me connaissait. Il est venu à la maison pour relire ses notes sur mon scénario, on s'est mis à parler de la femme de mon frère Jim, que Sy aimait bien, et de son oncle Charlie. Et puis on a parlé de *Nuit d'été*.

A propos de nuit d'été, le ciel était rempli d'étoiles. Des petits lampions joyeux qui semblaient dire : « C'est chouette la vie ! »

Bonnie continuait :

— Quand Sy a vu les pichets de faïence sur la cheminée, ça lui a rappelé notre voyage dans le Maine, où il en avait acheté deux. C'était sympa comme souvenir. Et puis ? Et puis il a dit que mon scénario avait une sacrée gueule, qu'il n'arrivait pas à croire que j'utilisais encore une machine à écrire et il appelé son assistant pour qu'il achète un ordinateur et une imprimante pour moi.

Je prenais des notes mentalement. Il fallait que j'interroge Easton à ce sujet.

— Voyons. Il avait apporté des fleurs. Je sais ce que tu penses. Tu te dis : « Cette nana s'est laissé sauter pour un compatible IBM et un brin de muguet. » En partie. Sy arrive dans ta vie et il chamboule tout. C'est terriblement agréable un homme qui s'intéresse à toi, qui remplit ton frigo, qui te paye des joujoux électriques, qui te brosse les cheveux et qui te demande comment s'est passée ta journée. C'est en partie pour ça. Et puis j'ai couché avec lui parce que je manquais d'amour. C'était insupportable.

Avant que j'aie eu le temps de dire quoi que ce soit, elle ajouta :

— Et ne me demande pas si je croyais qu'il était amoureux de moi, parce que tu connais la réponse aussi bien que moi.

— Mais pourquoi toi ? Je ne cherche pas à t'enfoncer, mais il vivait avec Lindsay Keefe.

— Je suis plus sexy que Lindsay.

Elle avait dit ça sans fausse modestie, spontanément, parce qu'elle le pensait vraiment. Après quoi elle étira ses jambes et s'inclina en avant pour se toucher le bout des pieds. Elle ne pouvait pas rester tranquille un moment. Elle débordait de vitalité. Je me demandai comment elle faisait pour rester assise deux heures de suite au cinéma. Quelle drôle de passion pour quelqu'un qui avait tellement besoin de lumière et de grand air.

— Il n'y avait pas que le sexe qui comptait pour Sy, continua-t-elle. Il me baisait moi, pour de vrai, pour baiser Lindsay au figuré. Il adorait tromper ses femmes. Il aimait qu'elles le soupçonnent et qu'elles s'accrochent à lui pour essayer de le retenir. Il aimait quand elles paniquaient et il adorait les situations compliquées. Mais avec Lindsay, c'était plus ça. Il lui en voulait vraiment.

— Pourquoi ? Parce qu'elle n'était pas bonne dans le rôle ?

— Parce qu'elle était mauvaise, mais surtout parce qu'elle ne faisait aucun effort. Tu sais, il n'est pas le seul à avoir mis du fric dans le filon. Il y a aussi la banque et des amis à lui. Il courait un risque énorme. Il savait pertinemment que, pour qu'un film romantico-policier marche, il faut qu'il soit excellent. Il croyait dur comme fer à son scénario. Et même si c'était un drôle de type par ailleurs, Sy savait aller jusqu'au bout des choses.

Je repensai au Germe qui avait dit que le scénario lui avait plu.

— Tu l'as lu ?

— Oui. C'était très fort. Mais Sy voulait être numéro un au box-office, il voulait des critiques en béton : « Un classique du cinéma américain ! A voir à tout prix ! » Et pour ça il avait besoin de Lindsay. C'est une star. Les hommes l'adorent. Et puis elle a tourné dans des films excellents. Elle est très bien vue de la critique. Sy savait que s'il prenait des acteurs trop stéréotypés, sans vraie profondeur émotionnelle, *Nuit d'été* ne serait rien de plus qu'un film à grand spectacle tourné à Long Island et à New York. Avec des acteurs capables d'innocence, de tendresse, sous des dehors mondains et qui sachent dire un texte — les dialogues sont très bons —, il était sûr de faire un carton. Et ça avait bien démarré. Nick Monteleone était, paraît-il, parfait dans le rôle. Débonnaire, juste ce qu'il faut, pas comme Cary Grant. Il était viril, fascinant. Mais c'est Lindsay qui foutait tout par terre. Elle avait l'air de mépriser son rôle, comme si elle ne le trouvait pas assez bon pour elle. C'était humiliant pour

Sy. Et humilier Sy, c'était la dernière des choses à faire quand on avait un peu de plomb dans la cervelle. Tu sais, il aurait pu la tuer pour ça.

— Pourquoi il ne l'a pas envoyée valser alors ?

— Il ne voulait pas rompre son contrat avant d'avoir trouvé une remplaçante. Ce qui allait coûter très cher puisque le contrat de Lindsay stipulait qu'elle toucherait l'argent, qu'elle fasse le film ou pas. Mais il cherchait quelqu'un pour la remplacer. C'est pour ça qu'il partait à Los Angeles. Et pour ce qui était de la virer, il savait qu'il devait manœuvrer avec prudence. Si, pour une raison ou une autre, il n'arrivait pas à lui trouver de remplaçante, il allait être obligé de faire avec. Tant qu'ils vivaient sous le même toit et qu'ils couchaient ensemble et tant qu'il l'arrosait de gadgets à dix mille dollars, il avait encore un peu d'ascendant sur elle. Il n'avait pas intérêt à se la mettre à dos, sinon elle lui en aurait fait voir de toutes les couleurs.

— A ton avis, Lindsay était au courant pour Sy et toi ?

— Moi en particulier ? Non. Une femme, oui. Sy ne m'avait rien dit mais il l'appelait de chez moi dans sa caravane. Ils avaient des téléphones portables. Quand elle lui demandait d'où il appelait, il prenait un certain temps avant de répondre : « Je suis en train de déjeuner avec mon ami Bob, un copain de fac. Nous nous sommes rencontrés par hasard. » Et quand elle lui demandait où ils étaient, il marquait encore une pause avant de répondre : « Dans un petit resto, le heu... le *Water Mill.* » Il lui mentait, mais il voulait qu'elle s'en rende compte.

— Sy ne t'a jamais dit que Lindsay avait un amant ?

Bonnie sourit et secoua la tête, comme si ma question était absurde.

— Pourquoi pas ? Il était si génial que ça au plumard ? insistai-je.

Je reconnais que cette question n'était pas strictement professionnelle. Je voulais savoir.

Peut-être que Bonnie l'avait compris. En tout cas elle ne voulait pas répondre.

— C'est une question sans intérêt.

— Mais si. Il me faut le plus de renseignements possible le concernant. J'ai besoin de savoir comment il se comportait avec les autres, avec les femmes, autant que d'avoir des détails sur ses rapports avec Lindsay Keefe. Comment peux-tu être sûre qu'elle ne le trompait pas ?

— Parce que Sy était capable de satisfaire n'importe qui.

Elle se redressa en me regardant fixement. Elle empruntait l'air détaché et le ton scientifique d'une bonne femme en blouse blanche qui vendrait des bidets à la télé. Si elle avait porté des lunettes, elle les aurait ôtées pour avoir l'air sincère.

— Sy s'adaptait très bien à ses partenaires. Il était comme elles voulaient qu'il soit. Bien sûr, il ne mesurait pas un mètre quatre-vingts avec un machin qui allait d'ici à Philadelphie. Mais il savait s'adapter, être cochon ou romantique. Une bête ou une fleur bleue. Pour ce qui est de la passion, c'était zéro, c'est vrai. Il était incapable de vraie chaleur. Mais pour le reste, c'était sans problème. Il était absolument comme on le voulait.

Moose vint à la porte et commença à aboyer. Elle voulait rentrer dans la conversation. Je ne pouvais pas prendre le risque de la laisser sortir et de réveiller les chiens du voisinage. Nous rentrâmes dans la maison. Rechambre aux ananas. Je rallumai la lampe verte et nous reprîmes nos attitudes d'avant. Comme tout se passait bien, je décidai que je pouvais mettre mes pieds sur le lit.

— Et si je te disais que Lindsay couchait avec Santana ? lançai-je.

— Non !

— Eh bien ?

— Je dirais...

Bonnie s'accorda deux secondes de réflexion. L'air du dehors lui avait éclairci les idées. Ses yeux étaient plus brillants.

— Ça aurait pu se passer, en effet. Et tu sais pourquoi ? Parce que Sy ne l'aurait jamais cru. — Elle ramena ses genoux contre sa poitrine. — Par contre, s'il l'avait appris, elle était foutue pour de bon. Sy était très rancunier. Il tenait une liste noire où figuraient ses principaux ennemis : quiconque lui donnait du fil à retordre — un agent, un technicien... Et mieux, il y avait la liste noire de la liste noire, qui changeait tout le temps. Ceux qui y avaient figuré à un moment ou à un autre en prenaient plein les dents chaque fois que l'occasion se présentait. Quand il vous avait eu dans le collimateur une fois, il ne vous lâchait plus.

Le côté rancunier de Spencer me turlupinait. Il fallait que j'y regarde de plus près. Lui et Lindsay s'étaient engueulés et il l'avait traitée de savate... Ou alors il avait découvert qu'elle couchait avec Santana. Ou encore elle sentait que ça allait être sa fête, non seulement elle serait virée, mais il allait chercher à démolir sa carrière en propageant partout qu'elle était à chier. Aurait-elle pensé à le descendre ? Peut-être, mais je n'en étais pas tout à fait convaincu.

— Franchement, je ne crois pas que Sy savait, reprit Bonnie. Il n'était pas d'une humeur spécialement massacrante. Il était très optimiste pour son voyage à Los Angeles. Et détendu aussi. Il devait prendre l'avion à dix heures et quart mais il avait changé ses plans pour pouvoir passer sur le plateau et regonfler un peu le moral des troupes, qui n'était pas fameux. Et puis il m'a appelée pour me demander de passer chez lui. Je ne connaissais pas la maison. Il m'a fait faire le grand tour du proprio. Il voulait m'entendre m'extasier : « Whaou, super, génial. »

— Et tu l'as fait ?

— Bien sûr. Quitte à faire du tapage pour une maison, autant y aller pour celle-là. Elle est vraiment magnifique.

— Il était plutôt détendu, alors ?

— Ouais. Ça c'était très bien passé sur le plateau. L'atmosphère était beaucoup plus détendue quand il les a quittés. Ils avaient repris confiance. Et pour ce qui est de Los Angeles, il emportait trois exemplaires du scénario pour les faire lire à trois actrices différentes. Il avait décidé de prendre l'avion de dix-neuf heures, de se coucher de bonne heure et de les rencontrer le lendemain à tour de rôle au petit déjeuner, au déjeuner et au dîner. Il était parti pour faire une proposition le soir même à l'une des trois. Il m'avait dit : « En ce moment, ça cafouille sur le tournage, mais ça va changer, tu vas voir. Je vais les tirer de là, ça va être mon meilleur film. »

Je reposai mes pieds par terre et rapprochai la chaise du lit, prêt à passer à l'attaque. Je n'aimais pas être à ce point séduit par elle.

— Dis-moi pourquoi tu as menacé Spencer ?

— Qu'est-ce que c'est que cette histoire ?

— Bonnie, ça suffit. Tu es allée le voir sur le tournage de *Nuit d'été*. Des témoins t'ont entendue le menacer : « C'est la dernière fois que tu me fais un coup pareil, espèce de salopard. »

— Tu appelles ça une menace ?

Tout à coup elle prenait des airs de rombière de Manhattan.

— Arrête ça, Bonnie, tu veux ?

— Non, tu arrêtes, toi. Tu ne comprends donc rien à rien, bon sang ! Sy Spencer, mon ex-mari, vient me voir chez moi tous les jours de la semaine. Il couche avec moi, il me dit que je lui manque, que je suis merveilleuse, que sa vie est un désert depuis notre divorce et malgré toutes ses maîtresses. Et pour couronner le tout, il m'avoue qu'il a fait la connerie de sa vie en me quittant. Je sais bien que tout ça ou presque, c'était du bidon. Mais il a quand même dit « la connerie de ma vie ». Et puis là-dessus il ajoute qu'il aimerait que je vienne dès que possible sur le plateau, pour voir son boulot. Alors moi, j'y vais. J'aurais dû attendre qu'il fasse imprimer les invitations, peut-être ? Il faut croire que oui, parce que quand je me suis pointée, il m'a priée tout fort, pour que tout le monde entende, de prendre mes cliques et mes claques. Je n'étais pas vexée. J'étais furax et bien décidée à ne pas me faire avoir une deuxième fois. Il pouvait toujours se pointer chez moi pour me demander pardon, c'était fini, fi-ni !

— Sauf que ça n'a pas fini.

— Non, parce qu'il m'a rappelée deux minutes plus tard de sa voiture pour me dire qu'il était absolument désolé. Il m'a expliqué que si on m'avait vue sur le plateau, ça aurait jasé dans les chaumières parce que personne ne venait jamais de l'extérieur, à part les banquiers et les très gros bonnets. Et puis il ne pouvait pas se permettre d'éveiller les soupçons de Lindsay à mon égard. Il n'était pas encore prêt à dévoiler son jeu. Il avait été obligé de me renvoyer avec pertes et fracas pour la galerie. Il s'est répandu en excuses. Il m'a juré qu'il allait se débarrasser d'elle et que j'aurais dès lors carte blanche pour venir sur le tournage autant que je voudrais. Il m'a dit qu'il était fier de moi. Que j'étais la scénariste de *Cowgirl.* Il voulait me présenter à toute l'équipe.

Je ne disais rien. Il n'y avait rien à dire. Elle ajouta :

— Il avait beau être très cultivé, ça ne l'empêchait pas d'être idiot, parfois. Personne n'y aurait cru, à son histoire, ça ne tenait pas debout.

La chaleur commençait à s'estomper. On sentait la première brise du soir par la fenêtre. L'abat-jour vacilla et Bonnie frissonna.

— Je vais te chercher un sweat, tu veux ?

— Non, merci. Ça ira comme ça.

J'aurais quand même bien aimé la voir dans un sweat à moi. J'aurais voulu prendre ses mains dans les miennes pour les réchauffer. A dire vrai, j'étais content d'avoir Bonnie chez moi. Malgré les circonstances et malgré les étincelles que ça faisait parfois, c'était plutôt agréable. Tant de choses me plaisaient en elle. Par exemple elle n'avait fait aucune remarque sur le cholestérol, quand je lui avais proposé une barquette de surgelé. Et puis j'adorais ses cheveux superbes, j'admirais son courage. Mais le plus génial, c'est que mon plaisir à être avec elle n'avait plus rien d'obsessionnel.

Le fait de m'être souvenu de ce qui s'était passé entre nous m'avait aidé à dépasser mon obsession. Et là face à elle, nez à nez dans une piaule minuscule, j'arrivais quand même à faire mon boulot de flic, sans arrière-pensée, sans avoir envie de lui rouler une pelle. Relax. « Ouf, pensai-je, il était temps. »

J'en étais là de mes pensées quand mes yeux quittèrent ses lèvres. Si le store n'avait pas été baissé, j'aurais pu admirer la lune dans le ciel. Mais comme il n'y avait rien à voir au-dehors, mon regard s'arrêta sur son short, à l'endroit de l'entrejambes.

Si on avait été des personnages d'un dessin animé porno, un éclair aurait déchiré le ciel et le dieu de la chair nous aurait transpercés de son dard à deux têtes, juste à l'endroit du pubis.

Juste au moment où ma respiration commençait à s'accélérer, Bonnie attrapa l'oreiller et le posa sur ses cuisses. Un de ces gestes inconscients d'auto-défense. Mais sans même s'en rendre compte, elle se mit à triturer le coin de l'oreiller entre le pouce et l'index. « Bon Dieu, pensai-je, dire qu'elle pourrait me faire ça à moi. » J'étais de plus en plus excité. Je sentais déjà la caresse de son pouce.

J'essayais de rompre le charme en pensant à Lynne : ses cheveux roux foncés, son teint de pêche, ses yeux de biche, sa taille gracile, ses jambes de star. Mais je n'arrivais pas à recoller les morceaux pour en faire quelque chose d'agréable. J'étais complètement subjugué par Bonnie.

Mais Bonnie, elle, gardait la tête froide. Soit elle s'était rendu compte de ce qu'elle était en train de faire, soit elle avait senti le changement d'atmosphère, toujours est-il qu'elle remit l'oreiller dans son dos.

— Que veux-tu savoir de plus ? demanda-t-elle tout à coup, sur un ton décidé.

— Pourquoi m'as-tu menti ?

— Tu veux dire quand tu es venu à la maison, la première fois ?

— Je t'ai demandé quand tu avais vu Spencer pour la dernière fois. Tu m'as répondu que tu ne te souvenais plus exactement, quelques jours auparavant, sur le tournage. Et quand je t'ai demandé quand tu l'avais vu avant ça, tu es restée très vague, tu m'as dit la semaine d'avant, quand il t'a fait visiter sa maison. Tu as même dit que tu n'étais pas restée très longtemps.

— Pour un mec qui a des trous de mémoire, tu te poses là.

Si je la regardais, j'aurais vu ses seins, ses cuisses ou la base de son cou, là où son T-shirt s'arrêtait. Je préférais regarder ailleurs, par-dessus son épaule, et me concentrer sur la tête du lit.

— Quand je t'ai demandé si Spencer était venu chez

toi, tu as été vague, tu m'as répondu qu'en effet il était peut-être passé une fois. La routine, quoi, deux vieux copains qui planchent sur un scénario. Ce que je veux savoir maintenant, c'est si tu t'étais déjà fabriqué un alibi avant de me voir rappliquer ou bien si tu as improvisé ?

— Tu ne me menaces pas, comme tu sais si bien le faire, genre : « Tu vas parler, ou je te défonce le crâne ! »

— Non, c'est pas ça, c'est : « Accouche, ou je te défonce ton putain de crâne. » On peut continuer ?

— Quelque chose ne va pas ?

Ça la turlupinait de me voir faire de l'œil à la tête du lit.

— Tout va bien. Je t'ai posé une question, j'attends la réponse.

— J'avais un alibi. Mais j'en cherchais un autre. — Elle inspira profondément. — Sy m'a appelée et je suis allée chez lui. Il m'a montré la maison et puis, surprise, on s'est retrouvés au lit tous les deux.

— Ouais. Pour une surprise, c'est une surprise.

Je les imaginais tous les deux. Lui, lui foutant la main au cul et l'emmenant de pièce en pièce, jusqu'au plumard. Fermant la porte.

— Quand avez-vous commencé et quand vous êtes-vous arrêtés ?

Elle répliqua sèchement :

— Tu ne me demandes pas si c'était bon et ce qu'on a fait, pendant que tu y es ?

— La ferme, tu veux ? Ceci est un interrogatoire, ma petite. Je ne t'ai pas amenée ici pour le plaisir ni pour que tu me racontes ta vie sexuelle.

Il n'y a rien de tel que la frustration pour un interrogatoire.

— Réponds. Ça a duré combien de temps, exactement ?

— De une heure à deux heures et demie, à peu près. Tu veux savoir si c'était bon ?

— Ça l'était sûrement, chérie, sinon tu ne le ferais pas si souvent.

J'avais dit ça pour lui faire mal. Et ça avait marché. Rien de tel qu'une belle vacherie dans les gencives pour qu'elles arrêtent de vous asticoter, les garces. C'est radical. Y a plus qu'à sortir les mouchoirs.

— Ça n'était vraiment pas la peine de dire ça.

Sa voix tremblait. Elle n'avait pas envie de se défendre.

— Quelqu'un t'a vue chez Spencer ?

— Mme Robertson, la cuisinière.

Elle parlait les yeux fixés sur la couverture verte.

— Tu as discuté avec elle ?

— Oui. Pendant que Sy appelait la Californie, pour confirmer ses rendez-vous là-bas, nous avons fait un brin de conversation.

— Vous avez parlé de quoi ?

— De nos familles. De la famille de Sy. Sy l'avait engagée la deuxième année de notre mariage. Je ne l'avais jamais revue depuis le divorce.

— Avant ou après que Spencer t'ait sautée ?

— Ne me parle pas comme ça.

— Avant ou après ? Dépêche. Bonnie. Le compte à rebours est déjà bien entamé. Kurz peut rappliquer d'une minute à l'autre.

— Avant.

— Donc tu as parlé avec Mme Robertson, tu es montée et ensuite tu as eu des rapports... c'est mieux comme ça ?

Elle ne répondit pas. J'imaginais Spencer avec sa coupe gladiateur monter sur Bonnie, la peloter, la serrer, la toucher partout.

— Et après ça ? Réponds. Vous avez parlé ?

— Seulement des actrices qu'il devait rencontrer à Los Angeles. Je lui ai donné mon opinion sur celle qui me semblait la meilleure pour le rôle. Il m'a promis de m'appeler de là-bas pour me tenir au courant.

— Et c'est tout ?

— A peu près.

— Quoi d'autre ?

— Il m'a dit qu'il m'aimait.

— Tu l'as cru ?

— J'ai cru qu'il y croyait au moment où il le disait.

— Tu l'as cru ?

— Non.

— Il avait l'air tendu ?
— Non.
— Vous vous êtes dit au revoir, et après ?
— Il est allé prendre une douche et préparer ses affaires, je suppose. Je suis redescendue à la cuisine pour dire au revoir à Mme Robertson, mais elle n'était pas dans la cuisine. Alors je suis rentrée chez moi.
— Tu as reparlé à Spencer après ça ?
— Non. Je ne lui ai plus jamais reparlé. La dernière chose que je peux te dire, c'est que je taillais des dahlias dans mon jardin quand le téléphone a sonné. C'était Marian Robertson qui m'appelait pour m'apprendre ce qui était arrivé et que la police était là. J'étais... je ne sais pas comment dire. Elle me parlait, mais j'avais l'impression d'être dans un rêve, ça ne me faisait aucun effet. Et puis elle m'a dit : « Ils m'ont demandé si M. Spencer était seul et j'ai dit oui, parce que ça ne les regarde pas. Alors surtout, motus et bouche cousue. » Et je l'ai remerciée.
— On peut dire qu'elle t'a rendu un chouette service.
— Elle a cru bien faire. Il ne faut pas la malmener.
Comme si j'allais coffrer la mère de Mark ! L'enfermer avec une bande de dealers et de drogués. J'ajoutai simplement :
— Continuons, tu veux ?
— J'étais trop bouleversée pour pleurer. J'ai écouté les nouvelles. Et après j'ai commencé à réfléchir à ce que je dirais si on me questionnait. C'était très possible, j'étais son ex-femme, après tout. Cela dit, je ne me suis pas mise à cogiter comme une bête, mais je n'ai pas pu dormir. On allait retrouver mes empreintes chez lui, et ses empreintes chez moi. Il ne fallait pas raconter de salades. En plus on m'avait vue sur le tournage, même si je ne m'étais pas rendu compte qu'on m'avait entendue le traiter de salopard.
— Alors tu as décidé de dire la vérité en changeant juste quelques détails ici ou là.
— Oui. Exactement. J'ai pensé qu'il valait mieux ne pas dire que j'avais couché avec lui et éviter les questions embarrassantes. Mais je ne savais pas s'il fallait que je dise que j'étais allée chez lui ce jour-là. Il n'y avait

pas de raison de le cacher, parce que je n'avais rien à me reprocher. Je n'imaginais pas que je pourrais être soupçonnée. Mais comme Marian Robertson avait déjà déclaré qu'il n'y avait personne, je me suis dit que je dirais la vérité si les choses se compliquaient. Sinon, je me tairais... dans notre intérêt à toutes les deux.

— Mais, justement, les choses se sont compliquées et tu n'as pas dit la vérité.

Bonnie se leva et remonta le store de dix centimètres pour regarder au-dehors.

— J'ai ouvert la porte le lendemain matin et... — Elle se retourna vers moi, le dos au mur. — Ne m'interromps pas. Ça me coûte de dire ce que je vais dire.

J'acquiesçai.

— La seule nuit que j'ai passée avec toi a beaucoup compté pour moi. Beaucoup compté est un euphémisme. J'étais amoureuse de toi. Quand j'ai vu que tu ne rappelais pas, j'ai essayé de te joindre, mais tu ne figures pas dans l'annuaire. J'ai laissé mon nom quatre fois à ton bureau. J'imagine qu'à la Criminelle on passe les messages, mais les inspecteurs ne sont pas obligés d'y répondre.

» Ça m'a fait très mal. Plus que je ne pourrais le dire. Et j'avais honte. J'ai mis très longtemps à m'en remettre. Mais j'y suis arrivée.

» Et puis, cinq ans plus tard, tu sonnais à ma porte. Je ne t'ai pas tout de suite reconnu, ou du moins je n'arrivais pas à y croire... j'étais tellement heureuse. Sy venait d'être assassiné, c'était une chose horrible, abominable. Je venais de perdre un ami très proche, ou en tout cas un ex-mari, un amant, un producteur. Mais tout ce que j'arrivais à me dire, c'était : « Stephen est revenu ! » Or au lieu de me prendre dans tes bras, tu m'as montré ton insigne. Et j'ai réalisé brutalement pourquoi tu étais là. Et puis tu étais distant. Alors je me suis calmée. Je me suis dit que ça devait être aussi pénible pour toi que pour moi de t'occuper de cette affaire. Mais le plus étrange pour moi, c'est que tu n'avais pas l'air mal à l'aise. Tu étais très professionnel, et courtois. De temps en temps je retrouvais l'homme avec qui j'avais passé la nuit. Tu as un beau sourire, et tu sais t'en servir. Et je...

Elle se tourna vers la fenêtre à nouveau. Je me taisais. Elle ne m'avait pas posé de question et je ne savais pas quoi dire.

— Je voulais que tu m'aimes encore, je voulais te faire bonne impression. Je ne voulais pas que tu me prennes pour une pute.

— Tu n'es pas une pute.

J'aurais voulu qu'elle me regarde, mais elle restait le dos tourné, face au store.

— Laisse-moi terminer. Un : tu me rencontres dans un bar. Je te fais des avances, enfin, façon de parler, c'était beaucoup plus direct que ça. Deux : je te ramène à la maison et, pour parler comme toi, je me fais sauter avant même de savoir ce que tu fais dans la vie. Trois : tu ne m'avais même pas dit ton nom de famille, je ne l'ai su que plus tard, quand tu m'as montré ton insigne. Mais peu importe. Je savais que tu étais un type bien. C'était un miracle pour moi de t'avoir rencontré. Alors j'ai ouvert les vannes. Je t'ai donné tout ce que j'avais. Pourquoi me retenir ? Je n'ai pas pensé un seul instant que je pouvais te choquer. A ce moment-là, toi et moi on était complètement sur la même longueur d'ondes. C'était magique.

» Mais cinq ans plus tard, j'étais devenue une de ces femmes qu'on lève dans un bar et qui ne pense qu'à se faire sauter. Quand tu m'as demandé quand j'avais vu Sy pour la dernière fois, je n'avais pas envie de dire : « Hier après-midi, justement, on était encore au lit ensemble. » Je ne voulais pas que tu t'imagines que j'étais une fille facile, qui, vingt-quatre heures avant, baisait avec un homme fiancé à une autre femme : Lindsay Keefe, une beauté mondialement connue. Tu aurais pensé que j'étais une pute. Une fille sans intérêt ni pour Sy ni pour toi ni pour aucun homme.

» Je voulais que tu me croies chaste, j'imagine, et que tu me respectes. Je voulais que tu comprennes qu'entre toi et moi il s'était passé quelque chose d'exceptionnel. Parce que c'était toi et pas parce que je faisais ça avec n'importe qui. Je ne suis peut-être pas tout à fait honnête. J'ai eu des hommes dans ma vie. Combien ? Trente, quarante, peut-être plus.

Je me revois racontant au psy de South Oaks que j'avais sauté des bonnes femmes par centaines, mais que j'étais incapable de dire si c'était cent ou cinq cents. Dans les années soixante-dix, l'été, et dans les années quatre-vingt, j'avais baisé tout Long Island, de Hampton Bay jusqu'à Montauk. Bonnie reprit :

— Tu te doutais qu'il y avait eu pas mal de mecs avant toi. Mais moi je pensais que tu étais la chance de ma vie. J'espérais que tu allais comprendre que ce qui s'était passé entre nous avait été unique.

Elle se retourna. Elle avait l'air épuisé. Le visage gonflé par la fatigue. Je pensai : « Elle est vieille et elle en a l'air. Lynne est jeune, elle. »

— Tu sais, continua Bonnie, tu ne semblais pas avoir de curiosité sur ce que je faisais dans la vie. Le matin où tu es venu à la maison pour m'interroger, tu m'as posé la question et je t'ai répondu que je travaillais avec Sy, que j'étais scénariste. J'étais tellement contente de pouvoir te le dire. J'avais envie de t'impressionner. J'avais envie que tu te dises : « Ouah, scénariste, ça n'est pas une pute, c'est une femme intéressante. Une femme bien. » — Bonnie se tenait toute droite. — Je voulais être une femme que tu aurais pu aimer.

Un courant d'air renversa la lampe qui alla cogner sur le rebord de la fenêtre. Bonnie sursauta comme si elle avait entendu un coup de feu.

Je lui dis :

— Je sais que je t'ai rendue malheureuse. Je suis désolé.

Elle s'éloigna de la fenêtre et s'approcha de la table de nuit en bois, à quelques centimètres de moi. Tout près.

— Ecoute, proposa-t-elle, je ne te demande pas d'excuses, je te demande simplement de rester correct. De ne plus me parler de baiser et de sauter comme un flic de la mondaine qui fait une descente chez les putes. Je suis un être humain et je suis dans la merde. Si tu veux vraiment m'aider, pourquoi ne pas le faire gentiment, OK ?

— OK, dis-je.

La petite brise était de plus en plus fraîche, un vrai vent d'automne. J'avais froid.

— Pardon.

— Merci.

Bonnie avait la chair de poule. J'allai chercher un sweat dans ma chambre et des vêtements chauds pour Bonnie. Moose me suivit. Je tentai de lui mettre une paire de chaussettes dans la gueule pour qu'elle les apporte à sa maîtresse, ça aurait été sympa. Mais Moose n'a rien compris. Elle lâcha les chaussettes avec un air contrarié, comme si j'avais essayé de lui faire croire que c'était un Big Mac.

En éteignant dans la chambre, je vis clignoter la lumière rouge de mon répondeur. Il y avait deux messages. Je baissai le volume. Un message du Germe qui savait où trouver des billets pour aller voir les Yankees, actuellement en tournée à Detroit. Voulais-je aller les voir quand ils reviendraient ? L'autre message, c'était Lynne : « Salut. Je t'aime et je pense à toi. Je sais que tu es très occupé, chéri, mais quand même, tu pourrais me passer un petit coup de fil. Rien qu'une minute. Ma mère veut savoir si on préfère du poulet farci au riz sauvage ou du rosbif pour la réception. Tu vas me dire de faire comme je veux, mais je préférerais que tu te sentes un peu concerné quand même. »

J'appelai Carbone au QG. Pas de trace de Bonnie. Je ne l'avais pas retrouvée non plus. Mais j'étais passé chez elle : rien n'indiquait qu'elle avait quitté les lieux précipitamment, tout était en place. A mon avis, elle était sortie pour la soirée et elle rentrerait plus tard. En attendant, j'avais la liste de ses amis et relations et j'allais de porte en porte voir si je ne la trouvais pas. Je demandai si Robby était rentré chez lui et Carbone me dit qu'il était encore au bureau, en train de relire les dossiers.

Je retournai dans la petite piaule et donnai un jogging et des chaussettes à Bonnie. En général, une femme qui porte les affaires de son mec, c'est mignon tout plein, ça flotte dedans. Mais les miennes allaient à Bonnie comme à moi. Elle glissa les chaussettes sous les élastiques du pantalon. Je dis :

— Il y a deux appels sur mon répondeur. Tu as entendu le téléphone quand j'étais chez toi ?

Elle s'apprêtait à chausser ses tennis.

— Une fois, oui.

— Tu as entendu le message ?

Elle acquiesça. Je repensai au message de Lynne : « Salut, je t'aime... » Ça me faisait mal au cœur pour Bonnie.

— Alors tu sais qu'il y a quelqu'un dans ma vie.

— Oui.

— Je vais me marier.

— Félicitations.

Directe. Sans aucune amertume.

— Merci. C'est une fille bien. Elle est éducatrice pour enfants handicapés mentaux. Elle et moi on veut la même chose : la stabilité, fonder une famille. Elle est catholique. C'est important pour moi.

Bonnie nouait les lacets de ses tennis.

— Depuis un certain temps — depuis les AA, en fait—, j'ai besoin de retourner à l'église. Pour dire une petite prière et puis le rituel, aussi, ça compte.

Je ne savais plus comment m'arrêter. J'avais envie de lui avouer que la dernière fois que j'avais mis les pieds dans une église, j'avais huit ans, et la messe était en latin. Je me demandais quel effet ça faisait quand on comprenait ce qui se disait. Peut-être qu'on était déçu, qu'on se disait : « C'est tout ? » et qu'on perdait la foi. Ça me préoccupait un peu.

Et puis je voulais lui raconter que ma mère s'était engagée à nous élever dans la religion catholique, le frangin et moi, quand elle s'était mariée. Elle me déposait à l'église tous les dimanches, mais après ma première communion elle m'a dit : « Steve, tu es un grand maintenant. Si tu tiens encore à aller à l'église il faudra que tu y ailles à vélo. Je voudrais bien t'accompagner mais je suis trop fatiguée. Je suis debout toute la semaine et j'ai besoin de me reposer le dimanche. » J'avais continué à y aller tous les dimanches, du mois de mai jusqu'à la Noël, après quoi il s'était mis à neiger. Il faisait un froid de canard et les routes étaient gelées. Quand est revenu le printemps, je n'y suis plus retourné.

J'esquissai un sourire, mais je commençais à bien connaître Bonnie. Je l'entendais presque me dire : « Arrête ton char, tu as quarante ans, non ? Pas la peine de rejeter la faute sur ta mère. Elle n'avait pas posé de cadenas sur la porte de l'église, que je sache. »

Mais je voulais lui dire que ma mère n'avait jamais envoyé Easton à l'église. Surtout pas à l'église catholique. Des années après, quand il s'était mis à fréquenter le beau linge de Southampton l'été, je l'avais entendu dire une fois au téléphone qu'il était l'arrière-arrière-petit-fils de l'évêque de Long Island. Je ne sais pas si ma mère le lui avait raconté ou s'il l'avait inventé, mais je savais qu'il mentait et qu'il ne fallait pas mentir à propos de religion.

Je repartis dans mon délire.

— Ecoute, je sais que je vais avoir l'air con quand je vais dire : « Pardonnez-moi mon père, car j'ai péché. » Cela fait trente-deux ans que je n'ai pas mis les pieds au confessionnal. Mais je tiens à le faire et Lynne m'y encourage. Il faut que ça vienne de moi, personne ne va me prendre par la main pour aller voir le curé. Mais je suis content que la religion fasse partie de notre vie commune.

Bonnie se détourna, s'appuya au mur des deux mains et se plia en avant pour étirer ses mollets. Je me sentais complètement nul. J'avais l'impression de déblatérer comme une bonne femme qui veut impressionner un mec pour ne pas qu'il foute le camp. Je n'arrivais pas à m'arrêter.

— Lynne est très jeune pour moi. Vingt-quatre ans. Mais elle est solide. Et puis elle est belle. Des cheveux auburn, très longs...

— Du calme, coupa Bonnie dans une élongation. Je n'ai pas l'intention de te faire des avances.

— Je suis calme, dis-je en essayant d'en avoir l'air. J'ai pensé que ça te ferait moins mal si je te disais exactement ce qu'il en était.

— Ce qu'il en est, c'est que tu n'es pas à la recherche d'une femme de quarante-cinq ans, juive et stérile. Mais n'aie crainte, je te comprends, tu sais. Et puisque te voilà raccommodé avec l'Eglise, ce qui est admirable, j'imagine que tu veux régler tes comptes avec ta conscience. Alors, dis-moi franchement, est-ce que tu m'aurais parlé de tes fiançailles si je n'avais pas entendu le message sur ton répondeur ?

— Je n'ai pas de réponse à ça.

— Si je n'avais pas compris ce qu'il en était, tu crois que tu m'aurais fait des avances ?

— Je n'en sais rien. Je pense qu'il y a toujours une certaine attirance entre nous.

— C'est plus que ça.

— OK, c'est bien plus que ça. Et tout ce que je peux dire c'est que je voudrais avoir la force de résister. Cela dit, je me sens mieux maintenant que j'ai cassé le morceau au sujet de Lynne. Je me sens plus tranquille pour te dire la vérité. Pas toi ?

Bonnie éclata de rire. Un rire franc, sincère. Un rire que j'aurais adoré si elle n'avait pas ri à mes dépens. Elle dit :

— Je ne me sentais pas menacée dans ma vertu. Mais je suis contente que tu aies joué cartes sur table. Je suis contente pour toi. Et je te souhaite beaucoup de bonheur.

» Et je m'en souhaite beaucoup à moi aussi, ajouta-t-elle. Je veux sortir de ce merdier, si c'est possible. Je veux un avenir.

— Je l'espère pour toi.

— Eh bien, c'est toi le flic. C'est quoi le programme ?

— Je vais vérifier l'alibi de Lindsay Keefe. Il semblerait qu'elle soit restée tout le temps à East Hampton, sur le tournage. Apparemment collée à la caméra. Mais je veux en être sûr. Il y a pas mal de temps morts pendant un tournage, à ce qu'il paraît ?

Elle acquiesça.

— Raconte un peu.

— Pour les changements de point de vue, par exemple, il faut tout déplacer, les projos, les rails, la caméra. Ça dépend des fois, et ça dépend de l'équipe, disons qu'il faut compter vingt minutes pour faire un gros plan, par exemple. Mais quand on inverse la prise de vue, il faut tout inverser. Tous les projos qui étaient à l'arrière sont placés à l'avant. Et comme toute l'équipe se déplace, la régie et les accessoiristes doivent remonter le décor à l'envers, remettre les cadres aux murs, replacer les objets, etc. Après, la scripte vérifie que tout est bien en place. S'il y avait un plaid sur un fauteuil dans la scène d'avant, par exemple, il faut s'assurer que le même plaid est disposé de la même façon pour la scène suivante. Ça peut prendre une heure, parfois plus.

— Je voudrais savoir s'il y a eu un battement d'au moins quarante minutes. Vingt minutes pour aller du tournage à Sandy Court, et vingt minutes retour. Qui serait le plus à même de me renseigner ? L'agent de Lindsay ? Tu connais un dénommé Eddie Pomerantz ?

Elle en avait entendu parler.

— Il a dû faire ses débuts avec D. W. Griffith. Mais je ne le vois pas rester sur le plateau avec elle. C'est un homme d'affaires, pas une nourrice. Il vaudrait mieux demander à sa camériste ou à son assistant personnel, si elle en avait un.

— Non, je ne crois pas.

— Elle a peut-être passé un moment avec les autres acteurs.

— Non, et d'après Monteleone, personne ne pouvait la saquer. Il paraît qu'elle est très froide. Mal embouchée. Quelqu'un lui aurait dit : « Lindsay, on croirait que le bon Dieu t'a exemptée de tous tes devoirs d'être humain. »

— Mais elle est exemptée. Quand on est une star, on a l'autorisation de mal se conduire. Tu le sais très bien. Lindsay Keefe est peut-être infecte sur le plan humain, mais elle est bourrée de talent — quand elle le veut. Et elle a les plus beaux nichons de la planète. Et puis surtout, elle est fascinante. Quand on la voit, on n'arrive plus à la quitter des yeux. C'est une vraie star. Ça n'est pas étonnant qu'elle dédaigne les autres acteurs. Les autres, ce sont des acteurs ordinaires, pas des vedettes. Quant à Santana, même s'il était son amant, il devait être beaucoup trop pris en fin d'après-midi pour s'occuper d'elle.

Je repensai à tous les rapports que j'avais lus et à tous les interrogatoires que j'avais menés.

— Pour autant que je me souvienne, Santana faisait

ce que font tous les metteurs en scène l'après-midi. Il n'a même pas dit qu'il était allé aux chiottes. Il était sur le plateau tout le temps. Qui d'autre aurait pu se trouver avec elle ?

— Les stars sont souvent proches des maquilleurs et des coiffeurs. C'est naturel, d'ailleurs. Elle était peut-être en train de faire retoucher son maquillage.

— Je cherche à démolir l'alibi de Lindsay Keefe, pas à le renforcer, je te signale.

— C'est la vérité qui importe. Sa maquilleuse pourra sans doute te dire si Lindsay avait des amis sur le tournage. Et quand elle avait quelque chose à faire, un déplacement à l'extérieur, j'imagine qu'elle demandait au chauffeur. Encore que je la vois mal disant au chauffeur : « John, nous allons à Sandy Court, je dois buter Spencer. »

— Comment est-ce que je peux me procurer les noms de tous ces gens rapidement ?

— Tous les membres de l'équipe reçoivent une liste du personnel. Il doit y en avoir une chez Sy.

— Quand Spencer a été assassiné, il était au téléphone avec Eddie Pomerantz. Tu crois que Pomerantz aurait pu se douter que Spencer allait à Los Angeles voir d'autres actrices ?

— Oui.

— Pourquoi ?

— Parce que le show-biz est un monde de ragots. Pire que ça : c'est une affaire publique. Les contrats, la bouffe, les bagnoles, les traumatismes infantiles, la baise, les hôtels, les procès, les pets de travers des acteurs, tout se sait. A mon avis, si Lindsay s'était rendu compte de quelque chose, Eddie Pomerantz se serait renseigné auprès de deux ou trois sources différentes et il aurait essayé de convaincre Sy d'annuler son voyage.

— Il a dit qu'ils discutaient d'un problème de droit de reproduction de photos.

— Pour reprendre une expression qui t'est chère, dit Bonnie, c'est de la couille en barre.

— OK. Je vais faire un tour, tâcher de glaner un ou deux trucs. Toi tu restes ici et tu ne bouges pas, compris ?

— Non, il faut que je rentre.

— Tu es pressée de te faire coffrer ?

— Non, mais je ne veux pas que tu foutes en l'air ta carrière à cause d'une suspecte en cavale. Je suis sérieuse.

— D'accord, tu as lu des tas de polars, mais la loi, c'est pas ton rayon. Je te signale que tu n'es pas en cavale. Pas encore, du moins. Tu es mon invitée. Alors relax. Prends un bouquin et va te coucher.

— Je ne peux pas dormir.

— Alors écris un scénario... Un producteur se fait descendre. Qui est l'assassin ?

Elle regardait par-dessus mon épaule, en direction de la porte d'entrée.

— Tu te dis que tu vas te tirer dès que je vais avoir tourné les talons. OK, Bonnie. Tu voudrais faire un petit footing de quinze kilomètres pour aller chez Friedman ? Mais tu veux vraiment obliger ton meilleur ami à choisir entre te cacher ou te livrer à la police ?

— Non.

— Très bien, alors reste ici. Jure-le-moi. Je ne veux pas me mettre la rate au court-bouillon et me demander où tu es et ce que tu fais pendant que je suis parti.

Elle me prit la main.

— Promets-moi que si tu n'arrives pas à me sortir de là, tu ne vas pas...

— T'arrêter ? Bon Dieu, fais-moi un peu confiance.

Elle serra ma main dans la sienne et la relâcha.

— Si je n'arrive pas à te sortir de là, je te le dirai. Et il faudra que tu te débrouilles toute seule.

— Parole d'honneur : quoi qu'il arrive plus tard, personne ne saura jamais ce que tu as fait pour moi, déclara-t-elle.

— Je sais.

Nous restâmes comme ça un petit moment. Et puis je dis :

— Il faut que j'y aille, maintenant. — Mais je n'arrivais pas à partir. — Bonnie ?

— Oui.

— Tu veux bien qu'on s'embrasse ?

— J'ai déjà essayé ça une fois avec toi, mais ça n'a pas si bien marché.

— Mais si.

— Non. Et puis tu as des choses plus importantes à faire.

— Comme quoi ?

— Comme rappeler ta fiancée pour lui dire si c'est du poulet ou du rosbif. Et puis ensuite essayer de me sauver la vie.

16

Easton n'avait pas quitté son lit mais, au moins, il n'était pas enfoui sous les couvertures. Il était allongé sur le côté, la tête appuyée sur la main, en train de lire un scénario. J'étais d'une humeur de frère aîné. Je lui fis :

— Bouh !

Il cria. On aurait dit un gros oiseau effarouché à la voix cassée.

— Ne fais plus jamais ça ! hurla-t-il. Tu es malade, ou quoi ? — Deux secondes plus tard, il avait retrouvé son calme et me demanda : — Tu es encore monté en douce pour ne pas que maman t'entende ?

— Ouais. Tu te souviens quand tu l'appelais « m'man », avant que tu décides de devenir un fils de famille.

— Oui, mais moi au moins, je pouvais me le permettre. Toi, par contre...

J'aimais ça. Easton avait enfin l'air d'émerger de sa cure de sommeil. Pas au point de remuer ciel et terre, non — il était encore en pyjama —, mais pas besoin d'un futal pour ce qu'il avait à faire.

— Tu vas mieux, on dirait. La dernière fois que je t'ai eu au téléphone, j'avais l'impression de parler à un zombi.

— Je me sens mieux. J'ai de bonnes nouvelles !

— Quoi ?

— Je voulais donner quelques coups de fil à droite à gauche pour trouver du boulot, ou quelque chose de ressemblant. Mais je n'y arrivais pas. J'étais trop déprimé. Et puis un ami de Sy que j'avais rencontré, Philip Scholes, le metteur en scène, m'a appelé aujourd'hui ! Il était là en juillet et il avait besoin de faire des photocopies d'urgence. Il avait appelé chez Sy pour savoir où les faire, mais Sy n'étant pas là, je lui ai proposé de m'en charger. En moins d'une heure le travail était fait. Bref, il a besoin d'un « aide de camp » et quand il a su pour Sy, il a pensé à moi. En clair : il me paye un aller-retour en Californie pour discuter boulot !

— C'est génial !

Easton rajusta le haut de son pyjama. On aurait dit que l'entretien d'embauche avait commencé.

— Je suis bien content pour toi. La mort de Spencer a été un tel gâchis. Si tu avais pu continuer avec lui, tu aurais sûrement fait ton trou au bout d'un moment. Tu avais l'air tellement bien dans ta peau.

Le frangin hocha tristement la tête, un court instant. Cela dit, je sentais bien qu'il pensait déjà à Philip Scholes.

— Tu peux me rendre un service ?

— Quoi ?

— Je voudrais une liste de l'équipe de tournage. Tu en as une, non ?

Easton se leva et enfila ses savates en cuir pour se rendre dans la pièce d'à côté. Ses savates claquaient aux talons.

— Tu la veux pour quoi ?

— Je veux m'assurer que tout le monde était bien sur le plateau vendredi dernier.

— Qui, par exemple ?

— Tous ceux qui ont fait une déposition. C'est la routine.

Mais le frangin secouait la tête. Il voulait savoir.

— Lindsay ?

— Lindsay.

— Steve, je t'assure que tu fais fausse route.

— East, c'est toi qui n'y comprends rien. Elle te fait trop d'effet.

— Peut-être. Mais elle en faisait à Sy aussi. Et, crois-moi, il n'avait aucune envie de rompre son contrat. — Le petit frère commençait à s'exciter un peu. — Je te l'ai déjà dit.

Il ouvrit un tiroir du bureau, sortit une chemise orange et feuilleta la pile bien ordonnée de papiers. Il savait exactement où trouver ce qu'il cherchait. C'est bizarre comme, de ce point de vue-là, on était bien frangins lui et moi. Chaque chose avait sa place, on ne laissait rien traîner. Même du temps de mes cuites, quand j'émergeais le lendemain matin, je trouvais toutes les bouteilles de la veille bien alignées sur la paillasse de l'évier. Et c'est plus tard, quand je suis tombé sur des canettes de bière vides par terre, autour de la télé, et sur une bouteille de pinard dans la salle de bains que j'ai compris que j'étais foutu.

Easton me tendit la liste.

— Je n'ai pas oublié ce que tu m'as dit au sujet de Lindsay Keefe, mais nous avons des tas de preuves comme quoi Spencer était prêt à la balancer.

Easton avait l'air perplexe et un peu secoué à l'idée que Lindsay pourrait être inquiétée. J'essayai de le remonter.

— Ecoute, je suis sûr qu'elle était dans sa caravane de quatre à sept. Elle a plusieurs témoins. Simplement, on enquête parce qu'on a découvert qu'il y avait de l'eau dans le gaz entre elle et Spencer. En plus de ça, elle baisouillait avec...

Le frangin détourna la tête, comme s'il ne voulait pas entendre.

— Victor Santana.

Il resta sans expression. Même pas surpris.

— Et puis, il est possible qu'elle sache se servir d'une arme à feu. Elle a pris des leçons de tir quand elle a tourné *Transvaal.*

Easton claqua bruyamment la chemise sur le bureau, comme pour écraser une grosse mouche.

— Et qu'en est-il de l'ex-femme de Sy, bon sang ? Je croyais que vous aviez des preuves accablantes contre elle.

— On n'en est pas absolument sûrs. Au fait, Spencer t'a bien demandé d'acheter un ordinateur et une imprimante pour elle ?

Easton eut l'air perdu, un instant. Puis il fixa le plafond en quête d'inspiration. Je commençais à flipper. Pourvu qu'elle ne m'ait pas encore raconté des craques.

— Oui, répondit finalement Easton. Je m'en souviens, maintenant. Un petit ordinateur bas de gamme. Un PC made in Taiwan. Sy avait dit : « Pas d'IBM, c'est trop cher. Et pas plus de mille dollars pour l'ensemble. »

— Il t'a dit pourquoi il lui payait un ordinateur ?

— Non. Un lot de consolation, j'imagine, parce qu'il avait refusé son scénario.

— Tu as une copie du scénario, *Vacances à la mer* ?

— Non. Steve... — Il se tut une seconde. — Je ne vais pas t'apprendre ton métier, mais cette fille avait toutes les raisons de le descendre.

— Pourquoi ?

— Il avait refusé son scénario.

— Tu as eu connaissance de notes ou de lettres qu'il aurait pu lui envoyer pour le lui dire ?

— Non. Il dictait son courrier à sa secrétaire de New York, par téléphone. Parfois elle lui envoyait une copie par fax pour qu'il se relise, mais le plus souvent elle signait pour lui. Le courrier ne serait pas revenu à la maison.

— Alors qu'est-ce qui te permet d'affirmer qu'il a refusé son scénario ?

— Il ne cherchait sûrement pas à la revoir, bon sang. Si tu avais vu comment il l'a reçue quand elle est venue sur le plateau. Elle a dû être horriblement vexée.

— Même si elle était très vexée, ça n'est pas une raison pour descendre quelqu'un. Sauf quand on est à la masse. Et elle n'a pas l'air d'être à la masse.

— Il te faut un suspect alors maintenant tu vas t'acharner sur Lindsay.

M. Modéré n'arrivait plus très bien à se contrôler. Il avait le cou et les oreilles en feu. Il était dans tous ses états à essayer de défendre la dame de ses pensées.

— Pourquoi elle ? Y a-t-il une seule raison pour que la Criminelle s'acharne sur elle, à part la publicité ?

— Arrête de déconner.

— Ce que tu fais est répugnant. Scandaleux !

Je haussai les épaules. Easton se dirigea vers le divan

en cuir et s'y laissa tomber de tout son poids. Il prit sa tête dans ses mains et commença à se balancer d'avant en arrière. J'allais dire quelque chose, mais il leva les yeux.

Son humeur avait changé. Il était redevenu calme, M. Modéré. Il n'était plus outragé. Il avait l'air de douter.

— Je ne sais pas. Je ne suis peut-être pas lucide quand il s'agit de Lindsay... mon amour de jeunesse. Tu as sans doute raison.

— Raison dans quel sens ?

— Dans le sens où elle n'était pas si amoureuse de lui que ça. Il est possible qu'elle se soit trouvé quelqu'un d'autre. Mais je n'en sais rien. Personne ne disait jamais rien devant moi, parce que j'étais l'homme de main de Sy, en quelque sorte. Mais des bruits couraient au sujet de Lindsay et de Santana.

— Tu penses que Spencer savait ce qu'il y avait entre eux ?

Easton réfléchit longuement. Trop longuement. Il commençait à se faire tard. Je jetai un coup d'œil à la liste, puis à ma montre. La plupart des gens de l'équipe étaient logés dans un motel du côté de Three Mile Harbor. J'allais essayer d'y passer. Quelques-uns seraient peut-être partis pour le week-end. Mais la plupart seraient restés pour profiter de la plage plutôt que d'aller prendre un coup de sirop de rue du côté de la Dix-Neuvième Avenue.

— East, il faut que je parte.

— Sy était dans ses petits souliers, dit-il, perdu dans ses pensées. — Il ne m'avait pas entendu. — Mais il y a un détail qui me revient et qui me semble important. Tous les samedis, la semaine avant celle-ci et les deux premières semaines de tournage, Sy a fait un cadeau à Lindsay. Il le lui déposait à sa place, à table, pour qu'elle le trouve en descendant prendre son café. Quand je dis un cadeau je ne veux pas parler d'une boîte de chocolats, je veux dire des clips Arts-Déco en diamant, des écharpes en cachemire dans toutes les couleurs de l'arc-en-ciel à cinq cents dollars pièce. Je crois bien qu'il lui en avait offert sept ou huit à la fois. Elles étaient étalées sur un fauteuil, c'était sublime. Une montre Piaget. Jamais il ne lui faisait un cadeau en dessous de deux ou trois mille dollars. Le plus souvent, ça coûtait dans les cinq mille. Mais le samedi suivant, le dernier pour lui, il ne lui a rien laissé d'autre qu'un mot : « Tournoi de tennis. A ce soir. »

— Tu as vu le mot ?

— Oui. Il était bien en vue, sans enveloppe, même pas plié. Je ne suis pas aussi bien élevé que j'en ai lair. Tu le sais bien d'ailleurs. Je n'ai aucun scrupule à lire le courrier des autres. Surtout quand il s'agit de Lindsay.

— Il était vraiment parti jouer au tennis ?

— J'en doute. Il ne jouait pas spécialement bien. L'avant-bras trop mou. Il se serait fait tout de suite éliminer. Mais attends, Steve, ce n'est pas tout. Quand Lindsay est descendue, j'étais là. Elle a regardé à sa place. Il n'y avait rien. Et puis elle a lu le mot. Et elle est sortie de la pièce comme une furie.

Je ne mettais jamais les pieds dans un bar, excepté pour le boulot. C'était un risque que je ne voulais pas prendre. La première chose que je fis en entrant dans le bar du motel *Summerview* fut de commander un soda, de m'accrocher solidement à mon verre et de boire à petites gorgées.

Il y avait six chauffeurs sur le tournage. Des Irlandais bedonnants comme des pères Noël, mais sans barbe et avec une sacrée descente. Ils avaient des flics dans leurs familles, des frères ou des fils. C'étaient des gars qui respectaient l'uniforme, alors on est très vite devenus potes. Le chauffeur de Lindsay, un type de cent vingt kilos, aux joues bien rouges, s'appelait Pete Dooley.

— Elle ne roule pas en limousine ? lui demandai-je.

— Non, non. Un mec comme Stallone, peut-être, mais pas elle. Elle roule en break et c'est moi qui conduis. — Il regarda mon verre. — Tu veux pas quelque chose de plus fort ?

— Interdit.

Il avait compris.

— Elle est comment, ta patronne ?

— Oh, j'ai vu pire. Mais c'est une sacrée conne. Qui se prend pas pour de la merde. Jamais bonjour, jamais merci, que dalle. Mais bon, elle prend pas de coke, elle se shoote pas.

— Elle te parle, parfois ?

— Non, non. Elle me dit « on va là », « on fait ça » et c'est tout.

— Qu'est-ce qu'elle a fait le jour où Spencer a été tué ?

— Pas grand-chose. Je suis allé la chercher à six heures du mat. Mais je ne l'ai pas ramenée le soir. Son agent est venu nous annoncer la mort du boss et il l'a ramenée lui-même.

— Tu l'as vue dans la journée ?

— On s'est croisés ici et là. Avant le déjeuner, un des assistants m'a apporté un message. Elle voulait que j'aille lui chercher un paquet dans un magasin de lingerie de Hill Street. Je devais payer, demander un reçu et surtout bien compter la monnaie. Quelle connasse. Alors après le déjeuner j'ai fait sa course et je suis revenu.

— Les affaires étaient déjà emballées ?

Il acquiesça.

— C'était léger comme de la lingerie, ou bien ça pesait plus lourd ?

— Léger. Il y en avait pour quatre cent soixante-trois dollars et dix-huit cents. Rien que de la lingerie. On se demande quand même ! Une nana qui les a toujours à l'air. Elle met jamais de soutif. Qu'est-ce qui peut bien coûter ce prix-là ?

— On croit rêver. Des fanfreluches, sûrement. Elle t'a donné du liquide, Pete ?

— Ouais. Des billets de vingt.

Je commandai un deuxième soda. Lui et les autres gars lisaient la liste avec moi. Barbara, la maquilleuse, était rentrée à New York pour le week-end, mais le coiffeur devait être là et l'habilleuse aussi. Ils me montrèrent les noms. Ils étaient probablement quelque part dans l'hôtel.

Si le coiffeur n'avait pas eu cinq ou six perruques ultra blondes dans sa chambre, posées sur des têtes en polystirène, il aurait très bien pu passer pour un chauffeur de taxi ou un mécano. Il était à peu près aussi stylé que la pizza quatre-saisons qui avait dégueulassé sa chemise. Lui et deux autres mecs étaient en train de regarder un porno soft avec des hôtesses de l'air en chaleur. Une spécialité des motels. Tout ce qu'il réussit à me dire c'est que, pendant le tournage de la scène du cocktail, Lindsay Keefe s'était jetée à l'eau tout habillée pour montrer que la spontanéité ne lui faisait pas peur. A la télé, on voyait une hôtesse de l'air qui portait une toute petite jupe et pas de culotte se pencher en avant pour servir à boire à un passager. Le coiffeur n'arrêtait pas de se retourner pour mater, comme s'il n'avait jamais vu une paire de miches de sa vie.

— Lindsay, dis-je. Nous en étions à Lindsay.

— Ah, oui.

Dans cette scène, Lindsay portait une perruque. Elle en avait une sèche pour courir sur la plage et une mouillée pour quand elle sortait de l'eau. Lui était posté sur la plage et préparait les perruques. Elle était toujours prête quand on l'appelait pour tourner une scène.

— Où était-elle quand elle ne tournait pas ?

— Chez les habilleuses ou dans sa caravane. Elle avait le temps de sortir faire un tour et de revenir. Ce jour-là, en fin d'après-midi, il y avait eu une bonne heure de battement au moment du changement de décor. Pas à cause des éclairages mais à cause de la caméra. On ne sait pas où elle est allée. Elle aimait bien s'isoler. Personne ne savait ce qu'elle faisait. Le plus probable, c'est qu'elle lisait les journaux. Sa caravane en était pleine à ras bord. Ils font tous ça, remarquez. Ils cherchent tous leur nom ou leur photo dans les magazines. Ou bien elle a fait une petite sieste, ou de la méditation. Qu'est-ce qu'on en a à foutre, d'ailleurs ?

« C'était risqué pour Lindsay Keefe de quitter le plateau en douce à ce moment-là, pensai-je. Elle n'avait pas beaucoup de temps. Et, comme l'avait fait remarquer le coiffeur, il pouvait toujours y avoir un changement de dernière minute. Si on l'appelait chez les habilleuses, par exemple. Et, surtout, Lindsay Keefe ne pouvait pas passer inaperçue. »

Je demandai s'il y avait d'autres perruques dans les

parages, à part les perruques blondes. Il me répondit qu'il y en avait deux brunes dans la caravane des maquilleurs, celles de Monteleone.

A la télé, une des hôtesses était en train de jouer avec les bouts de sein d'une autre nana. Elles étaient debout dans l'allée, sans chemise. Je bâillai. J'étais complètement HS. Les mecs étaient rivés à l'écran, ils se lançaient des clins d'œil. Le coiffeur m'avait oublié. J'étais trop crevé pour le relancer. Je quittai la pièce.

Le *Summerview* était un motel standard. Un rectangle allongé à deux étages, avec un balcon qui court tout le long de la façade. Pas un endroit pour le beau linge en visite à East Hampton. Pas de journalistes renommés. Pas de politiciens ni de couturiers en vogue. Rien que des quidams qui descendent à la cafétéria, *Le Roi des océans*, pour s'envoyer des gaufres. Des mecs ordinaires qui cherchent un bout de plage propre le jour et un peu de glamour la nuit en faisant du lèche-vitrine ou en reluquant les Rolls qui passent, des fois que Steven Spielberg serait à l'intérieur.

Tout le second était occupé par l'équipe de *Nuit d'été*. J'arpentai le balcon. Ou bien la télé de la chambre 237 était allumée — et l'hôtesse de l'air s'était finalement dégoté un mec — ou bien deux zigotos faisaient ça à la cosaque. Je rebâillai. J'attendis trente secondes, le temps de les laisser prendre leur pied, mais apparemment ça n'était pas au programme. Je frappai fort. Une minute plus tard, la costumière, Myrna Fisher, mit la chaîne et entrebâilla la porte. Elle avait dans les cinquante piges et portait son négligé à l'envers. Je lui montrai mon insigne en me disant désolé de l'avoir réveillée mais j'avais quelques questions à lui poser, et pouvais-je entrer ? Elle répondit qu'elle avait un... un invité. Je lui dis qu'il n'y en aurait pas pour longtemps. Juste le temps de répondre à quelques questions.

Elle défit la chaîne et j'entrai. Dans le lit, le drap remonté jusqu'aux oreilles avec juste la tête qui dépassait, se trouvait l'ex-assistant de Sy Spencer, le jeune Gregory, ses vingt printemps et ses quarante kilos.

— Salut, Gregory, lançai-je.

— Salut, murmura-t-il.

J'avais envie de lui dire de ne pas s'en faire, que je n'allais pas appeler sa mère, mais au lieu de ça j'invitai Myrna à s'asseoir à la table ronde, en Formica, devant la fenêtre. Je m'assis en face d'elle.

— Parlez-moi de Lindsay Keefe. Vendredi dernier elle a fait quoi ? Elle a vu Spencer quand il est passé sur le plateau ? Dites-moi tout ce qui vous passe par la tête.

Myrna chercha un instant les boutons de son déshabillé, mais comme elle l'avait mis à l'envers, elle résolut de le tenir fermé avec la main. On avait du mal à croire qu'elle était costumière, cette bonne femme. On aurait plutôt dit une employée des postes : grosse, points noirs et cheveux gris.

— Au début j'avais décidé de lui mettre un débardeur jaune canari, avec une jupe bouffante, mais ils ont modifié la scène. Elle devait courir sur la plage et se jeter dans l'eau, alors je lui ai mis un pantalon de soie safran et une blouse. Et puis des bijoux fantaisie Elizabeth Gage, et des mules Charles Jourdan, mais elle les perdait dans le sable.

Gregory lança depuis le plumard :

— Les mules, c'est des chaussures ouvertes derrière, avec des talons.

Je le remerciai d'un hochement de tête. Myrna lui décocha un grand sourire avant de se tourner à nouveau vers moi.

— Sy est entré dans la caravane des habilleuses le matin vers onze heures. Lindsay venait juste de retirer ses affaires mouillées et on l'avait enveloppée dans un drap de bain. Ils se sont dit bonjour.

— Ils ne se sont pas embrassés ni rien ?

Myrna réfléchissait.

— Je crois — je n'en suis pas sûre, notez bien — qu'il l'a embrassée dans le cou ou sur l'épaule. Mais je n'arrivais pas à y croire. C'était plus ça.

— Plus quoi ?

— C'était plus comme avant. Surtout lui. Ça venait de lui. Elle, j'ai déjà fait trois films avec elle, et je crois qu'elle s'en... — Elle me fit un clin d'œil qui signifiait « vous voyez ce que je veux dire ? ». J'acquiesçai. — Mais lui, il était fou d'elle.

— Mais qu'est-ce qu'elle avait de spécial à part qu'elle était bien roulée ? C'était une intello ?

— Pieuter avec des intellos, ça n'a jamais rendu personne intelligent. Lindsay n'est pas si intelligente que ça. Mais Sy, il en était bleu — et je ne veux pas parler de son QI. Il en était bleu parce qu'elle gardait ses distances. C'était la première fois que je travaillais avec lui, mais à mon avis les bonnes femmes ne savaient pas quoi inventer pour l'impressionner, ce type. Lindsay, elle, s'en fichait royalement. Il n'était pas assez à gauche pour elle. C'était juste un mec bourré aux as, qui lui payait des tas de trucs. Elle se contrefichait de ce qu'il pouvait penser ou de ce qu'il pouvait dire.

— Mais ça n'a pas duré.

— Non.

— Pourquoi ?

— Je n'en sais rien, je n'étais pas dans le plumard avec eux.

Elle jeta un coup d'œil rapide dans la direction de l'ectoplasme.

— On a dû vous dire qu'il y avait un problème avec le film. Ça, à mon avis, il avait du mal à l'encaisser. En plus elle est chiante. Elle vous rebat les oreilles avec l'approche de son personnage. Elle ne sait pas parler d'autre chose. Ou alors elle vous fait un speech sur le racisme et la faim dans le monde. A l'entendre, on croirait qu'elle est la seule à se poser des questions — à part son fiancé, Pancho Villa. C'est stupide. La plupart des gens sont concernés par ces problèmes-là, et il y en a même de charitables. Ça ne leur viendrait pas à l'idée de tenir des discours pareils quand on leur refait un ourlet. Mais pour elle, c'est normal. Elle ne peut pas parler d'autre chose, de la vie. Parce qu'elle est morte en dedans. Et Sy Spencer c'était pas un nécrophile.

— Ce qui veut dire... commença Gregory.

— Je sais ce que ça veut dire, Gregory.

Je me tournai vers Myrna. Elle était tout sourire, charmée par la candeur du petit.

— Que s'est-il passé après que Sy l'a embrassée ?

— Pas grand-chose. Il a répété qu'il allait à Los Angeles, sans enthousiasme, et qu'elle allait lui manquer. Bla, bla, bla. Elle lui a dit qu'elle avait besoin d'argent et il lui a répondu que tout ce qu'il avait sur lui, c'était pour ses frais de voyage. Mais avant qu'il ait pu dire ouf ! elle lui avait déjà fouillé les poches, comme font les flics, et elle en avait sorti une liasse de billets.

— Qu'est-ce qu'il a dit ?

— Rien. Il les lui a laissés. A mon avis, ça n'était pas la première fois qu'elle lui faisait le coup.

— Et ensuite ?

— Ils se sont dit « Je t'aime, chéri », « Tu vas me manquer, mon amour », et puis il est parti.

— Elle avait l'air triste ? Inquiète ?

— Non, plutôt fumasse. Elle tenait sa liasse de biftons comme si ça avait été ses couilles. Elle serrait de toutes ses forces.

Je m'assis dans le bureau du *Summerview*. La proprio était très arrangeante. Ç'avait été courbettes et compagnie quand j'avais demandé à passer un coup de fil. Après quoi, elle m'avait supplié d'accepter un café. De deux choses l'une, ou bien c'était une groupie de flic ou bien elle avait quelque chose à se reprocher. C'était plutôt ça, je crois.

J'appelai Carbone chez lui. Je l'informai que, pendant ma tournée chez les amis de Bonnie, j'avais fait une halte au *Summerview*. Ensuite je lui racontai que j'avais fini par faire avouer au mec des catalogues qu'il employait Bonnie au noir et que j'avais trouvé un témoin qui avait vu Lindsay Keefe sortir une liasse de billets de la poche de Spencer et un autre qui avait acheté pour cinq cents tickets de lingerie féminine en billets de vingt dollars.

— Les preuves d'accusation contre Bonnie sont en train de faiblir, dis-je.

Il ne répondit pas. J'en conclus qu'il était de mon avis.

Je lui demandai si Robby était toujours au bureau, à relire les dossiers. Il me répondit que non, Robby n'était plus dans le bureau quand il était parti. Un des gars avait vu Robby se tirer en courant, pour une affaire urgente, apparemment. Comme quoi ? Carbone n'en avait pas la moindre idée. Mais je connaissais Kurz, il avait du jus de navet dans les veines. Il s'était tiré en courant pour rentrer chez lui, se foutre au plumard.

J'étais nerveux en raccrochant. Robby était à l'affût. Il avait été assez fumier pour m'accuser d'avoir bu. Un salopard pareil, ça ne dort pas sur ses deux oreilles.

Je mis le cap à l'ouest, vers Bridgehampton. Puis je coupai au sud de l'autoroute, en passant devant chez Bonnie. Pas de Robby en vue. Le Chimpanzé montait la garde, garé en face de chez elle. Il était en train de bouffer du salami et un cheeseburger. Son menton couvert de mayonnaise luisait au clair de lune.

— Elle est rentrée ?

Il secoua la tête.

Je lui demandai de monter avec moi dans le bureau de Bonnie. Il y avait des dossiers dans tous les coins. Incroyable. Visiblement, le classement alphabétique, c'était pas sa tasse de thé. Des chemises et des enveloppes bourrées de papiers, empilées au petit bonheur sur un vieux classeur en bois ou dans des tiroirs. Je réussis quand même à mettre la main sur *Vacances à la mer.* Mon cœur battait la chamade. J'osais à peine ouvrir le dossier, comme s'il allait me péter à la gueule. Mais le compte rendu de Spencer était là, avec une note : « Génial ! »

Le Chimpanzé lisait par-dessus mon épaule. Je lui dis que les présomptions contre Bonnie étaient en train de s'effondrer et que, s'il voulait participer au déblaiement, il était le bienvenu. Il pouvait peut-être rapporter la chemise au QG. La note ne disait pas « J'achète le scénario », non, mais ça n'était pas une lettre de refus, en tout cas. Loin de là. Le Chimpanzé me demanda pourquoi je ne la rapporterais pas moi-même aux chefs pour ramasser les dividendes.

— C'est toi qui l'as trouvée, quand même.

— Ecoute, petit, ça me rendrait sacrément service. Pour ce qui est de la promo, j'ai atteint l'échelon maximum au QG, et puis Carbone et Shea sont persuadés que je leur sabote l'enquête pour sauver la mère Spencer. De toute façon elle va être blanchie, alors c'est le moment ou jamais de prendre du galon.

J'avais cru comprendre que le Chimpanzé n'avait pas Kurz à la bonne. J'ajoutai :

— Tu sais que Kurz me colle au cul sur cette affaire. Il veut absolument la coffrer. Je te revaudrai ça, petit.

— Tout le plaisir est pour moi, répondit le Chimpanzé.

Bon. Il me fallait un témoin prouvant que le compte rendu et la note de Spencer existaient bien, et je l'avais trouvé. Je ne pense pas que Robby serait allé jusqu'à les détruire lors d'un raid surprise, non. Mais c'était le genre à les oublier dans un coin pendant un certain temps.

« Un mec qui arrive à bouffer du salami et un cheeseburger mayo à la fois est une fosse septique à visage humain », pensai-je. Je fis donc le plein chez l'épicemar du coin et ramenai un six pack de Verygood, un paquet de Chipsters et quelques chili-dogs. Je les offris au petit gars. Marché conclu. « Whaoo ! Steve, t'aurais pas dû. Combien je te dois ? Vraiment rien, t'es sûr ? Super ! »

J'avais un pote pour la vie.

Moose me salua en aboyant quand je me garai dans l'allée. J'étais tellement content que j'en oubliais la fatigue. Je m'imaginais remontant l'allée avec le chien tout frétillant, me léchant la main, puis me précipitant dans la chambre aux ananas pour m'asseoir sur le bord du lit et prendre Bonnie dans mes bras, joue contre joue, murmurant « serre-moi fort ». J'avais envie de cette intimité, de ce bien-être.

Je me redressai, épaules en arrière. Il fallait que je me secoue. Aux AA j'avais compris à quel point la fatigue rend vulnérable. Un type qui cherche la chaleur n'est pas un type solide. J'étais d'une humeur bizarre. Que je boive ou que je baise n'y aurait rien changé. J'avais envie de douceur, de tendresse.

Je rentrai dans la maison, donnai à Moose une tape amicale mais platonique et interrogeai le répondeur. Encore Lynne : « J'imagine que tu es très occupé.

Bonsoir Steve. Je t'aime et je pense à toi. Je t'appelle demain. »

J'étais KO. C'est peut-être pour ça que la patience de Lynne me mit hors de moi. Pourquoi ne m'envoyait-elle pas balader : « Espèce de fumier, qu'est-ce que ça te coûterait de décrocher ton téléphone et de m'appeler juste une minute. » Mais je me dis : « Non, Lynne est sereine parce qu'elle est adulte, parce que c'est une fille bien. » Je me sentais mieux. Je pouvais affronter Bonnie, maintenant.

Elle avait commencé à lire le Stephen King, il était posé sur la table de nuit. Elle avait pris une douche et s'était lavé les cheveux. Ils étaient brillants, encore mouillés. Elle s'était fait une natte bien tirée à l'arrière et avait passé un T-shirt propre, rose. La couverture remontée presque jusqu'au menton. On aurait dit qu'elle avait décidé de devenir une vieille fille une fois pour toutes. Sauf qu'elle m'accueillit avec un grand beau sourire.

— Salut !

— Comment ça va ?

J'étais sur mes gardes. Je pouvais bien me permettre d'être un peu chaleureux.

— Ça va, dit-elle. J'ai eu un petit moment de panique. J'ai commencé à penser à la tôle, et puis après...

— Détends-toi, Bonnie. Ça a été dur, je sais. Essaye de penser à autre chose.

Le message de Lynne m'avait fait du bien. Bonnie était là pour quelques jours au plus. Lynne, c'était pour la vie. La seule chose qui me dérangeait, c'était de dormir dans la même maison qu'elle. Et puis quoi, j'étais tellement crevé, de toute façon, que j'allais m'effondrer comme une masse. Mais j'imaginais Bonnie se glissant dans mon lit sur la pointe des pieds, une fois les lumières éteintes. Je l'imaginais me disant : « Serre-moi fort. » Le moindre frôlement de ses doigts sur ma poitrine, de sa jambe contre la mienne et je risquais de perdre tout contrôle. Je flippais. Mes mains étaient moites. Je faisais semblant de les détendre en les essuyant sur mon pantalon. Je décidai de fermer ma chambre à clef.

Je m'assis le plus loin possible de son lit. En lieu sûr. Tout allait bien.

— Je vais te parler de Lindsay Keefe, dis-je.

Et je lui racontai en détail tout ce que je venais d'apprendre.

Elle était assise, les genoux repliés et les bras autour, comme un scout à qui on raconte des histoires de fantômes autour du feu. Je m'attendais à ce qu'elle s'exclame : « Chapeau ! Beau boulot ! »

Mais elle dit :

— Va te coucher, tu es crevé.

— Comment ça ?

— Je veux dire que tu auras les idées plus claires demain matin.

— J'ai pas besoin qu'on me materne, ça m'exaspère.

— Tu crois vraiment que c'est avec ça que tu vas faire inculper Lindsay ? demanda Bonnie.

— Elle avait un mobile. Il voulait la sacquer.

— Elle aurait pris un avocat et elle lui aurait fait un procès. Voilà tout. Ou bien elle aurait convoqué la presse et raconté que *Nuit d'été* était une merde et qu'il n'était pas question qu'elle compromette sa réputation d'artiste pour un tel navet.

— Arrête. Tout le show-biz savait qu'elle était à chier dans le rôle. Si Spencer la sacquait, sa carrière était foutue.

Bonnie leva les yeux au ciel, l'air de dire : « Qu'est-ce que tu en sais ? Tu n'es pas dans le show-biz, que je sache ? »

— Tes sous-entendus, Bonnie, tu peux te les garder, dis-je.

— Pauvre pomme ! Tu t'imagines que Sy était un nabab rétro façon MGM avec un gros cigare et qu'il régnait sur Hollywood ? Non. Sy était un très grand bonhomme. Un producteur de première classe. Mais Lindsay est une star. Et il faut plus qu'un navet pour défaire une star.

— C'est toi-même qui m'as dit que son agent aurait supplié Spencer à genoux de ne pas la balancer.

— C'est son boulot. Mais si Sy l'avait envoyée balader quand même, Lindsay aurait survécu. Ecoute, Lindsay est une calculatrice finie. Elle savait que si Sy la balançait ça n'arrangerait pas ses affaires, soit, mais ça ne briserait pas sa carrière pour autant.

— Tu penses qu'elle est raisonnable ? dis-je.

— Tu peux prouver le contraire ?

J'avançai ma chaise d'un cran. Je voulais la convaincre. M'en faire une alliée.

— Dans mon métier, il faut avoir de l'intuition. Crois-moi, cette nana n'est pas nette. Belle, ça oui. Mais elle a quand même une case vide. Elle manque d'humanité. Quand Sy a commencé à reprendre ses billes, d'abord en tant que professionnel, ensuite en tant qu'amant ou fiancé, peu importe, elle a compris qu'elle n'était pas parfaite. Ça lui a été insupportable.

— Désolée de te dire ça, mais les présomptions contre moi sont beaucoup plus fondées.

— Je sais que tu adores les polars, mais il s'agit d'un vrai meurtre et là, permets-moi de te dire que tu n'y entraves que dalle.

— Comment aurait-elle pu quitter le plateau sans être vue pour aller à Sandy Court ?

— Je vais bien finir par trouver.

— Comment ?

— Mais tu te prends pour qui, nom de Dieu, pour l'avocat de la défense ?

— Et même en admettant qu'elle sache tenir un flingue, et même appuyer sur la détente, où en aurait-elle trouvé un ?

— Chez le marchand, pardi.

— Il faut obtenir un permis, je crois.

— On enregistre les ventes d'armes, mais elle pouvait très bien donner un faux nom.

— Et le marchand, bien sûr, ne l'aurait pas reconnue. Il ne serait pas allé crier sur tous les toits qu'il avait vendu un flingue à Lindsay Keefe. Il n'aurait même pas prévenu les flics.

— C'est une actrice, insistai-je. Tu t'imagines qu'elle se serait pointée chez le marchand les nibards en avant avec son look de blonde platinée ? Elle a pu prendre une des perruques de Monteleone.

— Et où elle aurait caché le flingue ? Sous son

plumard — elle couchait avec Sy —, ou dans la boîte à biscuit de la mère Robertson ?

Je me levai.

— Tu as terminé ?

— Ne te mets pas en boule simplement parce que je ne suis pas d'accord avec toi. Ecoute. Il y a quelques années, je tirais encore assez bien. Mon père m'avait offert une Martin 39A pour mes douze ans et il m'a emmenée à la chasse avec mes frères pendant presque six ans. S'il fallait que je vise un type à la tête aujourd'hui, à quoi, déjà... vingt mètres ?

— Ouais.

— OK. Mettons que je décide de le descendre sur un coup de tête. Est-ce que j'y arriverais du premier coup ? Peut-être. Mais si je prémédite mon crime et que je m'entraîne avant, j'ai beaucoup plus de chances de réussir. Maintenant, imagine une nana comme Lindsay qui a eu deux heures d'instruction en tout et pour tout avec un chasseur d'éléphants en rut. Tu crois sincèrement qu'elle aurait pu faire mouche deux fois de suite et descendre Sy du premier coup ? Si tu veux mon avis, ton intuition c'est du bidon. Tu fais fausse route.

Je ne dis pas bonsoir. Je ne dis rien. Je quittai la chambre.

17

Impossible de m'endormir. Pas vraiment étonnant, avec les trois litres de café que j'avais descendus dans la journée.

Mes craintes au sujet de Bonnie. Primo : les présomptions contre elle partaient en fumée, mais avec le facho qui servait de juge dans le district — un croisement de bouledogue et de militant du Ku Klux Klan —, il fallait s'attendre au pire. La partie n'était pas encore gagnée. Deuxio : Bonnie, innocente ou coupable, était foutue de se tirer en pleine nuit et de disparaître pour toujours. Tertio : si jamais elle venait me rejoindre dans mon plumard, je serais obligé de la virer. Quarto : sachant que je n'aurais jamais le courage de la virer, elle me tiendrait éveillé toute la nuit et elle profiterait lâchement de la situation pour me convaincre d'arrêter quelqu'un d'autre — n'importe qui — à sa place. Quinto : Bonnie Bernstein avait bien descendu Spencer de sang-froid. La fille au grand sourire était en fait un as du crime, toujours en avance de trois longueurs sur les flics. Sexto : Bonnie était ce dont elle avait l'air, une fille bien, intelligente et profondément honnête. Si j'arrivais à la tirer de ce merdier, elle passerait le restant de ses jours toute seule, sans avoir jamais connu le grand amour.

En plus, j'avais la gorge sèche. Je n'arrivais pas à penser à autre chose qu'à une bonne bière bien fraîche pour calmer ma soif.

Je me rendais compte que cette enquête marquait un

tournant décisif dans ma vie. Etait-ce parce que le crime avait été commis tout près de ma ville natale, à South Fork ? Etait-ce parce que la victime et moi-même (deux types qui avaient roulé leur bosse) avions une femme en commun ? Etait-ce parce qu'un Brady ne pouvait pas se résoudre à jeter l'éponge ? Je lui devais bien ça à Spencer, au fond. Il avait été correct avec mon frangin. Ou bien était-ce que je sentais que cette enquête était ma dernière enquête de célibataire. Bientôt j'allais avoir la bague au doigt et des obligations de famille. Choisir des tissus pour recouvrir les fauteuils. Installer un climatiseur humidificateur. Préparer le barbecue quand sœur Marie, la principale de l'école de Lynne, viendrait dîner à la maison. Jouer au base-ball avec le petit.

Je ne dormais pas, mais je n'arrivais même pas à me reposer. Le café faisait des vagues dans mon estomac. J'avais envie de gerber. J'étais paumé, largué, angoissé. Un peu comme un môme sur une mer agitée quand il ne voit plus la côte. Je ne savais pas quoi faire. Laisser la porte entrebâillée, comme elle l'était, pour pouvoir surveiller Bonnie et l'empêcher de se tirer ? Ou bien m'enfermer à double tour pour l'empêcher de me rejoindre en pleine nuit et de me glisser : « Tu dors ? » à l'oreille.

Je n'arrêtais pas de me retourner. La nausée ne passait pas. J'étais complètement empêtré dans les draps. Je dus me lever pour me dégager. Après quoi je m'allongeai à nouveau et fixai le rectangle noir du plafond. Mais pas moyen de débrancher la machine.

Autre chose me turlupinait : le fait que quelque chose, un signe, ait pu m'échapper pendant l'enquête.

J'entendais ma respiration, rapide, haletante. Bon Dieu que j'étais mal. Le dos et les épaules en marmelade, comme si on m'avait roué de coups. Je commençais à avoir mal du côté gauche de la tête. J'essayai un truc de relaxation que j'avais appris à South Oaks, mais je ne me souvenais plus s'il fallait inspirer par le nez et souffler par la bouche ou le contraire.

Un coup de poignard dans le côté droit. Mon cœur s'emballa. Je posai ma main sur ma poitrine. J'étais trempé de sueur. Une attaque ? Non, la fatigue.

Non, c'était bien une attaque. La douleur s'estompait mais j'avais le bras presque entièrement engourdi. Bon Dieu, un infarctus pour de bon ? Je pensai : « Le temps de me lever et d'appeler Bonnie au secours, je serai déjà sur le carreau. J'aurai tout juste la force de baver et de pousser un miaulement. »

Et juste à ce moment-là, au lieu de tomber dans le coma, je sombrai dans un sommeil de plomb. Quand je me réveillai, il faisait encore nuit et je crus que j'avais fait le tour du cadran. Bon Dieu ! Je jetai un coup d'œil au réveil. Les chiffres verts affichaient : trois heures quarante-six.

J'accomplis mon petit rituel du soir. Je secouai l'oreiller pour lui donner du volume, j'étalai le drap et je retournai le réveil face vers le bas pour ne plus voir ses chiffres verts. Rien à faire. Impossible de me rendormir. Je compris pourquoi je m'étais réveillé. J'avais envie de Bonnie.

Le clair de lune filtrait sous le store éclairant les murs blancs de la chambre aux ananas. On entendait un battement régulier dans la chambre, c'était la queue de Moose, visiblement contente d'avoir de la visite. Bonnie remua légèrement. Mais les battements de la queue de son chien étaient un bruit familier, rassurant. Elle se recroquevilla, profondément endormie.

J'aurais pu faire demi-tour à ce moment-là. C'était facile. La scène n'avait rien de vraiment excitant. Pas de bras langoureux dépassant du petit lit, pas de jambe nue pendante, ni de fesse à découvert. Juste la tête qui dépassait hors des couvertures.

Mais sur la chaise il y avait le sweat que je lui avais prêté, soigneusement plié, et à terre, à côté du lit, son T-shirt. C'est alors que j'aperçus la bande étroite de son slip blanc. J'étais cuit.

Je m'assis au bord du lit. J'embrassai ses cheveux en murmurant son nom. Elle leva la tête, ouvrit les yeux. Sans battements de cils du genre : « Où suis-je ? » Bonnie avait compris.

— Qu'est-ce que tu veux ?

— Une petite visite.

Je lui décochai un sourire irrésistible. Mais sans résultat. Elle ne me sourit pas en retour. Je tirai la couverture. Elle était nue.

— Tu m'attendais, pas vrai ? D'ailleurs tu t'es mise sur ton trente et un.

Je m'allongeai à côté d'elle. La lumière du clair de lune faisait ressortir les marques blanches de son maillot. A cet endroit, la peau était nacrée.

— Un hôte doit satisfaire ses invités.

J'embrassai ses joues, ses lèvres, la ligne de démarcation entre le bronzage et le blanc nacré de ses seins. J'étais doux, tendre, attentionné, comme pour lui dire : « Tu vois, je ne suis pas là juste pour tirer un coup. J'ai de la classe, de la finesse, de la technique. »

Bonnie ne tendit pas le cou. Elle ne murmura rien. Elle me passa simplement la main dans les cheveux, vers l'arrière, pour me dégager les tempes. Il y avait tant d'amour, tant de douceur dans ce geste que j'en fus complètement désarçonné. J'arrêtai de l'embrasser. Je cherchai sa main, mais elle se déroba.

— Dis-moi, murmura-t-elle, pourquoi tu viens ?

Elle était directe au moins, les yeux dans les yeux. Ça voulait dire « sois franc ». Franc ? Je pouvais lui dire n'importe quoi, elle l'aurait gobé.

— Juste pour la nuit ?

Elle était implacable avec elle-même. Pourquoi ne pas faire comme si ça n'avait pas d'importance pour elle ? Cette femme portait un écriteau dans le dos : « Attention ! Grande gueule mais cœur tendre. » Que peut-on répondre à quelqu'un comme ça ?

— C'est juste pour la nuit, Bonnie.

On était côte à côte. Tout près l'un de l'autre. Si l'un de nous avait inspiré un peu fort, on se serait touchés.

— Tirer un coup ? C'est tout ce que tu veux ?

Je fermai les yeux. Je sentais les larmes venir.

— Ouais.

— Tu n'as vraiment rien de mieux à me proposer ?

— Non.

— Que je t'aime n'y change rien ?

— Non.

Avant même que j'aie pu dire combien j'étais désolé elle avait mis son doigt sur mes lèvres.

— Pas la peine de faire des discours, dit-elle. Pas la peine de t'excuser. D'ailleurs tu ne le feras pas. T'excuser de ne pas m'aimer ? Ça serait franchement nul. Et tu es quelqu'un de bien.

— Toi aussi.

— Je sais.

Elle bougea d'un demi-centimètre et nos corps se touchèrent. Je passai ma main sur son corps. Elle avait la peau douce. Incroyablement.

— Attends, dit-elle. Si c'est juste pour tirer un coup, que les choses soient bien claires. Je ne veux pas entendre de truc comme « tu es belle » ou bien « tu es merveilleuse ». — Elle marqua une pause. — Et tu n'as pas le droit de dire « je t'aime », OK ? Pour le reste, tout est permis.

Elle mit ses bras autour de moi et m'attira sur elle. Lentement, comme si nous avions l'éternité devant nous, elle me caressa le dos, les fesses, le sexe. J'étais tellement débordé de bonheur de la toucher à nouveau, de l'embrasser que je crus que j'allais perdre les pédales.

Et c'est ce qui arriva. J'éclatai en sanglots.

— Stephen, tu te sens bien ?

— Ouais. C'est un excès de... fatigue... ou d'excitation.

Bonnie m'essuya les yeux avec le drap. Une telle tendresse m'était insupportable. Je lui pris la main et la repoussai.

— Ça ira. Et puis personne ne m'appelle jamais Stephen.

— Tu n'es pas obligé de faire l'amour avec moi, Stephen, si tu n'en as pas envie.

— Pourquoi ? J'ai l'air de ne pas en avoir envie ?

— Je ne sais pas. J'ai l'impression que tu es partagé sur la question.

— Je ne suis pas partagé. J'ai envie de toi.

Alors nous fîmes l'amour. Ensuite je l'emmenai dans ma chambre et nous fîmes encore l'amour. Je m'étais souvenu de notre fougue quand nous avions fait l'amour cinq ans auparavant, mais j'avais oublié la tendresse.

Mais cette fois Bonnie avait fixé des règles. Pas de « je

t'aime », pas de « tu es belle » et pas de « tu es merveilleuse ». Pendant que nous faisions l'amour et même après, j'avais envie d'autre chose que de grognements, de gémissements, de feulements et de soupirs. Mais je me retenais, je pensais au règlement : pas de mots d'amour. Je pensai : « Eh bé, on voit qu'elle a compris les subtilités du jeu. Seule une nana qui a l'habitude des aventures d'une nuit aurait pensé à anticiper les abandons. »

Je voulais être fair-play. Je ne voulais pas qu'elle me trouve nul. Je ne lui dis pas : « Je t'aime. » Mais j'essayai de le lui montrer.

Nous nous endormîmes finalement. Ma tête contre la sienne sur l'oreiller. Ses mains dans les miennes, sur mon cœur.

Heure magique.

Bonnie avait fait le lit pendant que j'étais sorti faire pisser le chien, mais elle avait laissé trop de drap dépasser sur la couverture. Pendant qu'elle prenait sa douche je refis le lit. Elle s'en aperçut illico.

— Tu as refait le lit ?

— Il était mal fait.

— Tu ne devrais pas être si ordonné, dit-elle, ça n'est pas masculin.

Assise sur le bord du lit, en short avec un de mes maillots de corps, elle tenait sa tasse de café à pleine main, comme un homme. Pas par l'anse, comme une femme.

— L'ordre, c'est féminin, dit-elle. Le désordre, c'est masculin.

— Après la nuit qu'on a passée, tu insinues que je ne suis pas viril ?

— Tu ne vas jamais au cinéma ? — Elle écarta les pouces à angle droit, les bras tendus, comme un metteur en scène qui visualise un cadrage. — La caméra entre dans la chambre du flic. Bordel absolu : lit défait, draps douteux. Gros plan sur la table de nuit : flingue, bouteille de scotch vide, papiers chiffonnés, restant de plat à emporter chinois de la semaine dernière et cendrier archi-plein. Comment se fait-il que tu sois ordonné ?

— Les bons flics sont des mecs organisés. J'aime bien m'y retrouver. C'est plutôt à toi qu'on devrait poser la question : pourquoi es-tu si bordélique ?

— Je ne suis pas bordélique.

Je ris.

— On ne me la fait pas, Bonnie. J'ai perquisitionné chez toi. Tu laisses traîner tes chaussettes, ou bien tu les jettes comme ça dans un tiroir pêle-mêle avec tes soutinges. Tes cuillers à café et tes cuillers à soupe sont toutes mélangées. Et tu ne classes pas tes papiers par ordre alphabétique. C'est le bordel.

— Le rangement n'est pas important. Ce qui compte, c'est la propreté.

— Tu gardes des magazines et des journaux vieux de dix ans. J'ai même trouvé un magazine télé de 1982.

— Tu ne peux pas comprendre.

Et voilà. Depuis qu'on s'était levés, un peu avant six heures, Bonnie avait pris du large. Pas froide ni désagréable comme une nana qui se sent flouée. Non. Simplement, Bonnie était redevenue la grande fille du Far West : « Whaoo ! Des corn-flakes ? Super ! Merci. » Bien sûr elle comprenait qu'elle devrait rester dans la chambre quand je serais parti. On aurait pu la voir par les fenêtres du salon, si jamais j'avais de la visite... Et bien sûr elle serait ravie de répondre à mes questions sur Sy, si j'en avais encore. Parler de l'enquête ? Sans problème.

Elle aurait pu être n'importe qui, un copain flic que j'aurais hébergé, un mec reconnaissant pour le gîte et le couvert. Elle avait fini ses corn-flakes. Elle reposa son bol sur le volet en bois qui me servait de plateau, sourit et me dit, vraiment gonflée :

— Tu sais ce qui me plaît chez toi ? C'est les corn-flakes. Ils sont croustillants à souhait. Moi je n'arrive à rien garder au sec ici. A Ogden, par contre, on pouvait conserver les Petits-Beurres pendant des années.

— Bonnie, essayons de faire le point.

Elle sourit. De toutes ses dents. Comme une présentatrice de météo.

— Quel point ? — Elle se pencha et remit mon réveil à l'endroit. — Sept heures, déjà. Il fait jour. Il fait beau. — Son sourire disparut. Elle pinça les lèvres, l'air sérieux, absorbé. — Au boulot !

Mais j'insistai.

— Je ne suis pas une affaire, tu sais.

— Je sais.

— Il y a comme qui dirait un défaut de fabrication. Une pièce qui manque.

Pas de réponse, ni oui ni non. Elle était assise bien droite. Trop droite.

— Avec une fille comme Lynne, j'ai une chance de pouvoir mener une vie à peu près normale.

J'aurais voulu qu'elle crie : « Mais est-ce que tu l'aimes, au moins ? Et moi dans tout ça ? »

— Parlons du mobile du crime, tu veux ? proposa-t-elle.

— Tu ne m'es pas indifférente, tu le sais bien.

— Je suis convaincue que toute l'équipe de *Nuit d'été* en voulait à Sy pour une raison ou une autre.

— Bonnie, si on parle, ça sera moins dur pour toi.

— Sy grugeait les gens, il les menait en bateau pour le fric, il les humiliait devant cinquante personnes. A mon avis, rien qu'à East Hampton, ils devaient être une centaine à vouloir sa peau. A cela il faut ajouter les cinq ou six cents autres qu'il avait injuriés ou vexés au cours des années. Qu'est-ce qu'on fait quand la victime est haïe de la planète entière ?

J'avais juste essayé de l'aider, mais puisqu'elle voulait absolument travailler, on allait travailler.

— Dans ces cas-là, on fait le tri. On cherche ceux avec qui il a été le plus salaud. Je ne veux pas parler de petites crasses qui vous font dire : « Crève, salope », mais des vrais tours de cochon qui te bousillent un mec pour la vie. C'est comme ça qu'on procède. On élimine toutes les petites colères. Les petites colères, ça ne compte pas. Sauf dans un cas : quand le mec est un bargeot. Par exemple, il y a trois ans Spencer promet un premier rôle à un acteur dans son prochain film. Il s'avère que le mec se retrouve garçon d'honneur avec son nom écrit en tout petit à la fin du générique. Un mec normal fait une croix dessus. Un bargeot, au contraire, va préparer sa vengeance pendant deux ou trois ans.

— Ça arrive souvent ?

— Pas souvent, non. Même les bargeots finissent par oublier. Ils se trouvent de nouvelles bêtes noires. C'est pour ça qu'à moins de piétiner complètement, je veux dire quand on n'a pas le moindre début d'indice, on n'enquête jamais à fond sur le passé de la victime. En général, les bargeots n'aiment pas souffrir en silence. Ils envoient des lettres ou des coups de fil anonymes. Spencer n'était pas idiot. Il avait dû rencontrer suffisamment de névrosés dans le milieu pour savoir qu'on n'est jamais à l'abri d'un bargeot. Non ?

— Si, tout à fait. S'il s'était senti menacé il aurait pris ses précautions, engagé des gardes du corps. Sy était peureux, il n'avait pas de courage physique.

Ça m'étonnait de Spencer. Il avait l'air tellement sûr de lui, comme mec.

— Par exemple ?

Bonnie réfléchit en se frottant le front pour se concentrer.

— Une fois, nous étions partis faire un tour à cheval dans la forêt et Sy s'est fait mettre à terre par son cheval. Rien de grave. Juste un peu mal au coccyx. Le cheval n'y était pour rien, il avait pris peur en voyant un ours. Mais Sy ne serait remonté dessus à aucun prix, même quand je l'ai traité de poule mouillée. Je dois reconnaître que ce n'est pas ce que j'ai fait de mieux dans ma carrière de femme mariée.

» Sy était quelqu'un d'anxieux. Il ne fallait pas grand-chose pour lui foutre la trouille. Quand on rentrait du théâtre le soir, par exemple, si on croisait des Noirs qui n'avaient pas l'air de revenir de l'Armée du Salut, il flippait. Pas beaucoup, mais il voyait déjà les gros titres le lendemain matin : « Un producteur émasculé par une bande de Zoulous. » Autrement dit, si Sy s'était senti menacé, il n'aurait pas hésité un seul instant à se protéger. Et les flics seraient au courant.

— Bien. — Je retournai dans la cuisine chercher une autre tasse de café. En revenant je lui dis : — Tu sais, quand j'étais gosse, mes parents exploitaient une ferme.

On avait un cheval qui s'appelait Prancer. Ça fait des années que je ne suis pas monté à cheval, mais...

— Qu'est-ce que tu attends de moi ? me demanda-t-elle doucement.

— Je ne sais pas, répondis-je sur le même ton.

— Ecoute bien. Quoi qu'il arrive aujourd'hui, que tu trouves ou non l'assassin, à cinq heures tapantes je mets les bouts. Tes souvenirs de gosse, ça ne m'intéresse pas. Je n'ai pas envie que tu me racontes tes premières balles de base-ball, ni tes histoires de drogue au Viêt-nam.

— Je t'ai raconté ça ? Mes problèmes de drogue ?

— Oui. Que tu te shootais à l'héro. Mais ça ne m'intéresse pas plus que tes problèmes d'alcool — qui t'ont fait oublier que tu m'avais parlé de tes problèmes d'héroïne, entre parenthèses.

— Qu'est-ce que je t'ai dit à propos de l'héroïne ?

— Pas grand-chose. Tu as mentionné la chose quand tu parlais du Viêt-nam.

— Je t'ai parlé du Viêt-nam ?

Bonnie répondit froidement :

— Visiblement, notre première nuit t'a laissé un souvenir impérissable.

— Je m'en souviens suffisamment.

— Tu te souviens m'avoir raconté comment tu étais devenu flic ?

— Non. D'ailleurs je n'ai jamais beaucoup réfléchi à la question. Alors je ne vois pas ce que j'aurais pu te dire.

— Tu m'as décrit combien tu étais terrifié en 1971 ou 72 en rentrant de la guerre. Quand tu tombais sur un sac en papier froissé par terre dans la rue, tu t'arrêtais net, complètement paniqué. Tu te souviens ?

Je me taisais, sidéré de voir que je lui avais raconté ça. C'est vrai que j'étais pris de panique chaque fois que je tombais sur un emballage de Burger King chiffonné. Mon cœur s'arrêtait de battre et j'aurais voulu hurler : « Tirez-vous les mecs ! Un sac en papier ! Il va nous sauter à la gueule, bon Dieu ! »

— Je t'avais même demandé comment, après ça, tu avais pu choisir un métier potentiellement dangereux comme flic. Et tu m'avais répondu : « Ça te montre à quel point j'étais irrationnel. Je pensais qu'un flic était en sécurité, peut-être parce qu'il est toujours armé. Je vivais dans une frousse permanente. »

— Je n'en reviens pas de t'avoir raconté tout ça...

— Peu importe, coupa Bonnie. Ce que tu as fait au Viêt-nam ou ce que le Viêt-nam t'a fait, ça ne m'intéresse pas. Tes histoires de drogue, d'alcool et de cauchemars, je m'en fiche. Comme je me fiche de toi, de ta rouquine et de ses mongoliens. Dans dix heures, à moins de se retrouver au tribunal, toi et moi on ne se reverra plus jamais.

Je me levai et sortis de la pièce. Je ne me souviens plus de ce que j'ai pu penser ou ressentir à ce moment-là. Je me revois seulement en train de rincer les assiettes pour les mettre dans le lave-vaisselle et de verser le reste de lait dans un pot.

Dans un film, la caméra aurait fait un zoom arrière sur elle, jusqu'à ce qu'elle ne soit plus qu'un point lumineux, avant de disparaître tout à fait.

— Si on réfléchit, qui détenait le meilleur mobile pour assassiner Sy ? demanda-t-elle.

— Toi.

— Et qui d'autre ?

— Lindsay.

— Tu connais mon point de vue sur la question.

— Je m'en tape, de ton point de vue, dis-je, elle est sur la liste.

— Qui d'autre ?

— Un type qui a mis du fric dans *Nuit d'été* et que Spencer connaissait du temps de la charcuterie cacher.

— Qui ça ?

— Mikey Lo Triglio.

— Le gros Mikey ? — Le visage de Bonnie s'éclaira tout à coup. Le seul nom du gros Mikey lui rendit sa bonne humeur. — Je l'adore, ce mec !

— Tu l'adores ? Mais c'est un truand.

— Je sais. Mais il a un cœur en or. Pour moi, en tout cas.

— Pourquoi ça ?

— Comme j'étais écrivain, il était persuadé que je n'avais pas la moindre notion du réel. Il était très paternel à mon égard, il s'inquiétait de moi : « Sy, il est gentil avec toi ? » Je partais souvent en vadrouille dans New York, et il n'aimait pas ça. Pas du tout même. Il disait à Sy qu'un mari ne doit pas laisser sa femme courir des risques pareils. Mais comme il voyait que Sy s'en foutait, il m'a donné une carte de New York. Tous les quartiers dangereux étaient marqués en rouge. Il m'avait surnommée Bonita. Il trouvait que j'avais de la classe et que j'aurais dû avoir un nom en conséquence. Quand il a su que nous divorcions et que je ne réclamais pas de pension alimentaire, il m'a téléphoné.

— Qu'est-ce qu'il t'a dit ?

— Que j'étais admirable mais pas réaliste. « Quand un mec quitte une gonzesse, Bonita, la gonzesse elle va trouver un avocat. » Mikey était l'ami de Sy, il aurait dû être de son côté à lui. C'est comme ça que ça marche dans la vie. Mais lui, il était différent. Il s'est mis en quatre pour moi. Il me tannait pour que je prenne un avocat. Il a fait ça parce qu'il m'aimait beaucoup. Et moi aussi je l'aimais beaucoup. Il était humain, lui. Les autres amis de Sy que j'avais rencontrés à New York, un rien les foutait en l'air. Un garçon de café qui puait de la gueule ou qui avait des poils dans le nez, ils en faisaient une jaunisse. Pas Mikey. C'était un truand, mais pas un con.

— Tu l'as revu depuis le divorce ?

— Non.

— Sy t'a dit qu'il avait mis du fric dans *Nuit d'été* ?

— Ouais.

Elle était aussi tranquille que si je lui avais dit « passe-moi le sel ».

Sauf que, quand je l'avais interrogée sur les bailleurs de fonds de Spencer, elle avait dit que Sy était dans ses petits souliers. Et elle avait prétendu ignorer qui ils étaient. J'étais furax.

— Quand je t'ai parlé des relations de Spencer dans le milieu de la charcuterie, nom d'un chien, tu m'as dit...

— Arrête de crier.

— Je ne crie pas ! — Je donnai un grand coup de poing sur la commode et j'envoyai valser une pleine soucoupe de petite monnaie. — Je parle fort. — Je m'arrêtai jusqu'à ce que j'arrive à contrôler ma voix. — Dis-moi, Bonita, ça t'arrive de dire la vérité ?

— Je n'ai pas parlé de Mikey parce que je savais qu'il avait eu pas mal d'ennuis avec les flics par le passé.

— Et puis tu pensais que ça n'en valait pas la peine, c'est ça ?

— Mais si. Je sais que Mikey est un criminel. Ce n'est pas parce que je le trouve rigolo dans ses costards à rayures que j'oublie qu'il fait dans la vie des choses pas catholiques. Mais cela dit il n'a pas descendu Sy. Si j'avais mentionné son nom, il aurait pu se retrouver dans la merde et de toute façon je suis sûre qu'il n'a pas fait le coup.

— Pourquoi ? Parce que c'est toi qui l'as fait ?

— Ouais.

— Ecoute, ma belle, si tu veux vraiment l'aider, ton Mikey, avoue. Tu n'as qu'à dire : « Sy m'a obligée à avorter, il m'a trompée, il m'a refilé la chtouille, démoli les trompes... »

Aucune réaction. C'était comme si je lui récitais mes tables de multiplication.

— « ... Et lâchée comme une vieille chaussette. Ensuite il est revenu dans ma vie et l'a toute chamboulée. Il ne m'aimait pas. D'ailleurs il ne m'a jamais aimée. Il s'est servi de moi. Belote et rebelote. Et moi, dans l'histoire ? J'étais plus très fraîche, toujours seule et sans un rond. Alors j'ai pris mon 22, que j'avais rapporté de chez mon père, et je lui ai fait la peau. » Ça lui ferait un alibi en béton, à ton Mikey.

— Arrête de délirer, dit-elle. Réfléchis un peu. Selon toi le meurtre de Sy ressemble à un règlement de compte de la mafia ?

Elle avait raison, mais je me contentai de hausser les épaules.

— Ça n'est pas Mikey. Sy n'aurait jamais laissé les choses se gâter au point de se mettre Mikey à dos. Il Tubbo, il en avait bien trop peur.

— Je croyais qu'ils étaient potes.

— Ils l'étaient d'une certaine façon. Comment dire ? Sy était fier d'avoir un ami dans la mafia. Quelqu'un qui pouvait raconter comment Jimmy la Terreur avait balancé Tony Tomato et sa Chevrolet dans l'East River pour voir si ça flottait. Et puis, en dehors de ça, avoir un ami d'enfance comme Mikey, c'était un atout prodigieux pour le business. Cela dit, Sy restait sur ses gardes. Mikey avait un flingue et des hommes de main qui pouvaient faire du vilain. La violence effrayait Sy, qu'elle soit réelle ou virtuelle. C'était un névrosé type. Il ne faisait pas la différence entre un acte et une menace. Autrement dit, avec Mikey, Sy prenait toujours des gants. Par exemple, si on allait au resto avec Mikey et sa femme ou sa petite amie, Sy, qui, en temps normal, était le client le plus chieur qui soit, laissait Mikey commander pour lui. Il aurait bouffé n'importe quoi, une matelote de poisson rouge ou des tripes au caramel simplement parce que Mikey lui disait : « Essaye ça, petit, tu vas adorer. » Alors, tu peux me faire confiance : si Mikey avait eu la moindre inquiétude au sujet de son pognon, Sy aurait pris les devants. Il l'aurait remboursé illico presto et plutôt deux fois qu'une.

— Mais il s'agit d'un million de dollars.

— Et alors ? Sy devait peser dans les dix ou quinze millions.

Je hochai la tête. Bonnie eut l'air étonnée.

— Tu aurais pu te garder une part du gâteau.

Mais elle s'en fichait, pour elle, c'était de l'histoire ancienne.

— Qui va hériter ? demanda-t-elle. Ses parents sont morts...

— Personne. Il a tout légué aux bonnes œuvres. Une fondation pour les arts.

Bonnie se leva du lit et s'installa par terre pour faire des pompes. Elle comptait en chuchotant.

— Je n'aime pas ta liste de suspects, dit-elle à la quarante-cinquième pompe, pas du tout essoufflée.

— C'est normal, tu es dessus.

Même si on était en train de travailler ensemble, elle et moi, pas question de la laisser piétiner mes plates-bandes. Elle en était déjà à soixante pompes et elle n'avait pas l'air décidée à s'arrêter. Moi qui n'atteignais jamais les soixante, je n'allais tout de même pas rester là à attendre qu'elle arrive à cent !

J'allai dans la cuisine téléphoner au Chimpanzé pour lui demander d'essayer de mettre la main sur le Gros. J'avais encore quelques questions.

Après quoi je réveillai le Germe à New York, il fallait qu'il me trouve de toute urgence les noms des techniciens et des acteurs qui avaient tourné avec Lindsay Keefe dans *Transvaal.* Il me dit que j'avais l'air d'aller mieux, ce que je confirmai. Il ajouta qu'il serait à Bridgehampton à midi et que je pouvais passer avec ma petite amie pour le week-end. Je lui promis d'essayer. Il ajouta qu'il avait réussi à se procurer une vidéo inédite sur Di Maggio et qu'il l'apporterait.

J'appelai Kurz. D'après Mme « Cheese », il était déjà parti travailler depuis des heures. Ce qui voulait dire qu'il venait tout juste d'ouvrir la porte du garage. Je rappelai le Chimpanzé : il était au bureau depuis six heures et demie et il n'avait pas vu Robby.

Ensuite j'appelai l'agent de Lindsay Keefe, Eddie Pomerantz, dans sa maison à East Hampton, pour le prévenir que j'allais passer le voir dans une heure. Mais ça ne l'arrangeait pas, son week-end était complètement rempli. Alors je lui dis : « Demandez à votre avocat de m'appeler dans dix minutes », ce à quoi il répondit : « OK, venez dans une heure. »

J'appelai Lynne. Elle me répéta qu'elle avait pensé à moi et je lui répétai que j'avais pensé à elle. Elle serait chez elle toute la journée parce qu'il fallait qu'elle relise les tests d'évaluation de ses gamins. J'essayerai de passer mais qu'elle ne m'attende pas. Elle dit OK, mais ça serait bien si je pouvais me libérer une minute.

Je pensai : « Je vais avoir une femme et des gosses. Je vais être heureux et je vais passer le restant de mes jours à me languir de Bonnie. »

Quand je revins dans la chambre, Bonnie était assise sur le lit, jambes croisées, en conférence avec ses orteils. Elle ne leva pas la tête.

— Ecoute, dis-je. Je suis désolé pour tout à l'heure, quand je t'ai asticotée au sujet de l'assassinat de Sy, et que j'ai parlé de...

— Ma stérilité ?

— Ouais. Tu sais bien que j'ai tendance à en faire des kilos. Je manque de tact parfois.

— Ça n'est pas un manque de tact, répliqua-t-elle. C'est de la cruauté.

— Je te demande pardon.

— Parfait, dit-elle à ses plantes de pied. Maintenant, au boulot. Une autre piste ?

— Comme quoi ?

— J'ai repensé à Sy. Je t'ai dit qu'il n'avait pas l'air flippé, inquiet ou quoi que ce soit. Mais d'un autre côté il n'était pas tout à fait dans son assiette non plus. (Elle fit une pause.) Je n'aime pas parler de sexe, mais la dernière fois qu'on a fait l'amour il était comme absent. Ce n'est pas qu'il n'y arrivait pas, d'ailleurs ça ne veut pas dire grand-chose — Sy ne faisait pas ça avec la tête. Mais il était incapable de se concentrer. Et je sais que pour lui c'était très important de pouvoir se concentrer sur la femme avec qui il était, pour parvenir à la satisfaire. Ça comptait même plus que l'acte lui-même. Il avait changé l'heure de son départ, donc il avait du temps devant lui. Or quand je suis arrivée chez lui, on aurait dit un automate, ou un acteur qui joue un rôle qui ne l'intéresse pas. Il est allé jusqu'au bout mais son esprit était ailleurs.

— Tu ne l'avais jamais vu comme ça avant ?

Elle secoua la tête.

— Non. Mais, comment dire ? c'est juste un sentiment. L'intuition féminine. Il était absent, voilà tout.

— Ne le prends pas mal, mais il avait peut-être juste besoin de tirer un coup.

— Non. Il avait Lindsay, il pouvait très bien lui rendre une petite visite dans sa caravane, ou trouver quelqu'un d'autre. Il ne m'aurait pas fait venir pour ça. N'oublie pas que Sy était un producteur hétéro, célibataire et multimillionnaire, avec un QI avoisinant les cent quarante, et le ventre plat. Ça plaît aux femmes, généralement. Mais ce jour-là il avait envie de moi.

— Je me demande pourquoi. Ce n'est pas du tout pour te blesser, moi, je sais pourquoi j'ai envie de toi. Mais lui ?

— Parce que c'était plus confortable. Il était à l'aise

avec moi. C'est-à-dire, autant que Sy Spencer pouvait l'être. Je ne dirais pas qu'il avait envie de rigoler un bon coup, parce que Sy ne se laissait jamais complètement aller. Il se prenait beaucoup trop au sérieux. Mais disons qu'il aimait se balader avec moi, contempler le paysage, ça le changeait de son style de vie habituel. Il adorait s'asseoir derrière la maison, dans ce qu'il appelait son ex-jardin, pour boire un citron pressé et papoter. Et puis on faisait bien l'amour.

J'attendais qu'elle ajoute : « Pas aussi bien qu'avec toi, Stephen. Ah, Stephen, quel beau nom. » Mais au lieu de ça elle insista :

— Sy et moi, on prenait notre pied ensemble.

— C'est toujours ça de pris.

« Salope », pensai-je. Je bouillais intérieurement. J'ouvris la penderie pour prendre une cravate. J'en choisis une qu'Easton m'avait offerte pour Noël quatre ou cinq ans auparavant. Elle était chic, évidemment : rouge et bleue à rayures jaune pâle.

Mais Bonnie n'avait pas l'air impressionnée.

— Je sais qu'il faut que tu partes, mais réfléchis encore une minute. A part moi, pendant ton enquête, quelqu'un d'autre t'a dit qu'il avait trouvé Sy préoccupé ? Ou changé ?

Je m'assis sur le bord du lit et commençai à boutonner mon col de chemise. Elle ne proposa pas de m'aider.

— C'est une question à mille balles, ça encore, dis-je. Sy était un caméléon patenté. Pas seulement au plumard, si j'ai bien compris. Il jouait les durs avec le gros Mikey, les intellos avec les critiques de cinéma, et il sortait sa kippa quand il avait affaire à un reporter juif. Comme si il n'avait pas eu de personnalité propre. Tu le connaissais mieux que personne. Qui était le vrai Spencer ?

— Je ne sais pas s'il y en avait un.

— OK. Donc comment veux-tu que je sache s'il était lui-même alors qu'il n'était jamais lui-même. Ce qui est sûr, c'est qu'il était plutôt discret, pas du genre à hurler et à trépigner devant ses assistants, ni à cracher sur les acteurs. Et apparemment il était comme d'habitude le jour du meurtre. Il agissait en homme raisonnable, rationnel. Pas de crise de rage, pas d'accès de spleen.

— Autrement dit, tu ne vois rien.

— Ferme-la, laisse-moi finir.

— Ne me dis pas « ferme-la ». Dis-moi « laisse-moi finir s'il te plaît ».

— Laisse-moi finir s'il te plaît et va te faire mettre.

— C'est beaucoup mieux.

— Parfait. Deux choses me frappent, deux toutes petites choses qui ne veulent peut-être rien dire au fond. Mais toi tu as de l'intuition féminine et moi j'ai mon intuition de flic.

— C'est-à-dire ?

Elle surprit mon regard entre ses cuisses. Elle avait la peau ferme, plus pâle à cet endroit que sur le dessus des jambes. Elle se recula, s'adossa à la tête du lit, étira les jambes et posa ses mains sur la région du pubis et de l'entrecuisse.

— Alors, reprit-elle. Il y a deux choses qui t'ont frappé ? Réveille-toi.

— Je suis réveillé. Bon, Sy pouvait s'offrir tous ses caprices et ceux de ses bonnes femmes s'il était de bonne humeur. Mais au fond, c'était un rat. Il s'arrangeait toujours pour payer le moins possible et pour entuber les gens. Toi, tu n'as pas demandé de pension alimentaire parce que tu voulais qu'il garde une bonne opinion de toi. Et tu m'as dit qu'il était persuadé que les bonnes femmes n'en voulaient qu'à son pèze. C'est bien ça ?

— Exact.

— Très bien. Alors comment se fait-il qu'il ait payé un demi-million de dollars de plus que stipulé dans le contrat à Lindsay Keefe ?

Bonnie était stupéfaite.

— Ça lui ressemble, ça ?

— Absolument pas. Ça ressemble à un plouc qui n'a jamais fait de film de sa vie.

— Autrement dit, voilà un mec qui se laisse mener par le bout de la queue par une gonzesse. Tout content d'avoir le droit de lui baisser sa culotte et tellement flippé à l'idée qu'elle pourrait changer d'avis qu'il rajoute cinq cent mille dollars.

Bonnie prit son menton dans ses mains, intriguée.

— Je crois que tu as flairé une piste, là. Sy n'aurait jamais dépensé un centime sans raison.

— Mais quelle était la raison, alors? Tu crois qu'il aurait pu passer un deal secret avec l'agent de Lindsay Keefe?

Elle mâchouillait ses poings tout en réfléchissant.

— Ça m'étonnerait, dit-elle. Lindsay et Nick touchaient un million chacun. Normalement ils demandent des cachets de deux ou trois millions, mais là ils allaient percevoir des dividendes.

— Un pourcentage sur les bénéfices, tu veux dire?

— Oui. A partir du premier million de dollars. Quant à l'agent de Lindsay, je ne vois pas pourquoi il aurait accepté un deal au noir. « Ne jamais faire confiance à une actrice. » Il aurait accepté un contrat signé pour être sûr de toucher son pourcentage.

— Donc, s'il y a eu un deal, ça s'est fait en privé, entre Sy et Lindsay.

— Oui, si ça s'est passé. Mais je ne l'imagine pas en train de faire ça. Sauf...

— Sauf?

— Sauf qu'elle vivait avec lui depuis plusieurs mois. Quand Sy sortait avec une femme, c'était pour baiser. Parfois pour passer un week-end à Southampton, mais jamais plus. Personne à part Lindsay et moi n'a jamais laissé une brosse à dents chez lui. Il ne l'aurait pas toléré. Alors peut-être qu'il était vraiment amoureux d'elle et qu'il avait vraiment l'intention de l'épouser.

— Ouais, mais ils se sont engueulés.

— A cause de qui? Si la faute venait d'elle, elle l'aurait payé très cher. Sy était rancunier.

— Qu'est-ce qu'il aurait fait?

— D'abord arrêter de la sauter, sans lui donner d'explication. Et ça, il l'a fait.

— Tu n'en sais rien.

— Il me l'a dit, en tout cas : il ne couchait plus avec elle. Et je le connais assez bien sexuellement pour savoir que, même si je lui avais fait la danse du ventre en sifflant *la Marseillaise*, il n'aurait pas pu faire l'amour deux fois dans la même journée. Bon sang, j'ai horreur de parler de ces choses-là.

— Raconte.

— Eh bien, il pouvait tenir très longtemps, mais une fois qu'il avait... enfin, tu me comprends...

Elle piqua un fard.

— Bonnie, tu as quarante-cinq ans.

— Merci. Une fois qu'il avait joui c'était terminé. Alors s'il couchait avec moi tous les jours, je ne vois pas très bien ce qu'il aurait pu lui faire à elle.

— Tous les jours ?

— Tous les jours. Et il lui en voulait vraiment. Il était toujours irritable pendant un tournage, à sa manière à lui : calme et caustique. S'il entendait une mouche voler, il envoyait aussitôt cinq types avec un bazooka pour la descendre. Mais Lindsay c'était pire que tout. Elle le mettait dans des états pas possibles. Il la traitait de tous les noms. Ça ne lui ressemblait d'ailleurs pas.

— Par exemple ?

— Ça peut te paraître banal, vu que tu es assez grossier toi-même, mais pour Sy, c'était vraiment inhabituel. Il était très pointilleux, très mesuré ; il se voulait humaniste aussi. Il ne mangeait que des trucs politiquement corrects, jamais rien qui contribue à abîmer l'environnement. Il était contre les fourrures et pour les femmes à deux cents pour cent. Mais brutalement il s'est mis à l'appeler « la pouffiasse ». Tu n'imagines pas à quel point c'était incongru dans sa bouche. C'est vrai qu'il pouvait être un rat, un sans-cœur, un affreux, mais toujours avec style. Le genre qui te dévore tout cru mais avec le sourire. A mon avis, au début, Sy était amoureux d'elle. Après, ça s'est gâté. Et à en juger par sa façon de parler, il avait perdu le contrôle. Il se sentait trahi.

— Elle l'avait déjà trahi en jouant comme un pied, suggérai-je.

— Exact. Mais apparemment, pendant la première semaine au moins, ça ne l'a pas dérangé plus que ça. Les rushes étaient nuls, mais d'après les gens de l'équipe il était complètement subjugué par elle, c'est bien ça ?

— Ouais. Conclusion ? Il est déçu, fumasse, mais il est toujours fou d'elle. Et elle, elle choisit Santana comme allié. Autrement dit, elle couche avec. Au bout d'un jour ou deux, Sy cherche à la remplacer, par une actrice dans le film, et par toi au plumard. Question : à ton avis, Sy savait ou pas ?

— On dirait bien qu'il savait. Même si c'est dur d'être affirmatif car Sy était si égocentrique qu'il aurait eu du mal à accepter qu'une femme puisse lui préférer un autre homme. Mais d'un autre côté il était très très malin. Il avait rayé Lindsay de sa liste. On peut appeler ça une décision de producteur, peut-être même qu'elle était subtile. Je ne connais pas assez les contingences économiques de la production pour l'affirmer. Mais il a aussi agi par revanche personnelle : c'était la première fois que Lindsay jouait les femmes fragiles, romantiques, au cinéma et lui, son amant, mieux, son fiancé, laisse courir le bruit qu'elle n'a pas le charme, la souplesse, le talent qu'il faut pour ce type d'héroïne. Résultat, la rumeur propage que si Sy remplace Lindsay, c'est qu'elle est vraiment à chier.

— Il voulait la démolir ?

— S'il avait pu, il l'aurait fait. Mais je te l'ai déjà dit, il n'y a pas un producteur aujourd'hui qui ait le pouvoir de démolir une star. Cela dit, il était sûrement décidé à lui faire le plus de mal possible.

— Pendant les rushes, Sy aurait dit que si la foudre avait pu s'abattre sur Lindsay, ça aurait été la fin de ses soucis. Apparemment il a dit ça pour plaisanter, mais d'après les témoins, si elle avait pu casser sa pipe, Spencer aurait fêté ça au champagne.

Bonnie continuait de se mordiller les poings.

— Bon. Sy était tombé amoureux, elle l'avait cocufié et il lui en voulait à mort.

J'acquiesçai.

— Maintenant, ce qu'il faut déterminer, c'est si la passion de Sy n'a été que temporaire, ou si Lindsay lui a complètement fait perdre la boule.

J'ouvris la caisse blindée où je gardais mon flingue et je sortis ma veste de la penderie.

— A mon avis il perdait la boule.

— Pourquoi ?

Elle me regarda accrocher mon flingue à ma ceinture

et passer ma veste. Je sentais qu'elle ne voulait pas que je parte. Je remarquai aussi que, contrairement à la plupart des bonnes femmes — hormis les femmes flics —, la vue d'un 38 ne lui faisait aucun effet.

— Sy avait un assistant, dis-je. Un nouveau qu'il avait engagé pour *Nuit d'été.* Un gars du coin.

— Bécébégé ?

— C'est mon frangin. Il s'appelle Easton.

— C'est ton frère ? Ah bon ? Sy m'a parlé de lui.

— Qu'est-ce qu'il en a dit ?

Bonnie hésitait à me le répéter.

— Tu peux y aller. Je connais mon frangin.

— Sy a dit qu'il était très beau, beaucoup d'allure, mais que...

— C'était un loser.

— Quelqu'un qui n'avait pas vraiment réussi dans la vie, mais un mec bien. Sy l'aimait beaucoup. Ils s'entendaient à merveille. Sy avait besoin d'un assistant disponible vingt-quatre heures sur vingt-quatre qui se mette en quatre pour lui. Et apparemment, ton frère était le mec rêvé. Et le plus important — désolée, ce sont les mots de Sy — c'est qu'il n'avait pas beaucoup d'ambition. Sy pensait le garder après le film.

— Un larbin de choc.

— Disons plutôt un fidèle serviteur.

— Toujours est-il que j'étais là pendant son interrogatoire avec Robby Kurz. Du point de vue déontologique, je n'ai pas le droit d'interroger mon propre frangin. Alors je me suis assis dans un coin et comme il y avait un scénario qui traînait je l'ai feuilleté. Easton m'a dit que c'était le prochain film de Spencer.

— C'était le mien ?

— Non. Bon, pour être honnête, je n'ai fait que le lire en diagonale. Mais, franchement, quel ramassis de conneries, ce truc ! Insensé. Spencer devait avoir perdu la boule.

— Tu te souviens du titre ?

— Ouais, *La Nuit du matador*, par...

— Murray Mishkin !

— Tu l'as lu ?

— Il y a quelques années. Ecoute, Sy n'aurait jamais

tourné *La Nuit du matador.* Pas pour un empire. C'est une plaisanterie. Pas pour le mec qui l'avait écrit, il y croyait dur comme fer, mais pour Sy. Il l'avait reçu l'année d'après notre mariage. Un truc absolument nul, à mourir de rire. Il l'adorait ce machin. Il aimait bien en lire des passages tout haut : « Il faut que je tue la bête pour tuer la bête qui est en moi, Carlotta. » Bon, je veux bien admettre que Sy avait un peu perdu la boule à cause de Lindsay, mais quand même pas au point de faire ce film-là.

— Alors, pourquoi aurait-il dit à mon frangin que c'était son prochain film ?

— Pour rigoler.

— Impossible.

— Connaissant Sy, il a dû vouloir tester ton frère pour voir s'il était capable de le contredire. Mais s'il lui avait dit qu'il trouvait ça bien, Sy le lui aurait fait payer très cher et très longtemps.

— Easton était affirmatif. C'était le projet de Spencer.

— Alors il y a peut-être erreur sur le scénario.

— Peut-être, dis-je. Je vais appeler le frangin.

J'allai à la porte.

— On a fait un marché, tu te souviens ? dis-je. Tu restes ici jusqu'à mon retour.

— Je sais.

— J'ai dit cinq heures, mais si je ne suis pas là avant six heures tu m'attends, vu ? Qu'est-ce que je pourrais te dire de plus ?

— Dis-moi que je suis belle, que je suis merveilleuse et que tu m'aimes.

— Salut, dis-je.

— Salut, petit gars.

18

Bonnie voulait appeler Friedman pour le rassurer, lui dire que tout allait bien. Et moi je voulais l'appeler avant qu'il ne commence à faire le lien entre la disparition de Bonnie et moi. Je l'imaginais les yeux rivés sur le téléphone en train de se demander si Brady n'était pas un psychopathe — un sadique au sourire d'ange —, et de décrocher lentement pour appeler Shea et lui dire que j'étais un fou dangereux qui avait jadis couché avec Bonnie.

Mais pas question de le joindre de chez moi. Robby l'avait peut-être déjà mis sur écoute — illégalement — en espérant que Bonnie allait lui téléphoner. Je m'arrêtai dans une station-service au fin fond de la cambrousse avant d'aller chez Pomerantz. C'était un self-service avec une superette, le genre d'endroit que ne supportent pas les New-Yorkais : acheter de l'essence dans un discount, un truc même pas coté en bourse, et qui vend des chips à l'oignon par-dessus le marché ? Non, mais vous voulez rire !

C'est le petit ami de Friedman qui décrocha. Une voix profonde, suave avec un accent du Sud. Quand je dis que j'appelais au sujet de Bonnie Spencer, Friedman prit l'appareil illico.

— Votre amie Bonnie va bien, dis-je. Elle pense qu'il est encore trop tôt pour aller en tôle.

Friedman ne demanda pas qui j'étais. Il avait compris.

— Je me fais du souci pour elle, dit-il lentement. Je serais moins inquiet si je savais...

— Qu'elle va bien ? Elle m'a prié de vous dire que Gary Cooper était super dans *L'Homme de la prairie.* — Quand je pense que j'avais accepté de répéter un truc aussi débile... — Fin de la conversation. Elle vous appellera ce soir.

Pomerantz portait une chemise orange avec un joueur de polo brodé sur la poitrine. Une paire de lunettes en demi-lune au bout d'une cordelette orange plus foncé lui pendait sur le bide. En bas, il avait un bermuda kaki.

Nous étions dans son living. Le mur du fond n'était qu'une immense baie vitrée. La maison surplombait une mer étincelante, recouverte d'écume et de petits voiliers venus de Northwest Harbor. Une vue aussi incroyable que coûteuse.

— Je vous ai déjà dit tout ce que je savais le soir du meurtre, dit-il. Vous vous souvenez ? Lindsay avait un problème avec une photo parue dans *USA Today*.

Pour me faire comprendre à quel point il était obligé de prendre sur lui, Pomerantz gonfla ses joues et poussa un énorme soupir. J'essayais de ne pas m'énerver, même si ce type mentait comme un arracheur de dents.

— J'ai dû annuler un petit déjeuner de travail à cause de vous. Que voulez-vous de moi ? geignit-il, les yeux fixés sur le cadran de son énorme montre en or massif.

Je sortis une paire de menottes en acier pur inox et l'agitai sous ses yeux.

— Je n'attends rien de vous, monsieur Pomerantz. Je suis venu vous arrêter. Article quatre-vingt-dix du code pénal de l'Etat de New York (je venais de l'inventer) : refus de coopérer à une enquête judiciaire. Et article cent trente-huit, alinéa A : complicité et...

Je n'eus pas le temps de terminer. Il était tombé à la renverse sur le canapé. Complètement hypnotisé par le va-et-vient des menottes. Je les remis dans mes poches.

Il souffla :

— Si je vous dis quelque chose de différent de ce que je vous ai dit la semaine dernière...

Ses lèvres continuaient de remuer, mais il n'arrivait pas à finir sa phrase.

Je ne voulais pas qu'il me fasse une attaque, le bougre. A la lumière du jour, il faisait bien ses soixante-dix balais. S'il avait été plus jeune, il m'aurait sûrement donné du fil à retordre. Mais il était vieux, usé et sans doute pas en très bonne santé. J'avais honte de l'avoir malmené.

— Montrez-vous coopératif et tout ira bien.

— OK. Je coopère.

Le canapé était recouvert d'un tissu genre voile de bateau rayé blanc et rouge. Sa chemise orange là-dessus, ça faisait particulièrement hideux.

— Parlez-moi du coup de fil, dis-je. C'est vous qui avez appelé Spencer ou c'est lui qui vous a appelé ?

— C'est moi.

— Pourquoi ?

— Il avait des problèmes avec Lindsay.

— Je voudrais bien que vous ne vous foutiez pas de ma gueule, monsieur Pomerantz.

— Sy partait en Californie chercher une remplaçante pour Lindsay. Il était prêt à fiche trois semaines de tournage à la poubelle et à tout recommencer avec une autre actrice.

— Et que vouliez-vous faire ?

— L'en empêcher.

— Et ça a marché ?

— Je ne sais pas. Il avait l'air décidé à virer Lindsay.

Pomerantz triturait la cordelette de ses lunettes.

— J'essayais d'obtenir qu'il m'appelle en rentrant de Californie pour en discuter encore une fois. Et c'est à ce moment-là qu'il y a eu les coups de feu.

— Deux coups de feu ?

— Oui.

— Vous êtes sûr ?

— Absolument certain. Je sais ce que c'est qu'un coup de feu. J'ai fait la guerre en 45. La bataille des Ardennes.

Je hochai la tête respectueusement.

— J'ai été blessé. Ah, si vous m'aviez vu à l'époque ! Tout maigrichon que j'étais, deux centimètres plus bas et je prenais la balle en plein cœur. Alors autant vous dire que je sais ce que c'est qu'un coup de feu. Il y en a eu deux.

— Vous travaillez beaucoup par téléphone ?
— Oui. Presque tout le temps.
— Vous devez avoir l'oreille fine.
— Très fine.
— Quand votre interlocuteur change d'humeur, vous vous en rendez compte ?
Pomerantz m'avait reçu cinq sur cinq.
— Oui. Et je ne pense pas que Sy ait repéré quelqu'un à ce moment-là, avec ou sans revolver. Ni qu'il était en train de se passer quelque chose de bizarre. Mais je croyais qu'on l'avait descendu de dos ?
— Ouais, mais s'il connaissait l'assassin, il aurait pu l'avoir repéré du coin de l'œil, lui avoir fait signe et s'être retourné ensuite. Je veux être sûr que vous ne l'avez pas entendu dire « Salut Untel » ou « Salut Unetelle » à un moment ou à un autre.
— Non, répondit Pomerantz.
— Pas de pause à aucun moment ? Pas d'inspiration précipitée juste avant le coup de feu ?
— Rien. Bang, bang et puis plus rien. Le silence absolu.
Il souleva le coin de sa chemise pour essuyer ses lunettes.
— Parlons de Lindsay, maintenant. Soyez franc. Elle se rendait compte de la situation ? Soupçonnait-elle que Spencer voulait la virer ?
— Oui.
— Vous saviez qu'elle couchait avec Santana ?
— Oui. (Il pinça les lèvres.) Depuis cinquante-deux ans que je suis de la partie, je viens seulement de me rendre compte à quel point je hais ce milieu. Même les plus intelligents sont de vrais crétins dans ce métier. Stupides, arrogants. Ils s'imaginent qu'ils ont tous les droits.
— On ne pouvait pas se permettre n'importe quoi avec quelqu'un comme Spencer, c'est ça ?
— Non.
— Vous pensez que Spencer savait qu'elle le trompait ?
— Oui.
— Qu'est-ce qui vous fait dire ça ?

— Lui. Je venais de lui faire un speech, je lui demandais de garder Lindsay dans le rôle mais il m'a répondu : « Eddy, c'est impossible. Tu as vu les rushes. Elle ne se donne pas à fond. » Et puis il s'est mis à rire, comme s'il avait voulu me percer le cœur avec un glaçon. Et il a ajouté : « Elle se donne à fond, si, mais à Santana, dans sa caravane. »

— A votre avis, si Spencer avait trouvé une remplaçante à Hollywood, il aurait balancé Lindsay Keefe pour de bon ?

— Vous voulez vraiment savoir ce que je pense ?

— Oui.

— Il l'aurait balancée... mais le problème c'est que ça lui aurait coûté un max. Même en engageant une actrice un peu moins chère, ça lui serait revenu à trois millions rien qu'en salaire, sans compter qu'il fallait recommencer le film à zéro. Il n'aurait pas pu trouver de fonds supplémentaires. Il avait déjà épuisé toutes les possibilités. Alors, à moins d'y être de sa poche pour deux briques et demie, il ne pouvait pas la balancer.

— Autrement il l'aurait fait ?

— Il y pensait, en tout cas. Mais j'ai travaillé avec Sy pendant dix ans. Je le connaissais bien. C'est un radin notoire. Moi je crois que ça se serait très mal passé, mais qu'au bout du compte il aurait gardé Lindsay.

— Lindsay le savait ?

— Je le lui ai dit.

— Elle vous a cru ?

— Je n'en sais rien. Elle avait peur.

— Peur de quoi ?

— Peur de Sy Spencer.

Je n'irai pas jusqu'à dire que Lynne était folle de joie en me voyant à sa porte, mais elle avait l'air contente, dans l'entrée, avec ses longs cheveux auburn tombant sur ses épaules. Elle portait un chemisier blanc impeccable et une minijupe à pois. Je ne réalisai pas immédiatement qu'elle attendait que je l'embrasse. Je l'embrassai donc et elle me dit d'entrer.

Il régnait un silence dominical. Les nanas avec qui elle

partageait la baraque, Judy et Maddy, étaient parties au boulot et Lynne avait étalé tous ses dossiers sur la table basse du salon. Etalé n'est d'ailleurs pas le mot. Elle avait fait des petites piles symétriques. C'était nickel. Tous ses crayons et ses Stabilos étaient alignés bien droits, équidistants les uns des autres et suffisamment éloignés du bord de la table pour que si l'un d'eux se mettait à rouler elle ait le temps de le rattraper.

— Tu es ma môme à moi, dis-je avec un sourire. En 2013, quand je devrai retrouver ma déclaration d'impôts de 1996, tu mettras la main dessus en un éclair.

— Tu ne me trouves pas maniaque ? demanda Lynne.

Je m'assis dans un gros fauteuil. Elle s'installa à côté de moi.

— Judy prétend que je suis complètement maniaque. Tout ça parce que je range mes chaussures la pointe vers moi. Elle dit que si je pouvais les jeter simplement dans le placard je serais plus créative.

— Ecoute. Ni toi ni moi n'allons écrire *Hamlet* un jour. En revanche, on ne perdra jamais rien, ni les papelards ni les mômes. C'est plutôt rassurant, non ?

— Oui. (Elle sourit.) Parle-moi de ton enquête. Ça avance ?

— Ça avance, dis-je.

— Tant mieux. Vous devez être sur les dents avec tout ce remue-ménage dans la presse.

— Oh, que oui.

Je jetai un coup d'œil circulaire sur le salon. Tout était dépareillé. Il y avait des chaises en skaï et des chaises à rayures, une table basse années cinquante, un gros lampadaire en laiton, une affiche du musée des Beaux-Arts de Boston représentant un bouquet de fleurs. Bref, tout un bric-à-brac refilé par les parents de ces trois ravissantes demoiselles. Et dire qu'elles allaient toutes se marier bien avant d'avoir trente ans et qu'elles auraient des intérieurs coquets avec des tapis et des meubles assortis.

— Comment se présente la rentrée de septembre ?

— Je crois que ça va être une gageure. Je suis ravie. Tu veux savoir qui va passer dans ma classe ?

— Si ça ne prend pas plus de deux minutes.

Lynne se blottit contre moi.
— Tu ne peux pas rester un peu ?
— Je suis navré.
— Au fait, pour le lunch, rosbif ou poulet ?
Je glissai ma main sous sa chemise, et je palpai son soutien-gorge.
— Et ça, c'est du poulet ?
— Arrête de faire l'idiot !
Je souris et j'ôtai ma main. Je n'avais pas envie d'elle.
— Tu vas à la plage, aujourd'hui ?
— J'aimerais bien mais il faut que j'aille chez le coiffeur. — Pensant que j'allais protester, elle ajouta : — Juste pour faire égaliser les pointes.
— Qu'est-ce qu'elles ont, les pointes ?
Bon Dieu, ce que je me faisais chier avec elle ! Et en plus je culpabilisais de la trouver chiante.
Je pensai : « OK, le poulet et les tifs, ça n'a rien de passionnant, mais si ça avait été Bonnie, je crois qu'on se serait bien marrés quand même. »
Même si j'avais eu deux mois de vacances, je n'aurais pas supporté que Lynne me rebatte les oreilles avec ses histoires de gamins dyslexiques. Ça n'était pas inintéressant en soi, mais c'est Lynne qui ne m'intéressait pas.
Comment était-ce possible ? Cette nana avait tout pour elle, tout ce que j'aurais pu désirer, et pourtant... je n'avais pas envie d'elle. Et dire que les autres mecs bavaient devant. Quand on marchait dans la rue, ils se retournaient tous sur son passage, les riches comme les ploucs. Ses ex-petits copains la harcelaient de coups de fil. Tous se bousculaient au portillon, refusant de croire qu'elle allait en épouser un autre, prêts à se battre jusqu'au bout, lui promettant la lune.
Lynne jouait avec les veines sur le dos de ma main. C'est alors que je compris que, même en essayant de toutes mes forces, je ne serais jamais amoureux d'elle. Plus rien ne m'intéressait en elle. Ni sa famille, ni son boulot, ni ses passe-temps, ni ses sentiments..
En revanche, j'aurais voulu tout connaître de Bonnie. Chaque cours qu'elle avait suivi à l'université. Le nom de ses frères. Pour qui elle avait voté en 1980 et pourquoi. Comment c'était quand elle avait fait l'amour

pour la première fois. Je voulais qu'elle m'explique comment une poignée de juifs avaient atterri dans l'Utah. Je voulais voir *Cowgirl* et lire son nouveau scénario et ses descriptions de maillots de bain pour femmes fortes. Je voulais connaître son père, l'arracher à son bridge et à sa bonne femme et l'emmener à la chasse. Je voulais partir en forêt avec Bonnie. Je voulais courir avec elle. Camper. Pêcher la truite. Aller voir les baleines à Montauk. Je voulais lui parler de moi, de mon boulot, de ma vie. Regarder les matchs de base-ball et des films en noir et blanc à la télé avec elle. Je voulais lui faire l'amour.

— Tu ne dis rien, remarqua Lynne.

— Non. Je suis en train de réfléchir.

Je me dis : « Tout ça c'est du bidon, la vérité c'est que je suis amoureux du chien. »

— Dis-moi pourquoi tu souris ? demanda Lynne.

— Pour rien.

— Qu'est-ce qu'il y a ?

J'essayai de me redresser un peu, mais Lynne était si près de moi que je n'arrivais pas à bouger.

— Lynne, je suis désolé.

Elle avait compris, mais elle me posa quand même la question, espérant une dénégation passionnée :

— Quelque chose ne va pas ?

— Je ne sais pas exactement par où commencer. Je ne sais pas comment le dire.

— Oh, Steve.

Elle se leva et se planta devant moi. Belle comme le jour, gentille à souhait, mûre, solide, travailleuse et tout.

— Qu'est-ce qui ne va pas ?

L'épouse idéale.

— Tu as recommencé à boire ?

— Non.

Je pensai : « Je ne suis pas obligé de lui casser le morceau. Y'a pas le feu. Je boucle l'enquête et puis je me donne le temps d'y réfléchir. » Lynne était la femme idéale. Il y avait sûrement un moyen d'arranger les choses.

— Il y a une autre femme, c'est ça ?

J'aurais dû me lever d'un bond, la prendre dans mes

bras et lui crier : « Tu plaisantes ! » Mais j'étais complètement paralysé et finalement j'avouai :

— Oui.

— Qui est-ce ?

— Une femme que j'ai connue il y a quelques années.

— Vous vous voyez depuis tout ce temps ?

— Non. Ça ne s'est pas passé comme ça. Je l'ai revue par hasard et j'ai compris.

Lynne fondit en larmes.

— Compris quoi ?

— Je ne sais pas.

— Compris quoi, Steve ?

— Que j'ai besoin d'elle.

J'avais finalement lâché le morceau. Je me levai et je la pris dans mes bras. J'aurais voulu lui dire que j'avais le cœur brisé. Mais ça n'était pas vrai. J'étais simplement triste de lui faire de la peine. C'était une fille bien, Lynne. Et qui m'aimait, ou qui aimait celui qu'elle croyait que j'étais. Elle se réjouissait tellement à l'idée qu'elle allait m'aider à vivre.

Elle se dégagea et me regarda fixement. Elle était très belle, même quand elle pleurait. Deux jolies larmes coulaient bien parallèles le long de ses joues. Elle avala sa salive et reprit son calme.

— Tu ne m'aimes pas ? demanda-t-elle.

Je la pris à nouveau dans mes bras.

— Lynne, murmurai-je dans ses cheveux. Tu es une fille formidable. Merveilleuse, adorable... patiente...

— Tu ne m'aimes pas.

— Je croyais que je t'aimais. Je le croyais sincèrement.

— Tu vas l'épouser ?

— Je ne sais pas. Je ne sais pas grand-chose. Je perds complètement les pédales, pour tout dire. Je suis venu ici passer quelques minutes avec toi, sans aucune arrière-pensée. J'étais à mille lieues de me dire que nous allions parler de ça. Je me sens complètement dépassé par les événements.

Elle se remit à pleurer.

— J'aurais tellement voulu t'épargner tout ça.

Elle se dégagea à nouveau.

— Maman a déjà commandé les cartons d'invitation.

— Je suis navré.

Qu'aurais-je pu lui dire ? Que sainte Babs et son facho de mari allaient pouvoir se siffler tout le champagne et faire des confettis avec les invitations ?

— Elle est plus belle que moi ? demanda Lynne en s'essuyant les joues.

— Non.

— Plus jeune ?

— Non. Plus vieille. — Et puis j'ajoutai : — Plus vieille que moi.

Elle écarquilla ses grands yeux de biche, l'air incrédule. Elle n'en revenait pas.

— Pas tellement plus vieille, précisai-je.

— Elle a de la personnalité ?

— Oui.

C'était nul. J'aurais préféré ne pas lui dire qu'il y avait quelqu'un d'autre mais plutôt que ça ne marchait pas entre nous simplement à cause de moi. Que j'étais un célibataire endurci, que je n'étais pas fait pour le mariage. Mais devant de tels arguments, Lynne aurait persévéré, joué les infirmières au chevet d'un grand malade. Elle aurait attendu que je récupère, que je change d'avis.

— Qu'est-ce qu'elle fait dans la vie ?

— Elle écrit.

— Elle est de New York ?

— Non.

— Elle est riche ?

— Non.

— Mais c'est quoi alors ? Le sexe ?

Je ne répondis pas.

— C'est le sexe ?

— En partie.

— Mais nous deux c'était bien, non ?

— Oui, c'était très bien.

— Tu me dois une explication, Steve.

— Je sais. Je sais. Pardonne-moi.

Que pouvais-je lui dire, à la fin ? La vérité ? Pas toute la vérité, quand même. Mais au moins ne pas la mener en bateau.

— Tu es tout ce que j'admire le plus. Quand nous avons commencé à sortir ensemble, je n'arrivais pas à y croire. Je me disais, une nana aussi bien, ça n'existe pas. C'est trop beau. Mais en fait, non. J'ai fini par comprendre que tu es tout ce qu'un homme peut désirer.

— Alors pourquoi tu ne veux plus de moi ?

— Tu es trop bien pour moi. Je suis à côté de mes pompes et je ne pourrai jamais te rendre heureuse.

— Mais je ne te demande pas d'être quelqu'un d'autre.

— Mais Lynne, ce que tu veux et ce que je veux, ça n'est pas la même chose. Tu ne seras pas heureuse avec moi. J'ai cru un moment que ça serait possible. J'étais tout content à l'idée d'avoir une femme adorable, des gosses sympas et une baraque confortable. Je rêvais de tranquillité. J'en ai toujours rêvé. Ça et faire mon trou dans la vie. Mais je suis trop esquinté en dedans et trop exigeant. Le mariage ne suffira pas pour faire de moi un autre homme.

— Mais quoi alors ?

— Elle.

— Pourquoi ? demanda Lynne.

Et je répondis finalement :

— Parce qu'elle me rend heureux.

Carbone avait laissé trois appels sur mon bip en deux minutes. Je me garai devant un petit resto de poisson gentil tout plein. J'appelai le QG.

— Qu'est-ce qui se passe, Ray ?

— Ça y est, Robby l'a coincée.

— Qui ça ?

Lindsay. Il allait dire Lindsay.

— Bonnie Spencer.

Il ne fallait surtout pas qu'il perçoive ce que je ressentais. J'étais complètement terrorisé intérieurement, mais je devais avoir l'air solide et net du flic qui a suffisamment roulé sa bosse pour ne pas gober toutes crues les conneries de l'inspecteur « Cheese ».

— Bon Dieu, il continue à déconner ? J'ai pas arrêté

une minute. J'ai trouvé des tas de trucs sur Lindsay Keefe. Il faut qu'on commence à...

— Steve, écoute-moi. Il est retourné chez Spencer hier soir. Il est allé du côté de la véranda, là où on a repéré les empreintes de tongs.

— Et puis ?

— Il est tombé sur un cheveu noir.

— Ça suffit !

— Pareil à ceux qu'on a retrouvés dans la chambre. Il était entortillé au treillis qui recouvre l'allée menant à la véranda. Elle a dû s'y appuyer. Il est parti au labo, à Westchester, pour le faire analyser. On attend les résultats mais tu sais aussi bien que moi que c'est Bonnie qui a fait le coup. Maintenant, on a réussi à la localiser en deux endroits : au plumard avec Spencer et à l'endroit précis d'où les coups de feu ont été tirés.

Elle avait menti. Je regardais fixement le téléphone. Le pire n'était pas que je l'avais crue. Le pire c'est que j'aurais pu tout péter en rentrant à la maison, balancer les meubles, me cogner la tête contre les murs et la traiter de tous les noms, elle m'aurait regardé bien droit dans les yeux et elle m'aurait dit : « Stephen, je n'y suis pas allée. Je te jure que je n'y étais pas. » « Et comment se fait-il qu'on ait retrouvé un cheveu à toi à cet endroit ? » Elle aurait répondu : « Quelqu'un l'y a mis. Ce type qui veut absolument me faire coffrer. Celui dont tu m'as dit qu'il pouvait se pointer d'une minute à l'autre. » Et je lui aurais crié : « Tu t'imagines que je vais te croire ? » Et elle m'aurait répondu : « Oui. »

Et je l'aurais crue, malgré tout, malgré moi.

— Ray, dis-je, tu es sûr de toi ?

— Comment ça ?

— Tu ne penses pas que Robby est allé un peu vite en besogne ?

— Arrête. Il ne ferait pas ça. Tu sais bien qu'il n'irait pas jusqu'à fabriquer des indices. Réveille-toi, vieux. Regarde les choses en face.

Il y eut un silence de mort. On n'entendait plus que les bulles dans le vivier à homards.

— Steve, houhou !

— Allô ?

— Qu'est-ce que tu vas faire, maintenant ?
— Qu'est-ce que je peux faire, d'après toi ?
— Essayer de la trouver.

Mes yeux se posèrent machinalement sur la tablette à côté du téléphone. Il y avait des formulaires de l'American Express tout écornés par l'humidité et un cendrier où gisait une énorme cendre de cigare dégeulasse. Et puis tout à coup, dans ce recoin puant et sinistre, miracle ! Un flash de cette nuit passée avec Bonnie cinq ans plus tôt.

On avait fini de manger et on s'était installés dans le salon. C'était le coucher de soleil et Bonnie avait laissé les lumières éteintes pour qu'on puisse regarder le ciel bleu et vermeil à l'horizon. Ensuite elle avait allumé des bougies. Et on était restés là, dans le clair-obscur. Elle me racontait comment elle avait fini par aimer South Fork, le ciel immense, l'océan, les dunes, les oiseaux. Elle partait volontiers en randonnée avec des jumelles et des grosses bottes, mais la montagne lui manquait. Pas seulement la pêche, les balades ou le ski. En Utah, elle aimait regarder par la fenêtre pendant la classe, elle allait chercher le lait à vélo. Et le soir, dans son lit, elle observait les étoiles... et la montagne.

J'avais dit :

— On dirait que ça te manque.

— C'est vrai.

— Tu n'aimerais pas retourner là-bas ?

— Je n'y ai plus personne. Il n'y a plus que la montagne et les mormons.

— Tu ne m'as pas répondu.

— J'aimerais retourner chez moi, avait-elle murmuré.

Et je lui avais promis :

— Tu verras, Bonnie, je t'apprendrai à aimer South Fork.

Je mis une autre pièce dans la fente pour appeler ma copine du tribunal, Sally-Jo Watkins. Avec un nom comme ça, on imaginait une femelle exténuée et anorexique du fin fond des Appalaches avec une ribambelle de marmots affamés comme dans les documentaires sur la vie sauvage en Amérique. Mais Sally-Jo avait un sacré coup de fourchette et elle n'était pas exténuée du tout. Elle venait d'une très ancienne et très quelconque famille de Brooklyn. Toujours speed, elle ne savait pas causer sans aboyer. Elle était procureur et bras droit du juge de Suffolk County.

— Qu'est-ce que tu veux ? J'ai pas le temps. L'affaire Spencer ? C'est Ralph qui est dessus. Parles-en à Ralph.

— Il faut que je te parle à toi.

— Pourquoi à moi ? C'est comme chez les flics ici, Brady. Chacun son boulot. Je suis dans la paperasse jusque-là. Alors ne me fais pas chier et appelle Ralph.

— Pas moyen de discuter avec lui. C'est à toi que je veux parler.

— Mais moi je ne peux pas.

— Sally-Jo, je t'ai tiré au moins trois épines du pied quand tu étais à la Criminelle. Alors tu me dois bien ça, non ?

— Je t'ai offert un steak, une fois. Quand tu es sorti du trou, tu te souviens ? Tu avais tellement soif qu'il a fallu que je te laisse cuver si je ne voulais pas que toute ma paye y passe.

— OK, mais, moi, je t'ai payé quelque chose comme deux cent mille calories rien qu'en cheeseburgers. Tu me dois donc l'équivalent d'un très très gros dîner.

— Ça va. Accouche, mais fais vite.

— Bon. Mettons que j'aie fait mon boulot de flic correctement. J'ai bien fait attention à ne pas saloper les lieux du crime jusqu'à l'autopsie et j'ai demandé à mes gars de passer toute la baraque et ses environs au peigne fin. Jusque-là pas de problème. Tout baigne. On choisit bien nos pièces à conviction. Bref, les conditions idéales.

— Vas-y.

— Pas de preuves déterminantes, du reste, juste des cheveux. On fait faire une analyse de l'ADN, il s'agit des cheveux du partenaire de la victime. On les a retrouvés dans le plumard où ils se sont envoyés en l'air. OK. Une semaine plus tard, quatre jours après avoir retiré les scellés, je trouve un autre cheveu. Pareil aux premiers. C'est ce que dit le labo, en tout cas.

— Tu l'as trouvé où ?

— Dans un treillis. A l'endroit exact où le partenaire — dont le sexe n'a pas été déterminé — se serait appuyé s'il avait tiré les coups de feu. Maintenant, dis-moi. En tant que procureur, tu accepterais cette nouvelle et soudaine pièce à conviction ? Tu aurais le droit de l'utiliser ?

— OK. En règle générale, toutes les preuves significatives peuvent être retenues par le tribunal. Cela dit, on peut contester les circonstances dans lesquelles les indices ont été relevés. Dans un cas comme celui-là, la défense peut arguer que, dans la mesure où le boulot a été fait soigneusement la première fois, il est surprenant que vous ayez trouvé un complément d'indices.

— Les avocats pourraient soutenir que c'est une preuve fabriquée, par exemple ?

— Tout à fait.

— Un mec comme Paterno utiliserait ce genre d'argument ?

— Et comment ! Il pourrait nous massacrer avec un truc comme ça. Nous serions obligés de reconnaître qu'il s'agit d'un oubli. Que l'erreur est humaine. Que les flics peuvent se tromper, comme les autres. Et pourquoi voudrait-on absolument coffrer le partenaire ? Parce qu'on est convaincu qu'il est coupable ? Débile !

— Que ferais-tu dans un cas comme celui-là en tant que procureur ?

— Je commencerais par cuisiner le flic qui a trouvé le cheveu pendant un jour ou deux, histoire de lui foutre la trouille. Je lui dirais que, s'il n'est pas sûr à cent pour cent que la pièce en question n'a pas été placée là par un collègue à lui — sans l'accuser directement —, il ferait mieux de la remballer sans quoi il risque de tout foutre par terre en donnant un argument à la défense. Je lui conseillerais de ne pas produire sa pièce à conviction sauf en présence d'un dossier très très léger. Mais si l'affaire s'avérait à peu près solide, j'éviterais de m'en servir. Parce que si jamais les résultats d'analyse de l'ADN n'étaient pas probants, ce serait notre preuve numéro un, les cheveux du plumard, qui serait remise en cause. Pas besoin d'un mec comme Paterno pour faire douter le jury. Du point de vue des juges, un jury qui doute est un jury dangereux. Dès qu'on se met à douter, c'est la fin de tout.

— OK. Merci, ma grande.

— Alors affreux ? D'après toi, c'est Bonnie Spencer qui a fait le coup, ou pas ?

— C'est pas elle.

— C'est pas ce qu'on m'a dit.

Il s'en est fallu de peu que je casse le poignet de Bonnie pour lui arracher le téléphone des mains. Finalement, elle lâcha prise. Mais en un éclair, elle était à la porte d'entrée, hystérique, prête à aller se rendre aux flics.

— Arrête, hurlai-je.

Je réussis à l'attraper entre mes bras mais autant essayer de maintenir un malabar. Sa force était décuplée par l'hystérie. Elle essaya de dire quelque chose mais ses mots étaient happés par des sanglots rentrés. Je la tenais serrée, attendant des pleurs et des dénégations, au lieu de ça elle me mit un puissant coup de coude dans le plexus solaire qui me sonna complètement. Impossible de reprendre ma respiration. Je lâchai prise, courbé en deux, essayant de reprendre mon souffle. L'horreur.

— Je t'ai fait mal ? Je suis désolée, s'excusa Bonnie.

Mais je n'arrivais pas à parler.

— Stephen ? Ça va ? Où tu as mal ? Mon Dieu, Steve !

En fait, la douleur elle-même avait disparu très vite — et dire que c'était celle pour qui j'avais rompu mes fiançailles qui m'avait foutu dans cet état — mais je ne le montrai pas. Je la laissai m'amener pas à pas jusqu'au lit, pleine de compassion. Elle m'aida à m'allonger.

— Doucement, dit-elle.

Le temps de m'allonger, elle s'était calmée.

— Tu arrives à respirer ? — Elle scrutait mon regard, sans doute pour voir si j'avais les pupilles dilatées. — Stephen ?

— Non, murmurai-je, c'est fini.

Elle s'était approchée tout près tout près pour pouvoir entendre.

— J'ai une côte cassée et une énorme esquille qui me transperce le cœur. Je meurs, Bonnie. Adieu. — Je lui attrapai la main et je l'attirai pour qu'elle s'asseye sur le lit. — Un dernier baiser.

Elle me fusilla du regard.

— OK, dis-je, vas-y, pique-la ta crise. Allez, tire-toi en courant ! Je ne me battrai pas avec toi, tu es trop balaise.

— Ecoute. Il faut que je me rende. Robby — c'est bien ça son nom ? — me cherche. En restant ici j'aggrave mon cas. — Elle parlait fort à nouveau. — Laisse-moi partir maintenant. Pendant que mon avocat peut encore quelque chose pour moi.

— Réfléchis un peu, nom d'un chien !

Elle inspira très fort.

— Attends encore un tout petit peu. J'ai besoin de toi. S'ils t'arrêtent, c'est pas sûr qu'ils acceptent une caution. Meurtre au deuxième degré. En plus tu n'es pas du coin. Tu vas te retrouver en cabane en un clin d'œil. Tu piges ?

— Oui.

— C'est pas génial, la prison, crois-moi. Ils rigolent pas là-bas. Et ils ne passent pas de films de Bette Davis. Ça ne va pas te plaire. Alors je voudrais t'éviter d'y aller autant que possible. Et puis j'ai aussi besoin de tes conseils, pour être honnête. Jusqu'à cinq heures. A cinq heures, tu appelles ton pote Gideon. Il contacte Paterno et on met la machine en route. Autre chose. Si tu te retrouves au gnouf, il n'est pas dit que je puisse te parler, parce que ton avocat va décréter : « Pas de flics. »

— Mais je lui dirai que tu veux m'aider.

— Bonnie, tu penses vraiment qu'un avocat comme Paterno est assez con pour croire qu'un flic de la Criminelle cherche à aider sa cliente ?

— Peut-être qu'il comprendra.

Sa naïveté me dérangeait. Elle voulait se rendre. Elle croyait à la justice de son pays. Elle ne savait pas qu'elle allait se retrouver en enfer. Pour elle, la prison, c'était comme au cinéma. Des détenues flouées et misérables et une garde-chiourme légèrement tordue sur les bords.

Elle n'imaginait pas les cris, la fureur, la violence et la crasse. Les seuls toxicos qu'elle connaissait, elle les avait vus à la télé.

— Tu m'as dit que tu allais continuer à cogiter sur le meurtre aujourd'hui et essayer de trouver l'assassin. Alors ? Tu en es où ?

— Je ne sais pas. Aide-moi.

Je lui pris la main. Elle la retira. J'avais oublié de lui dire que je l'aimais, que j'avais rompu avec Lynne. Je tendis à nouveau la main. Elle se leva et se dirigea vers mon relax en cuir. Il y avait un bloc et un stylo sur la table, à côté. Elle s'assit, saisit le bloc-notes et le pressa sur sa poitrine, comme si c'était un trésor.

— Je lis trop de polars et je vois trop de films, dit-elle. A force de réfléchir à l'enquête et à tout ce que tu m'as dit, j'ai fini par soupçonner Victor Santana et Marian Robertson.

— Et pourquoi, bon sang ?

— Parce que Victor était jaloux de Sy et qu'il savait que Sy le trouvait mou. Il savait que si Lindsay était virée, il n'allait pas faire long feu non plus.

— Et Marian Robertson ?

— Qui sait ? Parce que Sy était descendu une fois de trop dans sa cuisine et qu'il lui avait déclaré que sa béarnaise manquait de cerfeuil.

— Dommage que tu sois de l'autre côté. Tu aurais fait un flic de choc.

— Mes déductions ne t'impressionnent pas ?

— Non.

— Je m'en doutais. C'est pour ça que j'ai arrêté de jouer au détective. Tout ce que j'arrivais à faire, c'était du cinéma. J'ai préféré me concentrer sur Sy. Repenser à mes derniers jours avec lui à la lumière de tout ce que tu m'as dit.

— Et alors ?

Elle inclina le relax jusqu'à la position horizontale. Son regard allait et venait entre moi et le bloc.

— J'ai repensé à l'attitude de Sy. A ce qui clochait.

— Comme quand il te sautait en pensant à autre chose ?

— Appelons ça de la distraction, dit-elle.

— De la distraction. De la baise de troisième zone. Ce que tu veux.

— Deuxième zone, répliqua-t-elle. C'est avec toi la troisième zone.

— Menteuse. Tu n'as jamais autant pris ton pied. Tu le sais.

— Non. Passons. Sy était distrait. Cela veut dire qu'il y avait quelque chose dans l'air. Quelque chose de grave. Quoi d'autre ?

Je croyais qu'elle allait répondre à sa propre question, mais elle attendait que je le fasse.

J'essayais de comprendre. Qu'y avait-il eu d'anormal dans les derniers jours de la vie de Spencer ? L'amour.

— Il était tombé amoureux de Lindsay, commençai-je, et elle l'avait trahi. Tout d'un coup, le bourreau des cœurs devient la victime. Un sacré retour de bâton, non ?

— Exact. Le moins qu'on puisse dire, c'est que Sy était rancunier. Et voilà que l'objet de ses désirs, son amante, sa passion se mettait à le tromper. Il voulait se venger.

— Sauf qu'il n'y est pas arrivé.

Je lui racontai ce qu'Eddie Pomerantz m'avait dit : à cause du fric, Sy aurait probablement gardé Lindsay sur le tournage.

Bonnie ouvrit des yeux comme des soucoupes.

— Encore mieux que ça ! — Elle sauta sur ses pieds et revint vers moi. — Réfléchis !

— Réfléchir à quoi ?

— La vengeance c'est une chose. Mais — et c'est là que je voulais en venir — la vengeance et l'argent, c'est encore mieux.

— Nom d'un chien ! — J'explosai littéralement. — L'assurance !

Bonnie m'attrapa par la manche de ma veste.

— Si la foudre tombait sur Lindsay, il gardait son fric et il prenait une remplaçante.

— Autrement dit, il se vengeait, dis-je lentement. OK, OK, mais doucement. Lindsay Keefe n'a pas été foudroyée. Sy si. Pourquoi ?

— Stephen, réfléchis un peu : qui a été tué ? Sy ?

— Oui, Sy.

— Sy ou quelqu'un au bord de la piscine, en peignoir blanc, avec une capuche, à l'heure précisément où Lindsay avait l'habitude de piquer une tête en revenant du boulot ?

— Quelqu'un de petit, ajoutai-je.

Et Bonnie conclut :

— De petit comme Sy.

19

Bonnie était tout excitée. Lancée dans son raisonnement elle faisait les cent pas autour du plumard en marquant une pause chaque fois qu'elle passait devant la fenêtre pour regarder au-dehors en se hissant sur la pointe des pieds. Un vrai lion en cage.

— Bon. Il faut voir si cette explication est plausible, auquel cas...

— Du calme. L'enquête, c'est moi qui la mène. C'est moi le flic. Toi, tu la fermes.

— Ferme-la, toi. Je sais parfaitement ce que je dis.

Elle s'assit sur la commode et commença à faire des moulinets avec les jambes. On aurait dit qu'elle montait des blancs en neige.

— Avec tout le respect que je te dois, tu n'es pas trop conne, mais quand il s'agit d'enquête policière, tu es complètement à côté de tes pompes. D'ailleurs on n'est pas ici pour savoir qui est le chef. C'est moi qui prends les commandes.

Elle mit sa main devant la bouche, comme quelqu'un qui fait semblant de bâiller d'ennui.

— Fais-moi grâce de tes mimiques imbéciles, tu veux ? Et ferme ton clapet cinq minutes. Essaye plutôt de penser à l'époque où tu vivais avec Sy Spencer. Lui est-il arrivé de menacer quelqu'un ? Au point qu'on puisse se demander si le quelqu'un en question n'était pas en danger de mort, je veux dire.

Elle balança encore un peu ses jambes et secoua la tête.

— Ça ne veux pas dire qu'il n'était pas rancunier, note bien. Il avait sa liste noire. S'il avait pu faire payer un copain d'enfance qui l'avait traité de caca-boudin quand ils étaient à la maternelle, crois-moi qu'il ne se serait pas gêné. Mais pour lui, la vengeance ne consistait pas à supprimer les gens. La douleur physique ne l'intéressait pas, il préférait la douleur morale. C'était sa façon de punir ceux qui lui mettaient des bâtons dans les roues.

Bonnie venait encore de marquer un point — elle ne devait pas être loin des cinq mille maintenant. Ça n'était pas une femme à retourner sa veste pour un oui pour un non. Elle aurait pu saisir l'occasion d'enfoncer Spencer, d'en faire un assassin en puissance. Eh bien non, elle était trop honnête pour ça.

— OK, dis-je. Autrement dit, selon toi, Spencer était le type du rancunier moyen.

— A cela près qu'avec l'âge — ou à cause du fric ou du pouvoir — il devenait de plus en plus dur. Quand je l'ai épousé, je savais bien que Sy n'était pas un enfant de chœur. Mais le Sy que j'ai retrouvé dix ans plus tard était bien plus endurci encore. Imbu de lui-même, méprisant pour les autres. Quiconque lui tenait tête était méchant, stupide ou égoïste et devait payer son impudence. Pour lui, se venger c'était rendre justice.

— OK. Réfléchis bien. Tu dirais qu'il avait un sens moral ?

Ma question déclencha une bonne vingtaine de moulinets.

— Il était remarquablement bien éduqué. Et politiquement, il était bon teint : contre l'apartheid, pour la couche d'ozone. Mais dans sa vie personnelle, il n'avait guère de sens moral.

— Donc on pourrait dire qu'il était amoral.

Elle acquiesça.

— Et on pourrait même supposer que le meurtre ne l'effrayait pas, si ce n'est qu'il trouvait ça inutile et dangereux.

— Ou pas assez distingué. Les diplômés de Dartmouth ne tuent pas.

— Mais Sy avait peut-être dépassé ce genre de considérations. Ça faisait neuf ans qu'il avait le vent en poupe. Il fabriquait de bons films et il s'en mettait plein les poches. Comment aurait-il pu se tromper ? En était-il arrivé au point de trouver parfait tout ce qu'il faisait ?

Bonnie se remit d'aplomb sur la commode et croisa les jambes. Elle fixait le mur derrière moi, perdue dans ses pensées.

— Oui, c'est très possible. Il croyait à sa propre image. Sy Spencer était un être supérieur talentueux, raffiné. Il n'avait rien à voir avec ces producteurs californiens qui postillonnent dans leur téléphone sans fil ou qui installent un bowling dans leur maison. Il était si sensible, comment aurait-il pu être cruel ? Mais ne nous égarons pas. Je crois que tout ce dont nous avons parlé jusqu'ici — son amour trahi, son besoin de vengeance, son goût de l'argent —, toutes ces choses l'ont conduit au point de non-retour. Et s'il a franchi le pas, c'est parce qu'il a eu peur.

— Peur de quoi ?

— Peur de perdre. Les studios avaient refusé *Nuit d'été*, mais lui il y croyait. Il s'était décarcassé pour trouver l'argent. Il faut lui accorder ça. Il m'avait dit que *Nuit d'été* serait ce que le cinéma américain avait de mieux à offrir : un film où les personnages apprennent peu à peu à se mériter l'un l'autre. Mais Lindsay fichait tout par terre. Non seulement elle le cocufiait avec Santana — et ça lui a fait très mal —, mais elle bousillait ce qui comptait le plus pour lui : son film, sa réputation et sa postérité.

— Autrement dit, elle lui coûtait un demi-million de dollars sans parler des bénéfices à venir, elle lui coupait les couilles et elle lui crevait le cœur.

— Pire que ça, à cause d'elle il perdait la première place. Sy m'a dit : « Ça va jaser dans les studios, ils vont dire qu'ils ont bien fait de refuser *Nuit d'été*, que c'était un navet de la première heure. » Et puis la prestation de Lindsay était tellement mauvaise. Toute la critique et tous ses chêêêrs amis allaient s'en donner à cœur joie : « Quoâââ ? Ne me dites pas que ce nââââvet est un film de Spencer ! »

— Oui, mais quand tu vois les vieux piliers d'Hollywood, protestai-je, tous les mecs de la Goldwyn qui se faisaient éreinter par la critique et par les copains. Ça ne les empêchait pas de continuer.

— Oui, mais c'étaient des durs à cuire. Ils encaissaient.

— Tu veux dire que Sy n'encaissait pas ?

— Stephen, tu te souviens que nous avions dit que Sy changeait de peau selon les circonstances et qu'il n'avait pas l'air d'exister vraiment. C'est très sérieux. Sy était ce que les autres voulaient qu'il soit. Et si on se foutait de sa gueule parce qu'il était cocu ou parce qu'il était soi-disant en train de tourner une romance à l'eau de rose — ce qui est complètement faux —, il rentrait dans la peau du cocu ou du producteur raté.

— Autrement dit, elle méritait de crever pour l'avoir humilié, mais pas question de la zigouiller de ses propres mains.

— Non, je ne l'imagine pas en train d'injecter de la strychnine dans ses billes de melon. Il était bien trop lâche pour commettre un crime. Et puis il ne voulait pas se salir les mains. C'était un gentleman. Il ne se serait jamais abaissé à une telle besogne.

— Quelqu'un était prêt à le faire pour lui.

— Oui.

— Mais qui aurait bien pu faire le sale boulot pour lui ? demandai-je.

Elle savait, mais ne répondit pas.

— Et Mikey Lo Triglio ?

— Non.

— Pourquoi non ?

— Parce que si Mikey ou un de ses gars s'en était chargé, à l'heure qu'il est Lindsay Keefe serait en première page de *People* avec 1957-1989 écrit en gros sur ses boîtes à lolo, et Sy serait en train de tourner *Nuit d'été*, avec Monteleone et Katherine Pourelle.

Je lui dis qu'elle se gourait, que la fiabilité de la mafia c'était de la couille en barre et qu'une fois sur deux les mecs se plantaient. Le FBI, à côté, c'était les rois de la gâchette.

Elle répondit qu'elle avait lu *Les Affranchis* et qu'elle connaissait tous sur les crétins congénitaux qui sévissent dans la mafia, mais que Mikey était un mec hyper-intelligent et que s'il avait pu faire des études, il aurait fini P-DG de la Citycorp.

Je lui rétorquai qu'elle était la reine des connes. Elle sourit et me dit que non.

Il fallait que j'aille dans la cuisine appeler le Chimpanzé mais je n'avais pas envie de quitter Bonnie. Je voulais la garder dans mon maillot de corps délavé et un peu transparent. Et puis si je la laissais seule elle risquait de se prendre une gamelle et d'écrabouiller ma chaîne stéréo au passage. Je décrochai le téléphone sur ma table de nuit. Personne n'avait vu Robby au labo, à Westchester. Pas la moindre trace de Mikey. Il n'était pas dans son quinze-pièces, cuisine, salle de bains de Glen Cove, à Nassau, ni chez Terri Noonan, ni *Aux fils de Palerme* de la Petite Italie. Et le bar du quartier des abattoirs où il a son quartier général, *Chez Rosie* ? Le Chimpanzé me dit qu'il avait demandé au patron où était Mikey Lo Triglio et que le type lui avait répondu : « Mikey comment ? »

— *Chez Rosie ?* répéta Bonnie au moment où je raccrochais. Ça me dit quelque chose.

Elle saisit le téléphone, appela les renseignements pour avoir le numéro de *Chez Rosie,* sur la Neuvième Avenue. Elle composa le numéro et demanda à parler à Mikey Lo Triglio.

Je secouai la tête, l'air de dire : « N'importe quoi ! » Le type lui répondit la même chose qu'au Chimpanzé : « Mikey comment ? » Mais elle le coupa net et lui dit :

— Vous ne connaissez peut-être pas M. Lo Triglio, mais il vient chez vous de temps à autre. — Elle était sûre d'elle, ferme comme l'aurait été un bon flic. — J'aimerais que vous lui transmettiez un message pour moi. Dites-lui que Bonnie Spencer — S-P-E-N-C-E-R — a demandé qu'il la rappelle de toute urgence.

Elle lui donna mon numéro et raccrocha.

— Bonne chance, dis-je.

— Merci.

Je la prévins que j'allais faire un tour à East Hampton pour cuisiner Lindsay Keefe sur le tournage et régler deux ou trois trucs en attente. J'allais me lancer dans des explications quand le téléphone sonna. Je reconnus aussitôt la voix gravillonneuse et pas commode.

— Mme Spencer, et que ça saute !

Je tendis l'appareil à Bonnie.

— Mike ? (Silence.) Très bien. (Silence.) Toi aussi tu m'as manqué.

Je me rapprochai d'elle et collai l'oreille sur l'appareil.

— En fait, continua-t-elle, je suis dans la merde.

— Qu'est-ce qui se passe, Bonita ?

— Je suis la suspecte numéro un dans l'affaire Spencer.

— Quoi ?

— Ils ont lancé un mandat d'arrêt contre moi.

Mikey rit. Pas un rire amusé, non, un reniflement incrédule.

— C'est la meilleure de l'année, celle-là.

— Je sais. Mais, Mike, il faut que je t'explique ce qui est arrivé.

— J'ai pas besoin que tu m'expliques.

— Je sais. Mais c'est-à-dire que Sy et moi on s'était revus. Et les flics ont trouvé des indices de mon passage chez lui juste avant sa mort — et on n'était pas en bas en train de prendre le thé. Alors ils ont retrouvé des traces de moi dans une chambre à coucher, et ils sont persuadés que Sy m'avait rejetée, moi et mon nouveau scénario, et que je l'ai descendu. Et puis autre chose : ils savent que je sais me servir d'un flingue.

— Dis-moi ce que tu veux que je fasse, répondit Mikey. Tu sais que tu peux me demander n'importe quoi. Tu veux que je te trouve une bonne planque ? Tu as besoin de fric ? Tu veux que... Ecoute, je ne te dirais jamais ça en temps normal, mais on n'est pas en temps normal. Alors est-ce que tu veux que Mikey fasse abracadabra ? Il y a un lapin à faire disparaître ? Son nom. Tu es une fille bien, tu sais, une vraie dame, et puis tu as été tellement chouette avec Terri.

— Terri est adorable, répondit Bonnie. (Non mais je rêve !) Vous avez de la chance de vous avoir l'un l'autre.

— Merci, dit le Gros. Je lui dis toujours « Terri, tu es trop bien pour moi ». Mais elle me croit pas.

— Mike, écoute, je voudrais te demander un service,

mais ne te sens surtout pas obligé de le faire. Tu sais que j'ai horreur de demander quoi que ce soit.

— Je t'écoute.

— Il y a un flic dans cette histoire, il s'appelle Brady.

— Ouais, je sais qui c'est.

— Il est de mon côté. Il veut m'aider à m'en sortir.

Il y eut un long silence. Visiblement, la cervelle du Gros était en ébullition. S'il était aussi intelligent que Bonnie voulait bien le dire, il devait se demander si ça n'était pas un coup monté. Mais Bonnie ne l'aurait pas doublé. La preuve, il lui demanda :

— Qu'est-ce qui te fait penser qu'il est de ton côté ?

— Il trouve les présomptions contre moi insuffisantes, il cherche ailleurs. (Silence.) Et puis il est amoureux de moi.

Je m'écartai du téléphone et je la regardai droit dans les yeux. Mais elle ne s'arrêta pas de parler. Je recollai mon oreille au téléphone.

— Le flic, il t'aime ?

— Je crois, oui. Alors voilà ce que je voudrais te demander — à la condition que ça ne t'ennuie pas. Je voudrais que tu le voies. A l'endroit que tu veux. Il pense qu'il y a peut-être quelque chose que tu as oublié de lui dire quand il t'a interrogé.

Mikey renifla encore une fois.

— Il m'a juré que ça resterait strictement confidentiel.

Je la pris par l'épaule en secouant la tête mais elle continua sur sa lancée.

— Si tu juges que ça pourrait te compromettre d'une façon ou d'une autre, ne le fais pas, Mike. Je sais ce que c'est d'avoir les flics aux trousses, et je ne le souhaite à personne, ni à toi, ni à Terri, ni aux tiens. C'est l'horreur.

— Où es-tu, Bonita ? La vérité.

— Il m'a trouvé une planque, Mike. Je ne peux pas te dire où.

— Dis-lui d'être au Gold Coast, c'est un resto sur le Northern Boulevard de Manhasset, dans une heure.

Je secouai la tête en lui faisant signe qu'une heure c'était pas assez.

— Je crois qu'une heure pour aller là-bas c'est trop juste, dit-elle.

— Bon. Mettons une heure et demie. Dis-lui de me rejoindre sur le parking, à l'extérieur. Qu'il sorte de sa bagnole, qu'il s'en éloigne et qu'il m'attende là. Vu ?

— Merci, dit Bonnie. Je ne te dirai pas que je te revaudrai ça, Mike, mais en tout cas je te remercie du fond du cœur.

— Je sais, Bonita.

— Alors comme ça je suis amoureux de toi ? dis-je.

— Il fallait bien que je dise quelque chose.

— Tu crois sincèrement que je t'aime ?

— Oui. Même si ça ne veut pas dire grand-chose puisque tu es décidé à faire des mômes, à rouler en break et à sauter ta bonne femme les samedis, dimanches et veilles de fête. C'est comme une médecine préventive, un garde-fou qui t'empêche de bousiller ton existence. Tu as tiré un trait définitif sur la passion qui claque. C'est trop dangereux pour toi. Et tu as peut-être raison, au fond. Regarde-moi. Regarde où ça m'a amenée, la passion. Qu'est-ce qui me reste après quarante-cinq ans de passion ? Un film que tout le monde a oublié et un mandat d'arrêt pour meurtre. Tu as fait le bon choix. Que pourrais-je t'apporter ? Des trompes bouchées et un peu de rigolade ? Alors oublie la passion. De toute façon, quand je suis stressée, je perds mes illusions. N'y pense plus : elle est faite pour toi. Prends-la, épouse-la et Mazel Tov !

Le restaurant se trouvait à quelques dizaines de mètres seulement d'une galerie commerciale de luxe destinée à ceux qui ont besoin de claquer quatre-vingts dollars dans un T-shirt en coton.

Encore un jour sans nuages. La chaleur montait du capot des Mercedes, Porsche et autres BMW en faisant vibrer l'air. On se serait cru à Stuttgart. Pas de Mikey en vue. Ça devait faire dix minutes que j'étais descendu de bagnole et que je l'attendais. De temps en temps passait une bonne femme fardée, coiffée, sapée comme c'est pas permis, le genre qu'on aurait dû exhiber dans une cage de verre pour montrer les ravages de huit ans de reaganisme.

Je défis ma veste. Pour pas grand-chose, du reste, l'air chaud et humide se mit à circuler autour de ma chemise trempée de sueur. Cinq minutes après, alors que j'étais en train de desserrer ma cravate, la porte d'une petite décapotable rouge s'ouvrit et le gros Mikey réussit tant bien que mal à s'en extraire avec l'élégance d'une saucisse. En fait, il m'observait depuis un bon moment. Nous nous fîmes un signe de tête. Il était habillé sport, mais avec le look Prénatal plutôt que Cosa Nostra : falzard blanc et immense chemise à fleurs rouges, bleues et violettes.

— Belle bagnole.

Je n'avais rien trouvé d'autre à dire.

— Pas à moi.

Je ne savais pas si ça voulait dire volée ou empruntée.

— Retire ta veste et ouvre ta chemise.

Il m'entraîna de l'autre côté du parking, dans l'allée aux poubelles, pour me fouiller, des fois que j'aurais planqué un magnéto ou un émetteur. Pendant que je reboutonnais ma chemise, il inspecta mon flingue et tâta mon pantalon. Il sortit mon portefeuille, mon insigne et ma paire de menottes pour s'assurer qu'il n'y avait rien d'autre. Après quoi il marmonna :

— On va à l'intérieur ?

La bouffée d'air froid du climatiseur me fit frissonner. Le Gros choisit une table et commanda deux club-sandwiches et deux thés glacés, sans me demander mon avis.

— C'est pas pour manger, c'est pour faire naturel, expliqua-t-il.

Il avait un profil grec, oui, enfin, un profil grec avec un nez comme une patate. On avait envie de le presser pour qu'il fasse pouet, pouet.

— Alors, parle-moi de notre amie commune.

— Je crois qu'elle est innocente.

— Tu l'as dit bouffi.

Il était même obèse des oreilles.

— Mais si je n'arrive pas à mettre la main sur celui qui a fait le coup, elle risque de rester à l'ombre un bon moment.

— Qu'est-ce qu'ils ont trouvé ?

— Des preuves non déterminantes : un ou deux témoins qui disent que Sy Spencer avait rejeté un scénario qu'elle avait écrit et un témoin qui affirme avoir vu Sy Spencer chez elle tous les jours et qu'ils couchaient ensemble. Le procureur peut toujours dire qu'elle a voulu se venger d'avoir été éconduite par Spencer.

Rien d'étonnant à ce qu'ils n'aient jamais réussi à le coincer, le Gros. Il avait oublié d'être con. Il était assis, l'air de rien, comme un gros bouddha en chemise à fleurs. Mais ça cogitait drôlement là-dedans. En même temps il ne perdait pas une miette de ce que j'étais en train de dire.

— Les preuves matérielles sont plus compromettantes, continuai-je. On a retrouvé quatre de ses cheveux restés accrochés à la tête du lit en osier où elle et Sy étaient pieutés une demi-heure à peine avant le meurtre. Vous avez entendu parler de l'ADN, je suppose ?

— J'en sais au moins autant que toi sur la question, Brady. La suite.

— Ils ont trouvé un autre cheveu, à l'endroit exact d'où les coups de feu ont été tirés.

Mikey secoua la tête, l'air dégoûté, ce qui fit ballotter ses mentons.

— Qui l'a mis là ?

— Ça pourrait être un cheveu de Bonnie.

— Si tu croyais ça, tu serais pas là en ce moment.

— On se fiche de savoir qui l'a mis là. Ce qui compte, c'est de l'aider. A cinq heures, il faut qu'elle se rende, sinon elle sera considérée comme en fuite. Ce qui n'arrangerait rien si elle devait comparaître en justice.

— Pourquoi tu fais ça ?

— Ecoutez, j'ai jusqu'à cinq heures. Ou bien je reste ici à causer philo — je crois savoir que vous aimez ça, la philo —, ou bien je l'aide à sauver ses miches.

— Sois poli quand tu parles d'elle.

Le garçon approcha pour nous donner de l'eau. Mikey lui fit signe de déguerpir.

— Tu veux savoir quoi ?

— Vous saviez que Lindsay Keefe avait touché un demi-million de dollars supplémentaire ?

— Ouais. La comptable me l'a dit. J'imagine que tu le sais. Ça l'embêtait de voir les investisseurs se faire entuber. C'est pour ça qu'elle m'a averti.

— Vous l'avez achetée et vous l'avez menacée.

— Il faut qu'à cinq heures tout soit bouclé ? Alors la ramène pas avec tes histoires de flic à la con.

— Vous avez menacé Sy Spencer quand vous avez su, pour les cinq cent mille dollars ? Que les choses soient claires, je n'essaye pas de jouer au flic. Je veux simplement savoir dans quel état d'esprit il était.

— Je l'ai pas menacé. Je lui ai juste dit que c'était un enfoiré. OK, je l'ai dit un peu brusquement et c'est vrai qu'il avait peur de moi. Mais je l'aurais jamais descendu et je l'aurais même pas passé à tabac, ni rien. On était potes depuis trop longtemps. Je suis un sentimental, moi.

Les sandwiches arrivèrent. Des machins énormes, genre nouveau riche, avec des frisettes en laitue qui sortaient de partout et des cure-dents géants pour faire tenir les couches de pain. Je laissai la moitié du mien. Mikey mangea le sien en entier et la moitié qui restait. Je ne touchai pas au thé parce que j'étais encore tout secoué par le café de la veille. Mikey parlait et mâchait simultanément. Des postillons au bacon et à la tomate volaient dans ma direction mais, par bonheur, ils s'arrêtaient juste au bord de mon assiette.

— Vous croyez que Sy avait peur de vous ?

— Il était nerveux, en tout cas. Depuis tout gosse, il chiait dans son froc dès que je levais le poing. Mais il était pas terrorisé quand même, pas du tout.

— Il vous a expliqué pourquoi il avait versé cet argent à Lindsay ?

Mikey secoua la tête en faisant rouler ses pupilles, comme s'il n'arrivait pas à croire qu'on puisse être aussi con.

— Accroche-toi, Brady, parce que c'est la meilleure,

celle-là. Quand j'ai commencé à gueuler, il a craqué. Il n'a pas pleuré, mais il était pas à son aise, quoi. Finalement il a avoué que c'était pas parce que Lindsay avait une offre plus intéressante ailleurs. Non. Il lui avait donné le fric parce qu'elle lui avait dit — alors là, accroche-toi aux branches — qu'elle pouvait pas souffrir les radins. Qu'elle voulait un mec qui lui donne tout.

— Nom de Dieu !

Mikey s'enfila une pleine poignée de chips et dit :

— Faut-y pas manquer de couilles quand même !

— Plutôt, acquiesçai-je. Il était vraiment fou d'elle, alors ?

— Complètement sonné, ouais. Parole que j'ai jamais vu un mec bander comme ça pour une nana.

— Même pas pour Bonnie, ou sa première femme ?

— La première, c'était une espèce de pisse-vinaigre, une vraie planche à pain avec des grosses dents toutes jaunes. Il l'avait épousée parce qu'elle était de bonne famille. Et Bonnie... j'ai jamais compris comment ils ont pu se marier, ces deux-là. Le loup épousant l'agneau. C'est peut-être parce qu'il voulait absolument avoir ses entrées dans le show-biz et qu'elle y était déjà. Ou alors il en avait marre de jouer les aristos, il avait envie de redevenir juif, et elle était juive, mais pas trop, juste ce qu'il faut.

— Vous croyez qu'il aurait épousé Lindsay ?

— A tous les coups.

— Mais, alors, pourquoi il a remis ça avec Bonnie ?

— Qu'est-ce que j'en sais ? Quand elle m'a dit qu'elle l'avait revu, tout à l'heure, j'ai ouvert des châsses comme ça. Tu sais quoi ? Avec Lindsay, il venait d'en prendre un bon coup dans les couilles alors il courait se réfugier dans les jupons de sa mère. — Il fit une pause. — Tu vas bouffer tes chips ?

Je poussai mon assiette vers lui. Il avala toutes les chips et le cornichon en forme de fleur.

— Ce que vous me dites est intéressant, mais ça ne me fait pas avancer.

— Tu dis quoi, là ? Que je cache des choses ?

— J'en sais rien, mais tout ça ne me sert pas à grand-chose. Ecoutez-moi, vous voulez vraiment aider Bonnie ?

Il s'essuya le menton avec le dos de la main.

— Pose pas de questions idiotes, vu ?

— Vu.

— J'ai su pour le demi-million quand ils en étaient à la deuxième semaine de tournage. Je suis allé le trouver, il m'a présenté des excuses, comme je t'ai dit. Le lendemain il m'a fait expédier cinq cent mille dollars en obligations. Maintenant, Brady, si tu essayes de me doubler avec ça, tu peux te le commander tout de suite, ton fauteuil roulant.

— Mike, dis-je calmement. Pas de menaces. Je suis ici pour aider Bonnie, c'est tout.

— T'es marié ? demanda-t-il.

— Non.

— Bref. Ça s'est passé comme ça. Et puis le mardi d'avant qu'il soit descendu, il m'appelle. Il me dit de venir chez lui, pour causer du film. Il m'envoie un jet privé, ou un chauffeur, si je veux. Mais je lui dis que j'aime pas l'avion et que j'aime pas les chauffeurs parce que ces mecs-là ils ont des yeux et des oreilles. Je lui dis que je viendrai par mes propres moyens parce que c'est mon pote. Alors je me pointe chez lui — une sacrée baraque entre parenthèses — et il me sort que Lindsay, elle joue comme un pied et qu'il est dans la merde jusque-là. Je lui réponds que je suis au courant et que si jamais l'affaire coulait je comptais sur lui pour rentrer dans mes fonds.

— Un bon investissement, à ce que je vois.

— Y a que ça de vrai. Après, il me dit que Lindsay le trompe. Alors je lui dis un truc du genre « dur, dur », mais il avait l'air de s'en taper.

— Qu'est-ce qu'il voulait alors ?

— Il voulait s'en débarrasser.

— Qu'elle meure ?

— A ton avis, Brady ?

— Il vous a demandé de l'aider ?

Mikey hocha la tête en faisant tressauter son triple menton tout couvert de miettes de toast et de chips.

— Il a suggéré comment ?

— Non. Parce que je l'ai arrêté tout de suite. Il affirmait que ça serait facile : on écrirait une lettre pour faire croire que c'est un admirateur qui avait fait le coup. Mais je lui ai dit de fermer sa gueule et de ne pas la rouvrir et surtout de pas se lancer dans un truc pareil. C'était un amateur, il savait pas de quoi il causait.

— Apparemment, il en avait l'air.

— Je reconnais que c'était pas trop con comme idée, mais je ne le lui aurais jamais dit. Il voulait la tuer parce qu'elle s'envoyait en l'air avec le metteur en scène et parce qu'il voulait recommencer le film et qu'il avait besoin de pognon ? Pas question de me mouiller pour une histoire comme ça.

— Il vous a proposé de l'argent ?

— On a pas été si loin.

— Il n'a rien dit d'autre ?

— Non. Je me suis levé pour partir et je lui ai conseillé de ne pas déconner : son plan était foireux et s'il prenait un tueur à la petite semaine pour faire le boulot, je lui donnais pas vingt-quatre heures pour se faire pincer. Alors je lui ai dit : « Sois un homme. Si ton film doit se casser la gueule, tant pis. » Et puis je me suis tiré. Et je vais te dire : Sy, je lui foutais la trouille, pas vrai ?

— Ouais.

— Eh ben, ce coup-là c'est lui qui me l'a foutue. J'en avais froid dans le dos, dis donc. Non mais, des fois ! Où c'est qu'on va si des gars comme Sy se mêlent de zigouiller les autres ?

20

Il ne manquait rien sur le court de tennis de la villa de bord de mer qui servait de décor à *Nuit d'été :* les bancs de bois peints en blanc, la fontaine, les serviettes blanches impec posées sur un présentoir blanc en fonte et la haie d'épicéas et de cyprès pour dissimuler le grillage. Superbe. Cela dit, il fallait être bargeot pour rester là par quarante à l'ombre quand, précisément, il n'y avait pas d'ombre. Lindsay Keefe et Nick Monteleone étaient en train d'échanger des balles — si on peut appeler ça échanger des balles — en plein soleil. Il n'y avait pas un poil de vent. Par-delà le court, la mer couverte d'écume avait l'air de bouillir.

Chaque fois que Monteleone levait sa raquette, il ratait la balle et Santana criait : « Coupez ! » Aussitôt une équipe anti-suée se ruait sur les acteurs, les assistants en premier, certains armés de parasols qu'ils tenaient au-dessus de la tête des acteurs pendant que d'autres brandissaient des ventilateurs portatifs. Après quoi les maquilleurs et les coiffeurs rappliquaient pour faire leur boulot pendant que d'autres assistants présentaient des bouteilles d'eau à Lindsay Keefe et à Monteleone, qui buvaient avec des pailles pour ne pas laisser de traces autour de la bouche.

— Juste une dernière, me promit Victor Santana.

Il était rouge, presque violet sous son bronzage. Une couleur qui allait très bien avec le vert kaki de ses oripeaux du jour. Avec les cheveux en bataille, un M-16 et un ou deux joints calés derrière l'oreille, il aurait pu passer pour un de mes potes du Viêt-nam. Il expliqua :

— Il me faut suffisamment de rushes de Lindsay parce que Nick... — Il soupira, l'air résigné. — Je sens qu'il va falloir une bonne demi-journée de tournage supplémentaire avec un pro pour doubler Nick. C'est insensé. Il a déjà eu quatre semaines entières de leçons de tennis avant de commencer le tournage.

— Monteleone est zéro question coordination, dis-je. Il lui faudrait un manuel d'instruction pour se gratter les couilles. Ecoutez, monsieur Santana, je sais que faire un film est une chose fondamentale et que ça doit pas être de la tarte de donner l'illusion qu'un mec comme Monteleone joue au tennis comme Mc Enroe. Mais il faut que vous vous montriez plus coopératif.

— Je vous en supplie, encore une dernière prise pour le master.

L'équipe anti-suée commençait à battre en retraite.

— Parole d'honneur.

Lindsay Keefe n'était pas une athlète, mais elle était capable de faire un service et d'avoir l'air belle en même temps. Ses yeux noirs étaient protégés par une visière rose. Elle portait une queue de cheval bouclée, très sophistiquée, qui s'agitait dans le vent soufflé par une énorme machine actionnée par un type en bermuda.

J'observai l'équipe en train de regarder les acteurs. Les hommes suivaient toute la scène mais les femmes n'avaient d'yeux que pour Lindsay. Elles devaient se demander comment c'est la vie quand on a une paire de nichons et des guibolles pareilles, sans parler de la queue de cheval. Curiosité, jalousie ? Rage de n'avoir pas été autant gâtées par la nature ? Je pensais à la rivale de Lindsay — Bonnie.

Devant le refus de Mikey, Spencer avait peut-être réussi à persuader Bonnie de sortir son 22. « Je meurs d'envie de prendre ton scénario pour mon prochain film, qu'il lui aurait juré. Mais j'ai un petit service à te demander. » Ou bien il lui aurait fait le coup de : « Je veux qu'on se remarie, que tu viennes vivre à Sandy Court et sur la Cinquième Avenue. Ma vie sera ta vie, mes amis tes amis, mes cartes de crédit seront les tiennes. Tu te souviens du bon vieux temps ? Quelle connerie d'avoir divorcé. Je me rends compte à quel point tu t'es sentie seule après ça. Je veux me faire pardonner. Mais j'ai besoin d'un coup de main d'abord. »

Qu'est-ce qui me prenait d'imaginer un truc pareil ? Bonnie était-elle capable d'abattre son prochain de sang-froid ?

Non.

La climatisation des caravanes avait sauté à cause de l'humidité. Santana accorda une pause de vingt minutes et Lindsay et Nick, accompagnés par les assistants (ça devait figurer dans leurs contrats ou alors c'était la tradition), marchèrent jusqu'à la villa — une version moderne de la Maison Blanche croisée avec le Taj-Mahal. Ils montèrent à l'étage, et, avant d'entrer dans leurs chambres respectives, mon pote Nick me salua d'un doigt comme on fait chez les flics.

J'allais franchir le seuil de la chambre de Lindsay Keefe quand une de ses matrones me barra le passage.

— Il faut qu'elle se repose, dit-elle à mi-voix, comme si on était à l'hosto.

J'entrai de force en ordonnant à tout le monde de sortir excepté Lindsay et je claquai la porte.

La chambre était une espèce de moustiquaire géante. Le lit tout entier était enveloppé de gaze et il y en avait devant les fenêtres qui tombait jusqu'à terre et même, curieusement, sur les fauteuils. Trois fauteuils et une chaise longue meublaient la pièce mais Lindsay Keefe s'installa sur le lit. J'approchai un des fauteuils et entrouvris la gaze qui entourait le lit pour ne pas avoir à l'interroger à travers un voile. Elle prit aussitôt une position lascive, se palpa le visage et le cou et arrangea les oreillers pour mettre ses roberts en valeur.

Un pack d'eau minérale était posé sur la table de nuit. Elle étira une main paresseuse pour prendre une des bouteilles bleues, mais sans y parvenir. Elle attendait que je me lève pour lui en donner une, mais je ne bougeai pas. Elle se servit elle-même et se mit à boire en faisant des grands glou-glou comme un personnage de BD.

— Cette chaleur me rend malade, dit-elle.

Là, je crois qu'elle était sincère. Elle était rouge écrevisse et suait à grosses gouttes.

— Ça doit taper dur, en bas.

Elle devait trouver qu'on s'était fait assez de politesses. Elle grinça :

— Qu'est-ce que vous voulez ?

— Je veux que vous arrêtiez vos simagrées. Si vous continuez de mentir, je vous fais coffrer.

— Vous avez déjà essayé ça avec mon agent. Il est vieux, il perd facilement les pédales, alors ça a marché. Mais ça ne marchera pas avec moi.

— On parie ? Cinquante dollars qu'avant même de prendre vos empreintes digitales vous...

— Vous vous imaginez que ça m'intimide ?

— Peut-être pas, mais je peux faire arrêter le tournage. Et si vous voulez, je peux convoquer toute la presse au tribunal. Comme ça, vous leur direz vous-même que je ne vous intimide pas, et que je vous ai coffrée pour faux témoignage sur l'affaire Sy Spencer.

— Vous n'êtes qu'un petit flic de merde, dit-elle.

— Ouais, un petit flic de merde qui va vous coffrer.

Il y eut un long silence. J'avais envie de fermer les yeux, mais il fallait que je les garde ouverts pour irradier de la virilité et de l'autorité. Je la fixai du regard. Au bout d'un moment, Lindsay se mit sur un coude.

— De temps en temps, je ne crache pas sur un petit flic de merde, dit-elle d'une voix cassée, langoureuse.

Elle me tendit la main.

— Madame Keefe, je vais être franc avec vous. Votre cas n'est pas si grave. Pas au point que vous soyez obligée de vous envoyer un flic.

Elle retira aussitôt sa main.

— Je vous demande simplement de répondre à quelques questions. Et le plus probable c'est qu'on en restera là. Vu ?

— Oui, dit-elle, cassante.

Fini le désir simulé : son mépris naturel avait repris le dessus.

— Spencer a-t-il abordé le problème Santana avec vous ?

— Oui.

— Oui, ça ne suffit pas. Je voudrais des détails.

Elle vida sa bouteille et en prit une autre.

— Il n'a pas haussé le ton. Pas une seule fois. Il m'a dit, très calmement, comme s'il me donnait le bulletin météo du lendemain, que j'étais une pute. Que je jouais comme un pied.

Elle s'arrêta. Elle ne voulait plus parler.

— Continuez, insistai-je.

Elle reprit, contrariée :

— Il voulait que je laisse tomber le film. Il m'a suivie partout dans la maison ce soir-là et le lendemain matin en m'appelant « sale pute », comme si c'était mon nom. « Tu te couches de bonne heure, sale pute. » Il n'arrêtait pas de me dire que je sabotais *Nuit d'été*. Toujours d'une voix calme.

— Ça a commencé quand ?

— La semaine où il a été tué. Le lundi.

— Il voulait vous virer ?

— Non. Il voulait que je démissionne.

— Pourquoi ?

— Pourquoi ? — Elle eut un reniflement de mépris, comme si c'était la question la plus con de l'année. — Parce que comme ça je me mettais dans mon tort. Il ne me devait plus rien au titre du cachet. Il faisait jouer l'assurance et il pouvait recommencer le tournage à zéro.

— On peut faire ça ?

— Bien sûr. Ensuite la compagnie d'assurance pouvait se retourner contre moi et me demander un dédommagement.

— Alors vous avez refusé de partir ?

— Evidemment. C'était absurde.

— Pourquoi s'imaginait-il que vous accepteriez de démissionner dans ces conditions ?

— Parce que.

— Parce que quoi ?

— Parce qu'il me harcelait. Il voulait m'effrayer au point de tout lui céder.

— Comment il s'y prenait ?

— Avant même de me dire qu'il savait pour Victor, il était devenu très froid. Très distant avec moi.

— Vous ne couchiez plus ensemble ?

Elle me fusilla du regard. Elle n'aimait pas que je fourre mon nez dans ses histoires de cul.

— Il ne me touchait pas. Vous voulez en savoir plus ? Mais bien sûr que vous voulez. Quand j'essayais de lui prendre la main, il la retirait comme si j'avais la gale.

— Mais il ne vous disait pas ce qui n'allait pas ?

— Pas au début. Il était juste glacial.

— Même devant les autres, sur le plateau ?

— Non. C'était incroyable. Il était charmant en public.

— Et vous ?

— A votre avis ? Vous vous imaginez peut-être que j'allais laisser jaser sur mes problèmes avec le producteur ? Il était très tendre avec moi, et moi pareil. Je me disais que s'il était comme ça en public, tous les espoirs étaient permis. J'ai arrêté de voir Victor — dans l'intimité — le mercredi.

— Vous avez dit à Santana que c'était fini ?

— Non. Je n'aime pas couper les ponts. Si les choses ne s'arrangeaient pas avec Sy... Je lui ai simplement dit que j'avais des règles douloureuses et abondantes. Très.

— C'est charmant.

— Je connais les hommes. Ça marche. De toute façon j'ai fait tout ce que j'ai pu pour me raccommoder avec Sy. Professionnellement en tout cas. C'était très bizarre. Même quand ça s'est mis à aller très mal entre nous, nous faisions semblant de nous aimer devant les autres.

— Comme le jour où il est mort et que vous lui avez soutiré une liasse de billets ? Vous faisiez semblant comme ça ?

— N'essayez pas d'insinuer que je lui faisais les poches. C'était un geste tendre, un geste d'épouse.

— Vous dites que ça s'est mis à aller très mal. Quand ça ?

— Jeudi matin. Mon chauffeur est arrivé à six heures et demie et quand je suis descendue de la chambre, Sy attendait dans l'entrée.

Son visage se durcit sous le maquillage. Elle articulait de façon mécanique, comme un pantin. Mi-excitée, mi-pétrifiée.

— Il m'a dit — il avait l'air si distant — qu'il avait des amis de toutes sortes. Je ne comprenais pas où il voulait en venir, mais je voulais m'en aller. Il se tenait devant moi, son visage à quelques centimètres du mien. Je pouvais voir les moindres poils de barbe qu'il n'avait pas rasés. Il me dit que certains de ses amis avaient mis de l'argent dans *Nuit d'été* et qu'ils n'étaient pas très commodes. Qu'ils avaient entendu dire que les rushes étaient mauvais. Qu'ils étaient furieux et qu'ils voulaient que je démissionne. Et il a ajouté que si je ne le faisais pas il ne répondait de rien.

— Vous lui avez demandé des précisions ?

— Oui.

Elle frissonna des pieds à la tête, comme prise de convulsions.

— Qu'est-ce qu'il a répondu ?

— Du vitriol dans la figure.

— Merde alors ! Et qu'avez-vous fait ?

— Je lui ai dit que j'allais appeler la police. Je suis remontée dans la chambre pour téléphoner, mais il m'a arraché le téléphone des mains. Je l'ai laissé faire. Je savais ce qui allait se passer.

— Il a continué de vous menacer ?

— Non, bien sûr que non. Il s'est dégonflé. J'étais sûre que ça allait finir comme ça. Il s'est dégonflé, le minable, il s'est confondu en excuses. M'a suppliée de lui pardonner.

— Et qu'avez-vous répondu ?

— Je lui ai dit que j'allais réfléchir. — Elle essaya de sourire. — Je savais comment le prendre. Il allait partir à Los Angeles voir Kathy Pourelle et les autres petites connes et j'étais sûre qu'en revenant le dimanche soir, il serait de nouveau à mes pieds. Qu'il me reprendrait dans son film et dans son lit, pour longtemps.

— Il voulait vous épouser ?

— Oh, il lui fallait une semaine ou deux pour se remettre de l'affaire Victor, mais oui. Sans aucun doute.

— Vous en êtes sûre ?

— Absolument certaine.

— Et vous, vous vouliez l'épouser ?

— Devinez.

— Je ne sais pas. Il avait quand même menacé de vous défigurer. De briser votre carrière, votre vie.

— Il crevait de jalousie, c'est normal.

— Mais le producteur en lui voulait vous virer.

— Simplement parce que je l'avais blessé. Je reconnais que j'ai fait une erreur. Une grosse. Mais il s'en serait remis. Nous étions faits l'un pour l'autre, il le savait. Je suis, oui enfin, ce que je suis, et lui était un producteur très coté. Pour lui, la réussite comptait plus que tout. Et sur le plan intellectuel, il était mon égal. Je vous dirai même que cette histoire de jalousie me plaisait assez, ça lui donnait de l'authenticité.

Lindsay Keefe frotta ses jambes nues l'une contre l'autre. Elle était tout excitée à l'idée du pouvoir qu'elle avait exercé sur Spencer.

— Il était jaloux, dit-elle en savourant chaque mot. Vert de jalousie.

— Vous pensez qu'il vous aimait ?

— Bien sûr qu'il m'aimait.

Je me levai pour me mettre debout derrière le fauteuil.

— L'assassin était à environ vingt mètres d'une petite silhouette enveloppée dans un peignoir blanc. Quelqu'un comme vous. Au moment où les coups de feu ont été tirés, Spencer aurait dû être dans un avion quelque part au-dessus du Kansas et vous, au bord de la piscine, prête à piquer une tête comme vous le faites tous les après-midi.

— Non.

Malgré le maquillage, sa peau était en train de virer au gris. Un teint cireux comme celui d'un cadavre.

— Si.

— Pourquoi ?

— Parce qu'il vous haïssait, dis-je, en repoussant un lambeau de gaze qui pendait, et je quittai la pièce.

J'appelai Carbone et lui dis que j'étais sur le plateau de *Nuit d'été*. J'avais essayé de savoir si, par hasard, personne ne connaissait Bonnie Spencer et si personne ne l'avait vue faire une scène sur le tournage quand Spencer l'avait envoyée promener. Il me dit que le

Chimpanzé, Kurz et Charlie Sanchez étaient tous en train de la chercher. Mine de rien, je demandai si on avait les résultats de l'analyse de l'ADN. « C'est bien un cheveu à elle, répondit-il. Toujours persuadé qu'elle n'y est pour rien ? »

Je lui dis de consulter le dossier des pièces à conviction s'il n'avait rien de mieux à faire. Qu'il regarde combien on avait trouvé de cheveux le soir du crime et qu'il compare avec ce qu'il restait dans l'enveloppe que nous avait renvoyée le labo. Il en manquait sûrement.

Il me répondit que j'étais en train de perdre mon équilibre émotionnel, que je projetais quelque chose — je ne sais plus quoi — sur Robby Kurz, que j'avais sérieusement besoin de vacances et que je lui ramène un kilo de saucisson au fenouil, si jamais je passais devant le traiteur d'East Hampton.

Je raccrochai. C'est Robby qui avait mis le cheveu dans le treillis. C'est aussi lui qui avait répandu le bruit que je me soûlais la gueule. Et c'est encore lui qui avait été raconter que j'en pinçais pour Bonnie. Il voulait sa tête — et la mienne par la même occasion. Tôt ou tard, il allait comprendre que Bonnie avait un protecteur qui l'avait aidée à s'enfuir. Il finirait bien par se pointer chez moi.

Gregory J. Canfield aurait dû être en ville, en train de faire son boulot d'assistant, en l'occurrence faire le plein de figues fraîches, de jambon de Parme, de polenta et de chianti pour Nick Monteleone qui, au dire de certains sur le plateau, voulait casser une petite graine — juste une petite, avec cette chaleur ! Puisque la prestation de Lindsay était tellement nulle et qu'il était le seul à pouvoir sauver *Nuit d'été* du désastre, il fut décidé après quarante minutes de pourparlers entre le premier assistant et l'assistant de production en chef (avec, au passage, un coup de fil à l'agent de Nick à Beverly Hills) que c'était OK pour la « petite graine » et que Gregory ferait le nécessaire.

Cela dit, je m'attendais à ce qu'il passe d'abord donner le bonjour à sa copine Myrna, la costumière. Et ni une ni deux, je les trouvai main dans la main et les yeux dans les yeux, en train de se bécoter dans la caravane des habilleuses et pas gênés pour un sou par l'assistante de Myrna, qui repassait une tenue de tennis de rechange pour Lindsay Keefe. Pas plus qu'ils n'eurent l'air gênés quand je criai : « Salut, Gregory ! » J'eus simplement droit à un regard abruti avant qu'il ne replonge dans les profondeurs des yeux de sa gonzesse.

La caravane était un truc immense, telle une penderie géante avec des dizaines et des dizaines de rangées de cintres, de porte-chaussures et de tiroirs d'où sortaient des foulards, des culottes et des bijoux fantaisie. Je traversai la caravane et tapotai l'épaule de Myrna.

— Salut ! dit-elle. Ça boume ?

— Ouais, merci.

Elle était toujours aussi mal fagotée que la première fois dans sa nuisette à l'envers. Cette fois-ci, elle portait une espèce de sac avec un perroquet peint dessus, qu'elle avait dû acheter au supermarché à Honolulu en 1957 et qu'elle n'avait pas quitté depuis.

— Myrna, tu me laisses Gregory une minute ?

— Quelque chose ne va pas ? demanda-t-elle.

— Non. Tout va bien. Juste un ou deux petits points à éclaircir.

Elle hocha la tête, lâcha la main de Gregory et lui donna un petit coup de coude pour qu'il se tourne vers moi.

Je l'entraînai à l'extérieur, en direction d'une table où attendaient des biscuits, des beignets tout poisseux, des friandises, des raisins secs, des noix, et une coupe pleine de raisin noir pas frais du tout. Il me sortit un Coca de la glacière rangée sous la table.

— Comment ça va, vieux ? demanda-t-il.

Apparemment, quelques nuits avec Myrna et c'était la métamorphose. C'était Monsieur Cool, maintenant.

— Ça baigne, dis-je.

En fait ça ne baignait pas du tout. Il était cinq heures moins cinq. Il fallait que je rentre voir Bonnie, mais je n'avais rien de concret à lui soumettre. J'appuyai la boîte de Coca glacé contre mon front.

— Tu te souviens de la conversation que nous avons eue sur les rushes. L'histoire de la foudre, etc. ?

Gregory hocha la tête.

— Oui, oui.

Il avait l'air pensif. Comme s'il était en train de visualiser les rushes dans sa tête. Pire même, comme s'il s'apprêtait à me les décrire. Je le coupai tout net.

— Qui était présent ? Tu as dit que c'était tard le soir, que la plupart des gens étaient partis.

— Ummmm, commença-t-il.

— Pas de ummmm. Je veux des noms.

— Sy Spencer.

— Bien. Ensuite ?

— Un des assistants de production. L'assistant perso de Sy. Il s'appelle Easton.

— Qui d'autre ?

— Moi. Nick, je crois. Le directeur de la photo. C'est un autre terme pour dire cameraman.

— Son nom, Gregory.

— Alain Duvivier.

— Français ?

— Yes. Il était là avec sa petite amie.

— Elle s'appelle comment ?

— Monica, Monique. Mais elle est partie.

— Pourquoi ?

— Parce qu'il s'est mis avec Rachel, la décoratrice.

— Qui encore ?

Gregory ferma les yeux et, pour une fois, la bouche. Il essayait de recréer la scène mentalement.

— C'est tout.

— Sûr ?

— Certain.

— Sy est resté parler avec quelqu'un après ça ?

— J'en sais rien. Il m'a envoyé mettre des feuilles roses dans son classeur qu'il avait laissé dans la voiture. Des changements dans le script. A chaque changement, on change de couleur. D'abord bleu, ensuite rose, et puis jaune, vert, marron, et...

— Va chercher Duvivier.

— Je ne peux pas. Je suis censé être en ville et...

— Va le chercher tout de suite.

Tout de suite prit deux minutes en tout.

Dans le cinéma, les gens ne portent jamais de fringues normales. Duvivier, c'était le stéréotype du créatif à la française. Il devait avoir dans les vingt-cinq balais, des sourcils châtain clair épais et une tignasse de la même couleur qui lui tombait sur les épaules. Il portait une boucle d'oreille, un short couleur chewing-gum et un T-shirt sans manches, très échancré sur les côtés. On aurait dit un grizzli, plutôt qu'un homme. Gregory, à côté, avait l'air minuscule.

— Salut, dis-je.

— Tchao, répondit-il en ajoutant, l'air défait : Sy, triste, triste.

Il était français jusqu'au bout des ongles, ce mec.

— Monsieur Duvivier, je crois savoir que vous étiez présent à la projection des rushes un certain soir.

Il se concentrait comme une bête. Je ralentis mon débit.

— Il a été question de foudre et une discussion s'en est suivie sur la possibilité de faire tomber la foudre sur Lindsay Keefe. Ça vous dit quelque chose ?

— La poudre, sur Lindsay ?

— Pas la poudre, la foudre.

— La foudre ?

Je me tournai vers Gregory.

— Comment on peut lui dire ça en français ?

— J'en sais rien, j'ai fait de l'espagnol en première langue.

Je me tournai à nouveau vers Duvivier en pointant le doigt vers le ciel et en faisant un geste en zigzag. Il regarda Gregory, un peu agacé, et j'imitai le bruit du tonnerre en refaisant une imitation de la foudre.

— Rachel ! hurla-t-il.

— Rachel ? demandai-je.

— C'est sa petite amie, dit Gregory, elle lui sert d'interprète.

— Tu veux dire qu'il ne comprend pas l'anglais ?

— Juste le jargon technique. Et puis il sait dire : « Hello, pretty girl ».

— Good Bye ! fis-je à Duvivier.

— Bonjour chez vous, répondit-il.

Maligne, la fille. Elle avait réglé le son de la télé si bas que, du dehors, il était impossible de savoir qu'il y avait quelqu'un à l'intérieur. Bonnie était dans mon relax, en train de regarder un film en noir et blanc. Avant qu'elle ait le temps d'éteindre, je vis que c'était un truc que j'aurais pu regarder moi-même, avec Kirk Douglas ou Burt Lancaster, je les confonds toujours ces deux-là.

Elle s'extirpa du fauteuil.

— Prêt ? Il est la demie.

— Du calme.

— On s'était mis d'accord, non ? dit-elle, résignée.

— Comment tu te sens ?

— Bien.

C'était faux, mais comme elle ne pleurait pas, qu'elle ne faisait pas la gueule et qu'elle ne piquait pas sa crise, il était difficile de savoir ce qu'elle ressentait.

— Comment fait-on ? J'appelle Gideon d'abord et tu me déposes ensuite...

— Ecoute-moi. Tu me fais confiance ?

— C'est un peu tard pour se poser ce genre de questions, non ?

— On a deux secondes pour mettre les bouts, parce que j'ai comme le sentiment que cet enfoiré de Robby Kurz va se pointer ici pour te chercher.

— Pourquoi ?

— Pas le temps de t'expliquer. Tirons-nous, vite. Je t'expliquerai en route.

— En route pour où, chez moi ?

Sa voix était calme, pensive. Remarquez, c'était bien la moindre des choses, vu que partir de chez moi ça voulait dire aller en tôle.

— On ne va pas encore chez toi.

— Mais tu m'avais promis...

— Je sais, mais on n'a pas encore épuisé toutes nos cartouches. Je voudrais que tu me fasses confiance une demi-heure encore.

— Très bien.

Elle était posée, distinguée même, en disant ça.

— OK, Bonnie. C'est parti !

Elle regardait autour d'elle, le débarras, puis la cuisine. La cuisinière et le frigo étaient plus vieux que moi et la paillasse blanche, parsemée de cratères noirs, là où l'émail était ébréché.

— Où sommes-nous ?

Sa voix était à peine audible. Elle m'avait vu soulever un vieux pot de fleur et prendre une clef dessous. Elle devait s'imaginer qu'on était en train de faire un casse. Remarquez, avec ce qu'elle savait de moi, ça ne devait pas l'étonner plus que ça.

— Chez mes parents.

Je la conduisis — en la poussant presque parce qu'elle n'osait pas avancer — à travers la cuisine et dans le passage qui menait à l'escalier.

— Mon frère était là le jour de la fameuse conversation sur la foudre. Il était toujours avec Spencer, il lui servait d'homme de main. Je voudrais lui demander s'il se souvient de ce qui s'est passé après les rushes, ce soir-là, ou le lendemain.

Bonnie s'arrêta brusquement. Je me cognai à elle.

— Avance, dis-je avec une petite tape d'encouragement. Je voudrais savoir qui Sy a vu.

Pas moyen de la faire bouger d'une semelle.

— ... Et à qui il a parlé.

C'est à ce moment-là que je vis ce qu'elle était en train de regarder. Une armoire à fusils, très ordinaire, en pin. Tous les gens qui sont nés à la campagne connaissent ça. Ou tous les gens qui tiennent un magasin d'articles de sport et dont le paternel était le meilleur fusil de tout Ogden.

Et puis je pensai : « Non, non, ce n'est pas elle. »

21

Quand on a grandi dans ce qui était autrefois la ferme des Brady, on n'est pas vraiment incommodé par l'odeur de décrépitude. Une odeur qui a toujours existé d'ailleurs, mais qui était discrète, sauf quand on restait assis longtemps sur le canapé du salon, au cœur même de la maison. Là, l'odeur était bien présente.

Cela dit, pour celui qui ne faisait que passer, ce qui était mon cas depuis le départ de mon père (je me sentais comme un vagabond qui, par une curieuse coïncidence, portait le nom de Brady), ça ne sentait pas tant la décrépitude que le spray à l'œillet. Ma mère le piquait chez Saks, où il servait à masquer l'odeur de fauve dans les cabines d'essayage des bonnes femmes.

Depuis que j'avais déménagé, je ne sentais plus rien quand il m'arrivait de passer. Peut-être que, inconsciemment, je respirais par la bouche. N'empêche qu'en entraînant Bonnie au premier, je fus pris à la gorge par cette odeur de moisi.

J'avais honte. Je me disais qu'un jour viendrait peut-être où je lui déballerais toute l'histoire de ma vie par le menu, mais en attendant je voulais lui faire bonne impression. Je ne voulais pas qu'elle sente les émanations de la maison familiale, ni qu'elle remarque la crasse accumulée entre les barreaux gris de la rampe d'escalier. J'aurais aimé qu'elle nous croie pauvres mais propres, tant j'avais honte de ce que nous étions vraiment : pauvres, aigris et sans amour-propre.

Nous avions à peine gravi trois marches qu'elle se tourna vers moi et dit :

— Je préfère attendre en bas.

Je ne pris même pas la peine de lui répondre. Que pouvais-je faire ? Lui proposer de s'asseoir sur notre canapé Odorama ? J'imaginai la scène quand maman rentrerait du boulot. Il faudrait que je me précipite en bas pour lui dire : « Maman, je te présente Bonnie Spencer, la juive dont le mari a été assassiné à Southampton. » Et ma mère répondrait : « Ah, oui. L'ancienne maison des Munsey. Paine Munsey est dans le sucre. Ils habitent à Little Compton, maintenant, ils ne supportaient plus la faune, c'est pour ça qu'ils ont vendu. »

Je la poussai dans le dos.

— Ça ne va pas être long.

Je la poussai un peu plus fort pour qu'elle monte plus vite. J'étais content de pouvoir la toucher.

Je n'avais pas seulement besoin de l'avoir avec moi, je voulais aussi qu'elle entende ce que mon frère avait à dire avant de la laisser partir. Elle était tellement fine qu'elle saurait mettre le doigt sur le petit indice, l'inconnue qui nous manquait pour résoudre l'équation. Easton avait passé toute la journée du meurtre à New York, mais il se souviendrait peut-être d'une bribe de conversation téléphonique, d'une note, d'un mémo ou d'une manifestation d'agressivité qui ne l'avait pas frappé sur le coup.

Il avait pu entendre ne serait-ce qu'un simple mot comme « revolver », « assurance », « piscine » ou « Lindsay » après l'allusion à la foudre, le fameux soir des rushes.

Je me demandais : « Que ferais-je si l'un de ces mots mettait en cause Bonnie ? » Tout à coup, arrivé à la dernière marche, je ressentis quelque chose que j'avais déjà éprouvé étant gosse. Pas un souvenir, ni une impression de déjà vu. Non, c'était le sentiment lui-même, un sentiment de vide, de tristesse absolus.

Je savais qu'elle n'avait pas fait le coup.

Mais pourtant si c'était elle ? Je redeviendrais ce que j'étais avant, à savoir rien. La vie ne m'offrait que deux compensations : le base-ball et le boulot. Mais ni les Yankees ni le poste de police de Suffolk County n'étaient armés pour me sauver la vie. Et la drogue, non plus. J'avais déjà tout essayé : la bière, le hash, le peyotl, les bonnes femmes, le LSD, la bibine, l'héroïne, et encore d'autres bonnes femmes, et encore plus de bibine, Lynne... mais rien n'avait marché. Ça m'avait tout juste aidé à faire sortir un peu la vapeur. Seule Bonnie me rendait la foi en ma rédemption.

Qu'allais-je devenir si je me gourais sur son compte ? Je me remettrais à boire et j'en crèverais, ou alors je deviendrais un de ces vieux flics à la retraite qui vont à la messe le matin et aux AA le soir, jusqu'à ce que la mort arrive.

Mais non, je savais qu'elle était innocente.

Lorsque nous entrâmes dans la chambre d'Easton, il ne fut pas le seul surpris. Bonnie l'était aussi, surprise. Surprise et furax. Le frangin avait piqué les cravates de Spencer ! Elle serra les poings, prête à le mettre KO. Elles étaient là — des bleues ornées de petits étriers, des vertes avec des ancres de bateau, des rouges avec de minuscules drapeaux bleu, blanc, rouge — étalées sur le lit, sur le point de partir en Californie avec Easton pour rencontrer Philip Scholes, le metteur en scène. Aucun doute, c'étaient bien les cravates de Spencer : le frangin n'aurait jamais pu se payer ça. D'ailleurs, le soir du crime, j'en avais vu des dizaines et des dizaines dans la penderie géante de Spencer, accrochées sur de petits cintres électroniques actionnés par télécommande. Et ce n'était pas tout : Bonnie tira une gueule à faire peur en découvrant aussi les chandails de Spencer sur le lit ! En coton et en cachemire, des trucs que Spencer devait porter amples, vu sa taille, mais qui allaient sans doute tout juste à Easton. Les yeux de Bonnie semblaient dire : « Arrêtez cet homme ! »

Et Easton ? Furibard de ma visite surprise. Il se tenait debout, bien carré sur ses guibolles, drapé dans sa dignité — même s'il ne portait qu'un petit peignoir particulièrement moche. Il était furibard certes, mais aussi visiblement perplexe (« J'ai déjà vu cette femme-là quelque part, mais où ? ») et gêné. On était là, tous les trois, à contempler cet étalage de fringues qui allaient chercher dans le millier de dollars, propriété de l'ultra-chic, mais ultra-mort Seymour Ira Spencer.

Je ne devais sûrement pas avoir l'air réjoui en fixant le butin de mon frangin. Je l'imaginais, tapi dans un coin, attendant que les flics aient ôté les scellés pour faire une razzia dans les placards de Spencer sous prétexte de « mettre un peu d'ordre ». Si on avait fouillé les tiroirs du frérot, je parie qu'on aurait trouvé des boutons de manchettes, ou bien une de ces minuscules télés miniature, un téléphone de poche, ou une montre en or extra-plate avec bracelet en croco.

Je m'apprêtais à détendre l'atmosphère en mettant Easton en boîte quand il monta sur ses ergots : comment osais-je pénétrer dans ses appartements sans prévenir, en compagnie d'une femelle d'origine indéterminée, vêtue d'un short et de tennis ayant visiblement beaucoup servi ?

— J'aimerais savoir ce que signifie cette intrusion, Steve ?

— Vraiment ?

— Oui. Vraiment.

Mais juste au moment où il s'apprêtait à me servir une autre remarque du même tonneau, il reconnut Bonnie. Il se lança alors dans un va-et-vient incessant le long du lit, comme s'il avait voulu échapper à son regard — ou l'empêcher de voir la garde-robe de feu son ex-époux.

— Qu'est-ce qu'elle fait là ? demanda-t-il.

Sa voix avait perdu toute sa grâce naturelle. Il piaillait.

— Elle est avec moi. Tu connais Bonnie Spencer, n'est-ce pas ?

— Oui.

J'attirai Bonnie vers une chaise.

— Reste assise, lui dis-je.

Je me tournai ensuite vers le frangin. Il avait cessé son va-et-vient.

— Tu l'as vue sur le plateau le jour où elle s'est présentée à la porte de la caravane de Spencer.

— Oui.

Ses « oui » ressemblaient plus à des glapissements qu'à des sons articulés. Je pensai : « Il est vexé comme un pou d'avoir été pris la main dans le sac. Volez des milliards, personne ne vous dira rien, vous serez invité partout ; volez des cravates et vous êtes le dernier des minables. »

— Et Spencer lui a dit de quitter le plateau, qu'elle n'avait rien à faire là ?

— Oui.

— Stephen, écoute, interrompit Bonnie sur un ton qui voulait dire « laisse-moi faire, tu t'y prends mal », comme l'aurait fait la partenaire du détective dans un film de 1937.

— C'est pas le moment ! — Je me retournai vers Easton. — Tu savais que Spencer couchait avec elle ?

— Quoi ?

Son ton n'était pas celui de la surprise, comme on dirait : « Sans blague ! » Non, c'était beaucoup plus : le ciel était en-train de lui tomber sur la tête.

— Réponds, dis-je sèchement.

Je voulais savoir dans quelle mesure Spencer se confiait à lui. Ce qu'il savait. Ce qu'il devinait. Après le fameux soir des rushes, Spencer avait-il passé des coups de fil ultra-secrets ? Et quand ils étaient rentrés, est-ce qu'Easton avait entendu une autre allusion à Lindsay ou à la foudre ? Avait-il surpris un rire glacial ou un « Je t'en supplie » derrière une porte, pendant qu'il mettait de l'ordre dans les papiers de Spencer ou qu'il lui préparait son pyjama pour la nuit ? Mais Easton, le bien élevé, était-il capable d'écouter aux portes ? A vrai dire, la question se posait plutôt à l'envers : est-ce qu'Easton était capable de ne pas écouter aux portes ?

Cela dit, à le voir comme ça, je reconnais qu'il aurait fait son effet à la barre des témoins, le petit frère. Je l'imaginais dans son costard bleu marine avec une chemise blanche et une de ses nouvelles cravates. Ses cheveux blonds brilleraient dans la lumière crue du tribunal et sa voix grave, posée, serait convaincante. Je me dis que ça serait génial s'il pouvait se souvenir maintenant d'un élément important.

Le greffier demanderait : Nom ? Easton Brady. Monsieur Brady, attaquerait le juge, dites-nous, s'il vous plaît, si vous avez surpris une conversation entre M. Spencer et Michael Lo Triglio ? L'avocat de la défense — celui du gros Mikey, même si ça me serrait un peu le cœur — bondirait pour lancer : Objection, votre honneur ! Le juge reformulerait sa question autrement : Comment avez-vous su qui parlait au téléphone avec M. Spencer ? Eh bien, c'est moi qui ai décroché et l'homme m'a dit qu'il était Mike Lo Triglio et qu'il voulait parler à Sy, et que ça saute ! J'avais déjà eu M. Lo Triglio au téléphone et c'était bien la même voix, aurait répondu le frangin.

Je regardai Bonnie. Ses yeux rivés sur Easton avaient la même expression que quand elle était passée devant l'armoire à fusils. Je lui avais trouvé un je-ne-sais-quoi de douloureux dans le regard quand elle avait compris ce qu'il y avait derrière les portes closes.

Et qu'y avait-il derrière ces portes ?

Le douze coups de mon paternel. Et puis son 22.

C'est alors que je compris ce que Bonnie savait déjà.

Easton semblait avoir saisi, lui aussi. Il m'observait en silence, les pouces dans les poches.

Je devais l'interroger. Mais les Brady sont des gens ordonnés. Je pris les chandails de Spencer sur le lit et les déposai — un, deux, trois — bien proprement sur la commode. J'étais tellement méticuleux qu'on entendait à peine le froissement du papier de soie entre les plis. Ensuite, je pris le frangin par la main pour le faire asseoir sur le lit avec moi, là où j'avais fait de la place.

— East, dis-je.

— Oui ?

— Tu as quelque chose à me dire ?

— Non.

— Allez.

Il avait les oreilles en feu, mais il répéta :

— Non. Absolument rien.

— J'ai trouvé le flingue.

Il secoua la tête. Ça aurait aussi bien pu vouloir dire : « Je ne comprends pas » que : « Non, ce n'est pas vrai. »

— Je l'ai trouvé, East.

Je priai intérieurement — les mecs soigneux remettent toujours les choses en place — pour qu'il l'ait rangé dans le placard, pour qu'il n'ait pas eu l'idée de prendre le ferry de Shelter Island pour le balancer dans la mer. Mais j'avais vu juste, Easton se recula. Il effaçait une pliure invisible sur la cravate bleue étalée à côté de lui. Je lui dis doucement :

— Ce n'est plus qu'une question d'heures, maintenant. Juste le temps d'avoir les résultats de l'expertise balistique.

Il évitait mon regard.

— On tire avec le flingue et on compare les traces laissées sur la balle avec celles des deux balles qui ont servi à tuer Spencer.

Il ne fallait surtout pas que je regarde Bonnie si je voulais conserver mon aplomb. Mais elle n'avait pas l'air d'attendre quoi que ce soit de moi, elle ne faisait pas un bruit, pas un geste. Si je n'avais pas su qu'elle était assise là, sur une chaise, à quelques mètres, je ne l'aurais pas deviné.

— Les traces seront identiques, East. Tu le sais très bien.

Easton releva le menton et expira bruyamment par les narines, avec une moue dédaigneuse.

— Je ne comprends pas comment une idée pareille peut même t'effleurer !

— Parce que ça crève les yeux.

— Tu es mon frère.

— Je sais et c'est probablement pour ça que j'ai mis si longtemps à comprendre.

Avant, quand une enquête touchait à sa fin, j'étais pris d'une sorte de fébrilité subite. J'avais hâte de tout découvrir. Mais cette fois-ci je me sentais vidé, lourd, incroyablement fatigué. Si Easton s'était barré en courant, je n'aurais pas pu le rattraper. J'étais sur une autre planète, lourd, lourd.

— Sortez d'ici, tous les deux ! ordonna-t-il soudain. — Il s'adressait à Bonnie. — Je n'ai rien à dire.

— Tu as beaucoup à dire, au contraire, fis-je.
— Tout ceci est absolument délirant.
— Pas du tout. C'est tout à fait sérieux et grave.
— Tu n'as aucune preuve de quoi que ce soit.
— J'ai l'arme du crime.
— Oh, je t'en prie. Pas de mélo ! Où sont les empreintes digitales ?
— Il y en a peut-être, même si tu as fait attention. Maintenant on utilise le laser pour ces choses-là.
Il secoua la tête. Il était incrédule, ou alors il s'en fichait, en tout cas il n'avait pas peur.
— Et s'il n'y a pas d'empreintes ? demanda-t-il.
— Qui d'autre aurait pu prendre le 22 de papa pour descendre Spencer ? Maman, peut-être ?
— Ne la mêle pas à ça, tu veux.
— Du calme. A qui crois-tu qu'elle en voudra, à toi ou à moi ?
Je me levai et me dirigeai vers la penderie du petit frère. Une penderie ordinaire, pas un truc monumental en acajou avec des serrures en cuivre comme celle de Spencer. Même si Easton l'aurait bien voulu. Tout était en ordre : les costards, les chemises, les cravates — d'autres cravates de Spencer — des falzards, des blazers, des pompes. Des pompes dans leurs cartons d'origine, empilés sur l'étagère du haut. Il avait découpé la partie du devant de la boîte pour pouvoir voir à l'intérieur. Ça représentait des générations de chaussures : des mocassins, des loafers, des derby, des richelieu, des chaussures tressées, des chaussures de toile blanche, des chaussures de golf et des bottes pour la voile, des tennis, des sandales, des pantoufles. Et des tongs. Des tongs ordinaires, pour la plage, qu'on trouve absolument partout. Du quarante-quatre ; la pointure de mon frère.
J'enveloppai ma main gauche dans mon mouchoir et, avec mon stylo dans la main droite, je fis glisser la boîte hors de l'étagère pour la réceptionner avec l'autre main.
— Quand on était gosses, dis-je à Easton, tu détestais les paris. Et tu sais pourquoi ? Parce que je gagnais toujours. Je te parie que ces tongs-là sont celles qui ont laissé des empreintes sur la pelouse de Spencer, à l'endroit où les coups de feu ont été tirés. Une sacrément

belle pelouse, East. Du gazon bleu, de l'Adelphi, une variété qui vient du Kentucky et qui a dû coûter une fortune à Spencer, selon l'expert agronome. Mais on s'en fiche après tout. L'important, c'est la nuance du vert. (Je levai la boîte.) Je parie qu'ils vont trouver un brin ou deux d'Adelphi dans cette boîte.

Easton regarda fixement la boîte un long moment. Et puis, avec un air de petit garçon qui fait des confidences — ma mère aurait trouvé ça charmant —, il fit un geste de l'index en direction de Bonnie et murmura :

— Qu'est-ce qu'elle fait là ?

— Elle me seconde dans mon enquête. Elle m'aide à comprendre le comportement de Spencer.

— Ah... dit-il, hésitant.

Sa bouche s'entrouvrit mais rien ne sortit.

— Tu veux qu'elle aille faire un petit tour ?

Ma proposition le soulageait. Il inclina la tête comme pour un salut.

Je m'approchai de Bonnie et chuchotai :

— Tu sais conduire une Type E ? OK, tu sais où est la réserve naturelle qui se trouve à quelques minutes d'ici, au nord ? Vas-y. Et restes-y une heure et demie à peu près. Ensuite, va chez ton pote Friedman. Gare la bagnole assez loin de la maison. Et ne l'appelle pas pour le prévenir. Arrange-toi pour passer par-derrière, sa baraque est peut-être surveillée. Pigé ?

Elle était tout ouïe, bien concentrée.

— Ouais.

— Tu vas expliquer ce qui se passe à Friedman. Etant donné les circonstances il ne va pas te demander de te rendre. Alors serre les fesses et attends.

— Tu as besoin d'aide ? Tu veux que j'appelle quelqu'un ?

— Non.

— Promets-moi que...

— Oui, je te promets de faire gaffe. Ecoute, si pour une raison ou une autre tu te fais piquer — tu te fais coffrer — motus et bouche cousue.

— OK.

Son regard se posa aussitôt sur le frangin. Si je n'arrivais pas à le pincer, lui, il y avait de fortes chances pour qu'on la pince, elle. Elle devait douter de ma capacité à le faire parler, ou craindre que je ne flanche.

— Je m'en remets à toi.

C'est tout ce qu'elle me dit. Même pas au revoir. Et puis elle prit les clefs de la bagnole et sortit.

— Tu as tué Spencer, dis-je.

— Steve, je t'en prie.

— Tu l'as tué.

Il s'assit sur la chaise que Bonnie avait abandonnée.

— Je ne voulais pas le tuer. — Il dit ça sur le ton d'un type qui vient de griller un feu rouge. — Désolé.

— C'est Lindsay que tu voulais descendre, n'est-ce pas ?

— Oui. Comment tu l'as compris ? A cause de la conversation sur la foudre ?

— Raconte-moi ce qui s'est passé, Easton.

— Tu sais ce qui est drôle ? — Il n'arrêtait pas de tirer sur le bas de son peignoir, comme une nana en minijupe qui n'ose pas montrer ses jambes. — Tu ne m'appelles plus East. Tu m'appelles Easton.

— Comment ça s'est passé ?

Ses yeux bleus se remplirent de larmes.

— Je voudrais que tu saches que je l'aimais vraiment, ce type. On n'avait que seize ans d'écart mais c'était comme mon père.

Il se couvrit le visage avec les mains et se mit à sangloter.

J'étais assis sur le bord du lit et je le regardais. J'aurais voulu qu'il m'émeuve, mais j'avais passé trop d'années à la Criminelle. On me l'avait jouée trop souvent, la scène de l'assassin repenti.

Les gens qui tuent sont des gens bizarres. Pas seulement parce qu'ils tirent la langue au bon Dieu, qu'ils volent la vie des autres et qu'ils commettent le seul acte vraiment universellement répréhensible. Non. Le plus fascinant chez les assassins, c'est à la fois leur différence et leur ressemblance avec le reste de l'humanité. J'avais vu des mères fondre en larmes sur le cercueil du bébé qu'elles avaient frappé à mort, des fiancés hurler de douleur aux obsèques de fiancées qu'ils avaient battues, étranglées et violées. Tous ces assassins étaient vulnérables, accablés. Je connaissais par cœur le déroulement de la scène d'aveu. Mon frère allait m'implorer du regard : « Aide-moi, aie pitié, ne sois pas dur avec moi, c'est moi le survivant dans cette histoire, l'autre victime de ce crime abominable. J'ai tout perdu. Regarde, je pleure ! »

J'agissais avec Easton comme toujours dans ces cas-là. Je lui donnais ce dont il avait besoin : du réconfort, de la sympathie.

— Ça doit être atroce pour toi, dis-je.

— Oui. C'est l'enfer.

Je secouai la tête. Comme si sa — notre — détresse m'était insupportable.

Mais quel droit avait-il de tuer ? Et de se tirer en Californie avec une garde-robe toute neuve en laissant Bonnie payer de vingt-cinq ans de sa vie à sa place ?

Je ne ressentais aucune tristesse pour mon frère et sa vie stupide, ratée, inutile. Non, et pas la moindre culpabilité non plus, à l'idée que moi, l'aîné, j'aurais dû lui inculquer des valeurs, et patati et patata. Non, j'avais froid et j'étais lessivé. C'est tout.

— Raconte-moi comment ça s'est passé, East, insistai-je.

Bon Dieu, ce que j'étais convaincant.

— Tu m'as appelé East.

Je souris.

— Je sais. Tu es mon frangin, non ? Allez, East. Raconte. Est-ce qu'il avait déjà été question de supprimer Lindsay avant ce fameux soir des rushes ?

Il arrivait que ça m'échappe, mais en général, je n'utilisais pas le mot « tuer » quand j'interrogeais un assassin.

— Non, absolument pas. Je savais que ça ne marchait pas fort entre eux et que, du jour au lendemain, Sy s'était mis à lui battre froid. Mais tu imagines bien qu'il n'était pas du genre à faire des confidences.

— Mais il y a eu ce fameux soir des allusions à la foudre. Si Lindsay mourait, *Nuit d'été* était sauvé. Alors que s'est-il passé ?

Easton ne répondit pas. Il se contentait de tirer sur l'ourlet de son affreux peignoir, un truc que ma mère avait acheté en démarque chez Saks en prévision des cadeaux de Noël. C'était du tissu éponge à poils longs qui tenait le milieu entre le gris et le marron. Parfait pour une serpillière.

— Qui a parlé le premier de se débarrasser de Lindsay ? Toi ou lui ?

— Moi, mais pas aussi brutalement que ça. Je lui ai demandé comment marchait l'assurance. Il m'a expliqué que, quand un acteur décède, l'assurance paye pour qu'on puisse recommencer le film. Si le temps prévu du tournage est de quarante-cinq jours et que l'acteur meurt le quinzième, par exemple, le producteur est indemnisé sur quinze jours. Moins une franchise de deux cent mille dollars, soit l'équivalent de trois jours de tournage. Sy disait que ça restait correct.

— Mais il n'a pas parlé d'aider un peu le destin ?

— Non. Pas à ce moment-là.

Il avait l'air contrarié, le petit frère, comme s'il se demandait pourquoi Spencer n'avait pas deviné d'emblée qu'il voulait l'aider. J'étais convaincu que les questions d'Easton sur les assurances étaient une façon pour lui de mettre Spencer sur la voie. Peut-être que Spencer n'avait même pas eu l'idée de supprimer Lindsay avant ça. Qui sait ? En tout cas, ça avait fini par arriver. « Si seulement la foudre pouvait lui tomber dessus... »

Mais Spencer n'était pas idiot. Il savait qu'on ne joue pas impunément avec le feu et que seul un expert — comme Mikey — pouvait faire proprement le boulot. Pas un gugus comme le frangin. C'est pour ça qu'il avait ignoré la perche longue comme ça que lui tendait Easton : « Je suis ton homme. Ton assistant dévoué. Je ferais n'importe quoi pour toi. » Mais Spencer voulait un pro. Et le pro s'était révélé être le moins con des trois. Il avait dit non.

— Quand est-ce que le sujet est revenu sur le tapis ?

— Mercredi soir.

Je me rassis sur le plumard, comme si je voulais me

mettre à l'aise pour entendre les exploits de mon frère qui rentrait de l'école.

— Dis-moi comment c'est revenu dans la conversation, demandai-je.

— Ça m'a surpris, figure-toi. Il y est allé franco. Il m'a dit : « Il faut en finir avec Lindsay. » Il avait déjà fait sa réservation et pris ses rendez-vous à Los Angeles et il voulait que ça se fasse pendant le week-end.

Easton parlait vite, sans hésitation. Il ne fallait pas que je l'interrompe, même pour lui demander pourquoi il s'était finalement pointé à Sandy Court le vendredi, un jour avant le week-end.

— Il ne m'a pas dit « Tu veux le faire ? », ni rien. Il était sûr que j'allais le faire.

— Ça faisait partie du personnage, c'est ça ?

— Oh, ça suffit, épargne-moi tes sarcasmes.

— East, je ne cherche pas à être sarcastique. Je veux simplement être direct. Pas de comédie entre nous, tu es mon frangin, non ?

— Ne me materne pas, Steve. C'est tout ce que je te demande.

— Je ne te materne pas. Bon, alors c'est lui qui a monté le plan ou c'est toi ?

— Il avait déjà pensé à tout. Il avait imaginé le coup de la lettre de l'admirateur fou. On ferait croire que Lindsay avait reçu une lettre d'amour d'un type qui menaçait de la tuer si elle ne répondait pas.

— Mais elle ne lui est jamais parvenue, cette lettre ?

— Non, mais elle recevait des tonnes de lettres délirantes. Tous les acteurs en reçoivent. C'est pour ça que le plan était excellent. Elle en avait parlé à son agent et aussi à des amis de Sy, il y a quelques semaines, pendant un dîner. Sy pensait que le meurtre aurait très bien pu être la suite macabre d'une de ces lettres. Il raconterait à la police qu'elle avait l'air anxieuse depuis qu'elle avait reçu une lettre de menace mais qu'elle ne la lui avait jamais montrée. Il aurait raconté qu'il avait essayé de la convaincre d'engager un détective privé, mais qu'elle était trop absorbée par le tournage pour s'en occuper sérieusement. Moi, j'étais censé dire — seulement si on me demandait quelque chose — que j'avais effectivement entendu Lindsay parler de cette lettre à Sy.

— Il voulait écrire une lettre ?

— Non. Après mûre réflexion, il avait décidé que c'était trop risqué. Les enquêtes de police sont beaucoup trop sophistiquées de nos jours. Il ne voulait pas se faire pincer bêtement.

Je n'arrivais pas bien à jauger l'intelligence d'un type comme Sy Spencer. D'abord il arrive à monter un plan en béton en deux jours de temps, le crime parfait, en quelque sorte. Mais ensuite, au lieu d'essayer de convaincre Mikey de faire le coup, il s'adresse à un amateur comme mon frangin. Le brillant producteur n'était peut-être pas si brillant que ça, après tout. Il avait monté et produit sa propre mort.

— Qui a pensé au flingue ? dis-je.

— Moi. Il voulait que je la poignarde.

— Ça aurait fait du vilain.

— Oui. Mais il faut reconnaître que c'était plus convaincant, expliqua Easton. La poignarder une fois pour la tuer et ensuite la transpercer de coups de couteau comme l'aurait fait un fou. Mais je ne me sentais pas capable de le faire.

Je hochai la tête gravement, je voulais qu'il sente que j'étais touché par sa sensibilité.

— Alors je lui ai dit que, tout gosse, je tirais bien au revolver. En plus, ça tombait bien puisque j'avais déjà l'arme à portée de la main. Pas besoin d'aller en acheter une. Il voulait surtout ne laisser aucune trace.

— Il n'avait pas tort. Nous avions vérifié tous les carnets de commande des armuriers de la région sur les six derniers mois. Il était malin.

— Très.

Les yeux du frangin s'embuèrent à nouveau. Il renifla.

— East, comment as-tu eu le cran de prendre un flingue qui n'avait pas servi depuis des années ? Et surtout, comment savais-tu que tu pourrais abattre Lindsay Keefe du premier coup ?

Il sourit. Visiblement, il avait pensé à tout.

— Eh bien, c'est vrai qu'il m'a fallu pas mal de cran. Mais j'ai pensé très vite. Même si j'ai mis une éternité à trouver la clef du cadenas de l'armoire à fusils. Tu ne devineras jamais où elle était.

— Sur le dessus de l'armoire.

— Tu le savais ?

— Ouais. Tu aurais dû me passer un coup de fil, ça t'aurait fait gagner du temps.

Nous eûmes tous les deux un petit ricanement.

— Alors, tu as sorti le flingue, tu as refermé l'armoire et tu as fait prêt, en joue, feu !

— Non. Je l'ai nettoyé.

— Malin. Et tu l'as essayé ?

Il baissa la tête.

— J'ai fait un peu d'entraînement.

— Où ça ?

— Près de Riverhead.

— Ah, oui, je vois. J'y suis déjà allé. Comment tu t'es procuré les balles ?

— Chez un marchand, tout près du centre de tir.

— Tu as fait des cartons ?

— Oui, un peu. Mais c'est comme le vélo, ça revient vite.

— C'est vrai, dis-je.

— Et puis, à vingt mètres, c'est facile.

— Sy et toi, vous avez décidé ensemble de l'endroit où tu te placerais ?

— Oui. On voyait toute la piscine de cet endroit-là, et en même temps, on pouvait se cacher dans l'ombre de la véranda. Il fallait juste que je fasse attention à ce que personne ne me voie. Sy serait à Los Angeles et la cuisinière, en congé. Le seul risque, c'était que Lindsay invite quelqu'un à boire un verre. Ou Santana pour... tu sais quoi.

— Qu'est-ce qu'il t'a dit de faire au cas où Santana serait avec elle ?

— D'attendre qu'il parte.

— Et sinon ? De te débarrasser de lui aussi ?

— Non. Pas le samedi. Santana serait probablement reparti avant l'heure H pour ne revenir que le dimanche après-midi. Il fallait qu'il prépare sa semaine de travail. Elle serait seule. Mais si jamais... Tu veux que je te dise tout ?

— Oui, East. Tout.

— Si jamais il restait, je devais le liquider aussi. Ça aurait eu l'air d'une tuerie de mec fou, fou et jaloux.

Je me levai pour prendre le frais à la fenêtre une minute. J'arrachai quelques feuilles à la branche qui pendait devant la fenêtre. Puis je me tournai vers le frangin.

— C'était un plan en béton.

— Oui, en béton.

— Mais alors pourquoi ça a foiré ?

Easton était de plus en plus présent. Il croisa les jambes, s'accouda à son genou et posa son menton dans sa main.

— C'est ça qui est rageant, ça aurait dû marcher. Mais tu connais les embouteillages le vendredi, sur l'autoroute de Long Island. Le plus grand parking d'Amérique.

Pas vraiment nouvelle, celle-là. On la racontait déjà en 1958. Mais on avait beau la dire et la redire, c'était toujours aussi marrant. Je partis d'un éclat de rire, comme si c'était la meilleure de l'année.

— Bon, dit Easton, apparemment content de son petit effet. La directrice du casting était complètement sur les dents — elle avait un autre film et deux pièces de théâtre sur les bras —, si bien que je suis parti en me disant qu'elle n'aurait jamais pu préciser à quelle heure j'étais passé. Ensuite je ne suis pas resté plus de deux minutes chez le chemisier de Sy. Alors, au lieu de revenir par l'autoroute, j'ai pris toutes les petites routes les plus reculées. Quelque chose d'inouï, l'état de ces routes, des nids-de-poule assez grands pour y faire tenir un type et sa Jaguar en entier !

Je ris encore. Bravo ! Très drôle ! Bien sûr, j'étais bon public. Il le fallait, ça faisait partie du métier. Le suspect devait se sentir à l'aise et sentir que vous étiez capable de l'apprécier. C'était du bidon, et jusque-là ça ne m'avait jamais gêné de tricher. Mais cette fois-ci, le moindre sourire, le moindre signe de tête complice, me coûtait terriblement.

Une fois ou deux j'avais été pris d'une envie presque irrépressible de lui rentrer dans le lard, de le faire tomber de sa chaise et de lui écrabouiller sa belle petite gueule sur le plancher. L'assassin était un homme du monde et le flic, une brute épaisse.

— Alors tu as mis les gaz et tu es rentré plus tôt que prévu à la maison, c'est ça ?

— Oui, un peu avant seize heures. J'avais été très tendu toute la journée, tu imagines. Le week-end ne s'annonçait pas de tout repos.

— Non, pas vraiment, acquiesçai-je.

— Alors je me suis dit : pourquoi attendre ? La tension que je ressentais intérieurement était devenue insupportable, mais je gardais mon sang-froid. J'avais promis à Sy d'attendre samedi ou dimanche pour être sûr qu'il était bien en Californie. J'ai appelé Los Angeles pour vérifier que l'avion de dix heures quinze était bien parti à l'heure. On m'a répondu oui, qu'il avait atterri un peu après seize heures, heure de New York. C'est comme ça que — il redressa les épaules, tout fier — j'ai su qu'il était déjà là-bas !

— Tu n'as pas essayé de le joindre pour t'en assurer ?

La morgue du frangin venait de s'évanouir. Il se tenait tout recroquevillé, comme un vieux.

— Je ne voulais pas qu'il sache que j'étais angoissé et qu'il pense que je n'étais pas capable de le faire. Il m'avait dit qu'on se téléphonerait, pour la routine, mais pas la peine de se mettre à délirer.

Il y avait quelque chose qu'Easton ne voulait pas dire. Je le sentais. Il souriait comme un gosse qui a déchiré son carnet de notes et qui veut le cacher à sa mère.

— Je crois que tu ne me dis pas tout, East, dis-je gentiment.

— Sy avait laissé un message sur mon répondeur.

— Un message qui disait quoi ?

— Qu'il avait changé d'avis. Qu'il prendrait l'hélico pour attraper le vol de dix-neuf heures au lieu de celui du matin, et qu'il m'appellerait de l'hôtel. Mais je n'ai pas écouté les messages quand je suis repassé à la maison. Je n'ai même pas pensé à regarder s'il y en avait. Je n'arrive pas à croire que j'ai pu passer à côté d'un truc pareil. C'est du boulot bâclé. Je me suis changé, c'est tout...

— Tu as mis les tongs ?

— Oui. Et un short et un T-shirt pour passer inaperçu.

— Et le flingue ?

— Je l'avais sorti du placard et planqué dans le coffre de la voiture dans un sac de sport en toile. Sy m'avait dit de remplir le sac de vêtements, comme ça j'aurais l'air de quelqu'un qui part en week-end, pas d'un type qui porte une carabine. Un sac vide avec juste une carabine dedans risquerait d'attirer l'attention.

— Ensuite ?

— J'ai procédé à la lettre comme il avait été convenu. Je suis allé en voiture jusque chez Sy et je l'ai garée en bordure de la maison du côté du garage, sur une esplanade qu'on ne peut pas voir quand on est devant la maison. J'ai baissé la vitre, coupé le moteur et j'ai attendu cinq minutes, montre en main.

— Il voulait que tu t'assures qu'il n'y ait personne ?

— C'est ça. Ensuite je suis sorti de la voiture, j'ai pris le sac et je suis allé directement me poster sous la véranda.

— Il était quelle heure ?

— Un peu plus de quatre heures. Je savais que sur le plateau ils avaient tourné la scène où Lindsay se jette tout habillée dans la mer. Avec un peu de chance, elle allait piquer sa crise et ils la laisseraient partir de bonne heure. Ça c'était passé comme ça les deux vendredis précédents.

— Parce qu'elle était fatiguée ?

— Non. Parce que c'était la fiancée de Sy et qu'elle était gâtée pourrie.

— Ils pouvaient continuer de filmer même sans elle ?

— Bien sûr. Jusqu'à six ou sept heures. Ils devaient tourner les répliques de Monteleone. En général, les acteurs préfèrent que leurs partenaires soient là pour leur donner la réplique, mais Nick ne se serait pas plaint si Lindsay était rentrée de bonne heure, au contraire. Et je comptais dessus.

— Et Mme Robertson ?

Easton se frappa le front. Bon sang, mais c'est vrai. C'était vendredi !

— Tu avais oublié ?

— Complètement. Elle m'a vu ?

— Arrête, East. Tu sais bien que je ne peux pas te répondre. — Je dis ça d'un air complice, comme un gamin qui joue à chaud ou froid avec son petit frangin. Je repris : — Alors tu t'es posté sous la véranda. Et puis ?

— Eh bien elle était là, debout au bord de la piscine, en train de parler au téléphone. Mais ça n'était pas elle.

— Tu ne pouvais pas entendre la conversation, j'imagine ?

— Non. Pas avec le bruit des vagues et la musique qui sortait des haut-parleurs.

— Il était de dos ?

— Oui. Et il portait un peignoir blanc exactement comme celui de Lindsay. En fait il y a des quantités de peignoirs comme ça dans la maison, pour les invités, mais on aurait vraiment dit Lindsay. Je t'assure, Steve.

— Je te crois. Petit, fluet... avec la capuche sur la tête.

Le frangin avait l'air ahuri.

— Pourquoi il a mis la capuche ?

— Parce qu'il venait de se baigner et qu'il avait les cheveux mouillés.

— Quelle connerie ! Dire que s'il n'avait pas mis la capuche je l'aurais reconnu tout de suite.

— Quand t'es-tu aperçu que c'était lui ?

Il avala sa salive bruyamment.

— En rentrant à la maison.

— Tu as tiré et puis tu es rentré aussitôt ?

— Oui, c'était convenu comme ça. « Rentre chez toi, pas trop vite, mais sans traîner non plus. » Comme si on pouvait foncer avec un trafic pareil. Une fois à la maison, je devais l'appeler au *Bel Air* et s'il n'était pas là je devais laisser un message, dire que j'avais vu la directrice du casting et que tout était OK. En cas de problème, je devais dire que j'allais lui envoyer trois copies du scénario par fax. — Il décroisa les jambes et se redressa. — Tu ne peux pas imaginer l'effet que ça m'a fait quand j'ai écouté sa voix sur mon répondeur ! Quand je l'ai entendu dire qu'il prenait l'avion de dix-neuf heures et puis...

Il n'y avait pas de doute, les larmes du frangin étaient sincères. Mais son cirque était quand même répugnant. Il se leva, alla vers le mur et se mit à donner de grands coups de poing dans la paroi, encore et encore. Le genre de scène qu'on n'aurait jamais vu dans un film de Spencer. « C'est trop ! aurait lancé Spencer. On recommence ! »

— Et puis, j'ai entendu la voix du gosse, l'assistant de production, qui disait : « Je vous signale que M. Spencer a été en quelque sorte assassiné, chez lui. » Bon sang !

— Je ne sais pas quoi te dire, East. Quel choc.

Il se tourna vers moi et s'adossa au mur.

— Qu'est-ce que je vais devenir, Steve ?

Il s'essuya les yeux avec le revers de son peignoir.

Je ne lui répondis pas.

— Parle-moi du scénario que tu m'as montré, *La Nuit du matador.*

— Il avait des étagères bourrées de scénarios chez lui. J'en ai pris un au hasard, le samedi soir, juste après le départ de la police. Quand je me suis rendu compte de ce que j'avais fait, j'ai compris qu'il fallait que je donne l'impression d'une relation privilégiée avec Sy, qu'il était mon mentor. Comment aurais-je pu assassiner mon sauveur ?

— Parle-moi de Lindsay, dis-je. Tu jouais les amoureux transis, mais c'était du bidon, non ?

— Bien sûr. Je savais très bien ce qu'elle valait.

— Mais pourquoi tu m'as fait croire que tu étais fou d'elle ?

— J'y ai pensé après coup, dit-il en s'animant un peu à l'idée de sa clairvoyance. Je me suis dit que si jamais la fameuse conversation du soir des rushes refaisait surface et qu'on arrivait à faire le lien entre la mort de Spencer et Lindsay... remarque, les chances étaient à peu près nulles, mais je me suis dit qu'en jouant les amoureux transis, la police ne me soupçonnerait jamais.

— Erreur, si on avait fait le lien et compris que c'était Lindsay qui était visée au départ, tu aurais été parmi les premiers suspects.

— Pourquoi ?

Il avait l'air contrarié.

— Parce que tu avais un lien affectif avec elle.

— C'est stupide.

— Peut-être bien, mais c'est ça les flics. Ils sont

stupides et sans imagination. La mentalité du fonctionnaire, quoi. On fait où on nous dit de faire.

Il hocha la tête, paternaliste.

— Et ça ne pisse pas haut.

— Ouais, peut-être bien. N'empêche qu'on t'a eu, Easton. Pas vrai ?

— Non ! — Il se précipita sur moi et me saisit par les épaules. — Steve, tu ne vas pas faire ça ? — Il ouvrait des yeux immenses, incrédules. — Steve, tu es fou, ou quoi ? Je suis ton frère.

— Je sais.

— Comment peux-tu faire une chose pareille ?

— Habille-toi, dis-je.

Mais il restait planté là, juste devant moi, accroché aux épaules de ma veste.

— Il est tard. Secoue-toi.

— Pense bien à ce que tu vas faire, Steve. Pense à maman.

— Elle va bientôt rentrer. Tu pourras lui expliquer toi-même ce qui se passe. Et si jamais elle est retenue à l'extérieur, je repasserai plus tard. Une fois que je t'aurai emmené au poste.

Il laissa retomber ses mains. Il parlait d'une voix douce, gentille, pleine de compassion.

— Steve, cette histoire, elle en mourra.

Il me faisait le coup du brave fiston.

— Je ne crois pas.

— Je la connais mieux que toi. Elle ne survivra pas à un coup pareil.

— Mais si.

— Tu crois qu'elle est forte ? Elle n'est pas forte.

— Je le sais. Mais elle est vide en dedans. Elle survivra. Ecoute, ne me fais pas avoir l'air plus flic que je ne le suis déjà. Habille-toi.

Mais au lieu de s'habiller, il s'assit sur la chaise.

— Qu'est-ce que ça te coûterait de me laisser partir ?

— La vie de Bonnie Spencer.

— Non.

— Si. Il y a un mandat d'arrêt contre elle.

— Mais pourquoi elle était avec toi, alors ?

— Je sentais qu'elle était innocente et je voulais la protéger.

Je regardai au-dehors. La lumière faiblissait, prélude au crépuscule.

— Tu veux qu'on m'arrête ? Tu veux que j'aille en prison ?

J'avais gardé les deux feuilles dans la main. Je passai mon doigt sur une tige, sur les nervures.

— Steve, cria Easton. Qui est-elle, elle ? Pourquoi tu veux la protéger, elle et pas moi ?

— Parce qu'elle est innocente.

Je m'adressais aux feuilles dans ma main, pas à Easton.

— Mais moi je suis ton frère !

— Tu es un assassin.

Easton se leva et alla à la fenêtre. Je m'approchai d'un pas, des fois qu'il aurait voulu sauter. Mais il ne bougeait pas, il contemplait la lumière finissante.

— Sy ne reviendra plus jamais, maintenant, dit-il.

— Je sais.

Il me regarda.

— Je ne veux pas que cette femme aille en prison à ma place.

— Depuis quand ?

— Ecoute. Je suis sûr qu'on peut arranger quelque chose. Je peux lui trouver un alibi.

Je ne réagissais pas.

— Attends une seconde. Ecoute. (Il se frottait les mains l'une contre l'autre.) D'abord, je vais dire que Sy l'aimait beaucoup, qu'entre lui et Lindsay ça ne marchait plus très fort, qu'il avait l'air très heureux avec son ex-femme — et qu'il ne s'en cachait pas. Bon. Ensuite je dirai que je n'ai pas parlé de ça plus tôt parce que j'étais amoureux de Lindsay et que je ne pouvais pas supporter l'idée de la trahir. Je reconnaîtrai mes torts. Je me confondrai en excuses. Bref, comme ça ils verront que l'ex-femme de Sy n'avait aucune raison de le tuer. Et puis je dirai... Je sais ! Je me suis arrêté à une cabine téléphonique pour l'appeler en rentrant de New York, pour lui dire quelque chose au sujet de son scénario, elle a répondu elle-même, ce qui prouve qu'elle était chez elle.

— Non.

— Pourquoi pas ?

— Parce que c'est cousu de fil blanc, ton histoire. Bonnie Spencer est une fille honnête, qui n'accepterait jamais un truc comme ça. Et puis elle n'a aucune raison de mentir. On a découvert l'assassin, East.

— Avec toi, c'est tout blanc ou tout noir, jamais gris.

— Je me serais bien passé de tout ça, dis-je.

— Mais il n'est pas trop tard.

— Je n'ai pas le choix. Je suis flic. Je sais que le monde n'est pas tout blanc ou tout noir, mais moi on me demande de faire comme si.

Easton s'approcha et mit ses bras autour de mon cou. C'était une vraie embrassade. La seule que j'aie jamais eue avec un membre de ma famille, sauf avec mon ivrogne de paternel, quand il était là.

— Steve, dit-il. J'ai besoin de toi. Ma vie n'est qu'une enfilade de conneries. Et aujourd'hui je touche le fond. Je n'ai jamais compris qui j'étais, ni ce que je voulais devenir. J'ai tout raté. Pire que ça, même. J'ai fait quelque chose d'horrible.

Je lui caressai la tête. Ses cheveux étaient beaucoup plus doux que les miens.

— J'ai commis l'irréparable, mais je suis tellement minable, tellement raté que je n'ai pas voulu l'admettre. Jusqu'ici. — Il relâcha son étreinte et se recula. — Je veux simplement que tu me comprennes. S'il te plaît.

— Vas-y, je t'écoute.

— Je sais que tu me considères comme un parasite. Et tu as raison. Jamais je ne me suis demandé ce qui était important dans la vie. Et si je m'étais posé la question, j'aurais sans doute pensé à l'amour ou à l'amitié, mais je m'en fichais. Ça ne m'aurait pas empêché de continuer mes magouilles. Or aujourd'hui c'est différent. Je risque d'aller en prison pour le reste de mes jours. Tu sais ce que c'est la prison.

— Oui.

— C'est aussi terrible qu'on le dit ?

— C'est pire.

— Je te jure que, jusqu'à la fin de ma vie, je vais essayer de racheter ma faute. — Il était debout devant moi dans la lumière bleue, or et rose du crépuscule. — Nous n'avons jamais été proches, toi et moi. Mais je suis ton frère. Je ne demande pas un traitement de faveur, Steve, je te demande — je te supplie — de me donner une chance. On n'a jamais vraiment eu notre part de bonheur, toi et moi, tu le sais bien. Et moi j'ai perdu la mienne à tout jamais. Mais je n'aurai pas absolument tout perdu si j'obtenais quelque chose... quelque chose de toi.

— Quoi ?

— Le pardon.

Je ne le voyais pas, je regardais la lumière au-dehors. C'était l'heure magique. Si fugace. Au cinéma l'heure magique apparaît deux fois : après l'aurore et avant le crépuscule. Deux fois par jour, c'est l'heure de rêver. Mais dans la vie, les occasions de rêver sont si rares.

Si j'arrêtais moi-même Easton, ça le foutrait en l'air pour de bon. Il avait parlé de pardon. J'aurais pu lui donner une chance. Ce qu'il avait dit était vrai : Sy ne reviendrait jamais. En plus, je n'avais même pas besoin d'être son complice dans une sombre magouille de faux alibi. Je n'avais qu'à me laisser mettre KO par lui. Il s'échappait et repartait à zéro dans une nouvelle vie.

— Tu ne peux pas pardonner, Steve ? Tu ne t'es jamais trompé, toi ?

— Tu rigoles ? Toute ma vie je me suis gouré. Je ne m'en cache pas.

— Eh bien moi, c'est pareil.

— Non, East. J'ai fait les pires conneries, mais en sachant que les lois existent. Je savais qu'il y a un bon Dieu.

— Mais Dieu, lui, il pardonne.

— Je sais. Et peut-être qu'il te pardonnera, ou qu'il t'a déjà pardonné. Je n'en sais rien. Peut-être que moi aussi, personnellement, je peux te pardonner. Mais tu as pris la vie d'un autre.

— Qu'est-ce que tu veux dire ?

Les feuilles tombèrent par terre.

— Je veux dire que tu ne t'en tireras pas avec un pardon.

— Tu ne vas pas me jeter en prison ?

— Non. Ça n'est pas mon boulot. Mon boulot à moi est beaucoup plus modeste. Je vais simplement t'arrêter pour le meurtre de Sy Spencer.

— C'est la même chose !

— C'est mon devoir.

— Je leur dirai que tu as tout inventé pour sauver cette femme !

— Le flingue, East. L'analyse balistique. Les tongs.

— Quelqu'un d'autre aurait pu prendre le 22 ou mes tongs.

— Et les remettre en place après avoir fait le coup ?

— Essaye donc de prouver que c'est moi.

— Un homme a acheté des balles dans un magasin près de Riverhead, un centre de tir où il s'est entraîné la veille du meurtre avec une vieille Marlin 22. Un beau gosse dans les trente-cinq ans. Tu crois que les témoins ne vont pas te reconnaître sur la photo ? Ou au cours d'une confrontation ? Ou pendant le procès ?

J'ouvris la penderie.

— Prépare-toi, East. Il faut y aller.

Il savait que contre moi il ne faisait pas le poids. Il aurait pu essayer de s'enfuir, mais il en était incapable, au fond. Alors il se contenta de tourner en rond comme un fou, pendant une minute ou deux. Puis il s'habilla. Il n'avait rien de mieux à faire. Il n'allait quand même pas sortir en pleine saison, un vendredi soir en plus, avec son espèce de serpillière sur le dos. Mon frère avait trop de classe.

22

Finalement j'appelai Ray Carbone chez lui pour lui demander de venir. Je ne me sentais pas le cœur à traverser toute la maison avec Easton menottes aux poignets pour l'amener au poste. Inutile de faire la une des journaux du lendemain : « Un flic de la Criminelle arrête son propre frère. La mère est déchirée. »

Ma mère, comme je l'imaginais, ne pleura pas. Elle rentra à la maison vers les sept heures du soir, quelques minutes après l'arrivée de Carbone. Elle avait un ou deux verres dans le nez parce qu'elle revenait de chez une de ses « amies » charitables, avec un nom de chien comme Skip ou Lolly. Quand elle réalisa ce qui s'était passé, elle ne cria pas, ne s'évanouit pas et ne fit pas d'arrêt cardiaque.

Elle s'effondra sur le divan. J'allai lui chercher un verre d'eau. Avant d'être emmené, Easton se baissa et l'embrassa. Il avait visé la joue mais il rata son coup et l'embrassa sur le nez. Il lui dit qu'il était désolé pour elle, pas pour lui. Carbone me prévint qu'il resterait toute la nuit au QG si jamais je voulais le joindre. Puis il bredouilla à ma mère qu'il était désolé.

Je pris un tabouret et m'assis en face d'elle. Elle avait de l'allure, ma mère. Des traits fins, réguliers, de grands yeux bleu-vert et une silhouette de jeune femme. Après ces quelques minutes d'abattement sur le canapé, elle se redressa, comme si elle avait avalé un manche à balai. Son dos formait un angle parfaitement droit avec ses cuisses.

— Qu'est-ce que je peux faire ? demanda-t-elle.

Je lui dis qu'Easton allait avoir besoin d'un avocat. J'allai à la cuisine chercher le numéro de Bill Paterno dans l'annuaire. Elle me demanda si ça allait coûter cher et je lui dis oui, mais qu'il était très fort et quand elle l'appellerait, qu'elle lui dise que je lui passerais un coup de fil le lendemain matin pour voir ce qu'on pouvait faire.

— C'est toi qui vas payer ? demanda-t-elle.

— Ouais.

— Pas « ouais ».

— Oui, dis-je.

— Tu crois Easton vraiment capable de faire ça ?

Je lui dis que oui et je lui énumérai toutes les preuves que nous avions contre lui. Elle me demanda si je pensais que le jury le reconnaîtrait coupable et je lui répondis que Bill Paterno plaiderait sûrement coupable d'emblée pour éviter un procès public. Mais Easton irait en prison de toute façon.

— Je n'ai peut-être pas fait ce qu'il fallait, dit-elle calmement.

— Non. C'est Easton qui a fait ce qu'il ne fallait pas.

Son port de reine était devenu un port d'impératrice.

— C'est incompréhensible. Ça n'était pourtant pas un garçon turbulent, dit-elle sans préciser qui l'avait été. — Malgré les circonstances, assise comme ça elle avait vraiment de l'allure : le look country club années cinquante. — Il manquait d'énergie, c'est vrai, mais on ne peut quand même pas condamner les gens pour ça.

— Non.

— Il n'était pas fait pour le cinéma, murmura-t-elle.

Plus personne ne s'habillait comme ma mère de nos jours. Plus personne n'aurait consacré autant de temps à se fabriquer une tête aussi démodée. Elle mettait de gros bigoudis tous les soirs pour donner du volume à ses cheveux et pour se refaire une coiffure de petit page en les laissant retomber en rouleaux de chaque côté du visage. Elle s'épilait presque entièrement les sourcils pour les redessiner tout fins ensuite au crayon brun. Elle mettait de la poudre très claire, du rouge à joues très rouge et un rouge à lèvres assorti (un peu effacé par les deux Martini qu'elle avait bus). Elle avait les ongles courts et peints, en rouge, eux aussi.

— Il aurait dû entrer dans une banque. Il ne serait pas devenu P-DG, je ne me fais pas d'illusion. Mais il s'acharnait à être vendeur alors qu'il était incapable de vendre quoi que ce soit à qui que ce soit. Bon, et puis il a fini dans le cinéma, avec tous ces gens. C'est un milieu épouvantable. Il n'était pas de taille pour affronter ces gens-là.

— Non.

— Il m'avait pourtant semblé qu'il aimait bien ce type. Celui qu'il a tué.

Je lui expliquai comment ça s'était passé, comment Easton avait pris Spencer pour Lindsay.

Elle demanda :

— Mais pourquoi il n'a pas tout simplement dit non ?

— Je ne sais pas, m'man.

— Ni moi non plus.

Je proposai de lui préparer un truc à manger, mais elle n'avait pas faim. Ça irait comme ça. En clair, ça signifiait qu'elle voulait être seule. Je lui demandai quand même si elle voulait que je reste pour la nuit, ou bien si elle préférait venir chez moi. Elle me dit non merci et qu'elle m'appellerait si elle avait besoin de moi. Je lui dis que je passerai la voir à la première heure le lendemain matin.

— Ils vont en parler dans les journaux, dit-elle. Et à la télévision.

— Il va y avoir un ou deux jours difficiles, ajoutai-je. Je sais que pour toi ça risque d'être pénible beaucoup plus longtemps que ça.

— Tu crois qu'ils vont me mettre à la porte ?

— Non. Ils ont trop besoin de toi. Et puis la plupart des gens vont faire un effort.

— Ils ne comprendront jamais, cela dit. Ils seront polis, voilà tout. Intérieurement, ils penseront que c'est ma faute, que je n'ai pas été à la hauteur. — Elle se leva. — J'aimerais être seule à présent.

— Je suis désolé, m'man.

Mais elle me laissa sur le cul quand elle répondit :

— Pourquoi ça ? Tu n'y es pour rien. C'est ton frère l'assassin, pas toi.

Et juste au moment où j'étais prêt à jouer les fils aimants, à lui prendre la main ou à lui bredouiller un : « Tu peux compter sur moi, m'man », elle ajouta :

— Je voudrais que tu t'en ailles, maintenant.

Je lui dis bonsoir. Elle fit de même.

Ray et le Chimpanzé étaient en train de regarder la bande de la déposition d'Easton sur le moniteur vidéo du bureau de Shea. La couleur était légèrement violacée. Carbone demandait : « Vous les avez payées en liquide, les balles, ou avec une carte de crédit ? » et le frangin, qui voulait montrer que lui et Spencer avaient pensé à tout, répondait : « En liquide. Pas de traces : c'était notre devise. »

Shea me dit :

— On va te montrer le début. On lui a bien expliqué quels étaient ses droits. On ne l'a pas obligé à...

Je l'interrompis :

— S'il veut parler, ça le regarde.

— Et ta mère, elle a pris ça comment ?

— Elle est dans le coltard.

Je ne précisai pas que, chez nous, c'était congénital. Comme il y avait eu pas mal d'eau dans le gaz entre Shea et moi ces derniers temps, je me suis dit qu'il fallait que je fasse un effort.

— Je lui ai proposé de rester avec elle, mais elle m'a demandé de partir. Je crois bien qu'elle ne voulait pas que je la voie craquer.

Cette image de la mère qui craque et qui veut épargner son fils n'avait pas grand-chose à voir avec la réalité, mais au moins on donnait l'impression d'être des gens normaux. Oui, enfin jusqu'au moment où on voyait mon con de frangin sur l'écran de télé, en train d'expliquer à Carbone qu'il avait nettoyé le 22 de mon paternel et qu'en arrivant au champ de tir la détente était complètement grippée, alors un Black avec une petite barbiche l'avait aidé.

Je dis à Shea :

— Ecoutez-moi ça, bon Dieu, j'arrive pas à croire qu'on a des gènes en commun lui et moi.

Il se leva et alla jusqu'au moniteur. Ses chaînes en or faisaient cling, cling.

— On reprendra plus tard, dit-il. Sauf si tu veux le regarder maintenant. Mais entre nous ... (il avait un ton paternaliste)... tu ne devrais pas regarder.

— Tu peux éteindre, dis-je.

Il éteignit puis se posta derrière mon fauteuil et me mit une main sur l'épaule.

— Tu veux prendre un peu de repos, Steve ?

— Peut-être bien.

— Accordé. Ray pense que tu devrais voir le Dr Nettles, à titre préventif. C'est la nouvelle psy du QG. Tu fais ce que tu veux, note bien. Ray la connaît, il dit qu'elle est très bien. Moi je trouve qu'elle a une gueule de bouledogue. — Cling, cling. Il alla se rasseoir dans son fauteuil en cuir. — Maintenant, écoute bien. Je te dois des excuses. Pour l'histoire de l'alcool et pour l'histoire avec Bonnie Spencer.

J'étais inquiet. Je pensais à Bonnie. Pourvu que toute cette histoire ne lui ait pas donné envie de retourner dans ses montagnes.

— Salopard de Robby Kurz, murmura-t-il entre ses dents.

— Robby est dans son bureau, dis-je.

— Je sais. Vous vous êtes expliqués ?

— Non. Je ne suis même pas entré. Je suis à bout. Le moindre accroc et j'explose. Ça n'est pas le moment. Il y a des problèmes plus graves à régler. Des problèmes de ton ressort.

— Le problème du cheveu de Bonnie Spencer ? dit-il.

— Oui, par exemple.

Il décrocha son téléphone et dit :

— Robby, passe me voir dans mon bureau. Non, tout de suite.

Il raccrocha et me regarda droit dans les yeux.

— Ecoute. Je compatis à l'épreuve que tu traverses. C'est un drame pour ta famille. Cela dit je ne mâcherai pas mes mots. Le QG de Suffolk County est une organisation paramilitaire. Tu sais ce que ça veut dire ?

— Que c'est toi le chef.

— Exact. Parfois tu as l'air de l'oublier. Je sais que tu as des différends avec ce type sur le plan personnel. Il se peut que le QG en ait sur le plan professionnel. Tu devines qui a la priorité ?

Juste à ce moment-là Robby entra dans le bureau.

— Assieds-toi, Robby, ordonna Shea.

Kurz me fit un petit salut de la tête et s'exécuta. A côté du beau Shea, le ténébreux des salons, Robby avait une très sale gueule. Encore plus bouffie et molle que d'habitude. On aurait dit une de ses bouchées au fromage.

— Tu étais à deux doigts de foutre en l'air la carrière de Brady, commença Shea.

— Je ne l'ai pas fait exprès.

— Alors pourquoi tu as dit qu'il était soûl ?

— Parce que je croyais qu'il avait bu.

— Et pourquoi ?

— Son comportement était bizarre et il m'a semblé qu'il sentait l'alcool.

— Quel comportement bizarre, espèce d'enfoiré de fils de pute ?

— Ta gueule, Brady, lança Shea. — Puis, se souvenant que j'étais en train de traverser une crise familiale d'une rare gravité, il ajouta : — S'il te plaît. — Puis il se retourna vers Kurz. — Je ne vais pas te traiter de menteur. Mais je mets en doute tes capacités d'observation.

— J'ai appris que le test était négatif. Je m'excuse.

Ça n'intéressait personne que j'accepte ses excuses ou pas, alors je me calai bien au fond de mon fauteuil et fermai les yeux une minute. Il fallait que j'appelle Friedman pour savoir comment allait Bonnie et pour le prévenir que ma porte de derrière était ouverte s'il voulait faire pisser Moose ou lui donner à boire.

— Voyons l'histoire du cheveu de Bonnie Spencer, maintenant, dit Shea. On a mis tous nos meilleurs gars sur cette affaire. On a passé et repassé au peigne fin l'endroit où le suspect était posté. — Il marqua une pause, pour me faire remarquer qu'il ne mentionnait pas le nom du suspect par respect pour moi. — Et il n'y avait pas un seul cheveu dans le coin. Or une semaine plus tard, comme par magie, on met la main sur un cheveu de Bonnie Spencer avec la racine et tout et tout. Le rêve pour une analyse d'ADN.

— Tu insinues que c'est moi qui ai mis le cheveu là, Frank ?

— Je suis en train de dire que Ray a vérifié l'enveloppe en plastique que nous a renvoyée le labo. Le scellé avait une drôle de tête et il manquait un cheveu. Tu appelles ça comment ?

— Je ne comprends pas. Le labo a perdu un cheveu, c'est tout. Vous savez bien qu'ils se trompent parfois.

Je pensai à Bonnie. Et si elle ne voulait pas de moi ? Si elle me trouvait trop instable ?

— Pourquoi y aurait-il eu un cheveu appartenant à Bonnie Spencer à l'endroit exact où l'assassin était posté si elle n'est pas l'assassin ?

— Elle est peut-être passée par là.

La voix de Robby devenait inaudible à mesure qu'il se tassait au fond de son fauteuil. La seule partie de sa personne qui tenait encore à peu près le coup, c'était sa mèche laquée.

— C'est tout ce que tu trouves à dire ? hurla Shea. Elle s'est baladée sur douze hectares de terrain mais son cheveu a atterri précisément à cet endroit-là ?

Robby se taisait. Shea se pencha en avant.

— Dis-moi un truc, Robby. Tu te trouves vraiment mieux que la moyenne des enfoirés qu'on coffre ici ?

— J'ai le droit d'être entendu.

On aurait dit que Robby avait déjà contacté un avocat.

— Mais, bien sûr. Le QG se fera un plaisir.

— Merci.

— Mais tu sais quoi, Robby ? Pour ce qui est de la Criminelle...

— Frank...

— Tu peux reprendre tes billes.

Pour autant que je sache, Robby Kurz n'avait pas de billes à remballer. Il ne dit rien. Il se leva et il sortit.

Je pris la Mustang décapotable du frangin pour passer chercher Moose à la maison. Elle s'assit devant, le museau en l'air et les oreilles au vent. Au feu rouge, elle contempla d'un air dédaigneux un groupe de yuppies dans une camionnette Volvo, comme une grande dame qui n'aime que les décapotables.

Je me garai dans l'allée de Bonnie. Les rouages de la bureaucratie tournaient bien, apparemment. Sa baraque n'était plus surveillée. Sa jeep était dans le garage. Pas une lumière et les portes de devant et de derrière étaient fermées. Je sonnai plusieurs fois, mais personne ne vint m'ouvrir. Je savais qu'elle devait être chez Friedman mais j'avais peur. Je m'imaginais des tas de trucs insensés. Peut-être qu'en rentrant chez elle, elle s'était pris les pieds dans un tapis et s'était ouvert le crâne. Non. Ma voiture serait là. Peut-être qu'elle avait dérapé sur une tache d'huile avec la Jaguar, qu'elle était tombée d'un pont, et que la voiture avait pris feu. Tout était silencieux à part quelques canards sauvages et le rire forcé de sa voisine, Wendy la verrue, en plein cocktail.

Pendant dix minutes, impossible de faire remonter Moose en voiture. Elle était chez elle et ne voulait plus partir. Elle fit sa crotte, courut après un lapin, puis s'allongea dans l'herbe devant la maison. J'avais l'air d'un con à taper dans mes mains. Je l'appelai : « Au pied, fillette ! Allez Moose ! Ouh, ouh, on va faire un tour ! » puis je sifflai, mais sans succès. Finalement, je la pris dans mes bras, elle et ses cinquante kilos, et la portai jusqu'à la voiture.

Il faisait nuit quand j'arrivai chez Friedman. Il habitait une grange réaménagée à une centaine de mètres en retrait de la route. Une petite plaque sur le côté de la maison indiquait Friedman-Sterling, mais les Friedman-Sterling en question avaient planté tellement de vigne vierge autour que je passai au moins cinq fois devant avant de la trouver.

J'ouvris la portière, mais avant que j'aie pu mettre un pied à terre Moose était déjà dehors, assise, langue pendante, à attendre que je la rejoigne. Je n'arrivais pas à descendre de voiture. Je refis mon nœud de cravate, je le desserrai, puis je la retirai. Après quoi j'ôtai ma veste, je remontai mes manches de chemise... et finalement je remis le tout.

Bonnie avait peut-être avalé un plein flacon de Valium en pensant que j'allais épouser Lynne et qu'elle ne me verrait plus jamais.

Je rêvais de la serrer dans mes bras. Et de l'emmener chez le Germe regarder la cassette de Di Maggio et de la présenter : « C'est elle ma copine. »

Tout à coup je pensai que je n'aurais pas dû prendre la bagnole du frangin : il s'en était servi pour ranger le flingue le jour du crime et les mecs du labo seraient fumasses en trouvant mes empreintes et des poils de chien partout.

Mon cœur se mit à battre la chamade. Elle allait refuser de me parler. C'est le copain de Gideon qui viendrait m'ouvrir. Il mettrait ses mains sur ses hanches et dirait : « Bonnie part à Hollywood demain. La CBS lui a acheté son scénario et elle est en conférence avec son agent au téléphone. On ne peut pas la déranger. Tchao ! »

Ou bien elle ne serait pas là, mais sur la route de l'aéroport pour rentrer au Utah. Elle vivrait un temps chez l'un de ses frères, en attendant que sa baraque soit vendue. Et puis elle s'achèterait un chalet dans les montagnes au bord d'une rivière. Elle ne répondrait pas à mes lettres ni à mes coups de téléphone. Il faudrait que j'aille jusque là-bas la chercher, mais elle passerait par la porte de derrière et irait se cacher dans la montagne jusqu'à ce que je parte. Au printemps, on la retrouverait morte. Morte de froid depuis le mois de février pour avoir oublié combien l'hiver est glacial dans la montagne...

L'idée de son cadavre décomposé me faisait tellement flipper que je ne vis pas venir Gideon. Je me rendis compte de sa présence quand il fut à côté de la voiture.

— Bonnie est là ? demandai-je. Elle va bien ?

— Oui, elle va bien, dit Gideon prudemment.

Je devais avoir l'air un peu barjot.

— Elle dort.

Moose, cette lâcheuse, était déjà en train de lécher les mains de Gideon.

— Elle doit être fatiguée, marmonnai-je.
— Vous voulez entrer une minute ?
C'était plutôt pas mal pour une grange. Le plafond était voûté et des tas de poutres s'entrecroisaient un peu partout. Gideon me présenta son copain Jeff. On aurait dit un videur pour boîte de nuit survoltée. Il resta juste le temps de me serrer la main et de dire : « Ravi de faire votre connaissance », en me reluquant sous toutes les coutures. A mon avis, il était impatient de me voir partir pour pouvoir se lancer avec Gideon dans une analyse détaillée de ma personne.
Un immense lustre en fer forgé pendait de la poutre centrale. C'était un truc avec des cochons, des moutons et des vaches sculptés dessus. Au premier, plusieurs portes fermées donnaient sur le palier.
— Bonnie est dans la chambre du milieu, dit Gideon en me voyant lever la tête.
Je pensais qu'il allait me dire : « Ne jouez pas avec ses sentiments », ou quelque chose de ce goût-là. Mais il me dit qu'il était désolé que mon frère soit l'assassin. Je lui appris que ma mère allait appeler Bill Paterno mais que mon frangin avait déjà tout avoué sur vidéo — moins pour que les choses soient claires que pour faire son intéressant. Et puis je lui parlai de la fierté déplacée d'Easton. Il avait tout planifié avec Spencer alors il se sentait son égal, ils étaient partenaires. J'ajoutai que je ne comprenais pas comment il avait pu accepter de laisser Bonnie payer à sa place. Gideon me dit de ne plus y penser. Il ajouta que Shea avait appelé Paterno pour l'informer de l'annulation du mandat et lui demander de bien vouloir faire part de ses excuses à Mme Spencer.
— Vous croyez qu'elle s'en remettra ? demandai-je.
— Elle est solide.
— Je sais.
— Mais ça va prendre du temps.
— Je peux monter la voir ?
— Quand on a eu la confirmation par Paterno que l'affaire était close, elle a pensé que vous risquiez de passer. Elle m'a dit de vous remercier mais que vous étiez convenus de ne plus vous revoir.
— Je veux la voir.

— Moi je dois la protéger.

C'était à qui baisserait les yeux le premier.

— Il semble que nous soyons dans une impasse, dit-il. Et comme il se trouve que vous êtes ici sur mon territoire, je vais vous demander de vous en retourner.

Il se leva.

Je me levai aussi.

— Je veux juste lui dire deux mots.

— Je ne crois pas que ce soit nécessaire.

— Ta gueule, Friedman.

— Ta gueule, Brady.

J'essayai de compter jusqu'à dix pour trouver quelque chose d'autre à dire. Mais je n'arrivai pas au-delà de deux.

— Ecoutez, je l'aime.

— Vous l'aimez ? répéta Gideon. Vous êtes un grand amoureux, à ce que je vois, pour en aimer deux à la fois.

— Je ne pense pas que ce soit vos oignons, mais je vous signale, à tout hasard, que je n'en aime pas deux. Il n'y a plus de numéro deux. Le poste est vacant. Et maintenant, je peux monter voir Bonnie ?

— Faites comme chez vous, dit-il.

Je sentis qu'elle ouvrait les yeux quand je poussai la porte. J'entrai et m'assis sur le bord du lit.

— Tu es belle, dis-je.

— Bien sûr, il fait noir comme dans un four ici.

Bonnie tendit le bras pour allumer la lampe. Ses yeux clignèrent avec la lumière.

— Redis-le, maintenant.

— Tu es belle, je t'aime. Et puis c'était quoi la troisième déjà ?

— Je suis merveilleuse.

Le pied de la lampe était un gros coq en porcelaine. Elle éteignit à nouveau.

— Tu es merveilleuse, dis-je.

— J'ai demandé à Gideon de ne pas te laisser monter.

— Je lui ai dit que je venais te dire que je t'aime, alors on est devenus potes. Je peux avoir tout ce que je veux.

Je suis ici chez moi. Sa maison est la mienne et son coq est mon coq.

Je rallumai la lampe et tirai légèrement le drap. Elle avait retiré mon T-shirt.

Elle remonta le drap jusqu'à son menton.

— Ecoute, tu n'as pas fini de te l'entendre dire, mais je suis vraiment désolée pour ton frère. C'est très moche pour toi et pour ta famille.

— Merci. C'est moche que tu aies souffert toi-même autant.

— Merci, dit-elle. Je ne veux pas avoir l'air insensible, mais je voudrais que tu me laisses, maintenant.

— Pourquoi ? Tu vas pleurer, ou quoi ?

Bonnie me donna une bourrade. Et quelle bourrade, vingt dieux !

— Tu vas rester là à me regarder longtemps ?

— Ouais.

— Eh bien il n'en est pas question. Va-t'en.

— Je ne peux pas. J'ai promis à Gideon de te demander de m'épouser.

— Bon, demande et tire-toi.

— Très bien. Est-ce que tu veux m'épouser ?

Tout à coup elle comprit. Elle ne fit aucune remarque sur mes fiançailles. Elle ne me demanda pas de partir. Elle me dit simplement :

— Oui.

Elle déclara qu'elle ne pouvait pas m'embrasser parce qu'elle ne s'était pas brossé les dents. Je l'ai quand même embrassée. Un délicieux baiser tendre et profond. Ensuite elle me demanda :

— Objectivement, je suis belle ?

— Non.

— Merveilleuse ?

— Pas mal.

Je me levai, je me déshabillai et je me mis au lit.

— Tu m'aimes vraiment ?

— Plus que tout au monde, Bonnie.

— Je le savais depuis des années, Stephen.

Et puis nous éteignîmes la lampe, pour commencer notre vie à deux.

OUVRAGES DE LA COLLECTION « NOIR »

WILLIAM BAYER
Hors champ
Voir Jérusalem et mourir

ROBERT BLOCH
Autopsie d'un kidnapping
L'incendiaire
La nuit de l'éventreur
Un serpent au paradis

JAMES M. CAIN
La femme jalouse
La femme du magicien

RAYMOND CHANDLER
Nouvelles (2 tomes)

ROBIN COOK
Mutation

FRÉDÉRIC DARD
Le bourreau pleure
C'est toi le venin
Cette mort dont tu parlais
Délivrez-nous du mal
La dynamite est bonne à boire
Une gueule comme la mienne
L'homme de l'avenue
Le maître de plaisir
Mausolée pour une garce
Le monte-charge
La pelouse
Rendez-vous chez un lâche
Les salauds vont en enfer
Les scélérats
Une seconde de toute beauté
Le tueur triste

MILDRED DAVIS
La chambre du haut
La voix au téléphone

LOREN D. EASTLEMAN
Le pro

ARTHUR CONAN DOYLE
Les aventures de Sherlock Holmes
Le chien des Baskerville
La vallée de la peur

ELISABETH GEORGE
Enquête dans le brouillard

JAMES GRADY
Le feu du rasoir

SUE GRAFTON
A comme alibi
B comme brûlée
C comme cadavre

MARTHA GRIMES
Le vilain petit canard

PATRICIA HIGHSMITH
L'art du suspense
Toutes à tuer

WILLIAM IRISH
Concerto pour l'étrangleur
Une étude en noir
Lady Fantôme
Nouvelles (2 tomes)
Une peur noire
Rendez-vous en noir

WILLIAM KATZ
Violations de domicile

DICK LOCHTE
Temps de chien

ED MCBAIN
Downtown
Escamotage
Poison
Quatre petits monstres

DAVID M. PIERCE
La neige étend son manteau blanc
Rentre tes blancs moutons
Le petit oiseau va sortir
Sous le soleil de Mexico

JACK RICHTIE
L'île du tigre

LAURENCE SANDERS
L'homme au divan noir

GEORGES SIMENON
L'affaire Saint-Fiacre
L'amie de Madame Maigret
L'âne rouge
Les anneaux de Bicêtre
Au bout du rouleau
Au rendez-vous des Terre-Neuvas
Les autres
Betty
La boule noire
La chambre bleue
Le charretier de la providence
Le chat
Chez les Flamands
Le chien jaune
Les complices
Le coup de lune
Un crime en Hollande
Crime impuni
La danseuse du Gai-Moulin
Le destin de Malou
L'écluse n°1
En cas de malheur
Les fantômes du chapelier
Les fiançailles de Monsieur Hire
Le fond de la bouteille
Le fou de Bergerac
La fuite de Monsieur Monde
Les gens d'en face
La guinguette à deux sous
Le haut mal
L'homme au petit chien
L'homme de Londres
Liberty Bar
Maigret
Maigret au Picratt's
Maigret et la grande perche
Maigret et le corps sans tête
La maison du canal
Marie qui louche
Monsieur Gallet décédé
La mort d'Auguste
La mort de Belle
La nuit du carrefour
L'ombre chinoise
Le passager clandestin
Le passager du Polarlys
Le petit saint
Le pendu de Saint-Phollien
Pietr-le-Letton
Le port des brumes
La porte
Le président
Le relais d'Alsace
La rue aux trois poussins
Strip-tease
Tante Jeanne
Les témoins
La tête d'un homme
Le train
Un nouveau dans la ville
Une confidence de Maigret
Une vie comme neuve
Le veuf
La vieille

ANDREW VACHSS
Blue Belle

JACK VANCE
Charmants voisins
Lily street
Méchante fille
Un plat qui se mange froid

HELEN ZAHAVI
Dirty week-end

LE LIVRE NOIR DU CRIME
Délits de cuite
Histoires de cinglés
Histoires de crimes passionnels
Histoires de femmes fatales
Histoires de fines mouches
Histoires de machinations
Histoires de paumés
Mômes, sweet mômes
Place d'Italie
Sacrés privés
Le Salon du Livre

Achevé d'imprimer en octobre 1993
sur les presses de l'Imprimerie Bussière
à Saint-Amand (Cher)

POCKET - 12, avenue d'Italie - 75627 Paris Cedex 13
Tél. : 44-16-05-00

— N° d'imp. 2277. —
Dépôt légal : novembre 1993.

Imprimé en France